חמשה חומשי תורה

עם

פירוש רש״י

בכתב מרובע ומנוקד

מתורגם אנגלית לפי שורה

ע״י

הרב א. בן ישעיהו והרב נ. ד. שארפמאן

בהשתתפות עם

דר. מ. צ. ארלינסקי והרב דר. מ. טשארנער

ספר דברים

PUBLISHED BY

S. S. & R. PUBLISHING COMPANY, INC.

BROOKLYN, N. Y.

PRESS OF THE JEWISH PUBLICATION SOCIETY
PHILADELPHIA, PENNA.

Printed in the United States of America
by Noble Offset Printers, Inc., New York, N. Y., 10003

THE PENTATEUCH
and
RASHI'S COMMENTARY

A Linear Translation into English

BY

RABBI ABRAHAM BEN ISAIAH

AND

RABBI BENJAMIN SHARFMAN

In collaboration with

DR. HARRY M. ORLINSKY

AND

RABBI DR. MORRIS CHARNER

DEUTERONOMY

PUBLISHED BY

S. S. & R. PUBLISHING COMPANY, INC.

BROOKLYN, N. Y.

To the everlasting memory of my Father
CHAIM MORDECAI ROSENZWEIG ע"ה
a scholar in Israel,

and my Mother
BRAHNA RIVA ע"ה
a woman of valor.

DEDICATION

This linear translation is dedicated in everlasting tribute to the memory of

MR. JOSEPH ROSENZWEIG, ע"ה,

whose beautiful personality and quiet dignity were an inspiration to all who knew him. He was loved and revered for his wholehearted support of Torah and its institutions of learning, as well as for his generous response to the needs of every cause. This translation was conceived of and supported by him to facilitate for everyone the study of Chumash and Rashi, and his encouragement and generosity made possible its completion. The spirit of Joseph Rosenzweig will endure in the pages of his Chumash.

תהא נפשו צרורה בצרור החיים

דברים

CHAPTER I — א

1 אֵלֶּה הַדְּבָרִים	1. These (are) the words
אֲשֶׁר דִּבֶּר מֹשֶׁה	which Moses spoke
אֶל־כָּל־יִשְׂרָאֵל	unto all Israel
בְּעֵבֶר הַיַּרְדֵּן	beyond the Jordan;
בַּמִּדְבָּר	in the wilderness,
בָּעֲרָבָה	in the Arabah,
מוֹל סוּף	over against Suph,

Rashi — רש״י

1 1 אֵלֶּה הַדְּבָרִים.	**1 1. These (are) the words**
לְפִי שֶׁהֵן דִּבְרֵי תוֹכָחוֹת	Since these are words of reproof,
וּמָנָה כָאן כָּל הַמְּקוֹמוֹת	and he enumerates here all the places
שֶׁהִכְעִיסוּ לִפְנֵי הַמָּקוֹם בָּהֶן,	in which they provoked the Omnipresent,
לְפִיכָךְ סָתַם אֶת הַדְּבָרִים	therefore he conceals the matters (in which they sinned)
וְהִזְכִּירָם בְּרֶמֶז	and mentions them by allusion (contained in the names of these places)
מִפְּנֵי כְבוֹדָן שֶׁל יִשְׂרָאֵל (עַיֵּ׳ סִפְרֵי):	out of respect for Israel (cf. Siphre).
אֶל־כָּל־יִשְׂרָאֵל.	**Unto all Israel**
אִלּוּ הוֹכִיחַ מִקְצָתָן,	If he had rebuked part of them,
הָיוּ אֵלּוּ שֶׁבַּשּׁוּק אוֹמְרִים;	(then) those in the street (i. e. who were absent) would have said,
אַתֶּם הֱיִיתֶם שׁוֹמְעִים מִבֶּן עַמְרָם	"You heard (reproof) from the son of Amram,
וְלֹא הֲשִׁיבוֹתֶם דָּבָר מִכָּךְ וְכָךְ?	and you did not answer anything at all (lit., regarding this and that).
אִלּוּ הָיִינוּ שָׁם	If we had been there,
הָיִינוּ מְשִׁיבִים אוֹתוֹ!	we would have answered him."
לְכָךְ כִּנְּסָם כֻּלָּם	Therefore he assembled all of them,
וְאָמַר לָהֶם: הֲרֵי כֻּלְּכֶם כָּאן.	and said to them, "Behold all of you are here.
כָּל מִי שֶׁיֵּשׁ לוֹ תְשׁוּבָה יָשִׁיב (סִפְרֵי):	Whoever has an answer, let him answer" (Siphre).
בַּמִּדְבָּר.	**In the wilderness**
לֹא בַּמִּדְבָּר הָיוּ	They were not (then) "in" the wilderness,
אֶלָּא בְּעַרְבוֹת מוֹאָב,	but in the plains of Moab;
וּמַהוּ בַּמִּדְבָּר?	what then is (the meaning of) "in" the wilderness?
אֶלָּא בִּשְׁבִיל מַה שֶּׁהִכְעִיסוּהוּ בַּמִּדְבָּר	However (ב means here) "because" of how they provoked Him in the wilderness,
שֶׁאָמְרוּ (שְׁמוֹת ט״ז)	by their saying (Ex. 16.3),
מִי יִתֵּן מוּתֵנוּ וְגוֹ׳:	"Would that we had died," etc.
בָּעֲרָבָה.	**In the Arabah**
בִּשְׁבִיל הָעֲרָבָה	(ב here means) "because" of the plain (הערבה),
שֶׁחָטְאוּ בְּבַעַל פְּעוֹר	for they sinned with Baal-Peor
בְּשִׁטִּים בְּעַרְבוֹת מוֹאָב:	in Shittim, in the plains of Moab.
מוֹל סוּף	**Over against Suph**
עַל מַה שֶּׁהִמְרוּ בְיַם סוּף	Because they rebelled at the Red Sea
בְּבוֹאָם לְיַם סוּף,	when they came to the Red Sea,
שֶׁאָמְרוּ (שָׁם י״ד)	for they said (*ibid.*, 14.11),

בֵּין־פָּארָן וּבֵין־תֹּפֶל	between Paran and Tophel,
וְלָבָן וַחֲצֵרֹת	and Laban, and Hazeroth,
וְדִי זָהָב׃	and Di-zahab.
2 אַחַד עָשָׂר יוֹם	2. (It is) eleven days' (journey)
מֵחֹרֵב	from Horeb

Rashi — רש״י

הַמִּבְּלִי אֵין קְבָרִים בְּמִצְרַיִם,	"Because there were no graves in Egypt."
וְכֵן בְּנָסְעָם מִתּוֹךְ הַיָּם,	And likewise when they journeyed from the sea,
שֶׁנֶּאֱמַר (תְּהִ׳ ק״ו)׃—	as it is stated (Ps. 106.7),
וַיַּמְרוּ עַל יָם בְּיַם סוּף	"But they were rebellious at the sea, even at the Red Sea";
כִּדְאִיתָא בַּעֲרָכִין (דַּ׳ ט״ו)׃	as it is (stated) in (the treatise) 'Arakin (fol. 15).
בֵּין־פָּארָן וּבֵין־תֹּפֶל וְלָבָן.	**Between Paran and Tophel, and Laban**
אָמַר רַבִּי יוֹחָנָן׃—	Rabbi Johanan said,
חָזַרְנוּ עַל כָּל הַמִּקְרָא	"We have gone over the entire Bible,
וְלֹא מָצִינוּ מָקוֹם	and have not found a place
שֶׁשְּׁמוֹ תּוֹפֶל וְלָבָן,	that is named Tophel or Laban.
אֶלָּא הוֹכִיחָן עַל הַדְּבָרִים	However, he rebuked them for the words
שֶׁתָּפְלוּ עַל הַמָּן,	which they uttered contemptuously (תפלו) regarding the manna,
שֶׁהוּא לָבָן,	which is white (לבן),
שֶׁאָמְרוּ (בַּמִּדְ׳ כ״א)	for they said (Num. 21.5),
וְנַפְשֵׁנוּ קָצָה בַּלֶּחֶם הַקְּלֹקֵל,	'and our soul loatheth this light bread';
וְעַל מַה שֶּׁעָשׂוּ בְּמִדְבַּר פָּארָן	and for what they did in the wilderness of Paran
עַל יְדֵי הַמְרַגְּלִים׃	through the spies".
וַחֲצֵרֹת.	**And Hazeroth**
בְּמַחְלָקְתּוֹ שֶׁל קֹרַח;	At the rebellion of Korah.
(סִפְרֵי) דָּבָר אַחֵר אָמַר לָהֶם׃—	(Siphre) Another explanation: (Moses) said to them:
הָיָה לָכֶם לִלְמוֹד	You should have learned
מִמַּה שֶּׁעָשִׂיתִי לְמִרְיָם בַּחֲצֵרוֹת	from what I did to Miriam at Hazeroth
בִּשְׁבִיל לְשׁוֹן הָרָע,	because of evil talk;
וְאַתֶּם נִדְבַּרְתֶּם בַּמָּקוֹם׃	nevertheless you spoke against the Omnipresent.
וְדִי זָהָב.	**And Di-zahab (lit., sufficiency of gold)**
הוֹכִיחָן עַל הָעֵגֶל	He rebuked them for the (Golden) Calf
שֶׁעָשׂוּ בִּשְׁבִיל רוֹב זָהָב	which they made because of the abundance of gold
שֶׁהָיָה לָהֶם,	which they had,
שֶׁנֶּאֱמַר (הוֹשֵׁעַ ב)׃—	as it is stated (Hos. 2.10),
וְכֶסֶף הִרְבֵּיתִי לָהּ	"And silver I multiplied unto her,
וְזָהָב עָשׂוּ לַבָּעַל׃	and gold, which they used for Baal."
2 אַחַד עָשָׂר יוֹם מֵחֹרֵב.	**2. (It is) eleven days' (journey) from Horeb**
אָמַר לָהֶם מֹשֶׁה;	Moses said to them:
רְאוּ מַה גְּרַמְתֶּם	See what you have caused;
אֵין לָכֶם דֶּרֶךְ קְצָרָה מֵחוֹרֵב	you have no shorter way from Horeb
לְקָדֵשׁ בַּרְנֵעַ	to Kadesh-barnea
כְּדֶרֶךְ הַר שֵׂעִיר,	than by way of mount Seir,
וְאַף הוּא מַהֲלַךְ י״א יוֹם,	and even that is a journey of eleven days.
וְאַתֶּם הֲלַכְתֶּם אוֹתָהּ	Nevertheless you traversed it
בִּשְׁלֹשָׁה יָמִים	in three days;

דֶּרֶךְ הַר־שֵׂעִיר	(by) the way of mount Sei'r
עַד קָדֵשׁ בַּרְנֵעַ׃	unto Kadesh-barnea.
3 וַיְהִי	3. And it came to pass
בְּאַרְבָּעִים שָׁנָה	in the fortieth year,
בְּעַשְׁתֵּי עָשָׂר חֹדֶשׁ	in the eleventh month,
בְּאֶחָד לַחֹדֶשׁ	on the first (day) of the month,

Rashi — רש״י

שֶׁהֲרֵי בְּעֶשְׂרִים בְּאִיָּר	for on the twentieth of Iyyar
נָסְעוּ מֵחוֹרֵב,	they set forward from Horeb —
שֶׁנֶּאֱמַר (בַּמִּדְ׳ י׳):—	as it is stated (Num. 10.11),
וַיְהִי בַּשָּׁנָה הַשֵּׁנִית בַּחֹדֶשׁ הַשֵּׁנִי	"And it came to pass in the second year, in the second month,
בְּעֶשְׂרִים בַּחֹדֶשׁ וְגוֹ׳,	on the twentieth of the month," etc.—
וּבכ״ט בְּסִיוָן	and on the twenty ninth of Sivan
שָׁלְחוּ אֶת הַמְרַגְּלִים מִקָּדֵשׁ בַּרְנֵעַ (תַּעֲנִית כ״ט)	they sent the spies from Kadesh-barnea (Ta'an. 29).
צֵא מֵהֶם ל׳ יוֹם	Deduct from them thirty days,
שֶׁעָשׂוּ בְּקִבְרוֹת הַתַּאֲוָה	which they spent in Kibroth-hattaavah —
שֶׁאָכְלוּ הַבָּשָׂר חֹדֶשׁ יָמִים,	since they ate the flesh a month of days —
וְשִׁבְעָה יָמִים שֶׁעָשׂוּ בַּחֲצֵרוֹת	and seven days which they spent in Hazeroth
לְהִסָּגֵר שָׁם מִרְיָם,	for the shutting up there of Miriam;
נִמְצָא בִּשְׁלֹשָׁה יָמִים	consequently in three days
הָלְכוּ כָּל אוֹתוֹ הַדֶּרֶךְ.	they travelled that entire way.
וְכָל כָּךְ הָיְתָה הַשְּׁכִינָה	And this much did the Divine Presence
מִתְלַבֶּטֶת בִּשְׁבִילְכֶם	trouble itself for your sake,
לְמַהֵר בִּיאַתְכֶם לָאָרֶץ,	to hasten your coming into the Land.
וּבִשְׁבִיל שֶׁקִּלְקַלְתֶּם	And because you acted corruptly,
הֵסֵב אֶתְכֶם	He caused you to make a circuit
סְבִיבוֹת הַר שֵׂעִיר אַרְבָּעִים שָׁנָה׃	round about mount Seir forty years.
3 וַיְהִי בְּאַרְבָּעִים שָׁנָה בְּעַשְׁתֵּי־עָשָׂר חֹדֶשׁ בְּאֶחָד לַחֹדֶשׁ.	**3. And it came to pass in the fortieth year in the eleventh month, on the first (day) of the month**
מְלַמֵּד שֶׁלֹּא הוֹכִיחָן אֶלָּא	(This) teaches that (Moses) rebuked them only
סָמוּךְ לַמִּיתָה;	(when he was) close to death.
מִמִּי לָמַד?	From whom did he learn (this)?
מִיַּעֲקֹב,	From Jacob,
שֶׁלֹּא הוֹכִיחַ אֶת בָּנָיו אֶלָּא	who rebuked his sons only
סָמוּךְ לַמִּיתָה,	(when he was) close to death.
אָמַר: רְאוּבֵן בְּנִי	(Jacob) said: Reuben my son,
אֲנִי אוֹמֵר לְךָ	I shall tell you
מִפְּנֵי מָה לֹא הוֹכַחְתִּיךָ	why I did not rebuke you
כָּל הַשָּׁנִים הַלָּלוּ,	all these years;
כְּדֵי שֶׁלֹּא תַּנִּיחֵנִי	so that you should not leave me
וְתֵלֵךְ וְתִדָּבֵק בְּעֵשָׂו אָחִי;	to go and join Esau my brother.
וּמִפְּנֵי אַרְבָּעָה דְבָרִים	And because of four reasons
אֵין מוֹכִיחִין אֶת הָאָדָם אֶלָּא	one should rebuke a person only
סָמוּךְ לַמִּיתָה,	(when one is) near death:
כְּדֵי שֶׁלֹּא יְהֵא	in order that he should not

דִּבֶּר מֹשֶׁה	(that) Moses spoke
אֶל־בְּנֵי יִשְׂרָאֵל	unto the children of Israel,
כְּכֹל	according to all
אֲשֶׁר צִוָּה יְהוָה אֹתוֹ	that the Lord had given him in commandment
אֲלֵהֶם׃	unto them;
4 אַחֲרֵי הַכֹּתוֹ אֵת סִיחֹן	4. after he had smitten Sihon
מֶלֶךְ הָאֱמֹרִי	the king of the Amorites,
אֲשֶׁר יוֹשֵׁב בְּחֶשְׁבּוֹן	who dwelt in Heshbon,

Rashi — רש"י

מוֹכִיחוֹ וְחוֹזֵר וּמוֹכִיחוֹ,	rebuke him again and again;
וְשֶׁלֹּא יְהֵא חֲבֵרוֹ רוֹאֵהוּ	and lest his fellow-man will see him
וּמִתְבַּיֵּשׁ מִמֶּנּוּ וְכוּ׳	and he will be ashamed before him, etc.;
כִּדְאִיתָא בְּסִפְרֵי,	as it is (stated) in Siphre.
וְכֵן יְהוֹשֻׁעַ לֹא הוֹכִיחַ אֶת יִשְׂרָאֵל אֶלָּא	And likewise Joshua rebuked Israel only
סָמוּךְ לַמִּיתָה	(when he was) near death;
וְכֵן שְׁמוּאֵל שֶׁנֶּאֱמַר (שׁ״א י״ב)׃—	and similarly Samuel, as it is stated (1 Sam. 12.3),
הִנְנִי עֲנוּ בִי,	"Here I am; witness against me";
וְכֵן דָּוִד אֶת שְׁלֹמֹה בְנוֹ (מ״א ב)׃	and similarly David (rebuked) Solomon his son (1 Ki. 2).
4 **אַחֲרֵי הַכֹּתוֹ.**	**4. After he had smitten**
אָמַר מֹשֶׁה אִם אֲנִי מוֹכִיחָם	Moses said: If I rebuke them
קוֹדֶם שֶׁיִּכָּנְסוּ לִקְצָת	before they enter into (at least) a part of the Land,
יֹאמְרוּ מַה לָּזֶה עָלֵינוּ	they will say: What has this (man) against us?
מָה הֵטִיב לָנוּ?	What good did he do for us?
אֵינוֹ בָא אֶלָּא לְקַנְתֵּר	He has come only to vex
וְלִמְצוֹא עֲוֹלָה,	and to find a pretext (against us),
שֶׁאֵין בּוֹ כֹּחַ לַהֲכְנִיסֵנוּ לָאָרֶץ,	since he has no power to bring us into the Land.
לְפִיכָךְ הִמְתִּין.	Therefore he waited
עַד שֶׁהִפִּיל סִיחוֹן וְעוֹג לִפְנֵיהֶם	until he had conquered Sihon and Og before them,
וְהוֹרִישָׁם אֶת אַרְצָם	and gave them possession of their land;
וְאַחַר כָּךְ הוֹכִיחָן (סִפְרֵי)׃	and afterwards he rebuked them (Siphre).
סִיחֹן וְגוֹ׳, אֲשֶׁר יוֹשֵׁב בְּחֶשְׁבּוֹן	**Sihon, etc., who dwelt in Heshbon**
אִלּוּ לֹא הָיָה סִיחוֹן קָשֶׁה	Even if Sihon were not powerful (lit. difficult),
וְהָיָה שָׁרוּי בְּחֶשְׁבּוֹן,	and he dwelt in Heshbon,
הָיָה קָשֶׁה,	it would have been difficult (to subdue him),
שֶׁהַמְּדִינָה קָשָׁה,	for the land was powerful.
וְאִלּוּ הָיְתָה עִיר אַחֶרֶת	And even if it were another city
וְסִיחוֹן שָׁרוּי בְּתוֹכָהּ	and Sihon dwelt in it,
הָיְתָה קָשָׁה	it would have been difficult (to conquer it),
שֶׁהַמֶּלֶךְ קָשֶׁה,	for the king was powerful.
עַל אַחַת כַּמָּה וְכַמָּה	How much more difficult (was the conquest)
שֶׁהַמֶּלֶךְ קָשֶׁה וְהַמְּדִינָה קָשָׁה (שָׁם)׃	since the king was powerful and the land powerful (*ibid.*).

וְאֵת עוֹג מֶלֶךְ הַבָּשָׁן	and Og the king of Bashan,
אֲשֶׁר־יוֹשֵׁב בְּעַשְׁתָּרֹת	who dwelt in Ashtaroth.
בְּאֶדְרֶעִי׃	at Edrei;
5 בְּעֵבֶר הַיַּרְדֵּן	5. beyond the Jordan,
בְּאֶרֶץ מוֹאָב	in the land of Moab,
הוֹאִיל מֹשֶׁה	began Moses
בֵּאֵר	(to) expound
אֶת־הַתּוֹרָה הַזֹּאת	this law,
לֵאמֹר׃	saying:
6 יְהוָה אֱלֹהֵינוּ	6. The Lord our God
דִּבֶּר אֵלֵינוּ בְּחֹרֵב	spoke unto us in Horeb,
לֵאמֹר	saying:
רַב־לָכֶם שֶׁבֶת	'Ye have dwelt long enough

Rashi — רש״י

אֲשֶׁר יוֹשֵׁב בְּעַשְׁתָּרוֹת	**Who dwelt in Ashtaroth**
הַמֶּלֶךְ קָשֶׁה וְהַמְּדִינָה קָשָׁה׃	The king was difficult and the land was difficult.
עַשְׁתָּרֹת.	**Ashtaroth**
הוּא לְשׁוֹן צוּקִין וְקוּשִׁי,	(The term עשתרת) denotes peaks and strength (lit. difficulty),
כְּמוֹ (בְּרֵא׳ י״ד)׃—	as (Gen. 14.5),
עַשְׁתְּרֹת קַרְנַיִם,	"strong mountains" (עשתרת קרנים).
וְעַשְׁתָּרוֹת זֶה הוּא עַשְׁתְּרוֹת קַרְנַיִם,	And this Ashtaroth is the same Ashteroth-karnaim,
שֶׁהָיוּ שָׁם רְפָאִים	where there were Rephaim (giants)
שֶׁהִכָּה אַמְרָפֶל.	whom Amraphel smote,
שֶׁנֶּאֱמַר (בְּרֵא׳ י״ד)׃—	as it is stated (Gen. 14.5),
וַיַּכּוּ אֶת רְפָאִים בְּעַשְׁתְּרֹת קַרְנַיִם,	"And they smote the Rephaim in Ashteroth-karnaim."
וְעוֹג נִמְלַט מֵהֶם.	And Og escaped from them,
וְהוּא שֶׁנֶּאֱמַר (שָׁם)	and that is what is stated (*ibid.*, v. 13),
וַיָּבֹא הַפָּלִיט,	"And there came one that had escaped";
וְאוֹמֵר (דְּבָר׳ ג)׃—	and it says (Deut. 3.11),
כִּי רַק עוֹג מֶלֶךְ הַבָּשָׁן	"For only Og king of Bashan
נִשְׁאַר מִיֶּתֶר הָרְפָאִים׃	remained of the remnant of the Rephaim."
בְּאֶדְרֶעִי.	**At Edrei**
שֵׁם הַמַּלְכוּת׃	The name of the kingdom.
5 הוֹאִיל.	**5. (He) began**
הִתְחִיל,	(הואיל is to be interpreted) "he began,"
כְּמוֹ (בְּרֵא׳ י״ח)׃—	as (Gen. 18.27),
הִנֵּה נָא הוֹאַלְתִּי׃	"Behold now, I have begun" (הואלתי).
בֵּאֵר אֶת־הַתּוֹרָה.	**(To) expound (this) law**
בְּשִׁבְעִים לָשׁוֹן פֵּרְשָׁה לָהֶם׃	In seventy languages he explained it to them.
6 רַב־לָכֶם שֶׁבֶת.	**6. Ye have dwelt long enough**
כִּפְשׁוּטוֹ;	(Understand this) according to its plain meaning.
וְיֵשׁ מ״א,	And there is an Agadic interpretation:
הַרְבֵּה לָכֶם גְּדֻלָּה וְשָׂכָר	You have had much greatness and reward
עַל יְשִׁיבַתְכֶם בָּהָר הַזֶּה	for your dwelling in this mountain.
—עֲשִׂיתֶם מִשְׁכָּן,	You have made a Tabernacle,
מְנוֹרָה, וְכֵלִים,	a caldlestick and vessels;
קִבַּלְתֶּם תּוֹרָה,	you have received the Torah,
מִנִּיתֶם לָכֶם סַנְהֶדְרִין,	you have appointed for yourselves a Sanhedrin
שָׂרֵי אֲלָפִים וְשָׂרֵי מֵאוֹת (עַיֵּ׳ סִפְרֵי)׃	officers of thousands and officers of hundreds (cf. Siphre).

בָּהָר הַזֶּה:	in this mountain;
7 פְּנוּ ׀	7. turn you,
וּסְעוּ לָכֶם	and take your journey,
וּבֹאוּ הַר הָאֱמֹרִי	and go (to) the hill-country of the Amorites
וְאֶל־כָּל־שְׁכֵנָיו	and unto all the places nigh thereunto,
בָּעֲרָבָה	in the Arabah,
בָהָר	in the hill-country,
וּבַשְּׁפֵלָה	and in the Lowland,
וּבַנֶּגֶב	and in the South,
וּבְחוֹף הַיָּם	and by the sea-shore;
אֶרֶץ הַכְּנַעֲנִי	the land of the Canaanites,
וְהַלְּבָנוֹן	and Lebanon,
עַד־הַנָּהָר הַגָּדֹל	as far as the great river,
נְהַר פְּרָת:	the river Euphrates.
8 רְאֵה	8. Behold,
נָתַתִּי לִפְנֵיכֶם	I have set before you
אֶת־הָאָרֶץ	the land:
בֹּאוּ וּרְשׁוּ אֶת־הָאָרֶץ	go in and possess the land

Rashi — רש״י

7 פְּנוּ וּסְעוּ לָכֶם.	**7. Turn you, and take your journey**
זוֹ דֶּרֶךְ עֲרָד וְחָרְמָה:	This is by way of Arad and Hormah.
וּבֹאוּ הַר הָאֱמֹרִי.	**And go (to) the hill-country of the Amorites**
כְּמַשְׁמָעוֹ:	(Understand this) in its usual meaning.
וְאֶל־כָּל־שְׁכֵנָיו.	**And unto all the places nigh thereunto**
עַמּוֹן וּמוֹאָב וְהַר שֵׂעִיר:	Ammon, Moab, and mount Seir.
בָּעֲרָבָה.	**In the Arabah**
זֶה מִישׁוֹר שֶׁל יַעַר:	This is a plain which is forested.
בָּהָר.	**In the hill-country**
זֶה הַר הַמֶּלֶךְ:	This is the mountain of the king.
וּבַשְּׁפֵלָה.	**And in the Lowland**
זוֹ שְׁפֵלַת דָּרוֹם:	This (refers to) the lowland of the South
וּבַנֶּגֶב וּבְחוֹף הַיָּם.	**And in the South, and by the sea-shore**
אַשְׁקְלוֹן וְעַזָּה וְקֵסָרִי וְכוּ׳	Ashkelon, Gaza, and Caesarea, etc.;
כִּדְאִיתָא בְּסִפְרֵי:	as it is (stated) in Siphre.
עַד־הַנָּהָר הַגָּדוֹל.	**As far as the great river**
מִפְּנֵי שֶׁנִּזְכַּר עִם אֶרֶץ יִשְׂרָאֵל	Since it is mentioned together with the land of Israel
קוֹרְאוֹ גָּדוֹל,	it is called "great."
מָשָׁל הֶדְיוֹט אוֹמֵר	A popular proverb says:
עֶבֶד מֶלֶךְ מֶלֶךְ,	The servant of a king is a king.
הִדָּבֵק לַשַּׁחְוָור וְיִשְׁתַּחֲווּ לָךְ	Attach yourself to the captain, and they will bow down before you.
קְרַב לְגַבֵּי דְהִינָא וְאִדַּהַן (שְׁבוּעֹ׳ מ״ז):	Go near to an anointed person, and you become anointed yourself (Sheb. 47).
8 רְאֵה נָתַתִּי.	**8. Behold, I have set**
בְּעֵינֵיכֶם אַתֶּם רוֹאִים,	With your own eyes you see.
אֵינִי אוֹמֵר לָכֶם	I do not say (this) to you
מֵאוֹמֶד וּמִשְּׁמוּעָה (סִפְרֵי):	from guesswork or from hearsay (Siphre).
בֹּאוּ וּרְשׁוּ.	**Go in and possess**
אֵין מְעַרְעֵר בַּדָּבָר,	No one contests the matter,

אֲשֶׁר נִשְׁבַּע יְהוָה	which the Lord swore
לַאֲבֹתֵיכֶם	unto your fathers,
לְאַבְרָהָם לְיִצְחָק וּלְיַעֲקֹב	to Abraham, to Isaac, and to Jacob,
לָתֵת לָהֶם	to give unto them,
וּלְזַרְעָם אַחֲרֵיהֶם:	and to their seed after them.'
9 וָאֹמַר אֲלֵכֶם	9. And I spoke unto you
בָּעֵת הַהִוא	at that time,
לֵאמֹר	saying:
לֹא־אוּכַל לְבַדִּי	'I am not able myself alone

Rashi — רש"י

וְאֵינְכֶם צְרִיכִים לְמִלְחָמָה,	and you are not required to (wage) war.
אִלּוּ לֹא שָׁלְחוּ מְרַגְּלִים	If they had not sent out spies (but had trusted in God's promise)
לֹא הָיוּ צְרִיכִים לִכְלֵי זַיִן:	they would not have required weapons of war.
לַאֲבֹתֵיכֶם.	**Unto your fathers**
לָמָּה הִזְכִּיר שׁוּב	Why does it mention again
לְאַבְרָהָם לְיִצְחָק וּלְיַעֲקֹב?	"to Abraham, to Isaac, and to Jacob"?
אֶלָּא אַבְרָהָם כְּדַאי לְעַצְמוֹ,	However, (this indicates that) Abraham is worthy by himself,
יִצְחָק כְּדַאי לְעַצְמוֹ,	Isaac is worthy by himself,
יַעֲקֹב כְּדַאי לְעַצְמוֹ (שָׁם):	Jacob is worthy by himself (*ibid.*).
9 וָאֹמַר אֲלֵכֶם בָּעֵת הַהִוא לֵאמֹר.	**9. And I spoke unto you at that time, saying**
מַהוּ לֵאמֹר?	What is (the meaning of) "saying" (לאמר)?
אָמַר לָהֶם מֹשֶׁה;	Moses said to them:
לֹא מֵעַצְמִי אֲנִי אוֹמֵר לָכֶם,	Not of my own accord do I speak to you,
אֶלָּא מִפִּי הַקָּבָּ"ה (שָׁם):	but at the command of the Holy One Blessed Be He (*ibid.*).
לֹא־אוּכַל לְבַדִּי וְגוֹ'.	**I am not able myself alone, etc.**
אֶפְשָׁר שֶׁלֹּא הָיָה מֹשֶׁה יָכוֹל	Is it possible that Moses was not able
לָדוּן אֶת יִשְׂרָאֵל?	to judge Israel?
אָדָם שֶׁהוֹצִיאָם מִמִּצְרַיִם,	The man who brought them forth out of Egypt,
וְקָרַע לָהֶם אֶת הַיָּם,	and split for them the Sea,
וְהוֹרִיד אֶת הַמָּן,	and brought down the manna,
וְהֵגִיז הַשְּׂלָו,	and drove up the quails —
לֹא הָיָה יָכוֹל לְדוּנָם?	he was not able to judge them?
אֶלָּא כַּךְ אָמַר לָהֶם:—	However, thus he spoke to them:
ה' אֱלֹהֵיכֶם הִרְבָּה אֶתְכֶם'	"The Lord your God hath multiplied you,"
—הִגְדִּיל וְהֵרִים אֶתְכֶם עַל דַּיָּנֵיכֶם,	(i. e.,) He has made you superior and elevated you higher than your judges;
נָטַל אֶת הָעוֹנֶשׁ מִכֶּם	He has taken away punishment from you,
וּנְתָנוֹ עַל הַדַּיָּנִין;	and has placed it upon the judges.
וְכֵן אָמַר שְׁלֹמֹה (מ"א ג):—	And similarly Solomon said (1 Ki. 3.9),
כִּי מִי יוּכַל לִשְׁפֹּט	"For who is able to judge
אֶת עַמְּךָ הַכָּבֵד הַזֶּה,	this Thy great people?"
אֶפְשָׁר מִי שֶׁכָּתוּב בּוֹ (שָׁם ה):—	Is it possible that he of whom it is written (*ibid.*, 5.11),
וַיֶּחְכַּם מִכָּל הָאָדָם,	"And he was wiser than all men,"
אוֹמֵר מִי יוּכַל לִשְׁפֹּט?	(that) he should say, "Who is able to judge?"

שְׂאֵת אֶתְכֶם׃	to bear you;
10 יְהוָה אֱלֹהֵיכֶם	10. the Lord your God
הִרְבָּה אֶתְכֶם	hath multiplied you,
וְהִנְּכֶם הַיּוֹם	and, behold, ye are this day
כְּכוֹכְבֵי הַשָּׁמַיִם	as the stars of heaven
לָרֹב׃	for multitude.
11 יְהוָ״ה	11. The Lord,
אֱלֹהֵי אֲבוֹתֵכֶם	the God of your fathers,
יֹסֵף עֲלֵיכֶם	may He make you so many more
כָּכֶם	as ye are
אֶלֶף פְּעָמִים	a thousand times,
וִיבָרֵךְ אֶתְכֶם	and may He bless you

Rashi — רש״י

אֶלָּא כַּךְ אָמַר שְׁלֹמֹה	However thus spoke Solomon:
אֵין דַּיָּנֵי אֻמָּה זוֹ	The judges of this nation are not
כְּדַיָּנֵי שְׁאָר הָאֻמּוֹת,	like the judges of other nations,
שֶׁאִם דָּן וְהוֹרֵג	for if (the latter) judge, and slay,
וּמַכֶּה וְחוֹנֵק	and smite, and strangle,
וּמַטֶּה אֶת דִּינוֹ וְגוֹזֵל	and pervert justice, and rob,
אֵין בְּכַךְ כְּלוּם,	there is nothing in that;
אֲנִי אִם חִיַּבְתִּי מָמוֹן שֶׁלֹּא כַדִּין	(but) if I cause money to be paid unjustly,
נְפָשׁוֹת אֲנִי נִתְבָּע	my soul is demand in return,
שֶׁנֶּאֱמַר (מִשְׁלֵי כ״ב):—	as it is stated (Prov. 22.23),
וְקָבַע אֶת קוֹבְעֵיהֶם נָפֶשׁ׃	"And He will despoil of life those that despoil them."
10 **וְהִנְּכֶם הַיּוֹם כְּכוֹכְבֵי הַשָּׁמַיִם.**	**10. And, behold, ye are this day as the stars of heaven**
וְכִי כְּכוֹכְבֵי הַשָּׁמַיִם הָיוּ בְּאוֹתוֹ הַיּוֹם,	Were they then as the stars of heaven on that day?
וַהֲלֹא לֹא הָיוּ אֶלָּא שִׁשִּׁים רִבּוֹא,	Were they not only sixty myriads?
מַהוּ וְהִנְּכֶם הַיּוֹם?	What then is (the meaning of) והנכם היום?
הִנְּכֶם מְשׁוּלִים כַּיּוֹם	(It means:) Behold, you are likened to the day,
—קַיָּמִים לְעוֹלָם	(i. e.,) you will exist forever
כַּחַמָּה וְכַלְּבָנָה וְכַכּוֹכָבִים׃	as the sun, and the moon, and the stars.
11 **יֹסֵף עֲלֵיכֶם כָּכֶם אֶלֶף פְּעָמִים.**	**11. May He make you so many more as ye are a thousand times**
מַהוּ שׁוּב	What is (the significance of) the repetition:
"וִיבָרֵךְ אֶתְכֶם כַּאֲשֶׁר דִּבֶּר לָכֶם"?	"And may He bless you, as He hath promised you"?
אֶלָּא אָמְרוּ לוֹ	However, they said to him:
מֹשֶׁה אַתָּה נוֹתֵן	Moses, you are fixing
קִצְבָה לְבִרְכוֹתֵינוּ	a limitation to our blessing.
כְּבָר הִבְטִיחַ הַקָּבָּ״ה אֶת אַבְרָהָם,	The Holy One Blessed Be He has already promised Abraham,
אֲשֶׁר אִם יוּכַל אִישׁ לִמְנוֹת וְגוֹ׳ (בְּרֵא׳ י״ג),	"So that if a man can number," etc. (Gen. 13.16).
אָמַר לָהֶם:—	(Moses) said to them:
זוֹ מִשֶּׁלִּי הִיא,	This (blessing) is mine;
אֲבָל הוּא יְבָרֵךְ אֶתְכֶם	but He may bless you
כַּאֲשֶׁר דִּבֵּר לָכֶם׃	as He has promised you.

כַּאֲשֶׁר דִּבֶּר	as He hath promised you! —
לָכֶם׃ שני	
12 אֵיכָה אֶשָּׂא לְבַדִּי	12. How can I myself alone bear
טָרְחֲכֶם וּמַשַּׂאֲכֶם	your cumbrance, and your burden,
וְרִיבְכֶם׃	and your strife?
13 הָבוּ לָכֶם	13. Get you
אֲנָשִׁים חֲכָמִים	wise men,
וּנְבֹנִים	and understanding,

Rashi — רש״י

12 אֵיכָה אֶשָּׂא לְבַדִּי.	**12. How can I myself alone bear**
אִם אוֹמַר לְקַבֵּל שָׂכָר	(Even) if I were to say (that I will do so) in order to receive a reward,
לֹא אוּכַל,	I may not (do so).
זוֹ הִיא שֶׁאָמַרְתִּי [ס״א שֶׁאָמַרְנוּ] לָכֶם	That is what I (other editions: we) told you:
לֹא מֵעַצְמִי אֲנִי אוֹמֵר לָכֶם	not of my own accord do I speak to you,
אֶלָּא מִפִּי הַקָּבָּ״ה׃	but at the command of the Holy One Blessed Be He.
טָרְחֲכֶם.	**Your cumbrance**
מְלַמֵּד שֶׁהָיוּ יִשְׂרָאֵל טָרְחָנִין	(This) teaches that the Israelites were troublesome;
—הָיָה אֶחָד מֵהֶם רוֹאֶה	if one of them saw
אֶת בַּעַל דִּינוֹ נוֹצֵחַ בַּדִּין,	his opponent winning in court,
אוֹמֵר יֵשׁ לִי עֵדִים לְהָבִיא,	he would say: I have (additional) witnesses to bring,
יֵשׁ לִי רְאָיוֹת לְהָבִיא	I have proofs to bring,
מוֹסִיף אֲנִי עֲלֵיכֶם דַּיָּנִין׃	I will add to you (the number of) judges.
וּמַשַּׂאֲכֶם.	**And your burden**
מְלַמֵּד שֶׁהָיוּ אֶפִּיקוֹרְסִין,	(This) teaches that they were heretics.
הִקְדִּים מֹשֶׁה לָצֵאת,	If Moses was early in leaving (his house),
אָמְרוּ: מָה רָאָה בֶן עַמְרָם לָצֵאת?	they said: Why did the son of Amram choose to leave (so early)?
שֶׁמָּא אֵינוֹ שָׁפוּי בְּתוֹךְ בֵּיתוֹ!	Perhaps he is not at peace within his house!
אִחֵר לָצֵאת,	If he tarried in leaving,
אָמְרוּ מָה רָאָה בֶן עַמְרָם שֶׁלֹּא לָצֵאת	they said: Why did the son of Amram choose not to leave his house (early);
מָה אַתֶּם סְבוּרִים,	what do you think?
יוֹשֵׁב וְיוֹעֵץ עֲלֵיכֶם	He sits and counsels against you
עֵצוֹת רָעוֹת	evil counsels,
וְחוֹשֵׁב עֲלֵיכֶם מַחֲשָׁבוֹת	and devises against you (evil) thoughts;
[ס״א מִצְוֹת וְחֶשְׁבּוֹנוֹת]׃	(Other editions: commandments and reckonings).
וְרִיבְכֶם.	**And your strife**
מְלַמֵּד שֶׁהָיוּ רוֹגְנִים (סִפְרֵי)׃	(This) teaches that they were quarrelsome (Siphre).
13 הָבוּ לָכֶם.	**13. Get you**
הַזְמִינוּ עַצְמְכֶם לַדָּבָר׃	Prepare yourselves for this matter.
אֲנָשִׁים.	**Men**
וְכִי תַּעֲלֶה עַל דַּעְתְּךָ נָשִׁים,	Would it enter your mind (that they would select) women?
מַה תַּלְמוּד לוֹמַר אֲנָשִׁים?	What does Scripture teach (with the word) "men"?
צַדִּיקִים,	(It denotes) righteous men,
כְּסוּפִים׃	men of intellect.
חֲכָמִים וּנְבֹנִים.	**Wise (men) and understanding**
מְבִינִים דָּבָר מִתּוֹךְ דָּבָר	Who understand one thing from another.

וִידֻעִים — and known

לְשִׁבְטֵיכֶם — to your tribes,

וַאֲשִׂמֵם — and I will make them

בְּרָאשֵׁיכֶם: — heads over you.

14 וַתַּעֲנוּ אֹתִי וַתֹּאמְרוּ — 14. And ye answered me, and said:

Rashi — רש"י

זוֹ הִיא שֶׁשָּׁאַל אַרְיוֹס אֶת רַבִּי יוֹסֵי — This is what Arios asked of Rabbi Jose:

מַה בֵּין חֲכָמִים לִנְבוֹנִים? — What is (the difference) between wise men and understanding men?

חָכָם דּוֹמֶה לְשֻׁלְחָנִי עָשִׁיר, — A wise man (חכם) resembles a wealthy money-changer:

כְּשֶׁמְּבִיאִין לוֹ דִּינָרִין לִרְאוֹת — when people bring him Denars to consider (see),

רוֹאֶה, — he considers,

וּכְשֶׁאֵין מְבִיאִין לוֹ — and when they do not bring (them) to him

יוֹשֵׁב וְתוֹהֶא, — he (merely) sits and gazes;

נָבוֹן דּוֹמֶה לְשֻׁלְחָנִי תַּגָּר, — an understanding man (נבון) resembles a merchant money-changer,

כְּשֶׁמְּבִיאִין לוֹ מָעוֹת לִרְאוֹת רוֹאֶה, — when people bring him money to consider, he considers,

וּכְשֶׁאֵין מְבִיאִין לוֹ, — and when they do not bring it to him,

הוּא מְחַזֵּר וּמֵבִיא מִשֶּׁלּוֹ (סִפְרֵי): — he seeks about and brings (money) of his own (Siphre).

וִידֻעִים לְשִׁבְטֵיכֶם. — **And known to your tribes**

שֶׁהֵם נִכָּרִים לָכֶם, — Who are well known by you.

שֶׁאִם בָּא לְפָנַי מִתְעַטֵּף בְּטַלִּיתוֹ — For if there comes before me one clad in his garment,

אֵינִי יוֹדֵעַ מִי הוּא — I do not know who he is,

וּמֵאֵיזֶה שֵׁבֶט הוּא, — or from what tribe he is,

וְאִם הָגוּן הוּא, — or whether he is fitting;

אֲבָל אַתֶּם מַכִּירִין בּוֹ — but you know him

שֶׁאַתֶּם גִּדַּלְתֶּם אוֹתוֹ — for you have raised him.

לָכֵךְ נֶאֱמַר וִידֻעִים לְשִׁבְטֵיכֶם: — Therefore it is stated: "and known to your tribes."

בְּרָאשֵׁיכֶם. — **Heads over you**

רָאשִׁים וּמְכֻבָּדִים עֲלֵיכֶם — Heads and honored men over you;

שֶׁתִּהְיוּ נוֹהֲגִין— בָּהֶם — that you should act towards them

כָּבוֹד וְיִרְאָה: — with respect and reverence.

וַאֲשִׂמֵם. — **And I will make them**

חָסֵר יוּ"ד. — (ואשמם is written defective,) lacking a ' (our editions have it),

לִמֵּד שֶׁאַשְׁמוֹתֵיהֶם שֶׁל יִשְׂרָאֵל — teaching that the guilt of Israel

תְּלוּיוֹת בְּרָאשֵׁי דַּיָּנֵיהֶם, — depends upon (lit., hangs on the heads of) their judges,

שֶׁהָיָה לָהֶם לִמְחוֹת — for they should have protested (against their iniquities)

וּלְכַוֵּן אוֹתָם לְדֶרֶךְ הַיְשָׁרָה (סַנְה' שָׁם): — and directed them along the path of righteousness (Sanh., *ibid.*).

14 וַתַּעֲנוּ אֹתִי וְגוֹ'. — **14. And ye answered me, etc.**

חֲלַטְתֶּם אֶת הַדָּבָר לַהֲנָאַתְכֶם, — You decided this matter for your own benefit.

הָיָה לָכֶם לְהָשִׁיב, — You should have answered:

מֹשֶׁה רַבֵּנוּ, — Moses our teacher,

מִמִּי נָאֶה לִלְמוֹד, — from whom is it more proper to learn,

מִמְּךָ אוֹ מִתַּלְמִידְךָ? — from you or from your students?

לֹא מִמְּךָ שֶׁנִּצְטַעַרְתָּ עָלֶיהָ? — Is it not (more proper) from you who suffered regarding it.

טוֹב־הַדָּבָר	'The thing is good (for us),
אֲשֶׁר־דִּבַּרְתָּ	which thou hast spoken
לַעֲשׂוֹת׃	to do.'
15 וָאֶקַּח	15. So I took
אֶת־רָאשֵׁי שִׁבְטֵיכֶם	the heads of your tribes,
אֲנָשִׁים חֲכָמִים	wise men,
וִידֻעִים	and known,
וָאֶתֵּן אוֹתָם	and made them
רָאשִׁים עֲלֵיכֶם	heads over you,
שָׂרֵי אֲלָפִים	captains of thousands,

Rashi — רש"י

אֶלָּא יָדַעְתִּי מַחְשְׁבוֹתֵיכֶם,	However, I know your thoughts.
הֱיִיתֶם אוֹמְרִים	You say:
עַכְשָׁיו יִתְמַנּוּ עָלֵינוּ	now there will be appointed over us
דַּיָּנִין הַרְבֵּה,	many judges;
אִם אֵין מַכִּירֵנוּ,	if one does not know us,
אָנוּ מְבִיאִין לוֹ דוֹרוֹן	we shall bring him a gift,
וְהוּא נוֹשֵׂא לָנוּ פָּנִים (שָׁם)׃	and he will favor us (*ibid.*).
לַעֲשׂוֹת.	**To do**
אִם הָיִיתִי מִתְעַצֵּל,	If I was slothful,
אַתֶּם אוֹמְרִים עֲשֵׂה מְהֵרָה (שָׁם)׃	you said: Do (it) speedily (*ibid.*).
15 וָאֶקַּח אֶת־רָאשֵׁי שִׁבְטֵיכֶם.	**15. So I took the heads of your tribes**
מְשַׁכְתִּים בִּדְבָרִים – אַשְׁרֵיכֶם,	I drew them with kind words: Fortunate are you.
עַל מִי בָּאתֶם לְהִתְמַנּוֹת	Over whom have you been appointed?
עַל בְּנֵי אַבְרָהָם יִצְחָק וְיַעֲקֹב,	Over the children of Abraham, Isaac, and Jacob,
עַל בְּנֵי אָדָם שֶׁנִּקְרְאוּ	over people who are called
אַחִים וְרֵעִים,	brothers and friends,
חֵלֶק וְנַחֲלָה,	a portion and an inheritance,
וְכָל לְשׁוֹן חִבָּה (שָׁם)׃	and every term of endearment (*ibid.*).
אֲנָשִׁים חֲכָמִים וִידֻעִים.	**Wise men, and known**
אֲבָל נְבוֹנִים לֹא מָצָאתִי;	But understanding men I did not find.
זוֹ אַחַת מִשֶּׁבַע מִדּוֹת	This is one of the seven qualities
שֶׁאָמַר יִתְרוֹ לְמֹשֶׁה	which Jethro mentioned to Moses (Ex. 18.21);
וְלֹא מָצָא אֶלָּא שָׁלֹשׁ.	but he (Moses) found only three:
אֲנָשִׁים־צַדִּיקִים	righteous men,
חֲכָמִים וִידֻעִים (שָׁם)׃	wise, and full of knowledge (*ibid.*).
רָאשִׁים עֲלֵיכֶם.	**Heads over you**
שֶׁתִּנְהֲגוּ בָהֶם כָּבוֹד,	You should act towards them with respect:
רָאשִׁים בְּמֶקַח,	heads in (reference to) buying,
רָאשִׁים בְּמִמְכָּר,	heads in (reference to) selling (i. e., in business transactions);
רָאשִׁים בְּמַשָּׂא וּמַתָּן,	heads in (reference to) general affairs;
נִכְנָס אַחֲרוֹן	he should enter last (into the House of Study),
וְיוֹצֵא רִאשׁוֹן (שָׁם)׃	and go out first (*ibid.*).
שָׂרֵי אֲלָפִים.	**Captains of thousands**
אֶחָד מְמֻנֶּה עַל אֶלֶף (סַנְהֶ׳ י״ח)׃	(I. e.,) one (man) appointed over a thousand (Sanh. 18).

וְשָׂרֵי מֵאוֹת	and captains of hundreds,
וְשָׂרֵי חֲמִשִּׁים	and captains of fifties,
וְשָׂרֵי עֲשָׂרֹת	and captains of tens,
וְשֹׁטְרִים לְשִׁבְטֵיכֶם:	and officers to your tribes.
16 וָאֲצַוֶּה	16. And I charged
אֶת־שֹׁפְטֵיכֶם	your judges
בָּעֵת הַהִוא	at that time,
לֵאמֹר	saying:
שָׁמֹעַ בֵּין־אֲחֵיכֶם	'Hear (the causes) between your brethren,
וּשְׁפַטְתֶּם צֶדֶק	and judge righteously
בֵּין־אִישׁ וּבֵין־אָחִיו	between a man and his brother,
וּבֵין גֵּרוֹ:	and between the stranger that is with him.

Rashi — רש"י

שָׂרֵי מֵאוֹת.	**Captains of hundreds**
אֶחָד מְמֻנֶּה עַל מֵאָה:	(I. e.,) one (man) appointed over a hundred.
וְשֹׁטְרִים.	**And officers**
מִנִּיתִי עֲלֵיכֶם "לְשִׁבְטֵיכֶם";	have I appointed over you "for your tribes."
אֵלּוּ הַכּוֹפְתִין	These are they who bound
וְהַמַּכִּין בִּרְצוּעָה	and punished with a lash
עַל פִּי הַדַּיָּנִין (עַ' שָׁם):	at the order of the court (cf. *ibid.*).
16 וָאֲצַוֶּה אֶת־שֹׁפְטֵיכֶם.	**16. And I charged your judges**
אָמַרְתִּי לָהֶם, הֱווּ מְתוּנִין בַּדִּין	I told them: Be patient in passing judgment.
אִם בָּא דִין לְפָנֶיךָ–	If a case comes before you
פַּעַם אַחַת,	once,
שְׁתַּיִם וְשָׁלֹשׁ,	twice, and three times,
אַל תֹּאמַר כְּבָר בָּא דִין	do not say: (this) case has already come
לְפָנַי פְּעָמִים הַרְבֵּה,	before me many times,
אֶלָּא הֱיוּ נוֹשְׂאִים וְנוֹתְנִים בּוֹ (שָׁם):	but debate (consider) it fully (*ibid.*).
בָּעֵת הַהִוא.	**At that time**
מִשֶּׁמִּנִּיתִים	When I appointed them
אָמַרְתִּי לָהֶם	I said to them:
אֵין עַכְשָׁיו כִּלְשֶׁעָבַר,	It is not now as in the past;
לְשֶׁעָבַר הֱיִיתֶם בִּרְשׁוּת עַצְמְכֶם,	in the past you were your own masters,
עַכְשָׁיו הֲרֵי אַתֶּם מְשֻׁעְבָּדִים	now you are responsible
לַצִּבּוּר (שָׁם):	to the community (*ibid.*).
שָׁמֹעַ.	**Hear**
לְשׁוֹן הֹוֶה,	Present tense ("hearing"),
אודנ"ט בְּלַעַ"ז,	*oyant* in O. F.,
כְּמוֹ זָכוֹר, שָׁמוֹר:	as זָכוֹר (remember) שָׁמוֹר (keep).
וּבֵין גֵּרוֹ.	**And between the stranger that is with him**
זֶה בַּעַל דִּינוֹ	This (viz., גֵּרוֹ) is his opponent in litigation,
שֶׁאוֹגֵר עָלָיו דְּבָרִים;	against whom he heaps up (אוֹגֵר) arguments.
ד"א: וּבֵין גֵּרוֹ	Another explanation of ובין גרו:
אַף עַל עִסְקֵי דִירָה	even in matters of a dwelling (גור — to dwell)
בֵּין חֲלוּקַּת אַחִים,	between the division (of the inheritance) of brothers,
אֲפִילוּ בֵּין תַּנּוּר לְכִירַיִם (שָׁם סַנְהֶ' ז):	even (if it be a dispute) between an oven and a hearth (*ibid.*, Sanh. 7).

17 לֹא־תַכִּירוּ פָנִים	17. Ye shall not respect persons
בַּמִּשְׁפָּט	in judgment;
כַּקָּטֹן כַּגָּדֹל	the small and the great alike
תִּשְׁמָעוּן	ye shall hear;
לֹא תָגוּרוּ מִפְּנֵי־אִישׁ	ye shall not be afraid of the face of any man;

Rashi — רש״י

17 לֹא־תַכִּירוּ פָנִים בַּמִּשְׁפָּט.	**17. Ye shall not respect persons in judgment**
זֶה הַמְמֻנֶּה לְהוֹשִׁיב הַדַּיָּנִין,	This (refers to) one who is assigned to appoint judges,
שֶׁלֹּא יֹאמַר אִישׁ פְּלוֹנִי	that he should not say: that man
נָאֶה אוֹ גִבּוֹר,	is handsome or strong,
אוֹשִׁיבֶנּוּ דַיָּן.	I shall appoint him as a judge;
אִישׁ פְּלוֹנִי קְרוֹבִי,	that man is my relative,
אוֹשִׁיבֶנּוּ דַיָּן בָּעִיר,	I shall appoint him judge in the city,
וְהוּא אֵינוֹ בָקִי בְדִינִין,	although he is not versed in the laws;
נִמְצָא מְחַיֵּב אֶת הַזַּכַּאי	for thus he condemns the innocent
וּמְזַכֶּה אֶת הַחַיָּב,	and vindicates the guilty.
מַעֲלֶה אֲנִי עַל מִי שֶׁמִּנָּהוּ	I charge the one who appointed him
כְּאִלּוּ הִכִּיר פָּנִים בַּדִּין:	as though he had shown partiality in a case.
כַּקָּטֹן כַּגָּדֹל תִּשְׁמָעוּן.	**The small and the great alike ye shall hear**
שֶׁיְּהֵא חָבִיב עָלֶיךָ	Let be dear to you
דִּין שֶׁל פְּרוּטָה	a case involving a small coin
כְּדִין שֶׁל מֵאָה מָנֶה,	as a case involving a hundred maneh;
שֶׁאִם קָדַם וּבָא לְפָנֶיךָ.	that if (the former) came before you first,
לֹא תְסַלְּקֶנּוּ לָאַחֲרוֹן.	do not postpone it until the last.
ד״א: כַּקָּטֹן כַּגָּדֹל תִּשְׁמָעוּן	Another interpretation of "the small and the great alike ye shall hear",
כְּתַרְגּוּמוֹ,	as the Targum renders it:
שֶׁלֹּא תֹאמַר זֶה עָנִי הוּא	You should not say, "This man is poor,
וַחֲבֵרוֹ עָשִׁיר	and his fellowman is wealthy
וּמְצֻוֶּה לְפַרְנְסוֹ,	and is commanded to support him;
אֲזַכֶּה אֶת הֶעָנִי	I will favor the poor man
וְנִמְצָא מִתְפַּרְנֵס בִּנְקִיּוּת;	and thus he will be supported in dignity."
ד״א: שֶׁלֹּא תֹאמַר	Another explanation: You should not say,
הֵיאַךְ אֲנִי פוֹגֵם כְּבוֹדוֹ	"How can I tarnish the honor
שֶׁל עָשִׁיר זֶה	of this wealthy man
בִּשְׁבִיל דִּינָר,	because of a dinar;
אֲזַכֶּנּוּ עַכְשָׁיו.	I will favor him now,
וּכְשֶׁיֵּצֵא לַחוּץ.	and when he goes outside
אוֹמַר לוֹ תֵּן לוֹ	I shall tell him: 'Give (it) to him (to the poor man),
שֶׁאַתָּה חַיָּב לוֹ (שָׁם):	for you owe (it) to him'" (*ibid.*).
לֹא תָגוּרוּ מִפְּנֵי־אִישׁ.	**Ye shall not be afraid of the face of any man**
לֹא תִירְאוּ;	(לא תגורו denotes) "ye shall not be afraid."
ד״א: לֹא תָגוּרוּ	Another interpretation of לא תגורו:
לֹא תְכַנֵּס דְּבָרֶיךָ מִפְּנֵי אִישׁ,	You should not "store up" (i. e., conceal) your words because of any man,
לְשׁוֹן אֹגֵר בַּקַּיִץ (מִשְׁלֵי י):	(as in the) expression "He stores up (אגר) in the summer" (Prov. 10.5).

כִּי הַמִּשְׁפָּט	for the judgment
לֵאלֹהִים הוּא	is God's;
וְהַדָּבָר	and the cause
אֲשֶׁר יִקְשֶׁה מִכֶּם	that is too hard for you
תַּקְרִבוּן אֵלָי	ye shall bring unto me,
וּשְׁמַעְתִּיו׃	and I will hear it.'
18 וָאֲצַוֶּה אֶתְכֶם	18. And I commanded you
בָּעֵת הַהִוא	at that time
אֵת כָּל־הַדְּבָרִים	all the things
אֲשֶׁר תַּעֲשׂוּן׃	which ye should do.
19 וַנִּסַּע מֵחֹרֵב	19. And we journeyed from Horeb,
וַנֵּלֶךְ אֵת כָּל־הַמִּדְבָּר הַגָּדוֹל וְהַנּוֹרָא הַהוּא	and went through all that great and dreadful wilderness

Rashi — רש״י

כִּי הַמִּשְׁפָּט לֵאלֹהִים הוּא.	**For the judgment is God's**
מַה שֶּׁאַתָּה נוֹטֵל מִזֶּה שֶׁלֹּא כַדִּין,	What you take away from one unjustly,
אַתָּה מַזְקִיקֵנִי לְהַחֲזִיר לוֹ.	you force Me to return to him;
נִמְצָא שֶׁהִטִּיתָ עָלַי הַמִּשְׁפָּט (סַנְהֶ׳ ח)׃	thus you have perverted justice against Me (Sanh. 8).
תַּקְרִבוּן אֵלָי.	**Ye shall bring unto me**
עַל דָּבָר זֶה נִסְתַּלֵּק מִמֶּנּוּ	On account of this, there was withdrawn from him
מִשְׁפַּט בְּנוֹת צְלָפְחָד (שָׁם);	(knowledge of) the judgment of the daughters of Zelophehad (*ibid.*);
וְכֵן שְׁמוּאֵל אָמַר לְשָׁאוּל (שְׁ״א ט)׃—	and similarly Samuel said to Saul (I Sam. 9.19),
אָנֹכִי הָרֹאֶה,	"I am the seer."
אָמַר לוֹ הַקָּבָּ״ה	The Holy One Blessed Be He said to him:
חַיֶּיךָ שֶׁאֲנִי מוֹדִיעֲךָ	As you live, I will make known to you
שֶׁאֵין אַתָּה רוֹאֶה,	that you are not a seer.
וְאֵימָתַי הוֹדִיעוֹ?	And when did He make (it) known to him?
כְּשֶׁבָּא לִמְשׁוֹחַ אֶת דָּוִד (שְׁ״א ט״ז)׃—	When he came to anoint David (I Sam. 16.6),
וַיַּרְא אֶת אֱלִיאָב וַיֹּאמֶר	"And he beheld Eliab, and said:
אַךְ נֶגֶד ה׳ מְשִׁיחוֹ,	'Surely the Lord's anointed is before Him.' "
אָמַר לוֹ הַקָּבָּ״ה,	The Holy One Blessed Be He said to him:
וְלֹא אָמַרְתָּ אָנֹכִי הָרֹאֶה?	Did you not say "I am the seer"?
אַל תַּבֵּט אֶל מַרְאֵהוּ (סִפְרֵי)׃	"Look not on his countenance" (v. 7) (Siphre).
18 אֵת כָּל־הַדְּבָרִים אֲשֶׁר תַּעֲשׂוּן.	**18. All the things which ye should do**
אֵלּוּ עֲשֶׂרֶת הַדְּבָרִים שֶׁבֵּין דִּינֵי מָמוֹנוֹת לְדִינֵי נְפָשׁוֹת (שָׁם)׃	These are the ten things which (distinguish) between civil cases and capital cases (*ibid.*).
19 הַמִּדְבָּר הַגָּדוֹל וְהַנּוֹרָא.	**19. That great and dreadful wilderness**
שֶׁהָיוּ בוֹ נְחָשִׁים כְּקוֹרוֹת	For there were there serpents like beams
וְעַקְרַבִּים כִּקְשָׁתוֹת (שָׁם)׃	and scorpions as (large as) bows (*ibid.*).

אֲשֶׁר רְאִיתֶם	which ye saw,
דֶּרֶךְ הַר הָאֱמֹרִי	by the way to the hill-country of the Amorites,
כַּאֲשֶׁר צִוָּה יְהוָֹה אֱלֹהֵינוּ אֹתָנוּ	as the Lord our God commanded us;
וַנָּבֹא עַד קָדֵשׁ בַּרְנֵעַ׃	and we came to Kadesh-barnea.
20 וָאֹמַר אֲלֵכֶם	20. And I said unto you:
בָּאתֶם	'Ye are come
עַד־הַר הָאֱמֹרִי	unto the Hill-country of the Amorites,
אֲשֶׁר־יְהוָֹה אֱלֹהֵינוּ	which the Lord our God
נֹתֵן לָנוּ׃	giveth unto us.
21 רְאֵה	21. Behold,
נָתַן יְהוָֹה אֱלֹהֶיךָ	the Lord thy God hath set
לְפָנֶיךָ	before thee
אֶת־הָאָרֶץ	the land;
עֲלֵה רֵשׁ	go up, take possession,
כַּאֲשֶׁר דִּבֶּר יְהוָֹה אֱלֹהֵי אֲבֹתֶיךָ לָךְ	as the Lord, the God of thy fathers, hath spoken unto thee;
אַל־תִּירָא	fear not,
וְאַל־תֵּחָת׃ שלישי	neither be dismayed.'
22 וַתִּקְרְבוּן אֵלַי כֻּלְּכֶם	22. And ye came near unto me all of you,
וַתֹּאמְרוּ	and said:
נִשְׁלְחָה אֲנָשִׁים	'Let us send men
לְפָנֵינוּ	before us,
וְיַחְפְּרוּ־לָנוּ אֶת־הָאָרֶץ	that they may search for us the land,

Rashi — רש״י

22 וַתִּקְרְבוּן אֵלַי כֻּלְּכֶם.	**22. And ye came near unto me all of you**
בְּעִרְבּוּבְיָא;	In confusion.
וּלְהַלָּן הוּא אוֹמֵר (דְּבָר׳ ה׳):—	And further on it states (Deut. 5.20–21),
וַתִּקְרְבוּן אֵלַי כָּל רָאשֵׁי	"Ye come near unto me, even all the heads
שִׁבְטֵיכֶם וְזִקְנֵיכֶם	of your tribes, and your elders;
וַתֹּאמְרוּ הֵן הֶרְאָנוּ וְגוֹ׳,	and ye said: 'Behold He hath shown us,'" etc.
אוֹתָהּ קְרִיבָה הָיְתָה הוֹגֶנֶת—	That drawing near was proper;
יְלָדִים מְכַבְּדִים אֶת הַזְּקֵנִים	the young honored the elders
וּשְׁלָחוּם לִפְנֵיהֶם,	and sent them before them,
וּזְקֵנִים מְכַבְּדִים אֶת הָרָאשִׁים	and the elders honored the heads
לָלֶכֶת לִפְנֵיהֶם,	by letting them go before them.
אֲבָל כָּאן	But here
וַתִּקְרְבוּן אֵלַי כֻּלְּכֶם בְּעִרְבּוּבְיָא	"And ye came near unto me all of you" in confusion,
—יְלָדִים דּוֹחֲפִין אֶת הַזְּקֵנִים,	the young pushing the elders
וּזְקֵנִים דּוֹחֲפִין אֶת הָרָאשִׁים (סִפְרֵי)׃	and the elders pushing the heads (Siphre).

וְיָשִׁבוּ אֹתָנוּ דָּבָר	and bring us back word
אֶת־הַדֶּרֶךְ	(of) the way
אֲשֶׁר נַעֲלֶה־בָּהּ	by which we must go up,
וְאֶת הֶעָרִים	and the cities
אֲשֶׁר נָבֹא אֲלֵיהֶן:	unto which we shall come.'
23 וַיִּיטַב בְּעֵינַי הַדָּבָר	23. And the thing was pleasing in my eyes;
וָאֶקַּח מִכֶּם	and I took of you

Rashi — רש"י

וְיָשִׁבוּ אֹתָנוּ דָּבָר.	**And bring us back word**
בְּאֵיזֶה לָשׁוֹן הֵם מְדַבְּרִים:	In whatever language they speak.
אֶת־הַדֶּרֶךְ אֲשֶׁר נַעֲלֶה־בָּהּ.	**(Of) the way by which we must go up**
אֵין דֶּרֶךְ שֶׁאֵין בָּהּ עֲקָמִימוּת:	There is no way in which there are no turnings (and therefore the spies were to advise them to avoid the crooked ways).
וְאֶת הֶעָרִים אֲשֶׁר נָבֹא אֲלֵיהֶן.	**And the cities unto which we shall come**
תְּחִלָּה לִכְבּוֹשׁ (שָׁם):	first to conquer (*ibid.*).
23 וַיִּיטַב בְּעֵינַי הַדָּבָר.	**23. And the thing was pleasing in my eyes**
בְּעֵינַי וְלֹא בְעֵינֵי הַמָּקוֹם;	In my eyes, but not in the eyes of the Omnipresent.
וְאִם בְּעֵינֵי מֹשֶׁה הָיָה טוֹב	Now if in the eyes of Moses it was pleasing,
לָמָּה אֲמָרָהּ בְּתוֹכָחוֹת?	why does he mention it in (his) rebuke?
מָשָׁל לְאָדָם שֶׁאוֹמֵר לַחֲבֵרוֹ	It may be likened to a man who says to his friend:
מְכוֹר לִי חֲמוֹרְךָ זֶה,	Sell me this ass of yours.
אָמַר לוֹ הֵן,	(The friend) said to him: Yes.
נוֹתְנוֹ אַתָּה לִי לְנִסָּיוֹן?	Do you give it to me that I may test (it)?
אָמַר לוֹ הֵן.	(The friend) said to him: Yes.
בֶּהָרִים וּבַגְּבָעוֹת?	On the mountains and on the hills?
אָמַר לוֹ הֵן,	(The friend) said to him: Yes.
כֵּיוָן שֶׁרָאָה	When he saw
שֶׁאֵין מְעַכְּבוֹ כְּלוּם,	that he does not forbid him anything,
אָמַר הַלּוֹקֵחַ בְּלִבּוֹ	the buyer thought in his heart:
בָּטוּחַ הוּא זֶה	That man is certain
שֶׁלֹּא אֶמְצָא בוֹ מוּם,	that I will not find in it any defect.
מִיָּד אָמַר לוֹ	He immediately said to him:
טֹל מָעוֹתֶיךָ	Take your money;
אֵינִי מְנַסֵּהוּ מֵעַתָּה,	I shall not test it now.
אַף אֲנִי הוֹדֵיתִי לְדִבְרֵיכֶם,	Similarly I consented to your words,
שֶׁמָּא תַחְזְרוּ בָּכֶם	(thinking) perhaps you would retract
כְּשֶׁתִּרְאוּ שֶׁאֵינִי מְעַכֵּב,	when you would see that I do not forbid (it);
וְאַתֶּם לֹא חֲזַרְתֶּם בָּכֶם (סִפְרֵי):	but you did not retract (Siphre).
וָאֶקַּח מִכֶּם.	**And I took of you**
מִן הַבְּרוּרִים שֶׁבָּכֶם,	of the chosen ones among you,
מִן הַמְסֻלָּתִים שֶׁבָּכֶם (שָׁם):	of the finest among you (*ibid.*).

שְׁנֵים עָשָׂר אֲנָשִׁים	twelve men,
אִישׁ אֶחָד לַשָּׁבֶט׃	one man for every tribe;
24 וַיִּפְנוּ	24. and they turned,
וַיַּעֲלוּ הָהָרָה	and went up into the mountains
וַיָּבֹאוּ	and came
עַד־נַחַל אֶשְׁכֹּל	unto the valley of Eshcol,
וַיְרַגְּלוּ אֹתָהּ׃	and spied it out.
25 וַיִּקְחוּ בְיָדָם	25. And they took in their hands
מִפְּרִי הָאָרֶץ	of the fruit of the land,
וַיּוֹרִדוּ אֵלֵינוּ	and brought (it) down unto us,
וַיָּשִׁבוּ אֹתָנוּ דָבָר	and brought us back word,
וַיֹּאמְרוּ	and said:
טוֹבָה הָאָרֶץ	'Good is the land
אֲשֶׁר־יְהוָה אֱלֹהֵינוּ נֹתֵן לָנוּ׃	which the Lord our God giveth unto us.'
26 וְלֹא אֲבִיתֶם לַעֲלֹת	26. Yet ye would not go up,
וַתַּמְרוּ	but rebelled
אֶת־פִּי יְהוָה אֱלֹהֵיכֶם׃	(against) the commandment of the Lord your God;
27 וַתֵּרָגְנוּ בְאָהֳלֵיכֶם	27. and ye murmured in your tents,
וַתֹּאמְרוּ	and said:

Rashi — רש״י

שְׁנֵים עָשָׂר אֲנָשִׁים אִישׁ אֶחָד לַשָּׁבֶט.	**Twelve men, one man for every tribe**
מַגִּיד שֶׁלֹּא הָיָה שֵׁבֶט לֵוִי	(This) tells that the tribe of Levi was not
עִמָּהֶם (שָׁם)׃	together with them (*ibid.*).
24 עַד־נַחַל אֶשְׁכֹּל.	**24. Unto the valley of Eshcol (lit., a cluster)**
מַגִּיד שֶׁנִּקְרָא עַל שֵׁם סוֹפוֹ (שָׁם)׃	(This) tells that it was named after a later event (a cluster that they took from there) (Num. 13.24) (*ibid.*)
וַיְרַגְּלוּ אֹתָהּ.	**And (they) spied it out**
מְלַמֵּד שֶׁהָלְכוּ בָהּ	(This) teaches that they traversed it
אַרְבָּעָה אֲמָנִין שְׁתִי וָעֵרֶב (שָׁם)׃	in four lines (through) the length and breadth (*ibid.*).
25 וַיּוֹרִדוּ אֵלֵינוּ.	**25. And (they) brought (it) down unto us**
מַגִּיד שֶׁאֶרֶץ יִשְׂרָאֵל גְּבוֹהָה	(This) informs (us) that the land of Israel is higher
מִכָּל הָאֲרָצוֹת (שָׁם)׃	than all (other) lands (*ibid.*).
וַיֹּאמְרוּ טוֹבָה הָאָרֶץ.	**And (they) said: 'Good is the land'**
מִי הֵם שֶׁאָמְרוּ טוֹבָתָהּ?	Who were they who spoke of its goodness?
יְהוֹשֻׁעַ וְכָלֵב (שָׁם)׃	Joshua and Caleb (*ibid.*).
26 וַתַּמְרוּ.	**26. But (ye) rebelled**
לְשׁוֹן הַתְרָסָה	(ותמרו) denotes "opposing";
—הִתְרַסְתֶּם כְּנֶגֶד מַאֲמָרוֹ׃	you opposed His words.
27 וַתֵּרָגְנוּ.	**27. And ye murmured**
לְשׁוֹן הָרָע,	evil talk.
וְכֵן (מִשְׁלֵי י״ח)׃—	And similarly (Prov. 18.8),
דִּבְרֵי נִרְגָּן	"The words of a murmurer" (נרגן),
—אָדָם הַמּוֹצִיא דִבָּה׃	(i. e.,) one who utters evil talk.

בְּשִׂנְאַת יְהוָה אֹתָנוּ	'Because the Lord hated us,
הוֹצִיאָנוּ	He hath brought us forth
מֵאֶרֶץ מִצְרָיִם	out of the land of Egypt,
לָתֵת אֹתָנוּ	to deliver us
בְּיַד הָאֱמֹרִי	into the hand of the Amorites,
לְהַשְׁמִידֵנוּ׃	to destroy us.
28 אָנָה |	28. Whither
אֲנַחְנוּ עֹלִים	are we going up?
אַחֵינוּ	our brethren
הֵמַסּוּ אֶת־לְבָבֵנוּ	have made our heart to melt,
לֵאמֹר	saying:
עַם גָּדוֹל וָרָם מִמֶּנּוּ	(The) people (is) greater and taller than we;
עָרִים גְּדֹלֹת	the cities (are) great
וּבְצוּרֹת בַּשָּׁמָיִם	and fortified up to heaven;
וְגַם־בְּנֵי עֲנָקִים	and moreover the sons of (the) Anakim
רָאִינוּ שָׁם׃	we have seen there.'
29 וָאֹמַר אֲלֵכֶם	29. Then I said unto you:

Rashi — רש"י

בְּשִׂנְאַת ה' אֹתָנוּ.	**Because the Lord hated us**
וְהוּא הָיָה אוֹהֵב אֶתְכֶם	And He (in truth) loved you,
אֲבָל אַתֶּם שׂוֹנְאִים אוֹתוֹ;	but you hated Him.
מָשָׁל הֶדְיוֹט אוֹמֵר:—	A common proverb says,
מַה דִּבְלִבָּךְ עַל רְחִמָךְ	"That which is in your heart concerning your friend (is, you imagine)
מַה דִּבְלִבֵּיהּ עֲלָךְ (סִפְרֵי):	what (is) in his heart concerning you (Siphre).
בְּשִׂנְאַת יְהוָה אֹתָנוּ. הוֹצִיאָנוּ מֵאֶרֶץ מִצְרָיִם.	**Because the Lord hated us, He hath brought us forth out of the land of Egypt**
הוֹצָאָתוֹ לְשִׂנְאָה הָיְתָה:—	His bringing (us) forth was because of hatred.
מָשָׁל לְמֶלֶךְ בָּשָׂר וָדָם	It may be likened to a king of flesh and blood
שֶׁהָיוּ לוֹ שְׁנֵי בָנִים	who had two sons;
וְיֵשׁ לוֹ שְׁתֵּי שָׂדוֹת,	and he had two fields,
אַחַת שֶׁל שַׁקְיָא	one dependent on irrigation
וְאַחַת שֶׁל בַּעַל,	and one watered by rain.
לְמִי שֶׁהוּא אוֹהֵב	To him whom he loved
נוֹתֵן שֶׁל שַׁקְיָא,	he gives the one dependent on irrigation,
וּלְמִי שֶׁהוּא שׂוֹנֵא	and to him whom he hates
נוֹתֵן לוֹ שֶׁל בַּעַל,	he gives him the one watered by rain.
אֶרֶץ מִצְרַיִם שֶׁל שַׁקְיָא הִיא,	The land of Egypt is dependent on irrigation,
שֶׁנִּילוּס עוֹלֶה וּמַשְׁקֶה אוֹתָהּ,	for the Nile rises and irrigates it;
וְאֶרֶץ כְּנַעַן שֶׁל בַּעַל,	and the land of Canaan is watered by rain.
וְהוֹצִיאָנוּ מִמִּצְרַיִם	And He brought us forth from Egypt
לָתֵת לָנוּ אֶת אֶרֶץ כְּנַעַן (בְּמִד"ר י"ז):	to give us the land of Canaan (Numbers Rabbah 17).
28 עָרִים גְּדֹלֹת וּבְצוּרֹת בַּשָּׁמָיִם.	**28. The cities (are) great and fortified up to heaven**
דִּבְּרוּ הַכְּתוּבִים	The verses speak
לְשׁוֹן הֲבַאי (סִפְרֵי, חוּלִין צ):	in exaggerated language (Siphre; Hul. 90).

לֹא־תַעַרְצ֖וּן	'Be not terrified,
וְלֹא־תִֽירְא֖וּן מֵהֶֽם׃	neither be afraid of them.
30 יְהוָ֤ה אֱלֹֽהֵיכֶם֙	30. The Lord your God
הַהֹלֵ֣ךְ לִפְנֵיכֶ֔ם	who goeth before you,
ה֖וּא יִלָּחֵ֣ם לָכֶ֑ם	He shall fight for you,
כְּכֹ֨ל אֲשֶׁ֨ר עָשָׂ֧ה	according to all that He did
אִתְּכֶ֛ם בְּמִצְרַ֖יִם	for you in Egypt
לְעֵינֵיכֶֽם׃	before your eyes;
31 וּבַמִּדְבָּר֙	31. and in the wilderness,
אֲשֶׁ֣ר רָאִ֔יתָ	where thou hast seen
אֲשֶׁ֤ר נְשָֽׂאֲךָ֙ יְהוָ֣ה אֱלֹהֶ֔יךָ	how that the Lord thy God bore thee,
כַּאֲשֶׁ֥ר יִשָּׂא־אִ֖ישׁ	as a man doth bear
אֶת־בְּנ֑וֹ	his son,
בְּכָל־הַדֶּ֙רֶךְ֙	in all the way
אֲשֶׁ֣ר הֲלַכְתֶּ֔ם	that ye went,
עַד־בֹּאֲכֶ֖ם	until ye came
עַד־הַמָּק֥וֹם הַזֶּֽה׃	unto this place.
32 וּבַדָּבָ֖ר הַזֶּ֑ה	32. Yet in this thing
אֵינְכֶם֙ מַאֲמִינִ֔ם	ye do not believe

Rashi — רש"י

29 לֹא־תַעַרְצוּן.	**29. Be not terrified**
לְשׁוֹן שְׁבִירָה כְּתַרְגּוּמוֹ,	(The term תערצו) denotes "breaking," as the Targum renders it.
וְדוֹמֶה לוֹ (אִיּוֹב ל):—	And similar to it (Job 30.6),
בַּעֲרוּץ נְחָלִים לִשְׁכֹּן	"In the clefts (בערוץ) of the valleys must they dwell,"
—בְּשִׁבּוּר נְחָלִים:	(i. e.,) in the broken (rocks) of the valleys.
30 יִלָּחֵם לָכֶם.	**30. He shall fight for you**
בִּשְׁבִילְכֶם:	(לכם) denotes for your sake.
31 וּבַמִּדְבָּר אֲשֶׁר רָאִיתָ.	**31. And in the wilderness, where thou hast seen**
מוּסָב עַל מִקְרָא שֶׁלְּמַעְלָה הֵימֶנּוּ	(This) refers to the verse which precedes it,
„כְּכֹל אֲשֶׁר עָשָׂה אִתְּכֶם בְּמִצְרַיִם"	"according to all that He did for you in Egypt,"
וְעָשָׂה אַף	and He did also
„בַּמִּדְבָּר אֲשֶׁר רָאִיתָ אֲשֶׁר נְשָׂאֲךָ וְגוֹ'":	"in the wilderness where thou hast seen how He bore thee," etc.
כַּאֲשֶׁר יִשָּׂא־אִישׁ אֶת־בְּנוֹ.	**As a man doth bear his son**
כְּמוֹ שֶׁפֵּרַשְׁתִּי אֵצֶל	as I have explained in reference to
וַיִּסַּע מַלְאַךְ הָאֱלֹהִים	"And the angel of God removed,
הַהֹלֵךְ לִפְנֵי מַחֲנֵה יִשְׂרָאֵל וְגוֹ' (שְׁמוֹת י"ד),	who went before the camp of Israel," etc. (Ex. 14.19).
מָשָׁל לִמְהַלֵּךְ בַּדֶּרֶךְ	It may be likened to one traveling on the road,
וּבְנוֹ לְפָנָיו,	with his son before him;
בָּאוּ לִסְטִים לִשְׁבּוֹתוֹ וְכוּ':	there came robbers to take him captive (the father takes the son away from in front of him and places him behind himself), etc.
32 וּבַדָּבָר הַזֶּה.	**32. Yet in this thing**
—שֶׁהוּא מַבְטִיחֲכֶם	That He has promised you,
לַהֲבִיאֲכֶם אֶל הָאָרֶץ,	to bring you to the Land,
אֵינְכֶם מַאֲמִינִים בּוֹ:	you do not believe in Him.

בַּיהוָה אֱלֹהֵיכֶם׃	the Lord your God,
33 הַהֹלֵךְ לִפְנֵיכֶם	33. who went before you
בַּדֶּרֶךְ	in the way,
לָתוּר לָכֶם מָקוֹם	to seek you out a place
לַחֲנֹתְכֶם	to encamp (in):
בָּאֵשׁ ׀ לַיְלָה	in fire (by) night,
לַרְאֹתְכֶם בַּדֶּרֶךְ	to show you by the way
אֲשֶׁר תֵּלְכוּ־בָהּ	by which ye should go,
וּבֶעָנָן יוֹמָם׃	and in the cloud by day.'
34 וַיִּשְׁמַע יְהוָה	34. And the Lord heard
אֶת־קוֹל דִּבְרֵיכֶם	the voice of your words,
וַיִּקְצֹף	and was wroth,
וַיִּשָּׁבַע לֵאמֹר׃	and swore, saying:
35 אִם־יִרְאֶה אִישׁ	35. If there shall see a man,
בָּאֲנָשִׁים הָאֵלֶּה	anong these men,
הַדּוֹר הָרָע הַזֶּה	even this evil generation,
אֵת הָאָרֶץ הַטּוֹבָה	the good land,
אֲשֶׁר נִשְׁבַּעְתִּי	which I swore
לָתֵת לַאֲבֹתֵיכֶם׃	to give unto your fathers,
36 זוּלָתִי כָּלֵב בֶּן־יְפֻנֶּה	36. save Caleb the son of Jephunneh,
הוּא יִרְאֶנָּה	he shall see it;
וְלוֹ־אֶתֵּן אֶת־הָאָרֶץ	and to him will I give the land
אֲשֶׁר דָּרַךְ־בָּהּ	that he hath trodden upon,
וּלְבָנָיו	and to his children;
יַעַן אֲשֶׁר מִלֵּא אַחֲרֵי יְהוָה׃	because he hath wholly followed the Lord.'
37 גַּם־בִּי הִתְאַנַּף יְהוָה	37. Also with me the Lord was angry
בִּגְלַלְכֶם	for your sakes,
לֵאמֹר	saying:

Rashi — רש"י

33 לַרְאֹתְכֶם.	**33. To show you**
כְּמוֹ לְהַרְאוֹתְכֶם,	(לַרְאֹתְכֶם) is like לְהַרְאוֹתְכֶם (to show you).
וְכֵן (שְׁמוֹת י"ג)׃—	And similarly (Ex. 13.21),
לַנְחֹתָם הַדֶּרֶךְ,	"To lead them (לַנְחֹתָם; for לְהַנְחֹתָם) the way";
וְכֵן (תְּהִ' כ"ו)׃—	and similarly (Ps. 26.7),
לַשְׁמִעַ בְּקוֹל תּוֹדָה	"That I may make to be heard (לַשְׁמִעַ; for לְהַשְׁמִיעַ) the voice of thanksgiving";
וְכֵן (מ"ב ט)׃—	and also (II Ki. 9.15),
לָלֶכֶת לַגִּיד בְּיִזְרְעֶאל׃	"To go to tell it (לַגִּיד; for לְהַגִּיד) in Jezreel."
36 אֲשֶׁר דָּרַךְ־בָּהּ.	**36. That he hath trodden upon**
חֶבְרוֹן;	(i. e.,) Hebron,
שֶׁנֶּאֱמַר (בְּמִדְ' י"ג)׃—	as it is stated (Num. 13.22),
וַיָּבֹא עַד־חֶבְרוֹן׃	"and he came unto Hebron."
37 הִתְאַנַּף.	**37. (He) was angry**
נִתְמַלֵּא רוֹגֶז׃	(התאנף denotes) "He was filled with anger."

גַּם־אַתָּה	'Thou also
לֹא־תָבֹא שָׁם׃	shalt not go in thither;
38 יְהוֹשֻׁעַ בִּן־נוּן	38. Joshua the son of Nun,
הָעֹמֵד לְפָנֶיךָ	who standeth before thee,
הוּא יָבֹא שָׁמָּה	he shall go in thither;
אֹתוֹ חַזֵּק	encourage him thou;
כִּי־הוּא יַנְחִלֶנָּה אֶת־יִשְׂרָאֵל׃	for he shall cause Israel to inherit it.
רביעי	
39 וְטַפְּכֶם	39. Moreover your little ones,
אֲשֶׁר אֲמַרְתֶּם	that ye said
לָבַז יִהְיֶה	should be a prey,
וּבְנֵיכֶם	and your children,
אֲשֶׁר לֹא־יָדְעוּ הַיּוֹם	that that day had no knowledge
טוֹב וָרָע	(of) good or evil,
הֵמָּה יָבֹאוּ שָׁמָּה	they shall go in thither,
וְלָהֶם אֶתְּנֶנָּה	and unto them will I give it,
וְהֵם יִירָשׁוּהָ׃	and they shall possess it.
40 וְאַתֶּם פְּנוּ לָכֶם	40. But (as for) you, turn you,
וּסְעוּ הַמִּדְבָּרָה	and take your journey into the wilderness
דֶּרֶךְ יַם־סוּף׃	by the way to the Red Sea.'
41 וַתַּעֲנוּ ׀	41. Then ye answered
וַתֹּאמְרוּ אֵלַי	and said unto me:
חָטָאנוּ לַיהוָה	'We have sinned against the Lord,
אֲנַחְנוּ נַעֲלֶה	we will go up
וְנִלְחַמְנוּ	and fight,
כְּכֹל אֲשֶׁר־צִוָּנוּ יְהוָה אֱלֹהֵינוּ	according to all that the Lord our God commanded us.'
וַתַּחְגְּרוּ	And ye girded on

Rashi — רש"י

40 פְּנוּ לָכֶם.	**40. Turn you**
אָמַרְתִּי לְהַעֲבִיר אֶתְכֶם	I thought to make you pass over
דֶּרֶךְ רוֹחַב אֶרֶץ אֱדוֹם	by way of the breadth of the land of Edom
לְצַד צָפוֹן לִכָּנֵס לָאָרֶץ,	towards the North to enter the Land;
קִלְקַלְתֶּם וּגְרַמְתֶּם לָכֶם עִכּוּב׃	(but) you were corrupt and caused yourselves a delay.
פְּנוּ לָכֶם.	**Turn you**
לַאֲחוֹרֵיכֶם	backwards,
וּלְכוּ בַּמִּדְבָּר לְצַד יַם סוּף,	and go in the wilderness towards the Red Sea.
שֶׁהַמִּדְבָּר שֶׁהָיוּ מְהַלְּכִים בּוֹ	For the wilderness in which they journeyed
לִדְרוֹמוֹ שֶׁל הַר שֵׂעִיר הָיָה	was to the south of Mount Seir;
מַפְסִיק בֵּין יַם סוּף לְהַר שֵׂעִיר.	it separated between the Red Sea and Mount Seir.
עַתָּה הִמָּשְׁכוּ לְצַד הַיָּם	Now turn towards the Sea
וְתִסַּבְּבוּ אֶת הַר שֵׂעִיר	and you shall encompass Mount Seir
כָּל דְּרוֹמוֹ מִן הַמַּעֲרָב לַמִּזְרָח׃	its entire South, from West to East.

אִישׁ	(every) man
אֶת־כְּלֵי מִלְחַמְתּוֹ	his weapons of war,
וַתָּהִינוּ	and were ready
לַעֲלֹת הָהָרָה׃	to go up into the Hill-country.
42 וַיֹּאמֶר יְהוָה אֵלַי	42. And the Lord said unto me:
אֱמֹר לָהֶם	'Say to them:
לֹא תַעֲלוּ	Go not up,
וְלֹא־תִלָּחֲמוּ	neither fight;
כִּי אֵינֶנִּי בְּקִרְבְּכֶם	for I am not among you;
וְלֹא תִּנָּגְפוּ	lest ye be smitten
לִפְנֵי אֹיְבֵיכֶם׃	before your enemies.'
43 וָאֲדַבֵּר אֲלֵיכֶם	43. So I spoke unto you,
וְלֹא שְׁמַעְתֶּם	and ye hearkened not;
וַתַּמְרוּ	but ye rebelled
אֶת־פִּי יְהוָה	(against) the commandment of the Lord,
וַתָּזִדוּ	and were presumptuous,
וַתַּעֲלוּ הָהָרָה׃	and went up into the Hill-country.
44 וַיֵּצֵא הָאֱמֹרִי	44. And there came out the Amorites,
הַיֹּשֵׁב בָּהָר הַהוּא	that dwell in that Hill-country,
לִקְרַאתְכֶם	against you,
וַיִּרְדְּפוּ אֶתְכֶם	and chased you,
כַּאֲשֶׁר תַּעֲשֶׂינָה הַדְּבֹרִים	as bees do,
וַיַּכְּתוּ אֶתְכֶם בְּשֵׂעִיר	and beat you down in Se'ir,
עַד־חָרְמָה׃	(even) unto Hormah.
45 וַתָּשֻׁבוּ	45. And ye returned
וַתִּבְכּוּ	and wept
לִפְנֵי יְהוָה	before the Lord;

Rashi — רש"י

41 וַתָּהִינוּ.	**41. And (you) were ready**
לְשׁוֹן הִנֶּנּוּ וְעָלִינוּ אֶל הַמָּקוֹם (בַּמִּדְ׳ י״ד)	(ותהינו is to be interpreted as in) the expression "Behold we are here (הננו), and we will go up unto the place" (Num. 14.40).
זֶה הַלָּשׁוֹן שֶׁאֲמַרְתֶּם לְשׁוֹן הֵן,	This term which you used denotes "Yes,"
כְּלוֹמַר נִזְדַּמַּנְתֶּם׃	that is, you were prepared (ready).
42 לֹא תַעֲלוּ.	**42. Go not up**
לֹא עֲלִיָּה תְּהֵא לָכֶם	Not elevation (victory) shall you have
אֶלָּא יְרִידָה׃	but degradation (defeat), (cf. שפתי חכמים).
44 כַּאֲשֶׁר תַּעֲשֶׂינָה הַדְּבֹרִים.	**44. As bees do**
מַה הַדְּבוֹרָה הַזֹּאת	Just as a bee
כְּשֶׁהִיא מַכָּה אֶת הָאָדָם	when it stings a person
מִיָּד מֵתָה,	immediately it dies,
אַף הֵם כְּשֶׁהָיוּ נוֹגְעִים בָּכֶם	they too when they touched you,
מִיָּד מֵתִים׃	immediately they died.

but the Lord hearkened not	וְלֹא שָׁמַע יְהוָֹה
to your voice,	בְּקֹלְכֶם
nor gave ear unto you.	וְלֹא הֶאֱזִין אֲלֵיכֶם׃
46. So ye abode in Kadesh	46 וַתֵּשְׁבוּ בְקָדֵשׁ
many days,	יָמִים רַבִּים
according unto the days	כַּיָּמִים
that ye abode (there).	אֲשֶׁר יְשַׁבְתֶּם׃

CHAPTER II — ב

1. Then we turned,	1 וַנֵּפֶן
and took our journey into the wilderness	וַנִּסַּע הַמִּדְבָּרָה
by the way to the Red Sea,	דֶּרֶךְ יַם־סוּף
as the Lord spoke spoke unto me;	כַּאֲשֶׁר דִּבֶּר יְהוָֹה אֵלָי

Rashi — רש״י

45. But the Lord hearkened not to your voice	45 וְלֹא שָׁמַע ה׳ בְּקֹלְכֶם.
It is as though (if it is possible to say so of God) you had made His attribute of mercy (viz., the term 'ה) become	כִּבְיָכוֹל עֲשִׂיתֶם מִדַּת רַחֲמָיו
as though it were cruel.	כְּאִלּוּ אַכְזָרִי׃
46. So ye abode in Kadesh many days	46 וַתֵּשְׁבוּ בְקָדֵשׁ יָמִים רַבִּים.
Nineteen years.	י״ט שָׁנָה,
For it is stated, "according unto the days that ye abode"	שֶׁנֶּאֱמַר ״כַּיָּמִים אֲשֶׁר יְשַׁבְתֶּם״
during the other journeys,	בִּשְׁאָר הַמַּסָּעוֹת,
and they were thirty-eight years;	וְהֵם הָיוּ ל״ח שָׁנָה,
nineteen of them they tarried in Kadesh,	י״ט מֵהֶם עָשׂוּ בְקָדֵשׁ
and nineteen years	וְי״ט שָׁנָה
they were continually driven about	הוֹלְכִים וּמְטוֹרָפִים
and (then) returned to Kadesh,	וְחָזְרוּ לְקָדֵשׁ,
as it is stated (Num. 32.13),	כְּמוֹ שֶׁנֶּאֱמַר (בַּמִּדְ׳ ל״ב):–
"And He made them wander to and fro in the wilderness."	וַיְנִעֵם בַּמִּדְבָּר;
So I have found in Seder Olam.	כָּךְ מָצָאתִי בְּסֵדֶר עוֹלָם׃

2 1. Then we turned, and took our journey into the wilderness	2 1 וַנֵּפֶן וַנִּסַּע הַמִּדְבָּרָה.
If they had not sinned,	אִלּוּ לֹא חָטְאוּ
they would have passed over by way of Mount Seir	הָיוּ עוֹבְרִים דֶּרֶךְ הַר שֵׂעִיר
to enter the Land	לִכָּנֵס לָאָרֶץ
from its south to its north;	מִן דְּרוֹמוֹ לִצְפוֹנוֹ,
but since they were corrupt,	וּבִשְׁבִיל שֶׁקִּלְקְלוּ
they turned towards the wilderness,	הָפְכוּ לְצַד הַמִּדְבָּר,
which is between the Red Sea	שֶׁהוּא בֵּין יַם סוּף
and the south of Mount Seir,	לִדְרוֹמוֹ שֶׁל הַר שֵׂעִיר,
and they journeyed along its south	וְהָלְכוּ אֵצֶל דְּרוֹמוֹ
from west to east.	מִן הַמַּעֲרָב לַמִּזְרָח׃
By the way to the Red Sea	דֶּרֶךְ יַם־סוּף.
By the way of their going forth out of Egypt,	דֶּרֶךְ יְצִיאָתָן מִמִּצְרַיִם
which is in the south-[illegible]tern corner;	שֶׁהוּא כְּמִקְצוֹעַ דְּרוֹמִית מַעֲרָבִית
f[illegible] they proceeded	מִשָּׁם הָיוּ הוֹלְכִים
towards the east.	לְצַד הַמִּזְרָח׃

וַנָּסָב אֶת־הַר־שֵׂעִיר	and we compassed mount Seir
יָמִים רַבִּים: ס חמישי	many days.
2 וַיֹּאמֶר יְהוָה אֵלַי	2. And the Lord spoke unto me,
לֵאמֹר:	saying:
3 רַב־לָכֶם סֹב	3. 'Ye have long enough compassed
אֶת־הָהָר הַזֶּה	this mountain;
פְּנוּ לָכֶם צָפֹנָה:	turn you northward.
4 וְאֶת־הָעָם צַו	4. And command thou the people,
לֵאמֹר	saying:
אַתֶּם עֹבְרִים	Ye are to pass
בִּגְבוּל אֲחֵיכֶם	through the border of your brethren
בְּנֵי־עֵשָׂו	the children of Esau,
הַיֹּשְׁבִים בְּשֵׂעִיר	that dwell in Seir;
וְיִירְאוּ מִכֶּם	and they will be afraid of you;
וְנִשְׁמַרְתֶּם מְאֹד:	take ye good heed unto yourselves therefore;
5 אַל־תִּתְגָּרוּ בָם	5. contend not with them;
כִּי לֹא־אֶתֵּן לָכֶם	for I will not give you
מֵאַרְצָם	of their land,
עַד מִדְרַךְ כַּף־רָגֶל	(no,) not so much as for the sole of the foot to tread on;
כִּי־יְרֻשָּׁה לְעֵשָׂו	because (for) a possession unto Esau

Rashi — רש״י

וַנָּסָב אֶת־הַר־שֵׂעִיר.	**And we compassed Mount Seir**
כָּל דְּרוֹמוֹ עַד אֶרֶץ מוֹאָב:	Its entire south, until the land of Moab.
3 **פְּנוּ לָכֶם צָפֹנָה.**	**3. Turn you northward**
סֹבּוּ לָכֶם לְרוּחַ מִזְרָחִית,	Turn you in the direction of East
מִן הַדָּרוֹם לַצָּפוֹן,	from south to north,
פְּנֵיכֶם לַצָּפוֹן,	your faces (directed) to the north;
נִמְצְאוּ הוֹלְכִין אֶת רוּחַ מִזְרָחִית	thus they were going in the direction of East.
וְזֶהוּ שֶׁנֶּאֱמַר (שׁוֹפְ׳ י״א):—	And that is what is stated (Judg. 11.18),
וַיָּבֹאוּ מִמִּזְרַח שֶׁמֶשׁ לְאֶרֶץ מוֹאָב:	"and they came from the rising of the sun unto the land of Moab."
4 **וְנִשְׁמַרְתֶּם מְאֹד.**	**4. Take ye good heed unto yourselves therefore**
וּמַהוּ הַשְּׁמִירָה?	And what is the heeding?
„אַל תִּתְגָּרוּ בָם":	"Contend not with them."
5 **עַד מִדְרַךְ כַּף־רָגֶל.**	**5. (No,) not so much as for the sole of the foot to tread on**
אֲפִילוּ מִדְרַךְ כַּף רֶגֶל,	(עד is to be interpreted as) "even" for the sole of the foot to tread on,
כְּלוֹמַר אֲפִילוּ דְּרִיסַת הָרֶגֶל	that is, even the benefit of crossing (lit., a crossing on foot)
אֵינִי מַרְשֶׁה לָכֶם	I will not permit you
לַעֲבוֹר בְּאַרְצָם שֶׁלֹּא בִרְשׁוּת.	to pass through their land without permission.
וּמ״אַ:—	An Aggadic interpretation (states):
עַד שֶׁיָּבוֹא יוֹם דְּרִיסַת כַּף רֶגֶל	Until there will come the day when the sole of (his) foot will tread
עַל הַר הַזֵּתִים,	on the Mount of Olives,
שֶׁנֶּאֱמַר (זְכַ׳ י״ד):—	as it is stated (Zech. 14.4),
וְעָמְדוּ רַגְלָיו וְגוֹ׳:	"and His feet shall stand (in that day upon the mount of Olives)," etc.
יְרֻשָּׁה לְעֵשָׂו.	**(For) a possession unto Esau**
מֵאַבְרָהָם,	From Abraham.

נָתַתִּי אֶת־הַר שֵׂעִיר׃	I have given mount Seir.
6 אֹכֶל תִּשְׁבְּרוּ מֵאִתָּם	6. Ye shall purchase food of them
בַּכֶּסֶף	for money,
וַאֲכַלְתֶּם	that ye may eat;
וְגַם־מַיִם	and also water
תִּכְרוּ מֵאִתָּם	ye shall buy of them,
בַּכֶּסֶף	for money,
וּשְׁתִיתֶם׃	that ye may drink.
7 כִּי יְהוָה אֱלֹהֶיךָ	7. For the Lord thy God
בֵּרַכְךָ	hath blessed thee
בְּכֹל מַעֲשֵׂה יָדֶךָ	in all the work of thy hand;
יָדַע לֶכְתְּךָ	He hath known thy walking
אֶת־הַמִּדְבָּר הַגָּדֹל הַזֶּה	(through) this great wilderness;
זֶה | אַרְבָּעִים שָׁנָה	these forty years
יְהוָה אֱלֹהֶיךָ עִמָּךְ	the Lord thy God (hath been) with thee;
לֹא חָסַרְתָּ דָּבָר׃	thou hast lacked nothing.
8 וַנַּעֲבֹר	8. So we passed by
מֵאֵת אַחֵינוּ	from our brethren
בְנֵי־עֵשָׂו	the children of Esau,
הַיֹּשְׁבִים בְּשֵׂעִיר	that dwell in Seir,
מִדֶּרֶךְ הָעֲרָבָה	from the way of the Arabah,

Rashi — רש"י

עֲשָׂרָה עֲמָמִים נָתַתִּי לוֹ,	Ten nations I gave to him (to Abraham),
שִׁבְעָה לָכֶם,	seven for you
וְקֵינִי וּקְנִזִּי וְקַדְמוֹנִי	and the Kenites and Kenizzites and Kadmonites,
הֵן עַמּוֹן וּמוֹאָב וְשֵׂעִיר,	these are Ammon and Moab and Seir;
אֶחָד מֵהֶם לְעֵשָׂו	one of them for Esau,
וְהַשְּׁנַיִם לִבְנֵי לוֹט,	and the other two for the sons of Lot
בִּשְׂכַר שֶׁהָלַךְ אִתּוֹ לְמִצְרַיִם	as a reward for his going with him (viz., Abraham) to Egypt
וְשָׁתַק עַל מַה שֶּׁהָיָה אוֹמֵר	and his being silent regarding what (Abraham) said
עַל אִשְׁתּוֹ אֲחוֹתִי הִיא,	concerning his wife, "She is my sister."
עֲשָׂאוֹ כִּבְנוֹ (בְּ"ר נ"א):	He made him as his son (Gen. Rab. 51).
6 תִּכְרוּ.	**6. Ye shall buy**
לְשׁוֹן מִקָּח,	(תכרו) denotes "buying";
וְכֵן (בְּרֵא' נ'):—	and similarly (Gen. 50.5),
אֲשֶׁר כָּרִיתִי לִי,	"Which I have bought (כריתי) for me."
שֶׁכֵּן בִּכְרַכֵּי הַיָּם	For thus in the sea-towns (mercantile ports)
קוֹרִין לִמְכִירָה כִּירָה (ר"הַ כ"ו):	they call selling כירה (R. H. 26).
7 כִּי ה' אֱלֹהֶיךָ בֵּרַכְךָ.	**7. For the Lord thy God hath blessed thee**
לְפִיכָךְ לֹא תִכְפּוּ אֶת טוֹבָתוֹ	Therefore be not ungrateful for His kindness
לֵרָאוֹת כְּאִלּוּ אַתֶּם עֲנִיִּים,	by appearing as though you were poor,
אֶלָּא הַרְאוּ עַצְמְכֶם עֲשִׁירִים:	but show yourselves wealthy.

מֵאֵילַ֥ת וּמֵעֶצְיֹ֖ן גָּ֑בֶר ° ס	from Elath and from Ezion-geber.
וַנֵּ֙פֶן֙ וַֽנַּעֲבֹ֔ר	And we turned and passed
דֶּ֖רֶךְ מִדְבַּ֥ר מוֹאָֽב׃	by the way of the wilderness of Moab.
9 וַיֹּ֨אמֶר יְהֹוָ֜ה אֵלַ֗י	9. And the Lord said unto me:
אַל־תָּ֙צַר֙ אֶת־מוֹאָ֔ב	'Be not at enmity with Moab,
וְאַל־תִּתְגָּ֥ר בָּ֖ם	neither contend with them
מִלְחָמָ֑ה	(in) battle;
כִּ֠י לֹֽא־אֶתֵּ֨ן לְךָ֤ מֵֽאַרְצוֹ֙	for I will not give thee of his land
יְרֻשָּׁ֔ה	(for) a possession;
כִּ֣י לִבְנֵי־ל֔וֹט	because unto the children of Lot
נָתַ֥תִּי אֶת־עָ֖ר	I have given Ar
יְרֻשָּֽׁה׃	(for) a possession. —
10 הָאֵמִ֥ים	10. The Emim
לְפָנִ֖ים יָ֣שְׁבוּ בָ֑הּ	dwelt therein aforetime,
עַ֣ם גָּד֥וֹל וְרַ֛ב	a people great, and many,

° פסקא באמצע פסוק.

Rashi — רש״י

8 וַנֵּפֶן וַנַּעֲבֹר.	**8. And we turned and passed**
לְצַד צָפוֹן הָפַכְנוּ פָּנִים	Towards the north we turned our faces
לַהֲלוֹךְ רוּחַ מִזְרָחִית:	to proceed in the direction of the East.
9 וְאַל־תִּתְגָּר בָּם, וְגוֹ׳.	**9. Neither contend with them, etc.**
לֹא אָסַר לָהֶם עַל מוֹאָב אֶלָּא מִלְחָמָה,	He forbade them in reference to Moab only (the waging of) war;
אֲבָל מְיָרְאִים הָיוּ אוֹתָם,	but they did make them afraid,
וְנִרְאִים לָהֶם	and appeared to them
כְּשֶׁהֵם מְזֻיָּנִים,	when they were armed,
לְפִיכָךְ כְּתִיב (בַּמִּדְ׳ כ״ב):—	therefore it is written (Num. 22.3),
וַיָּגָר מוֹאָב מִפְּנֵי הָעָם,	"And Moab was sore afraid of the people,"
שֶׁהָיוּ שׁוֹלְלִים וּבוֹזְזִים אוֹתָם;	for they spoiled and plundered them.
אֲבָל בִּבְנֵי עַמּוֹן נֶאֱמַר (פָּסוּק י״ט):—	But concerning the children of Ammon it is stated (Deut. 2.19),
וְאַל תִּתְגָּר בָּם,	"And harass them not"
—שׁוּם גֵּרוּי,	any provocation at all,
בִּשְׂכַר צְנִיעוּת אִמָּם,	as a reward for the discretion of their mother,
שֶׁלֹּא פִרְסְמָה עַל אָבִיהָ	for she did not expose her father
כְּמוֹ שֶׁעָשְׂתָה הַבְּכִירָה	as the oldest daughter had done,
שֶׁקָּרְאָה שֵׁם בְּנָהּ מוֹאָב (בָּ״ק ל״ח):	who called the name of her son Moab (i. e., from father) (B. K. 38).
עָר.	**Ar**
שֵׁם הַמְּדִינָה:	The name of the country.
10 הָאֵמִים לְפָנִים וְגוֹ׳.	**10. The Emim aforetime, etc.**
אַתָּה סָבוּר שֶׁזּוּ אֶרֶץ רְפָאִים	You may think that this is the land of Rephaim
שֶׁנָּתַתִּי לוֹ לְאַבְרָהָם,	which I gave to Abraham,
לְפִי שֶׁהָאֵמִים שֶׁהֵם רְפָאִים	because the Emim, who are the Rephaim,
יָשְׁבוּ בָהּ לְפָנִים,	dwelt therein aforetime;
אֲבָל לֹא זוּ הִיא,	but this is not the same,
כִּי אוֹתָן רְפָאִים הוֹרַשְׁתִּי	for those Rephaim I drove out

וָרָם כַּעֲנָקִים:	and tall, as the Anakim;
11 רְפָאִים	11. (as) Rephaim
יֵחָשְׁבוּ אַף־הֵם	these also are accounted,
כָּעֲנָקִים	as the Anakim;
וְהַמֹּאָבִים	but the Moabites
יִקְרְאוּ לָהֶם אֵמִים:	call them Emim.
12 וּבְשֵׂעִיר	12. And in Seir
יָשְׁבוּ הַחֹרִים לְפָנִים	dwelt the Horites aforetime,
וּבְנֵי עֵשָׂו יִירָשׁוּם	but the children of Esau dispossessed them;
וַיַּשְׁמִידוּם מִפְּנֵיהֶם	and they destroyed them from before them,
וַיֵּשְׁבוּ תַּחְתָּם	and dwelt in their stead;
כַּאֲשֶׁר עָשָׂה יִשְׂרָאֵל	as Israel did
לְאֶרֶץ יְרֻשָּׁתוֹ	unto the land of his possession,
אֲשֶׁר־נָתַן יְהוָה לָהֶם:	which the Lord gave unto them. —
13 עַתָּה קֻמוּ	13. Now rise up,
וְעִבְרוּ לָכֶם	and get you over
אֶת־נַחַל זָרֶד	the brook Zered.'
וַנַּעֲבֹר	And we went over
אֶת־נַחַל זָרֶד:	the brook Zered.
14 וְהַיָּמִים	14. And the days
אֲשֶׁר־הָלַכְנוּ	(in) which we came
מִקָּדֵשׁ בַּרְנֵעַ	from Kadesh-barnea,
עַד אֲשֶׁר־עָבַרְנוּ אֶת־נַחַל זֶרֶד	until we were come over the brook Zered,

Rashi — רש״י

מִפְּנֵי בְּנֵי לוֹט	before the sons of Lot,
וְהוֹשַׁבְתִּים תַּחְתָּם:	and I made them dwell (there) in their stead.
11 רְפָאִים יֵחָשְׁבוּ וגו׳.	**11. (As) Rephaim are accounted, etc.**
רְפָאִים הָיוּ נֶחְשָׁבִין אוֹתָם אֵמִים,	As Rephaim were those Emim accounted,
כַּעֲנָקִים הַנִּקְרָאִים רְפָאִים	just as the Anakim who were called Rephaim (רפאים),
עַל שֵׁם שֶׁכָּל הָרוֹאֶה אוֹתָם	because whoever saw them
יָדָיו מִתְרַפּוֹת (בְּ״ר כ״ו):	his hands became weak (מתרפות) (Gen. Rab. 26).
אֵמִים.	**Emim**
עַל שֵׁם שֶׁאֵימָתָם	(They were called thus) because dread (אימה) of them
מֻטֶּלֶת עַל הַבְּרִיּוֹת (שָׁם),	hung over mankind (*ibid.*).
וְכֵן בְּשֵׂעִיר יָשְׁבוּ הַחֹרִים	And similarly in Seir there dwelt the Horites,
וּנְתַתִּים לִבְנֵי עֵשָׂו:	and I gave them to the children of Esau.
12 יִירָשׁוּם.	**12. (They) dispossessed them**
לְשׁוֹן הֹוֶה,	(יירשום denotes the) present tense (i. e., continuous action),
כְּלוֹמַר נָתַתִּי בָהֶם כֹּחַ	that is, I have given them strength
שֶׁהָיוּ מוֹרִישִׁים אוֹתָם וְהוֹלְכִים:	so that they should continue to dispossess them.

(were) thirty and eight years;	שְׁלֹשִׁים וּשְׁמֹנֶה שָׁנָה
until were consumed	עַד־תֹּם
all the generation,	כָּל־הַדּוֹר
even the men of war,	אַנְשֵׁי הַמִּלְחָמָה
from the midst of the camp,	מִקֶּרֶב הַמַּחֲנֶה
as the Lord swore unto them.	כַּאֲשֶׁר נִשְׁבַּע יְהוָה לָהֶם׃
15. Moreover the hand of the Lord	15 וְגַם יַד־יְהוָה
was against them,	הָיְתָה בָּם
to discomfort them	לְהֻמָּם
from the midst of the camp,	מִקֶּרֶב הַמַּחֲנֶה
until they were consumed.	עַד תֻּמָּם׃
16. So it came to pass,	16 וַיְהִי
when all the men of war were consumed,	כַאֲשֶׁר־תַּמּוּ כָּל־אַנְשֵׁי הַמִּלְחָמָה
and dead from among the people,	לָמוּת מִקֶּרֶב הָעָם׃ ס
17. that the Lord spoke unto me,	17 וַיְדַבֵּר יְהוָה אֵלַי
saying:	לֵאמֹר׃

Rashi — רש"י

15. (It) was against them	15 **הָיְתָה בָּם.**
To hasten and confound them	לְמַהֵר וּלְהֻמָּם
within the forty years,	בְּתוֹךְ אַרְבָּעִים שָׁנָה.
so that they should not cause their children	שֶׁלֹּא יִגְרְמוּ לִבְנֵיהֶם
to remain any longer in the wilderness.	עוֹד לְהִתְעַכֵּב בַּמִּדְבָּר׃
16–17. So it came to pass, when there were consumed, etc., that the Lord spoke unto me, etc.	16—17 **וַיְהִי כַאֲשֶׁר־תַּמּוּ וְגוֹ׳, וַיְדַבֵּר ה׳ אֵלַי וְגוֹ׳.**
But from the (account of the) sending of the spies	אֲבָל מִשִּׁלּוּחַ הַמְרַגְּלִים
until the present	עַד כָּאן
there is not stated in this section	לֹא נֶאֱמַר בְּפָרָשָׁה זוֹ
(the term) וידבר (He spoke) but ויאמר (He said),	וַיְדַבֵּר אֶלָּא וַיֹּאמֶר,
to teach you that all thirty-eight years	לְלַמֶּדְךָ שֶׁכָּל ל"ח שָׁנָה
(during) which the Israelites were reprimanded,	שֶׁהָיוּ יִשְׂרָאֵל נְזוּפִים,
the divine speech (דבור) was not addressed to him	לֹא נִתְיַחֵד עִמּוֹ הַדִּבּוּר
in an expression of endearment	בִּלְשׁוֹן חִבָּה,
face to face	פָּנִים אֶל פָּנִים
and with ease of mind;	וְיִשּׁוּב הַדַּעַת;
to teach you	לְלַמֶּדְךָ
that the Divine Presence does not rest	שֶׁאֵין הַשְּׁכִינָה שׁוֹרָה
upon the prophets	עַל הַנְּבִיאִים
except for the sake of Israel (Mekhilta Ex. 12.).	אֶלָּא בִּשְׁבִיל יִשְׂרָאֵל (מְכִי׳ שְׁמוֹת י"ב)׃
The men of war	**אַנְשֵׁי הַמִּלְחָמָה.**
(I. e.,) from (those) twenty years old,	מִבֶּן עֶשְׂרִים שָׁנָה
that go forth to war.	הַיּוֹצְאִים בַּצָּבָא׃

18 אַתָּה עֹבֵר הַיּוֹם — 18. 'Thou art this day to pass over

אֶת־גְּבוּל מוֹאָב — the border of Moab,

אֶת־עָר׃ — even Ar;

19 וְקָרַבְתָּ — 19. and when thou comest nigh

מוּל בְּנֵי עַמּוֹן — over against the children of Ammon,

אַל־תְּצֻרֵם — harass them not,

וְאַל־תִּתְגָּר בָּם — nor contend with them;

כִּי לֹא־אֶתֵּן — for I will not give

מֵאֶרֶץ בְּנֵי־עַמּוֹן — of the land of the children of Ammon

לְךָ יְרֻשָּׁה — to thee (for) a possession;

כִּי לִבְנֵי־לוֹט — because unto the children of Lot

נְתַתִּיהָ יְרֻשָּׁה׃ — I have given it (for) a possession. —

20 אֶרֶץ־רְפָאִים — 20. A land of Rephaim

תֵּחָשֵׁב אַף־הִוא — that also is accounted:

רְפָאִים יָשְׁבוּ־בָהּ — Rephaim dwelt therein

לְפָנִים — aforetime;

וְהָעַמֹּנִים — but the Ammonites

יִקְרְאוּ לָהֶם זַמְזֻמִּים׃ — call them Zamzummim,

21 עַם גָּדוֹל וְרַב — 21. a people great, and many,

וָרָם כָּעֲנָקִים — and tall, as the Anakim;

וַיַּשְׁמִידֵם יְהוָה — but the Lord destroyed them

מִפְּנֵיהֶם — from before them;

וַיִּירָשֻׁם — and they succeeded them,

וַיֵּשְׁבוּ תַחְתָּם׃ — and dwelt in their stead;

22 כַּאֲשֶׁר עָשָׂה — 22. as He did

לִבְנֵי עֵשָׂו — for the children of Esau,

הַיֹּשְׁבִים בְּשֵׂעִיר — that dwell in Seir,

אֲשֶׁר הִשְׁמִיד — when He destroyed

אֶת־הַחֹרִי — the Horites

מִפְּנֵיהֶם — from before them;

וַיִּירָשֻׁם — and they succeeded them,

וַיֵּשְׁבוּ תַחְתָּם — and dwelt in their stead

עַד הַיּוֹם הַזֶּה׃ — (even) unto this day;

Rashi — רש"י

18—19 אַתָּה עֹבֵר הַיּוֹם אֶת־גְּבוּל מוֹאָב וְגוֹ'. — **18-19. Thou art this day to pass over the border of Moab etc.**

וְקָרַבְתָּ מוּל בְּנֵי עַמּוֹן. — **And when thou comest nigh over against the children of Ammon**

מִכָּאן שֶׁאֶרֶץ עַמּוֹן — Hence (it is derived) that the land of Ammon

לְצַד צָפוֹן׃ — is towards the north.

20 אֶרֶץ־רְפָאִים תֵּחָשֵׁב. — **20. A land of Rephaim (that also) is accounted**

אֶרֶץ רְפָאִים נֶחְשֶׁבֶת אַף הִיא, — A land of Rephaim it too is accounted,

לְפִי שֶׁהָרְפָאִים יָשְׁבוּ בָהּ לְפָנִים, — because the Rephaim dwelt therein aforetime;

אֲבָל לֹא זוֹ הִיא — but it is not the same

שֶׁנָּתַתִּי לְאַבְרָהָם׃ — that I gave to Abraham.

23 וְהָעַוִּים	23. and the Avvim,
הַיֹּשְׁבִים בַּחֲצֵרִים	that dwelt in villages
עַד־עַזָּה	as far as Gaza,
כַּפְתֹּרִים	the Caphtorim,
הַיֹּצְאִים מִכַּפְתֹּר	that came forth out of Caphtor,
הִשְׁמִידֻם	destroyed them,
וַיֵּשְׁבוּ תַחְתָּם׃	and dwelt in their stead. —
24 קוּמוּ סְּעוּ	24. Rise ye up, take your journey,
וְעִבְרוּ	and pass over
אֶת־נַחַל אַרְנֹן	the valley of Arnon;
רְאֵה	behold,
נָתַתִּי בְיָדְךָ אֶת־סִיחֹן	I have given into thy hand Sihon
מֶלֶךְ־חֶשְׁבּוֹן הָאֱמֹרִי	the Amorite king of Heshbon,
וְאֶת־אַרְצוֹ	and his land;
הָחֵל רָשׁ	begin (to) possess (it),
וְהִתְגָּר בּוֹ מִלְחָמָה׃	and contend with him (in) battle.
25 הַיּוֹם הַזֶּה	25. This day
אָחֵל	will (I) begin
תֵּת פַּחְדְּךָ וְיִרְאָתְךָ	to put the dread of thee and the fear of thee
עַל־פְּנֵי הָעַמִּים	upon the peoples
תַּחַת כָּל־הַשָּׁמָיִם	(that are) under the whole heaven,

Rashi — רש"י

23 וְהָעַוִּים הַיֹּשְׁבִים בַּחֲצֵרִים וְגוֹ'.	**23. And the Avvim, that dwelt in villages, etc.**
עַוִּים מִפְּלִשְׁתִּים הֵם,	The Avvim are of the Philistines,
שֶׁעִמָּהֶם הֵם נֶחְשָׁבִים	for together with them are they enumerated
בְּסֵפֶר יְהוֹשֻׁעַ	in the Book of Joshua,
שֶׁנֶּאֱמַר (יְהוֹ' י"ג):—	as it is stated (Josh. 13.3),
חֲמֵשֶׁת סַרְנֵי פְּלִשְׁתִּים	"The five lords of the Philistines:
הָעַזָּתִי וְהָאַשְׁדּוֹדִי	the Gazite, and the Ashdodite,
הָאֶשְׁקְלוֹנִי	the Ashkelonite,
הַגִּתִּי וְהָעֶקְרוֹנִי	the Gittite, and the Ekronite;
וְהָעַוִּים,	also the Avvim."
וּמִפְּנֵי הַשְּׁבוּעָה שֶׁנִּשְׁבַּע אַבְרָהָם	And because of the oath which Abraham swore
לַאֲבִימֶלֶךְ	to Abimelech,
לֹא יָכְלוּ יִשְׂרָאֵל	the Israelites were not able
לְהוֹצִיא אַרְצָם מִיָּדָם,	to take their land away from their possession;
וְהֵבֵאתִי עֲלֵיהֶם כַּפְתּוֹרִים	and (therefore I brought against them the Caphtorim
וְהִשְׁמִידוּם וַיֵּשְׁבוּ תַּחְתָּם,	and they destroyed them and dwelt in their stead.
וְעַכְשָׁיו אַתֶּם מוּתָּרִים	And now you are permitted
לְקַחְתָּהּ מִיָּדָם (חוּלִּין ס):	to take it from their possession (Hul. 60).
25 תַּחַת כָּל־הַשָּׁמָיִם.	**25. (That are) under the whole heaven**
לִמֵּד שֶׁעָמְדָה חַמָּה לְמֹשֶׁה	(The statement that the nations under the entire heaven will dread the Israelites) teaches that the sun stood still for Moses
בְּיוֹם מִלְחֶמֶת עוֹג	on the day of the war of Og,
וְנוֹדַע הַדָּבָר	and the matter (consequently) became known
תַּחַת כָּל הַשָּׁמַיִם (עַ"ז כ"ה):	under all the heaven (Ab. Zarah 25).

אֲשֶׁר יִשְׁמְעוּן שִׁמְעֲךָ	who, when they hear the report of thee,
וְרָגְזוּ	shall tremble,
וְחָלוּ מִפָּנֶיךָ:	and be in anguish because of thee.'
26 וָאֶשְׁלַח מַלְאָכִים	26. And I sent messengers
מִמִּדְבַּר קְדֵמוֹת	out of the wilderness of Kedemoth
אֶל־סִיחוֹן מֶלֶךְ חֶשְׁבּוֹן	unto Sihon the king of Heshbon
דִּבְרֵי שָׁלוֹם	(with) words of peace,
לֵאמֹר:	saying:
27 אֶעְבְּרָה בְאַרְצֶךָ	27. 'Let me pass through thy land;
בַּדֶּרֶךְ בַּדֶּרֶךְ אֵלֵךְ	along by the highway I will go,
לֹא אָסוּר	I will neither turn
יָמִין וּשְׂמֹאול:	(unto the) right (hand) nor to the left.
28 אֹכֶל בַּכֶּסֶף תַּשְׁבִּרֵנִי	28. Food for money, thou shalt sell me
וְאָכַלְתִּי	that I may eat;
וּמַיִם בַּכֶּסֶף	and water for money
תִּתֶּן־לִי	thou shalt give me,
וְשָׁתִיתִי	that I may drink;
רַק אֶעְבְּרָה בְרַגְלָי:	only let me pass through on my feet;

Rashi — רש״י

26 מִמִּדְבַּר קְדֵמוֹת.	**26. Out of the wilderness of Kedemoth**
אַף עַל פִּי שֶׁלֹּא צִוַּנִי הַמָּקוֹם	Although the Omnipresent did not command me
לִקְרוֹא לְסִיחוֹן לְשָׁלוֹם,	to offer peace to Sihon,
לָמַדְתִּי מִמִּדְבַּר סִינַי:—	I learned (it) from the wilderness of Sinai,
—מִן הַתּוֹרָה שֶׁקָּדְמָה לָעוֹלָם;	(i. e.,) from the Torah which preceded the world:
כְּשֶׁבָּא הַקָּבָּ״ה לִתְּנָהּ לְיִשְׂרָאֵל	when the Holy One Blessed Be He was about to give it (Torah) to Israel,
חָזַר אוֹתָהּ עַל עֵשָׂו וְיִשְׁמָעֵאל,	He presented it (first) to Esau and Ishmael,
וְגָלוּי לְפָנָיו שֶׁלֹּא יְקַבְּלוּהָ,	and (although) it was revealed before Him that they would not receive it,
וְאַף עַל פִּי כֵן	nevertheless
פָּתַח לָהֶם בְּשָׁלוֹם,	He began with them with peace;
אַף אֲנִי קִדַּמְתִּי אֶת סִיחוֹן	likewise I came before (קְדֵמוֹת–קֶדֶם) Sihon
בְּדִבְרֵי שָׁלוֹם.	with words of peace.
דָּ״אַ, מִמִּדְבַּר קְדֵמוֹת׳	Another explanation of ממדבר קדמות:
מִמְּךָ לָמַדְתִּי,	From Thee I have learned,
שֶׁקָּדַמְתָּ לָעוֹלָם,	who didst precede the world.
יָכוֹל הָיִיתָ לִשְׁלוֹחַ	Thou couldst have sent
בָּרָק אֶחָד	one lightning flash
וְלִשְׂרוֹף אֶת הַמִּצְרִים,	and consumed the Egyptians;
אֶלָּא שְׁלַחְתַּנִי מִן הַמִּדְבָּר	but Thou didst send me from the wilderness
אֶל פַּרְעֹה לֵאמֹר (שְׁמוֹת ה):—	to Pharaoh to say (Ex. 5.1),
שַׁלַּח אֶת עַמִּי,	"Let My people go,"
בְּמִתּוּן (תַּנְח׳):	with patience (Tanḥuma).

29 כַּאֲשֶׁר עָשׂוּ־לִי	29. as did unto me
בְּנֵי עֵשָׂו	the children of Esau,
הַיֹּשְׁבִים בְּשֵׂעִיר	that dwell in Seir,
וְהַמּוֹאָבִים	and the Moabites,
הַיֹּשְׁבִים בְּעָר	that swell in Ar;
עַד אֲשֶׁר־אֶעֱבֹר אֶת־הַיַּרְדֵּן	until I shall pass over the Jordan
אֶל־הָאָרֶץ	into the land
אֲשֶׁר־יְהוָה אֱלֹהֵינוּ	which the Lord our God
נֹתֵן לָנוּ׃	giveth us?
30 וְלֹא אָבָה סִיחֹן מֶלֶךְ חֶשְׁבּוֹן	30. But Sihon king of Heshbon would not
הַעֲבִרֵנוּ בּוֹ	let us pass by him;
כִּי־הִקְשָׁה יְהוָה אֱלֹהֶיךָ	for the Lord thy God hardened
אֶת־רוּחוֹ	his spirit,
וְאִמֵּץ אֶת־לְבָבוֹ	and made his heart obstinate,
לְמַעַן תִּתּוֹ בְיָדְךָ	that He might deliver him in thy hand,
כַּיּוֹם הַזֶּה׃ ס ששי	as appeareth this day.
31 וַיֹּאמֶר יְהוָה אֵלַי	31. And the Lord said unto me:
רְאֵה הַחִלֹּתִי	'Behold, I have begun
תֵּת לְפָנֶיךָ	to deliver up before thee
אֶת־סִיחֹן	Sihon
וְאֶת־אַרְצוֹ	and his land;
הָחֵל רָשׁ	begin (to) possess,
לָרֶשֶׁת אֶת־אַרְצוֹ׃	to inherit his land.
32 וַיֵּצֵא סִיחֹן לִקְרָאתֵנוּ	32. Then Sihon came out against us,
הוּא וְכָל־עַמּוֹ	he and all his people,
לַמִּלְחָמָה יָהְצָה׃	unto battle at Jahaz.

Rashi — רש"י

29 כַּאֲשֶׁר עָשׂוּ־לִי בְּנֵי עֵשָׂו.	**29. As did unto me the children of Esau**
לֹא לְעִנְיַן לַעֲבוֹר בְּאַרְצָם,	Not in reference to passing through their land,
אֶלָּא לְעִנְיַן מֶכֶר אוֹכֶל וּמַיִם:	but in reference to the selling of food and water.
עַד אֲשֶׁר־אֶעֱבֹר אֶת־הַיַּרְדֵּן.	**Until I shall pass over the Jordan**
מוּסָב עַל אֶעְבְּרָה בְאַרְצֶךָ׃	(This) refers to "Let me pass through thy land" (Deut. 2:27).
31 הַחִלֹּתִי תֵּת לְפָנֶיךָ.	**31. I have begun to deliver up before thee**
כָּפָה שַׂר שֶׁל אֱמוֹרִיִּים שֶׁל מַעְלָה	He forced the (guardian) angel of the Amorites from above
תַּחַת רַגְלָיו שֶׁל מֹשֶׁה	beneath the feet of Moses,
וְהִדְרִיכוֹ עַל צַוָּארוֹ:	and made him tread upon his neck.
32 וַיֵּצֵא סִיחֹן.	**32. Then Sihon came out**
לֹא שָׁלַח בִּשְׁבִיל עוֹג לַעֲזוֹר לוֹ,	He did not send for Og to aid him,
לְלַמֶּדְךָ שֶׁלֹּא הָיוּ צְרִיכִים	to teach you that (they were so strong) they did not have need
זֶה לָזֶה:	one of the other.

33 וַיִּתְּנֵהוּ יְהוָה אֱלֹהֵינוּ	33. And the Lord our God delivered him up
לְפָנֵינוּ	before us;
וַנַּךְ אֹתוֹ וְאֶת־בָּנָו°	and we smote him, and his sons,
וְאֶת־כָּל־עַמּוֹ:	and all his people.
34 וַנִּלְכֹּד	34. And we took
אֶת־כָּל־עָרָיו	all his cities
בָּעֵת הַהִוא	at that time,
וַנַּחֲרֵם	and utterly destroyed
אֶת־כָּל־עִיר	every city,
מְתִם וְהַנָּשִׁים וְהַטָּף	the men, and the women and the little ones;
לֹא הִשְׁאַרְנוּ שָׂרִיד:	we left none remaining;

° בניו, קרי.

35 רַק הַבְּהֵמָה	35. only the cattle
בָּזַזְנוּ לָנוּ	we took for a prey unto ourselves,
וּשְׁלַל הֶעָרִים	with the spoil of the cities
אֲשֶׁר לָכָדְנוּ:	which we had taken.
36 מֵעֲרֹעֵר	36. From Aro'er,
אֲשֶׁר עַל־שְׂפַת־נַחַל אַרְנֹן	which is on the edge of the valley of Arnon,
וְהָעִיר אֲשֶׁר־בַּנַּחַל	and (from) the city that is in the valley,
וְעַד־הַגִּלְעָד	even unto Gilead,
לֹא הָיְתָה קִרְיָה	there was not a city
אֲשֶׁר שָׂגְבָה מִמֶּנּוּ	too strong for us:
אֶת־הַכֹּל	all
נָתַן יְהוָה אֱלֹהֵינוּ	has the Lord our God delivered up

Rashi — רש״י

33 וְאֶת־בָּנָיו.	**33. And his sons**
בְּנוֹ כְּתִיב	"His son" (בנו) is written (consonantally),
שֶׁהָיָה לוֹ בֵּן גִּבּוֹר כְּמוֹתוֹ (תַּנְח׳ חֻקַּת):	for he had a son as mighty as himself (Tanhuma חקת).
34 מְתִם.	**34. The men**
אֲנָשִׁים,	(מְתִם denotes) "men."
בְּבִזַּת סִיחוֹן נֶאֱמַר:–	Regarding the prey of Sihon it is stated (v. 35),
בָּזַזְנוּ לָנוּ	"we took for a prey (בָּזַזְנוּ) unto ourselves,"
לְשׁוֹן בִּזָּה,	(using) the term בִּזָּה (prey),
שֶׁהָיְתָה חֲבִיבָה עֲלֵיהֶם	for it was dear to them
וּבוֹזְזִים אִישׁ לוֹ,	and each man took prey for himself.
וּכְשֶׁבָּאוּ לְבִזַּת עוֹג,	But when they came to the prey of Og,
כְּבָר הָיוּ שְׂבֵעִים וּמְלֵאִים,	they were already satiated and full,
וְהָיְתָה בְזוּיָה בְּעֵינֵיהֶם,	and it was contemptibe (בזויה) in their eyes;
וּמְקַרְעִין וּמַשְׁלִיכִין בְּהֵמָה וּבְגָדִים,	and they tore and cast away cattle and garments,
וְלֹא נָטְלוּ כִּי אִם כֶּסֶף וְזָהָב,	and they took only silver and gold.
לְכָךְ נֶאֱמַר בַּזּוֹנוּ לָנוּ,	Therefore it is stated (3.7), "We deemed contemptible (בזונו) for ourselves,"
לְשׁוֹן בִּזָּיוֹן,	(from) the expression בזיון (contempt).
כָּךְ נִדְרַשׁ בְּסִפְרֵי בְּפָ׳	Thus it is interpreted in Siphre in the chapter (beginning) (Num. 25.1),
וַיֵּשֶׁב יִשְׂרָאֵל בַּשִּׁטִּים:	"And Israel dwelt in Shittim."

לְפָנֵינוּ׃	before us.
37 רַק	37. Only
אֶל־אֶרֶץ בְּנֵי־עַמּוֹן	to the land of the children of Ammon
לֹא קָרָבְתָּ	thou camest not near;
כָּל־יַד נַחַל יַבֹּק	all the side of the river Jabbok,
וְעָרֵי הָהָר	and the cities of the hill-country,
וְכֹל אֲשֶׁר־צִוָּה יְהוָה אֱלֹהֵינוּ׃	and wheresoever the Lord our God commanded us.

CHAPTER III — ג

1 וַנֵּפֶן	1. Then we turned,
וַנַּעַל דֶּרֶךְ הַבָּשָׁן	and went up the way to Bashan;
וַיֵּצֵא עוֹג מֶלֶךְ־הַבָּשָׁן	and Og, the king of Bashan came out
לִקְרָאתֵנוּ	against us,
הוּא וְכָל־עַמּוֹ	he and all his people,
לַמִּלְחָמָה אֶדְרֶעִי׃	unto battle at Edrei.
2 וַיֹּאמֶר יְהוָה אֵלַי	2. And the Lord said unto me:
אַל־תִּירָא אֹתוֹ	'Fear him not;
כִּי בְיָדְךָ נָתַתִּי אֹתוֹ	for into thy hand I have delivered him,
וְאֶת־כָּל־עַמּוֹ	and all his people,
וְאֶת־אַרְצוֹ	and his land;
וְעָשִׂיתָ לּוֹ	and thou shalt do unto him
כַּאֲשֶׁר עָשִׂיתָ	as thou didst
לְסִיחֹן מֶלֶךְ הָאֱמֹרִי	unto Sihon king of the Amorites,
אֲשֶׁר יוֹשֵׁב בְּחֶשְׁבּוֹן׃	who dwelt at Heshbon.'
3 וַיִּתֵּן יְהוָה אֱלֹהֵינוּ	3. So the Lord our God delivered
בְּיָדֵנוּ	into our hand
גַּם אֶת־עוֹג מֶלֶךְ־הַבָּשָׁן	Og also, the king of Bashan,
וְאֶת־כָּל־עַמּוֹ	and all his people;

Rashi — רש"י

37 כָּל־יַד נַחַל יַבֹּק.	**37. All the side of the river Jabbok**
כָּל אֵצֶל נַחַל יַבּוֹק׃	('יד means) all the "side" of the river Jabbok.
וְכֹל אֲשֶׁר־צִוָּה ה' אֱלֹהֵינוּ.	**And wheresoever the Lord our God commanded us**
שֶׁלֹּא לִכְבּוֹשׁ, הִנַּחְנוּ׃	not to conquer, we left.
3 1 וַנֵּפֶן וַנַּעַל.	**3 1. Then we turned, and went up**
כָּל צַד צָפוֹן הוּא עֲלִיָּה׃	Every direction northward is "going up."
2 אַל־תִּירָא אֹתוֹ.	**2. Fear him not**
וּבְסִיחוֹן לֹא הוּצְרַךְ לוֹמַר	But regarding Sihon it was not necessary to state,
אַל תִּירָא אֹתוֹ!	"Fear him not."
אֶלָּא מִתְיָרֵא הָיָה מֹשֶׁה	However, Moses feared
שֶׁלֹּא תַעֲמוֹד לוֹ זְכוּת	lest there stand by him (viz., Og) the merit
שֶׁשִּׁמֵּשׁ לְאַבְרָהָם,	that he served Abraham,
שֶׁנֶּאֱמַר (בְּרֵא' י"ד):–	as it is stated (Gen. 14.13),
וַיָּבֹא הַפָּלִיט,	"And there came one that had escaped";
וְהוּא עוֹג׃	and that was Og.

וַנַּכֵּהוּ	and we smote him
עַד־בִּלְתִּי הִשְׁאִיר־לוֹ שָׂרִיד׃	until none was left to him remaining.
4 וַנִּלְכֹּד	4. And we took
אֶת־כָּל־עָרָיו	all his cities
בָּעֵת הַהִוא	at that time;
לֹא הָיְתָה קִרְיָה	there was not a city
אֲשֶׁר לֹא־לָקַחְנוּ	which we took not
מֵאִתָּם	from them;
שִׁשִּׁים עִיר	threescore cities,
כָּל־חֶבֶל אַרְגֹּב	all the region of Argob,
מַמְלֶכֶת עוֹג בַּבָּשָׁן׃	the kingdom of Og in Bashan.
5 כָּל־אֵלֶּה	5. All these
עָרִים בְּצֻרֹת	were fortified cities,
חוֹמָה גְבֹהָה	(with) high wall(s),
דְּלָתַיִם וּבְרִיחַ	gates, and bar(s);
לְבַד מֵעָרֵי הַפְּרָזִי	besides the unwalled towns
הַרְבֵּה מְאֹד׃	a great many.
6 וַנַּחֲרֵם אוֹתָם	6. And we utterly destroyed them,
כַּאֲשֶׁר עָשִׂינוּ	as we did
לְסִיחֹן מֶלֶךְ חֶשְׁבּוֹן	unto Sihon king of Heshbon,
הַחֲרֵם	utterly destroying
כָּל־עִיר	every city,

Rashi — רש״י

4 חֶבֶל אַרְגֹּב.	**4. The region of Argob**
מְתַרְגְּמִינָן בֵּית פֶּלֶךְ טְרָכוֹנָא,	(חבל ארגב) is rendered by the Targum: "the district of Trachona,"
וְרָאִיתִי תַּרְגּוּם יְרוּשַׁלְמִי בִּמְגִלַּת אֶסְתֵּר	and I saw in a Jerusalem Targum of the Scroll of Esther
קוֹרֵא פַּלְטִין טְרָכוֹנִין,	(that) it calls palaces: *trachonin*;
לָמַדְתִּי חֶבֶל אַרְגּוֹב הַפַּרְכְיָא	(hence) I learned that the district of Argob is הפרכיא
—הֵיכַל מֶלֶךְ,	(i. e.,) a royal palace,
כְּלוֹמַר שֶׁהַמַּלְכוּת נִקְרֵאת עַל שְׁמָהּ;	that is, that the kingdom is called after its name.
וְכֵן אֶת הָאַרְגּוֹב דִּמְלָכִים (מ״ב ט״ו)׃—	And similarly the Argob of Kings (II Ki. 15.25);
אֵצֶל הֵיכַל מֶלֶךְ	near the palace of the king
הֲרָגוֹ פֶּקַח בֶּן רְמַלְיָהוּ	did Pekah the son of Remaliah kill
לִפְקַחְיָה בֶּן מְנַחֵם,	Pekahia the son of Menahem.
לָמַדְתִּי שֶׁכָּךְ נִקְרָאת שֵׁם הַפַּרְכְיָא׃	(Hence) I learned that thus (viz., Argob) is called the name of a palace.
5 מֵעָרֵי הַפְּרָזִי.	**5. (Besides) the unwalled towns**
פְּרוּזוֹת וּפְתוּחוֹת בְּלֹא חוֹמָה,	(הפרזי denotes) unwalled and open, without a wall;
וְכֵן (זְכַרְי ב)׃—	and similarly (Zech. 2.8),
פְּרָזוֹת תֵּשֵׁב יְרוּשָׁלַיִם׃	"without walls (פרזות) shall Jerusalem be inhabited."
6 הַחֲרֵם.	**6. Utterly destroying**
לְשׁוֹן הוֹוֶה	(החרם) expresses the present t[illegible] (i. e., infinitiv[illegible] than th[illegible] [illegible]tive)
—הָלוֹךְ וְכַלּוֹת׃	(viz.,) continously destroying.

מִתֹּם הַנָּשִׁים וְהַטָּף׃	the men, the women, and the little ones.
7 וְכָל־הַבְּהֵמָה	7. But all the cattle,
וּשְׁלַל הֶעָרִים	and the spoil of the cities,
בַּזּוֹנוּ לָנוּ׃	we took for a prey unto ourselves.
8 וַנִּקַּח בָּעֵת הַהִוא	8. And we took at that time
אֶת־הָאָרֶץ	the land
מִיַּד	out of the hand
שְׁנֵי מַלְכֵי הָאֱמֹרִי	of the two kings of the Amorites
אֲשֶׁר בְּעֵבֶר הַיַּרְדֵּן	that were beyond the Jordan,
מִנַּחַל אַרְנֹן	from the valley of Arnon
עַד־הַר חֶרְמוֹן׃	unto mount Hermon —
9 צִידֹנִים יִקְרְאוּ לְחֶרְמוֹן	9. The Sidonians call Hermon
שִׂרְיֹן	Sirion,
וְהָאֱמֹרִי	and the Amorites
יִקְרְאוּ־לוֹ שְׂנִיר׃	call it Senir —
10 כֹּל ׀ עָרֵי הַמִּישֹׁר	10. all the cities of the plain,
וְכָל־הַגִּלְעָד	and all Gilead,
וְכָל־הַבָּשָׁן	and all Bashan,
עַד־סַלְכָה וְאֶדְרֶעִי	unto Salcah and Edrei,
עָרֵי	cities
מַמְלֶכֶת עוֹג בַּבָּשָׁן׃	of the kingdom of Og in Bashan. —
11 כִּי רַק־עוֹג מֶלֶךְ הַבָּשָׁן	11. For only Og king of Bashan
נִשְׁאַר	remained
מִיֶּתֶר הָרְפָאִים	of the remnant of the Rephaim;

Rashi — רש"י

8 מִיַּד.	**8. Out of the hand**
מֵרְשׁוּת:	(מיד denotes) out of the possession.
9 צִידֹנִים יִקְרְאוּ לְחֶרְמוֹן וְגוֹ׳.	**9. The Sidonians call Hermon (Sirion), etc.**
וּבְמָקוֹם אַחֵר הוּא אוֹמֵר (דְּבָר׳ ד)׃—	And in another passage it states (Deut. 4.48),
וְעַד־הַר שִׂיאֹן הוּא חֶרְמוֹן,	"Even unto mount Sion — the same is Hermon";
הֲרֵי לוֹ אַרְבָּעָה שֵׁמוֹת,	thus it (Hermon) has four names.
לָמָּה הוּצְרְכוּ לִכָּתֵב?	Why was it necessary that they be mentioned?
לְהַגִּיד שֶׁבַח אֶרֶץ יִשְׂרָאֵל	To declare the praise of the land of Israel,
שֶׁהָיוּ אַרְבַּע מַלְכֻיּוֹת	for there were four kingdoms
מִתְפָּאֲרוֹת בָּךְ,	priding themselves regarding it,
זוֹ אוֹמֶרֶת	one saying:
עַל שְׁמִי יִקָּרֵא,	By my name let it be called,
וְזוֹ אוֹמֶרֶת	and the other saying:
עַל שְׁמִי יִקָּרֵא:	By my name let it be called.
שְׂנִיר.	**Senir**
הוּא שֶׁלֶג בִּלְשׁוֹן אַשְׁכְּנַז	This denotes "snow" in the language of Ashkenaz (German)
וּבִלְשׁוֹן כְּנַעַן:	and in the language of Canaan.
11 מִיֶּתֶר הָרְפָאִים.	**11. Of the remnant of the Rephaim**
שֶׁהָרְגוּ אַמְרָפֶל וַחֲבֵרָיו	Whom Amraphel and his companions had killed
בְּעַשְׁתְּרוֹת קַרְנַיִם,	in Ashteroth-karnaim;

הִנֵּה עַרְשׂוֹ	behold, his bedstead,
עֶרֶשׂ בַּרְזֶל	was a bedstead of iron;
הֲלֹה הִוא	is it not
בְּרַבַּת בְּנֵי עַמּוֹן	in Rabbah of the children of Ammon?
תֵּשַׁע אַמּוֹת אָרְכָּהּ	nine cubits was the length thereof,
וְאַרְבַּע אַמּוֹת	and four cubits
רָחְבָּהּ	the breadth of it,
בְּאַמַּת־אִישׁ׃	after the cubit of a man. —
12 וְאֶת־הָאָרֶץ הַזֹּאת	12. And this land
יָרַשְׁנוּ בָּעֵת הַהִוא	we took in possession at that time;
מֵעֲרֹעֵר	from Aroer,
אֲשֶׁר־עַל־נַחַל אַרְנֹן	which is by the valley of Arnon,
וַחֲצִי הַר־הַגִּלְעָד	and half the hill-country of Gilead,
וְעָרָיו	and the cities thereof,
נָתַתִּי	gave I
לָרְאוּבֵנִי וְלַגָּדִי׃	unto the Reubenites and to the Gadites;
13 וְיֶתֶר הַגִּלְעָד	13. and the rest of Gilead,
וְכָל־הַבָּשָׁן	and all Bashan,
מַמְלֶכֶת עוֹג	the kingdom of Og,
נָתַתִּי	gave I
לַחֲצִי שֵׁבֶט הַמְנַשֶּׁה	to the half-tribe of Manasseh;
כֹּל חֶבֶל הָאַרְגֹּב	all the region of Argob —
לְכָל־הַבָּשָׁן הַהוּא	with all that Bashan,
יִקָּרֵא	is called
אֶרֶץ רְפָאִים׃	the land of Rephaim.

° כתיב בה״א.

Rashi — רש״י

וְהוּא פָּלַט מִן הַמִּלְחָמָה	and he had escaped from the war,
שֶׁנֶּאֱמַר (בְּרֵא׳ י״ד):–	as it is stated (Gen. 14.13),
וַיָּבֹא הַפָּלִיט,	"and there came he who had escaped" —
–זֶהוּ עוֹג:	that was Og.
בְּאַמַּת־אִישׁ.	**After the cubit of a man**
בְּאַמַּת עוֹג:	(I. e.,) after the cubit of Og.
12 וְאֶת־הָאָרֶץ הַזֹּאת יָרַשְׁנוּ בָּעֵת הַהִוא.	**12. And this land we took in possession at that time**
הָאֲמוּרָה לְמַעְלָה	(Viz., the one) which is mentioned above (v. 8),
מִנַּחַל אַרְנֹן עַד הַר חֶרְמוֹן:	from the valley of Arnon unto Mount Hermon.
מֵעֲרֹעֵר אֲשֶׁר־עַל־נַחַל אַרְנֹן.	**From Aroer, which is by the valley of Arnon**
אֵינוֹ מְחֻבָּר לְרֹאשׁוֹ שֶׁל מִקְרָא	This is not joined to the beginning of the verse
אֶלָּא לְסוֹפוֹ	but to the end of it,
עַל נָתַתִּי לָרְאוּבֵנִי וְלַגָּדִי,	(viz.,) to "I gave unto the Reubenites and to the Gadites";
אֲבָל לְעִנְיַן יְרוּשָּׁה	but in reference to the possession,
עַד הַר חֶרְמוֹן הָיָה:	(that) was unto Mount Hermon.
13 הַהוּא יִקָּרֵא אֶרֶץ רְפָאִים.	**13. That is called the land of Rephaim**
הִיא אוֹתָהּ שֶׁנָּתַתִּי לְאַבְרָהָם:	that is the one which I gave to Abraham.

14 יָאִיר בֶּן־מְנַשֶּׁה — 14. Jair the son of Manasseh
לָקַח — took
אֶת־כָּל־חֶבֶל אַרְגֹּב — all the region of Argob,
עַד־גְּבוּל הַגְּשׁוּרִי — unto the border of the Geshurites
וְהַמַּעֲכָתִי — and the Maacathites,
וַיִּקְרָא אֹתָם — and he called them,
עַל־שְׁמוֹ אֶת־הַבָּשָׁן — (even) Bashan, after his own name,
חַוֺּת יָאִיר — Havvoth-jair,
עַד הַיּוֹם הַזֶּה׃ — unto this day. —

שביעי

15 וּלְמָכִיר — 15. And unto Machir
נָתַתִּי אֶת־הַגִּלְעָד׃ — I gave Gilead.
16 וְלָרְאוּבֵנִי וְלַגָּדִי — 16. And unto the Reubenites and unto the Gadites
נָתַתִּי מִן־הַגִּלְעָד — I gave from Gilead
וְעַד־נַחַל אַרְנֹן — even unto the brook Arnon,
תּוֹךְ הַנַּחַל וּגְבֻל — within the brook and the border;
וְעַד יַבֹּק הַנַּחַל — even unto the brook Jabbok,
גְּבוּל בְּנֵי עַמּוֹן׃ — which is the border of the children of Ammon;
17 וְהָעֲרָבָה — 17. the Arabah also,
וְהַיַּרְדֵּן וּגְבֻל — the Jordan and the border thereof,
מִכִּנֶּרֶת — from Chinnereth
וְעַד יָם הָעֲרָבָה — even unto the sea of the Arabah,
יָם הַמֶּלַח — the Salt Sea,
תַּחַת אַשְׁדֹּת הַפִּסְגָּה — under the slopes of Pisgah
מִזְרָחָה׃ — eastward.
18 וָאֲצַו אֶתְכֶם — 18. And I commanded you
בָּעֵת הַהִוא — at that time,
לֵאמֹר — saying:
יְהוָה אֱלֹהֵיכֶם — 'The Lord your God

Rashi — רש"י

16 **תּוֹךְ הַנַּחַל וּגְבֻל.** — **16. Within the brook and the border**
כָּל הַנַּחַל וְעוֹד מֵעֵבֶר לִשְׂפָתוֹ, — The entire brook and also beyond its border,
כְּלוֹמַר עַד וְעַד בִּכְלָל — that is, "up to" and that "up to" (i. e. the brook) is included
וְיוֹתֵר מִכֵּן: — and more than that.
17 **מִכִּנֶּרֶת.** — **17. From Chinnereth**
מֵעֵבֶר הַיַּרְדֵּן הַמַּעֲרָבִי הָיָה, — On the western side of the Jordan it was,
וְנַחֲלַת בְּנֵי גָד — and the inheritance of the children of Gad
מֵעֵבֶר הַיַּרְדֵּן מִזְרָחִי, — (was) on the eastern side of the Jordan,
וְנָפַל בְּגוֹרָלָם רוֹחַב הַיַּרְדֵּן כְּנֶגְדָּם, — and there fell to their lot the width of the Jordan opposite them,
וְעוֹד מֵעֵבֶר שְׂפָתוֹ עַד כִּנֶּרֶת, — and also beyond its bank until Chinnereth.
וְזֶהוּ שֶׁנֶּאֱמַר "וְהַיַּרְדֵּן וּגְבֻל" — That is what is stated, "And the Jordan and its border,"
–הַיַּרְדֵּן וּמֵעֵבֶר לוֹ: — (i. e.,) the Jordan and beyond it.
18 **וָאֲצַו אֶתְכֶם.** — **18. And I commanded you**
לִבְנֵי רְאוּבֵן וּבְנֵי גָד הָיָה מְדַבֵּר: — To the children of Reuben and the children of Gad he spoke.

נָתַן לָכֶם	hath given you
אֶת־הָאָרֶץ הַזֹּאת	this land
לְרִשְׁתָּהּ	to possess it;
חֲלוּצִים תַּעַבְרוּ	ye shall pass over armed
לִפְנֵי אֲחֵיכֶם	before your brethren
בְּנֵי־יִשְׂרָאֵל	the children of Israel,
כָּל־בְּנֵי־חָיִל׃	all the men of valour.
19 רַק נְשֵׁיכֶם וְטַפְּכֶם	19. But your wives and your little ones,
וּמִקְנֵכֶם	and your cattle —
יָדַעְתִּי	I know
כִּי־מִקְנֶה רַב לָכֶם	that ye have much cattle —
יֵשְׁבוּ בְּעָרֵיכֶם	shall abide in your cities
אֲשֶׁר נָתַתִּי לָכֶם׃	which I have given you;
מפטיר	
20 עַד אֲשֶׁר־יָנִיחַ יְהוָה ׀	20. until the Lord give rest
לַאֲחֵיכֶם	unto your brethren,
כָּכֶם	as (unto) you,
וְיָרְשׁוּ גַם־הֵם	and they also possess
אֶת־הָאָרֶץ	the land
אֲשֶׁר יְהוָה אֱלֹהֵיכֶם	which the Lord your God
נֹתֵן לָהֶם	giveth them
בְּעֵבֶר הַיַּרְדֵּן	beyond the Jordan;
וְשַׁבְתֶּם	then shall ye return
אִישׁ לִירֻשָּׁתוֹ	every man unto his possession,
אֲשֶׁר נָתַתִּי לָכֶם׃	which I have given you.'
21 וְאֶת־יְהוֹשׁוּעַ צִוֵּיתִי	21. And I commanded Joshua
בָּעֵת הַהִוא	at that time,
לֵאמֹר	saying:
עֵינֶיךָ הָרֹאֹת	'Thine eyes have seen
אֵת כָּל־אֲשֶׁר עָשָׂה יְהוָה אֱלֹהֵיכֶם	all that the Lord your God has done
לִשְׁנֵי הַמְּלָכִים הָאֵלֶּה	unto these two kings
כֵּן־יַעֲשֶׂה יְהוָה	so shall the Lord do
לְכָל־הַמַּמְלָכוֹת	unto all the kingdoms
אֲשֶׁר אַתָּה עֹבֵר שָׁמָּה׃	whither thou goest over.

Rashi — רש"י

לִפְנֵי אֲחֵיכֶם.	**Before your brethren**
הֵם הָיוּ הוֹלְכִים לִפְנֵי יִשְׂרָאֵל	They went before Israel
לַמִּלְחָמָה	to battle,
לְפִי שֶׁהָיוּ גִבּוֹרִים,	for they were strong
וְאוֹיְבִים נוֹפְלִים לִפְנֵיהֶם,	and the enemies fell before them,
שֶׁנֶּאֱמַר (דְּבָר' ל"ג):–	as it is stated (Deut. 33.20),
וְטָרַף זְרוֹעַ אַף קָדְקֹד׃	"And he teareth the arm, yea, the crown of the head."

22 לֹא תִּירָאוּם	22. Ye shall not fear them;
כִּי יְהוָה אֱלֹהֵיכֶם	for the Lord your God,
הוּא הַנִּלְחָם לָכֶם׃	He it is that fighteth for you.'

ס ס ס

23 וָאֶתְחַנַּן אֶל־יְהוָה	23. And I besought the Lord
בָּעֵת הַהִוא	at that time,
לֵאמֹר׃	saying:
24 אֲדֹנָי יֱהוִה	24. 'O Lord God,
אַתָּה הַחִלּוֹתָ	Thou hast begun
לְהַרְאוֹת אֶת־עַבְדְּךָ	to show Thy servant

Rashi — רש״י

23 **וָאֶתְחַנַּן.**	**23. And I besought**
אֵין חִנּוּן בְּכָל מָקוֹם אֶלָּא לְשׁוֹן	(The term) חנון (in place of הִתְפַּלֵּל, or the like) everywhere denotes only
מַתְּנַת חִנָּם	an act of grace.
אַף עַל פִּי—	Even though
שֶׁיֵּשׁ לָהֶם לַצַּדִּיקִים לִתְלוֹת	the righteous could base their (requests)
בְּמַעֲשֵׂיהֶם הַטּוֹבִים	on their good deeds,
אֵין מְבַקְשִׁים מֵאֵת הַמָּקוֹם אֶלָּא	they beg of the Omnipresent only
מַתְּנַת חִנָּם,	an act of grace.
(לְפִי שֶׁאָמַר לוֹ	(Since [God] said to him,
וְחַנֹּתִי אֶת אֲשֶׁר אָחֹן	"And I will be gracious to whom I will be gracious" [Ex. 33.19],
אָמַר לוֹ בִּלְשׁוֹן וָאֶתְחַנַּן);	he spoke to Him with the term "And I sought grace.")
ד״א זֶה אֶחָד מֵעֲשָׂרָה לְשׁוֹנוֹת	Another explanation: This is one of the ten terms
שֶׁנִּקְרֵאת תְּפִלָּה,	which denote prayer;
כִּדְאִיתָא בְּסִפְרֵי:	as it is (stated) in Siphre.
בָּעֵת הַהִוא.	**At that time**
לְאַחַר שֶׁכָּבַשְׁתִּי אֶרֶץ סִיחוֹן וְעוֹג	After I had conquered the lands of Sihon and Og,
דִּמִּיתִי	I thought
שֶׁמָּא הוּתַּר הַנֶּדֶר:	perhaps the vow was released.
לֵאמֹר.	**Saying**
זֶה אֶחָד מִג׳ מְקוֹמוֹת	This is one of the three passages
שֶׁאָמַר מֹשֶׁה לִפְנֵי הַמָּקוֹם	where Moses said before the Omnipresent:
אֵינִי מַנִּיחֲךָ	I will not leave you
עַד שֶׁתּוֹדִיעֵנִי	until you make known to me
אִם תַּעֲשֶׂה שְׁאֵלָתִי אִם לָאו (סִפְרֵי):	whether you will grant my request or not (Siphre).
24 **ה׳ אֱלֹהִים.**	**24. O Lord God**
רַחוּם בַּדִּין:	Merciful (ה׳) in justice. (אלהים)
אַתָּה הַחִלּוֹתָ לְהַרְאוֹת אֶת־עַבְדְּךָ.	**Thou hast begun to show Thy servant**
פָּתַח,	He opened (in this manner),
לִהְיוֹת עוֹמֵד וּמִתְפַּלֵּל	that he should be standing and praying
אַף עַל פִּי שֶׁנִּגְזְרָה גְזֵרָה;	even though the decree had been made.
אָמַר לוֹ: מִמְּךָ לָמַדְתִּי,	(Moses) said to Him: From Thee I have learned,
שֶׁאָמַרְתָּ לִּי:—	for Thou didst say unto me
(שְׁמוֹת ל״ב):—	(Ex. 32.10),
וְעַתָּה הַנִּיחָה לִּי,	"Now therefore let Me alone."

אֶת־גָּדְלְךָ	Thy greatness,
וְאֶת־יָדְךָ הַחֲזָקָה	and Thy strong hand;
אֲשֶׁר מִי־אֵל	for what god (is there)
בַּשָּׁמַיִם וּבָאָרֶץ	in heaven or on earth,
אֲשֶׁר־יַעֲשֶׂה	that can do
כְמַעֲשֶׂיךָ	according to Thy works,
וְכִגְבוּרֹתֶךָ׃	and according to Thy mighty deeds?
25 אֶעְבְּרָה־נָּא	25. Let me go over, I pray Thee,
וְאֶרְאֶה	and see
אֶת־הָאָרֶץ הַטּוֹבָה	the good land
אֲשֶׁר בְּעֵבֶר הַיַּרְדֵּן	that is beyond the Jordan,

Rashi — רש״י

וְכִי תּוֹפֵס הָיִיתִי בְּךָ?	Was I then holding Thee?
אֶלָּא לִפְתּוֹחַ פֶּתַח,	However, it was to make an opening;
שֶׁבִּי הָיָה תָּלוּי	for upon me it depended
לְהִתְפַּלֵּל עֲלֵיהֶם,	to pray for them.
כְּמוֹ כֵן הָיִיתִי סָבוּר	Similarly I thought
לַעֲשׂוֹת עַכְשָׁיו (סִפְרֵי):	to do now (Siphre).
אֶת־גָּדְלְךָ.	**Thy greatness**
זוֹ מִדַּת טוּבְךָ,	This is the quality of Thy goodness;
וְכֵן הוּא אוֹמֵר (בַּמִּדְ׳ י״ד):—	and similarly it states (Num. 14.17),
וְעַתָּה יִגְדַּל נָא כֹּחַ ה׳:	"And now, I pray Thee, let the power of the Lord be great."
וְאֶת־יָדְךָ.	**And Thy hand**
זוֹ יְמִינְךָ	This is Thy right hand,
שֶׁהִיא פְּשׁוּטָה לְכָל בָּאֵי עוֹלָם:	which is stretched forth unto all that come into the world.
הַחֲזָקָה.	**(The) strong**
שֶׁאַתָּה כוֹבֵשׁ בְּרַחֲמִים	Thou dost conquer with mercy
אֶת מִדַּת הַדִּין הַחֲזָקָה (סִפְרֵי):	the strong attribute of justice (Siphre).
אֲשֶׁר מִי־אֵל וְגוֹ׳.	**For what god (is there), etc.**
אֵינְךָ דוֹמֶה לְמֶלֶךְ בָּשָׂר וָדָם,	Thou dost not resemble a king of flesh and blood
שֶׁיֵּשׁ לוֹ יוֹעֲצִין וְסַנְקַתֶדְרִין	who has counselors and associates
הַמְמַחִין בְּיָדוֹ	who prohibit him
כְּשֶׁרוֹצֶה לַעֲשׂוֹת חֶסֶד	when he desires to do (an act of) kindness
וְלַעֲבוֹר עַל מִדּוֹתָיו,	and to pass over his retaliations (i. e., not to retaliate).
אַתָּה אֵין מִי יְמַחֶה בְּיָדְךָ	Thou, there is none to prohibit Thee
אִם תִּמְחוֹל לִי	if Thou wilt forgive me
וּתְבַטֵּל גְּזֵרָתְךָ;	and nullify Thy decree.
וּלְפִי פְּשׁוּטוֹ	And according to its plain meaning:
אַתָּה הַחִלּוֹתָ לְהַרְאוֹת	Thou hast begun to show
אֶת עַבְדְּךָ	Thy servant
מִלְחֶמֶת סִיחוֹן וְעוֹג,	the war of Sihon and Og,
כִּדְכְתִיב (דְּבָרִ׳ ב):—	as it is written (Deut. 2.31),
רְאֵה הַחִלֹּתִי תֵּת לְפָנֶיךָ,	"Behold, I have begun to deliver up before thee."
הַרְאֵנִי מִלְחֶמֶת ל״א מְלָכִים:	Show me (also) the war of the thirty-one kings.
25 אֶעְבְּרָה־נָא.	**25. Let me go over, I pray Thee (נא)**
אֵין נָא אֶלָּא לְשׁוֹן בַּקָּשָׁה:	(The term) נא denotes only a request.

הָהָר הַטּוֹב הַזֶּה	that goodly hill-country,
וְהַלְּבָנֹן׃	and the Lebanon.
26 וַיִּתְעַבֵּר יְהוָה בִּי	26. But the Lord was wroth with me
לְמַעַנְכֶם	for your sakes,
וְלֹא שָׁמַע אֵלָי	and hearkened not unto me;
וַיֹּאמֶר יְהוָה אֵלַי	and the Lord said unto me:
רַב־לָךְ	'Let it suffice thee;
אַל־תּוֹסֶף דַּבֵּר אֵלַי עוֹד	speak no more unto Me
בַּדָּבָר הַזֶּה׃	of this matter.
27 עֲלֵה ׀	27. Get thee up,
רֹאשׁ הַפִּסְגָּה	(into) the top of Pisgah,
וְשָׂא עֵינֶיךָ	and lift up thine eyes
יָמָּה וְצָפֹנָה	westward, and northward,
וְתֵימָנָה וּמִזְרָחָה	and southward, and eastward,
וּרְאֵה בְעֵינֶיךָ	and behold with thine eyes;
כִּי־לֹא תַעֲבֹר	for thou shalt not go over
אֶת־הַיַּרְדֵּן הַזֶּה׃	this Jordan.

Rashi — רש״י

הָהָר הַטּוֹב הַזֶּה.	**That goodly hill-country**
זוֹ יְרוּשָׁלַיִם׃	This is Jerusalem.
וְהַלְּבָנוֹן.	**And the Lebanon**
זֶה בֵּית הַמִּקְדָּשׁ (סִפְרֵי)׃	This is the Temple (Siphre).
26 וַיִּתְעַבֵּר ה׳	**26. But the Lord was wroth**
נִתְמַלֵּא חֵמָה׃	(ויתעבר means:) He was filled with wrath.
לְמַעַנְכֶם.	**For your sakes**
בִּשְׁבִילְכֶם	(למענכם means:) For your sakes
אַתֶּם גְּרַמְתֶּם לִי,	you brought it about for me.
וְכֵן הוּא אוֹמֵר (תְּהִ׳ ק״ו)׃—	And thus it states (Ps. 106.32),
וַיַּקְצִיפוּ עַל מֵי מְרִיבָה	"They angered Him also at the waters of Meribah,
וַיֵּרַע לְמֹשֶׁה בַּעֲבוּרָם׃	and it went ill with Moses because of them."
רַב־לָךְ.	**Let it suffice thee**
שֶׁלֹּא יֹאמְרוּ, הָרַב כַּמָּה קָשֶׁה,	Lest they say, How rigorous the teacher,
וְהַתַּלְמִיד,	and the disciple —
כַּמָּה סָרְבָן, מַפְצִיר (סוֹטָה י״ג).	how obstinate (and) importunate (Sotah 13).
ד״א, רַב לָךְ,	Another explanation of רב לך:
הַרְבֵּה מִזֶּה שָׁמוּר לָךְ	Much more than this is kept for you,
רַב טוּב הַצָּפוּן לָךְ (סִפְרֵי)׃	great is the good which is in store for you (Siphre).
27 וּרְאֵה בְעֵינֶיךָ.	**27. And behold with thine eyes**
בִּקַּשְׁתָּ מִמֶּנִּי:—	You have requested of Me,
וְאֶרְאֶה אֶת הָאָרֶץ הַטּוֹבָה,	"and let me see the good land" (v. 25);
אֲנִי מַרְאֶה לְךָ אֶת כֻּלָּהּ	I shall show you all of it,
שֶׁנֶּאֱמַר (דְּבָרִ׳ ל״ד)׃—	as it is stated (Deut. 34.1),
וַיַּרְאֵהוּ ה׳ אֶת כָּל הָאָרֶץ׃	"And the Lord showed him all the Land."

28 וְצַו אֶת־יְהוֹשֻׁעַ	28. But charge Joshua,
וְחַזְּקֵהוּ	and encourage him,
וְאַמְּצֵהוּ	and strengthen him;
כִּי־הוּא יַעֲבֹר	for he shall go over
לִפְנֵי הָעָם הַזֶּה	before this people,
וְהוּא יַנְחִיל אוֹתָם	and he shall cause them to inherit
אֶת־הָאָרֶץ	the land
אֲשֶׁר תִּרְאֶה:	which thou shalt see.'
29 וַנֵּשֶׁב בַּגָּיְא	29. So we abode in the valley
מוּל בֵּית פְּעוֹר: פ	over against Beth-peor.

Rashi — רש"י

28 וְצַו אֶת־יְהוֹשֻׁעַ.	**28. But charge Joshua**
עַל הַטְּרָחוֹת	Regarding the troubles
וְעַל הַמַּשָּׂאוֹת	and the burdens
וְעַל הַמְּרִיבוֹת:	and the contentions.
וְחַזְּקֵהוּ וְאַמְּצֵהוּ.	**And encourage him, and strengthen him**
בִּדְבָרֶיךָ,	with your words,
שֶׁלֹּא יֵרַךְ לִבּוֹ לוֹמַר:—	so that his heart should not become faint, saying:
כְּשֵׁם שֶׁנֶּעֱנַשׁ רַבִּי עֲלֵיהֶם,	Just as my teacher was punished through them,
כָּךְ סוֹפִי לֵעָנֵשׁ עֲלֵיהֶם,	so shall I eventually be punished through them.
מַבְטִיחוֹ אֲנִי	I promise him
כִּי הוּא יַעֲבוֹר	"that he shall go over . . .
וְהוּא יַנְחִיל (עַיֵּ׳ סִפְרֵי):	and he shall cause (them) to inherit" (cf. Siphre).
כִּי־הוּא יַעֲבֹר.	**For he shall go over**
אִם יַעֲבוֹר לִפְנֵיהֶם יִנְחֲלוּ,	If he will go over before them, they will inherit,
וְאִם לָאו לֹא יִנְחָלוּ;	but if not they will not inherit.
וְכֵן אַתָּה מוֹצֵא (יְהוֹ׳ ז):—	And likewise you find (Josh. 7.5)
כְּשֶׁשָּׁלַח מִן הָעָם אֶל הָעַי	that when (Joshua) sent of the people to Ai,
וְהוּא יָשַׁב,	and he remained (behind),
וַיַּכּוּ מֵהֶם אַנְשֵׁי הָעַי וְגוֹ׳	"And the men of Ai smote of them," etc.
וְכֵיוָן שֶׁנָּפַל עַל פָּנָיו	And when (Joshua) fell on his face,
אָמַר לוֹ קֻם לָךְ	(the Holy One Blessed Be He) said to him (v. 10), "Get thee (לך) up" —
קֻם לָךְ כְּתִיב	It is written קם לך (without the ו so that it can be read קָם)
אַתָּה הוּא הָעוֹמֵד בִּמְקוֹמְךָ	(i. e.:) Do you remain in your place
וּמְשַׁלֵּחַ אֶת בָּנַי לַמִּלְחָמָה	while you send My children to battle?
לָמָּה זֶה אַתָּה נוֹפֵל עַל פָּנֶיךָ?	Why should you fall on your face?
לֹא כָךְ אָמַרְתִּי לְמֹשֶׁה רַבְּךָ	Did I not say thus to Moses your teacher;
אִם הוּא עוֹבֵר עוֹבְרִין,	if he (i. e., Joshua) shall go over, they shall go over;
וְאִם לָאו אֵין עוֹבְרִין (סִפְרֵי):	but if not, they shall not go over (Siphre).
29 וַנֵּשֶׁב בַּגָּיְא וְגוֹ׳.	**29. So we abode in the valley, etc.**
וְנִצְמַדְתֶּם לַעֲ"זָ,	And you attached yourselves to idolatry;
וְאַף עַל פִּי כֵן	nevertheless,

CHAPTER IV — ד

1 וְעַתָּה יִשְׂרָאֵל	1. And now, O Israel,
שְׁמַע אֶל־הַחֻקִּים	hearken unto the statutes
וְאֶל־הַמִּשְׁפָּטִים	and unto the ordinances,
אֲשֶׁר אָנֹכִי מְלַמֵּד אֶתְכֶם	which I teach you,
לַעֲשׂוֹת	to do (them);
לְמַעַן תִּחְיוּ	in order that ye may live,
וּבָאתֶם	and go in
וִירִשְׁתֶּם אֶת־הָאָרֶץ	and possess the land
אֲשֶׁר יְהֹוָה	which the Lord,
אֱלֹהֵי אֲבֹתֵיכֶם	the God of your fathers,
נֹתֵן לָכֶם׃	giveth you.
2 לֹא תֹסִפוּ	2. Ye shall not add
עַל־הַדָּבָר	unto the word
אֲשֶׁר אָנֹכִי מְצַוֶּה אֶתְכֶם	which I command you,
וְלֹא תִגְרְעוּ מִמֶּנּוּ	neither shall ye diminish from it,
לִשְׁמֹר	that ye may keep
אֶת־מִצְוֺת יְהֹוָה אֱלֹהֵיכֶם	the commandments of the Lord your God
אֲשֶׁר אָנֹכִי מְצַוֶּה אֶתְכֶם׃	which I command you.
3 עֵינֵיכֶם הָרֹאוֹת	3. Your eyes have seen
אֵת אֲשֶׁר־עָשָׂה יְהֹוָה	what the Lord did
בְּבַעַל פְּעוֹר	in Baal-peor;
כִּי כָל־הָאִישׁ	for all the men
אֲשֶׁר הָלַךְ	that followed
אַחֲרֵי בַעַל־פְּעוֹר	after the Baal of Peor,
הִשְׁמִידוֹ יְהֹוָה אֱלֹהֶיךָ	the Lord thy God hath destroyed them
מִקִּרְבֶּךָ׃	from the midst of thee.
4 וְאַתֶּם הַדְּבֵקִים	4. But ye that did cleave
בַּיהֹוָה אֱלֹהֵיכֶם	unto the Lord your God
חַיִּים כֻּלְּכֶם הַיּוֹם׃	are alive every one of you this day.
שני	
5 רְאֵה ׀	5. Behold,
לִמַּדְתִּי אֶתְכֶם	I have taught you
חֻקִּים וּמִשְׁפָּטִים	statutes and ordinances,

Rashi — רש"י

„וְעַתָּה יִשְׂרָאֵל שְׁמַע אֶל הַחֻקִּים"	"And now, O Israel, hearken unto the statutes"
וְהַכֹּל מָחוּל לְךָ,	and everything is forgiven you.
וַאֲנִי לֹא זָכִיתִי לִמָּחֵל לִי׃	But I was not found worthy that I be forgiven.
4 2 לֹא תֹסִפוּ.	**4 2. Ye shall not add**
כְּגוֹן חָמֵשׁ פָּרָשִׁיּוֹת בַּתְּפִלִּין,	For example, five (instead of four) sections in the phylacteries,
חֲמֵשֶׁת מִינִין בַּלּוּלָב,	five kinds in the Lulab,
וְחָמֵשׁ צִיצִיּוֹת,	or five fringes;
וְכֵן לֹא תִגְרְעוּ (עַיֵּ' סִפְרֵי)׃	and likewise, "Neither shall ye diminish" (i. e., three instead of four) (cf. Siphre).

כַּאֲשֶׁר צִוַּנִי יְהוָה אֱלֹהָי	even as the Lord my God commanded me,
לַעֲשׂוֹת כֵּן	that ye should do so
בְּקֶרֶב הָאָרֶץ	in the midst of the land
אֲשֶׁר אַתֶּם בָּאִים שָׁמָּה	whither ye go in
לְרִשְׁתָּהּ׃	to possess it.
9 וּשְׁמַרְתֶּם	6. Therefore observe
וַעֲשִׂיתֶם	and do them;
כִּי הִוא חָכְמַתְכֶם	for this is your wisdom
וּבִינַתְכֶם	and your understanding
לְעֵינֵי הָעַמִּים	in the sight of the peoples,
אֲשֶׁר יִשְׁמְעוּן	that, when they hear
אֵת כָּל־הַחֻקִּים הָאֵלֶּה	all these statutes,
וְאָמְרוּ	shall say:
רַק עַם־חָכָם וְנָבוֹן	‘Surely a wise and understanding nation
הַגּוֹי הַגָּדוֹל הַזֶּה׃	is this great nation.’
7 כִּי מִי־גוֹי גָּדוֹל	7. For what great nation (is there),
אֲשֶׁר־לוֹ אֱלֹהִים	that hath God
קְרֹבִים אֵלָיו	(so) nigh unto them,
כַּיהוָה אֱלֹהֵינוּ	as the Lord our God is
בְּכָל־קָרְאֵנוּ אֵלָיו׃	whenever we call upon Him?
8 וּמִי גּוֹי גָּדוֹל	8. And what great nation (is there),
אֲשֶׁר־לוֹ חֻקִּים וּמִשְׁפָּטִים צַדִּיקִם	that hath statutes and ordinances (so) righteous
כְּכֹל הַתּוֹרָה הַזֹּאת	as all this law,
אֲשֶׁר אָנֹכִי נֹתֵן	which I set
לִפְנֵיכֶם הַיּוֹם׃	before you this day?
9 רַק הִשָּׁמֶר לְךָ	9. Only take heed to thyself,
וּשְׁמֹר נַפְשְׁךָ מְאֹד	and keep thy soul diligently,
פֶּן־תִּשְׁכַּח	lest thou forget
אֶת־הַדְּבָרִים	the things

Rashi — רש״י

6 וּשְׁמַרְתֶּם.	**6. Therefore observe**
זוֹ מִשְׁנָה:	This (refers to) study.
וַעֲשִׂיתֶם.	**And do them**
כְּמַשְׁמָעוֹ (שָׁם):	(To be understood) in its usual sense (*ibid.*).
כִּי הִוא חָכְמַתְכֶם וּבִינַתְכֶם וְגוֹ׳.	**For this is your wisdom and your understanding, etc.**
בְּזֹאת תֵּחָשְׁבוּ חֲכָמִים וּנְבוֹנִים	Through this you will be accounted wise and understanding
לְעֵינֵי הָעַמִּים:	in the eyes of the nations.
8 חֻקִּים וּמִשְׁפָּטִים צַדִּיקִם.	**8. Statutes and ordinances (so) righteous**
הֲגוּנִים וּמְקֻבָּלִים:	(צדיקם here means) worthy and acceptable.
9 רַק הִשָּׁמֶר לְךָ וְגוֹ׳. פֶּן־תִּשְׁכַּח אֶת־הַדְּבָרִים.	**9. Only take heed to thyself, etc., lest thou forget the things**
אָז, כְּשֶׁלֹּא תִשְׁכָּחוּ אוֹתָם	Only then, if you will not forget them,
וְתַעֲשׂוּם עַל אֲמִתָּתָם,	and you will observe them correctly,

which thine eyes saw,	אֲשֶׁר־רָאוּ עֵינֶיךָ
and lest they depart from thy heart	וּפֶן־יָסוּרוּ מִלְּבָבְךָ
all the days of thy life;	כֹּל יְמֵי חַיֶּיךָ
but make them known	וְהוֹדַעְתָּם
unto thy children and to thy children's children;	לְבָנֶיךָ וְלִבְנֵי בָנֶיךָ׃
10. the day that thou stoodest	10 יוֹם אֲשֶׁר עָמַדְתָּ
before the Lord thy God	לִפְנֵי יְהוָה אֱלֹהֶיךָ
in Horeb,	בְּחֹרֵב
when the Lord said unto me:	בֶּאֱמֹר יְהוָה אֵלַי
'Assemble Me the people,	הַקְהֶל־לִי אֶת־הָעָם
and I will make them hear My words,	וְאַשְׁמִעֵם אֶת־דְּבָרָי
that they may learn	אֲשֶׁר יִלְמְדוּן
to fear Me	לְיִרְאָה אֹתִי
all the days	כָּל־הַיָּמִים
that they live	אֲשֶׁר הֵם חַיִּים
upon the earth,	עַל־הָאֲדָמָה
and (that) they may teach their children.'	וְאֶת־בְּנֵיהֶם יְלַמֵּדוּן׃
11. And ye came near	11 וַתִּקְרְבוּן
and stood	וַתַּעַמְדוּן
under the mountain;	תַּחַת הָהָר
and the mountain burned with fire	וְהָהָר בֹּעֵר בָּאֵשׁ
unto the heart of heaven,	עַד־לֵב הַשָּׁמַיִם
(with) darkness, cloud, and thick darkness.	חֹשֶׁךְ עָנָן וַעֲרָפֶל׃
12. And the Lord spoke unto you	12 וַיְדַבֵּר יְהוָה אֲלֵיכֶם
out of the midst of the fire;	מִתּוֹךְ הָאֵשׁ
the voice of words ye heard,	קוֹל דְּבָרִים אַתֶּם שֹׁמְעִים
but a form	וּתְמוּנָה
ye did not see;	אֵינְכֶם רֹאִים
only a voice.	זוּלָתִי קוֹל׃

Rashi — רש"י

will you be accounted wise and understanding;	תֵּחָשְׁבוּ חֲכָמִים וּנְבוֹנִים,
but if you do them perversely,	וְאִם תְּעַוְּתוּ אוֹתָם
because of forgetfulness,	מִתּוֹךְ שִׁכְחָה,
you will be considered fools.	תֵּחָשְׁבוּ שׁוֹטִים:
10. The day that thou stoodest	10 יוֹם אֲשֶׁר עָמַדְתָּ.
(This) refers to the verse preceding it,	מוּסָב עַל מִקְרָא שֶׁלְּמַעְלָה מִמֶּנּוּ
"which thine eyes saw"	"אֲשֶׁר רָאוּ עֵינֶיךָ
"the day that thou stoodest . . . in Horeb,"	יוֹם אֲשֶׁר עָמַדְתָּ בְּחֹרֵב"
when you saw the thunders	אֲשֶׁר רָאִיתָ הַקּוֹלוֹת
and lightnings.	וְאֶת הַלַּפִּידִים:
That they may learn	יִלְמְדוּן.
(יִלְמְדוּן denotes:) they may learn (Targum יִלְפוּן) by themselves.	יִלְפוּן – לְעַצְמָם
That they may teach	יְלַמֵּדוּן.
(יְלַמְּדוּן denotes:) they may teach (Targum יְאַלְפוּן) others.	יְאַלְפוּן – לַאֲחֵרִים:

13 וַיַּגֵּד לָכֶם	13. And He declared unto you
אֶת־בְּרִיתוֹ	His covenant,
אֲשֶׁר צִוָּה אֶתְכֶם	which He commanded you
לַעֲשׂוֹת	to perform,
עֲשֶׂרֶת הַדְּבָרִים	(even) the ten words;
וַיִּכְתְּבֵם	and He wrote them
עַל־שְׁנֵי לֻחוֹת אֲבָנִים׃	upon two tables of stone.
14 וְאֹתִי צִוָּה יְהוָה	14. And the Lord commanded me
בָּעֵת הַהִוא	at that time
לְלַמֵּד אֶתְכֶם	to teach you
חֻקִּים וּמִשְׁפָּטִים	statutes and ordinances,
לַעֲשֹׂתְכֶם אֹתָם	that ye might do them
בָּאָרֶץ	in the land
אֲשֶׁר אַתֶּם עֹבְרִים שָׁמָּה	whither ye go over
לְרִשְׁתָּהּ׃	to possess it.
15 וְנִשְׁמַרְתֶּם מְאֹד	15. Take ye therefore good heed
לְנַפְשֹׁתֵיכֶם	unto yourselves —
כִּי לֹא רְאִיתֶם כָּל־תְּמוּנָה	for ye saw no manner of form
בְּיוֹם דִּבֶּר יְהוָה אֲלֵיכֶם	on the day (that) the Lord spoke unto you
בְּחֹרֵב	in Horeb
מִתּוֹךְ הָאֵשׁ׃	out of the midst of the fire —
16 פֶּן־תַּשְׁחִתוּן	16. Lest ye deal corruptly,
וַעֲשִׂיתֶם לָכֶם	and make you
פֶּסֶל	a graven image,
תְּמוּנַת כָּל־סָמֶל	(even) the form of any figure,
תַּבְנִית זָכָר אוֹ נְקֵבָה׃	the likeness of male or female,
17 תַּבְנִית	17. the likeness
כָּל־בְּהֵמָה	of any beast
אֲשֶׁר בָּאָרֶץ	that is on the earth,
תַּבְנִית	the likeness
כָּל־צִפּוֹר כָּנָף	of any winged fowl
אֲשֶׁר תָּעוּף בַּשָּׁמָיִם׃	that flieth in the heaven,
18 תַּבְנִית	18. the likeness
כָּל־רֹמֵשׂ בָּאֲדָמָה	of any thing that creepeth on the earth,
תַּבְנִית כָּל־דָּגָה	the likeness of any fish
אֲשֶׁר־בַּמַּיִם	that is in the water
מִתַּחַת לָאָרֶץ׃	under the earth;

Rashi — רש"י

14 וְאֹתִי צִוָּה ה׳ . . לְלַמֵּד אֶתְכֶם.	**14. And the Lord commanded me . . . to teach you**
תּוֹרָה שֶׁבְּעַל פֶּה׃	(Viz.) the Oral Law.
16 סָמֶל.	**16. Figure**
צוּרָה׃	(סמל denotes) a figure.

19 וּפֶן־תִּשָּׂא עֵינֶיךָ	19. and lest thou lift up thine eyes
הַשָּׁמַיְמָה	unto heaven,
וְרָאִיתָ אֶת־הַשֶּׁמֶשׁ	and when thou seest the sun
וְאֶת־הַיָּרֵחַ	and the moon
וְאֶת־הַכּוֹכָבִים	and the stars,
כֹּל צְבָא הַשָּׁמַיִם	even all the host of heaven,
וְנִדַּחְתָּ	and thou be drawn away
וְהִשְׁתַּחֲוִיתָ לָהֶם	and worship them,
וַעֲבַדְתָּם	and serve them,
אֲשֶׁר חָלַק יְהוָה אֱלֹהֶיךָ אֹתָם	which the Lord thy God hath allotted (them)
לְכֹל הָעַמִּים	to all the peoples
תַּחַת כָּל־הַשָּׁמָיִם׃	under the whole heaven.
20 וְאֶתְכֶם לָקַח יְהוָה	20. But you hath the Lord taken
וַיּוֹצִא אֶתְכֶם	and brought forth
מִכּוּר הַבַּרְזֶל	out of the iron furnace,
מִמִּצְרָיִם	out of Egypt.
לִהְיוֹת לוֹ	to be unto Him
לְעַם נַחֲלָה	a people of inheritance,
כַּיּוֹם הַזֶּה׃	as ye are this day.
21 וַיהוָה הִתְאַנֶּף־בִּי	21. Now the Lord was angered with me
עַל־דִּבְרֵיכֶם	for your sakes,
וַיִּשָּׁבַע	and swore

Rashi — רש״י

19 וּפֶן־תִּשָּׂא עֵינֶיךָ.	**19. And lest thou lift up thine eyes**
לְהִסְתַּכֵּל בַּדָּבָר	to gaze at those things
וְלָתֵת לֵב לִטְעוֹת אַחֲרֵיהֶם:	and to set (your) heart to err after them.
אֲשֶׁר חָלַק ה׳.	**Which the Lord hath allotted**
לְהָאִיר לָהֶם (מְגִ׳ ט);	to give light unto them (Meg. 9).
דָּ״אַ לֶאֱלוֹהוֹת,	Another interpretation: as deities;
לֹא מְנָעָן מִלִּטְעוֹת אַחֲרֵיהֶם	He did not prevent them from erring after them,
אֶלָּא הֶחֱלִיקָם	but He flattered them
בְּדִבְרֵי הַבְלֵיהֶם	in their words of vanity
לְטָרְדָם מִן הָעוֹלָם,	in order to drive them from the world;
וְכֵן הוּא אוֹמֵר (תְּהִ׳ ל״ו):—	and similarly it states (Ps. 36.3),
כִּי הֶחֱלִיק אֵלָיו בְּעֵינָיו	"For He flattereth him with His eyes,
לִמְצֹא עֲוֹנוֹ לִשְׂנֹא (עַ״ז נ״ה):	until his iniquity be found, and he be hated" ('Ab. Zarah 55).
20 מִכּוּר	**20. Out of the furnace**
כּוּר הוּא כְּלִי	כור is a vessel
שֶׁמְּזַקְּקִים בּוֹ אֶת הַזָּהָב:	in which they purify gold.
21 הִתְאַנַּף.	**21. (He) was angered**
נִתְמַלֵּא רוֹגֶז:	(התאנף means:) He was filled with wrath.
עַל־דִּבְרֵיכֶם.	**For your sakes**
עַל אוֹדוֹתֵיכֶם,	(דבריכם here means:) for your sakes,
עַל עִסְקֵיכֶם:	because of your actions.

לְבִלְתִּי עָבְרִי	that I should not go over
אֶת־הַיַּרְדֵּן	the Jordan,
וּלְבִלְתִּי־בֹא	and that I should not go in
אֶל־הָאָרֶץ הַטּוֹבָה	unto that good land,
אֲשֶׁר יְהוָה אֱלֹהֶיךָ	which the Lord thy God
נֹתֵן לְךָ נַחֲלָה׃	giveth thee (for) an inheritance;
22 כִּי אָנֹכִי מֵת	22. but I must die
בָּאָרֶץ הַזֹּאת	in this land,
אֵינֶנִּי עֹבֵר אֶת־הַיַּרְדֵּן	I shall not go over the Jordan;
וְאַתֶּם עֹבְרִים	but ye are to go over,
וִירִשְׁתֶּם	and possess
אֶת־הָאָרֶץ הַטּוֹבָה הַזֹּאת׃	that good land.
23 הִשָּׁמְרוּ לָכֶם	23. Take heed unto yourselves,
פֶּן־תִּשְׁכְּחוּ	lest ye forget
אֶת־בְּרִית	the covenant
יְהוָה אֱלֹהֵיכֶם	of the Lord your God,
אֲשֶׁר כָּרַת עִמָּכֶם	which He made with you,
וַעֲשִׂיתֶם לָכֶם פֶּסֶל	and make you a graven image,
תְּמוּנַת כֹּל	even the likeness of anything
אֲשֶׁר צִוְּךָ יְהוָה אֱלֹהֶיךָ׃	(concerning) which the Lord thy God hath commanded thee.
24 כִּי יְהוָה אֱלֹהֶיךָ	24. For the Lord thy God
אֵשׁ אֹכְלָה הוּא	is a devouring fire,
אֵל קַנָּא׃ פ	a jealous God.
25 כִּי־תוֹלִיד בָּנִים	25. When thou shalt beget children,
וּבְנֵי בָנִים	and children's children,
וְנוֹשַׁנְתֶּם בָּאָרֶץ	and ye shall have been long in the land,

Rashi — רש״י

22 כִּי אָנֹכִי מֵת וְגוֹ׳	**22. But I must die, etc.,**
אֵינֶנִּי עֹבֵר.	**I shall not go over**
מֵאַחַר שֶׁמֵּת מֵהֵיכָן יַעֲבוֹר?	Since he (will have) died, how could he go over?
אֶלָּא אַף עַצְמוֹתַי	However, (he meant,) even my bones
אֵינָם עוֹבְרִים (סִפְרֵי בַּמִּדְ׳ כ״ז):	will not go over (Siphre, Num. 27).
23 תְּמוּנַת כֹּל.	**23. Even the likeness of anything**
תְּמוּנַת כָּל דָּבָר:	(תמונת כל denotes) the likeness of any thing.
אֲשֶׁר צִוְּךָ ה׳.	**(Concerning) which the Lord hath commanded thee**
אֲשֶׁר צִוְּךָ שֶׁלֹּא לַעֲשׂוֹת:	Which He commanded you not to do.
24 אֵל קַנָּא.	**24. A jealous God**
מְקַנֵּא לִנְקוֹם,	He is zealous to avenge;
אנפר״מנט בְּלַעַ״ז,	*emportement* in O. F.
מִתְחָרֶה עַל רָגְזוֹ לְהִפָּרַע	His wrath is kindled to exact punishment
מֵעוֹבְדֵי עֲ(בוֹדָה) זָ(רָה):	from idol-worshipers.
25 וְנוֹשַׁנְתֶּם.	**25. And ye shall have been long**
רָמַז לָהֶם	He hinted to them
שֶׁיִּגְלוּ מִמֶּנָּה	that they would go into exile from it

וְהִשְׁחַתֶּם	and shall deal corruptly,
וַעֲשִׂיתֶם פֶּסֶל	and make a graven image,
תְּמוּנַת כֹּל	even the form of any thing,
וַעֲשִׂיתֶם הָרַע	and shall do that which is evil
בְּעֵינֵי יְהוָֹה־אֱלֹהֶיךָ	in the sight of the Lord thy God,
לְהַכְעִיסוֹ	to provoke Him;
26 הַעִידֹתִי בָכֶם הַיּוֹם	26. I call to witness against you this day
אֶת־הַשָּׁמַיִם	the heaven
וְאֶת־הָאָרֶץ	and the earth,
כִּי־אָבֹד תֹּאבֵדוּן מַהֵר	that ye shall soon utterly perish
מֵעַל הָאָרֶץ	from off the land
אֲשֶׁר אַתֶּם עֹבְרִים אֶת־הַיַּרְדֵּן	(that) ye go over the Jordan
שָׁמָּה	thither
לְרִשְׁתָּהּ	to possess it;
לֹא־תַאֲרִיכֻן יָמִים עָלֶיהָ	ye shall not prolong (your) days upon it,
כִּי הִשָּׁמֵד תִּשָּׁמֵדוּן:	but shall utterly be destroyed.
27 וְהֵפִיץ יְהוָֹה אֶתְכֶם	27. And the Lord shall scatter you
בָּעַמִּים	among the peoples,
וְנִשְׁאַרְתֶּם	and ye shall be left
מְתֵי מִסְפָּר	few in number
בַּגּוֹיִם	among the nations,
אֲשֶׁר יְנַהֵג יְהוָֹה אֶתְכֶם שָׁמָּה:	whither the Lord shall lead you away.

Rashi — רש"י

לְסוֹף שְׁמוֹנֶה מֵאוֹת וַחֲמִשִּׁים וּשְׁתַּיִם שָׁנָה	at the end of eight hundred and fifty-two years,
כְּמִנְיַן וְנוֹשַׁנְתֶּם,	according to the numerical value (Gematria) of ונושנתם.
וְהוּא הִקְדִּים וְהִגְלָם	However He sent them into exile ealier,
לְסוֹף שְׁמוֹנֶה מֵאוֹת וַחֲמִשִּׁים	at the end of eight hundred and fifty (years),
וְהִקְדִּים שְׁתֵּי שָׁנִים לְ,וְנוֹשַׁנְתֶּם׳,	(exiling them) two years before (the numerical value of) ונושנתם,
כְּדֵי שֶׁלֹּא יִתְקַיֵּם בָּהֶם	in order that there should not be fulfilled against them (v. 26),
כִּי־אָבֹד תֹּאבֵדוּן,	"That ye shall utterly perish."
וְזֶהוּ שֶׁנֶּאֱמַר (דָּנִ׳ ט):—	And that is what is stated (Dan. 9. 14)
וַיִּשְׁקֹד ה׳ עַל הָרָעָה	"And so the Lord hath watched over the evil,
וַיְבִיאֶהָ עָלֵינוּ	and brought it upon us;
כִּי צַדִּיק ה׳ אֱלֹהֵינוּ,	for the Lord our God is righteous . . .,"
צְדָקָה עָשָׂה עִמָּנוּ	He dealt righteously (favorably) with us,
שֶׁמִּהֵר לַהֲבִיאָהּ שְׁתֵּי שָׁנִים	for He hastened to bring it two years
לִפְנֵי זְמַנָּהּ (סַנְהֶ׳ ל״ח, גִּיטִּין פ״ח):	before its time (Sanh. 38; Git. 88).
26 הַעִידֹתִי בָכֶם.	**26. I call to witness against you**
הִנְנִי מְזַמְּנָם לִהְיוֹת עֵדִים	I have designated them to be witnesses
שֶׁהִתְרֵיתִי בָכֶם:	that I have admonished you.

28 וַעֲבַדְתֶּם־שָׁם	28. And there ye shall serve
אֱלֹהִים	gods,
מַעֲשֵׂה יְדֵי אָדָם	the work of men's hands,
עֵץ וָאֶבֶן	wood and stone,
אֲשֶׁר לֹא־יִרְאוּן	which neither see,
וְלֹא יִשְׁמְעוּן	nor hear,
וְלֹא יֹאכְלוּן	nor eat.
וְלֹא יְרִיחֻן:	nor smell.
29 וּבִקַּשְׁתֶּם מִשָּׁם	29. But from thence ye will seek
אֶת־יְהֹוָה אֱלֹהֶיךָ	the Lord thy God;
וּמָצָאתָ	and thou shalt find Him,
כִּי תִדְרְשֶׁנּוּ	if thou search after him
בְּכָל־לְבָבְךָ	with all thy heart
וּבְכָל־נַפְשֶׁךָ:	and with all thy soul.
30 בַּצַּר לְךָ	30. In thy distress,
וּמְצָאוּךָ כֹּל הַדְּבָרִים הָאֵלֶּה	when all these things are come upon thee,
בְּאַחֲרִית הַיָּמִים	in the end of days,
וְשַׁבְתָּ	thou wilt return
עַד־יְהֹוָה אֱלֹהֶיךָ	unto the Lord thy God,
וְשָׁמַעְתָּ בְּקֹלוֹ:	and hearken unto His voice;
31 כִּי אֵל רַחוּם	31. for a merciful God
יְהֹוָה אֱלֹהֶיךָ	is the Lord thy God;
לֹא יַרְפְּךָ	He will not fail thee,
וְלֹא יַשְׁחִיתֶךָ	neither destroy thee,
וְלֹא יִשְׁכַּח	nor forget
אֶת־בְּרִית אֲבֹתֶיךָ	the covenant of thy fathers
אֲשֶׁר נִשְׁבַּע לָהֶם:	which He swore unto them.

Rashi — רש״י

28 וַעֲבַדְתֶּם־שָׁם אֱלֹהִים.	**28. And there ye shall serve gods**
כְּתַרְגּוּמוֹ,	(Understand this) as the Targum renders it:
מִשֶּׁאַתֶּם עוֹבְדִים לְעוֹבְדֵיהֶם	Since you serve their worshipers, (i. e., of the idols),
כְּאִלּוּ אַתֶּם עוֹבְדִים לָהֶם:	it is as though you worship them (viz., the idols).
31 לֹא יַרְפְּךָ.	**31. He will not fail thee**
מִלְּהַחֲזִיק בְּךָ בְּיָדָיו,	By not sustaining you with His hands.
וּלְשׁוֹן לֹא יַרְפְּךָ	And the expression לא ירפך
לְשׁוֹן לֹא יַפְעִיל הוּא	is a causative (hiph'il) form,
—לֹא יִתֵּן לְךָ רִפְיוֹן,	(i. e.) He will not cause you weakness,
לֹא יַפְרִישׁ אוֹתְךָ מֵאֶצְלוֹ,	He will not set you apart from Him.
וְכֵן אֲחַזְתִּיו וְלֹא אַרְפֶּנּוּ (שה״ש ג),	And similarly, "I held him, and would not let him go" (ארפנו) (Cant. 3.4),
שֶׁלֹּא נִנְקַד אֶרְפֶּנּוּ;	for it is not vocalized אֶרְפֶּנּוּ.
כָּל לְשׁוֹן רִפְיוֹן מוּסָב	The term רִפְיוֹן always refers
עַל לְשׁוֹן מַפְעִיל וּמִתְפַּעֵל,	to a causative or reflexive form,
כְּמוֹ (מ״ב ד):—	as (II Ki. 4.27),
הַרְפֵּה לָהּ,	"Let her alone" (הרפה),

32 כִּי שְׁאַל־נָא	32. For ask now
לְיָמִים רִאשֹׁנִים	of the days past,
אֲשֶׁר־הָיוּ לְפָנֶיךָ	which were before thee,
לְמִן־הַיּוֹם	since the day
אֲשֶׁר בָּרָא אֱלֹהִים ׀	that God created
אָדָם עַל־הָאָרֶץ	man upon the earth,
וּלְמִקְצֵה הַשָּׁמַיִם	and from the one end of the heaven
וְעַד־קְצֵה הַשָּׁמָיִם	unto the (other),
הֲנִהְיָה	whether there hath been
כַּדָּבָר הַגָּדוֹל הַזֶּה	any such thing as this great thing is,
אוֹ הֲנִשְׁמַע כָּמֹהוּ׃	or hath been heard like it?
33 הֲשָׁמַע עָם	33. Did (ever) a people hear
קוֹל אֱלֹהִים	the voice of God
מְדַבֵּר מִתּוֹךְ־הָאֵשׁ	speaking out of the midst of the fire,
כַּאֲשֶׁר־שָׁמַעְתָּ אַתָּה	as thou hast heard,
וַיֶּחִי׃	and live?
34 אוֹ ׀ הֲנִסָּה אֱלֹהִים	34. Or hath God assayed
לָבוֹא	to go
לָקַחַת לוֹ גוֹי	to take Him a nation

Rashi — רש״י

—תֵּן לָהּ רִפְיוֹן,	(i. e.,) Permit her to be released;
הֶרֶף מִמֶּנִּי (דְּבָר׳ ט)	"Let Me alone" (הרף) (Deut. 9.14),
—הִתְרַפֵּה מִמֶּנִּי׃	(i. e.,) release yourself from Me.
32 **לְיָמִים רִאשׁוֹנִים.**	**32. Of the days past**
עַל יָמִים רִאשׁוֹנִים׃	(ל means here) "regarding" the days past.
וּלְמִקְצֵה הַשָּׁמַיִם.	**And from the one end of the heaven**
וְגַם שְׁאַל לְכָל הַבְּרוּאִים	And also ask of all creatures
אֲשֶׁר מִקָּצֶה אֶל קָצֶה,	from one end to the other;
זֶהוּ פְּשׁוּטוֹ;	that is its plain meaning.
וּמִדְרָשׁוֹ מְלַמֵּד	And its Midrashic interpretation is: it teaches
עַל קוֹמָתוֹ שֶׁל אָדָם	regarding the height of Adam,
שֶׁהָיְתָה מִן הָאָרֶץ	which extended from the earth
עַד הַשָּׁמַיִם,	unto the heaven,
וְהוּא הַשִּׁעוּר עַצְמוֹ	and that is the same distance
אֲשֶׁר מִקָּצֶה אֶל קָצֶה (סַנְהֶ׳ ל״ח)׃	as from one end (of the heavens) to the other (Sanh. 38).
הֲנִהְיָה כַּדָּבָר הַגָּדוֹל הַזֶּה.	**Whether there hath been any such thing as this great thing is**
וּמַהוּ הַדָּבָר הַגָּדוֹל:—	And what is this great thing?
"הֲשָׁמַע עָם וְגוֹ׳":	"Did ever a people hear?" etc.
34 **הֲנִסָּה אֱלֹהִים.**	**34. Or hath God assayed**
הֲכִי עָשָׂה נִסִּים שׁוּם אֱלוֹהַּ	(אלהים means here:) Has "any god" wrought miracles,
"לָבוֹא לָקַחַת לוֹ גוֹי וְכוּ׳".	"to go and take him a nation," etc.
כָּל הָהֵי״ן הַלָּלוּ	All these (letters) ה
תְּמִיהוֹת הֵן,	are interrogatives;
לְכָךְ נְקוּדוֹת הֵן בַּחֲטַף פַּתַח:—	therefore they are vocalized with Hatef Patah:
הֲנִהְיָה,	הֲנִהְ (hath there been?)
הֲנִשְׁמַע,	הֲנִשְׁ (hath there been heard?)
הֲשָׁמַע,	הֲשָׁ (did there hear?)
הֲנִסָּה:	הֲנִ (hath there assayed?).

מִקֶּרֶב גּוֹי	from the midst of (another) nation,
בְּמַסֹּת	by trials,
בְּאֹתֹת וּבְמוֹפְתִים	by signs, and by wonders,
וּבְמִלְחָמָה	and by war,
וּבְיָד חֲזָקָה	and by a mighty hand,
וּבִזְרוֹעַ נְטוּיָה	and by an outstretched arm,
וּבְמוֹרָאִים גְּדֹלִים	and by great terrors,
כְּכֹל	according to all
אֲשֶׁר־עָשָׂה לָכֶם יְהוָה אֱלֹהֵיכֶם	that the Lord your God did for you
בְּמִצְרַיִם	in Egypt
לְעֵינֶיךָ:	before thine eyes?
35 אַתָּה הָרְאֵתָ	35. (Unto) thee it was shown,
לָדַעַת	to know,
כִּי יְהוָה הוּא הָאֱלֹהִים	that the Lord, He is God;
אֵין עוֹד מִלְּבַדּוֹ:	there is none else beside Him.
36 מִן־הַשָּׁמַיִם	36. Out of heaven
הִשְׁמִיעֲךָ אֶת־קֹלוֹ	He made thee to hear His voice,
לְיַסְּרֶךָּ	that He might instruct thee;
וְעַל־הָאָרֶץ	and upon earth
הֶרְאֲךָ	He made thee to see

Rashi — רש"י

בְּמַסֹּת.	**By trials**
עַל יְדֵי נִסְיוֹנוֹת	By means of tests
הוֹדִיעָם גְּבוּרוֹתָיו,	He made known to them His might,
כְּגוֹן (שְׁמוֹת ח):—	for example (Ex. 8.5),
הִתְפָּאֵר עָלַי,	"Challenge me,"
אִם אוּכַל לַעֲשׂוֹת כֵּן,	whether I shall be able to do so;
הֲרֵי זֶה נִסָּיוֹן:	this is (an example of) a trial (test).
בְּאֹתֹת.	**By signs**
בְּסִימָנִין,	(באתת denotes) with signs,
לְהַאֲמִין שֶׁהוּא שְׁלוּחוֹ שֶׁל מָקוֹם,	that (they) should believe that he (Moses) is the messenger of the Omnipresent,
כְּגוֹן (שָׁם ד):—	as (*ibid.*, 4.2),
מַה זֶּה בְיָדֶךָ:	"What is that in thy hand?"
בְּמוֹפְתִים.	**And by wonders**
הֵם נִפְלָאוֹת,	These are the wonderful acts,
שֶׁהֵבִיא עֲלֵיהֶם מַכּוֹת מוּפְלָאוֹת:	viz., He brought upon them astounding plagues.
וּבְמִלְחָמָה.	**And by war**
בַּיָּם,	at the (Red) Sea
שֶׁנֶּאֱמַר (שְׁמוֹת י"ד):—	as it is stated (Ex. 14.25),
כִּי ה' נִלְחָם לָהֶם:	"For the Lord fighteth for them."
35 הָרְאֵתָ.	**35. (Unto) thee it was shown**
כְּתַרְגּוּמוֹ אִתְחֲזֵיתָא.	(Understand הראת) as the Targum renders it: Thou hast been shown.
כְּשֶׁנָּתַן הַקָּבָּ"ה אֶת הַתּוֹרָה	When the Holy One Blessed Be He gave the Torah,
פָּתַח לָהֶם שִׁבְעָה רְקִיעִים,	He opened for them the seven heavens,
וּכְשֵׁם שֶׁקָּרַע אֶת הָעֶלְיוֹנִים	and just as He split the upper,
כַּךְ קָרַע אֶת הַתַּחְתּוֹנִים,	so He split the lower (regions),
וְרָאוּ שֶׁהוּא יְחִידִי,	and they saw that He is One;
לְכָךְ נֶאֱמַר "אַתָּה הָרְאֵתָ לָדַעַת":	therefore it is stated, "Unto thee it was shown to know."

אֶת־אִשּׁוֹ הַגְּדוֹלָה	His great fire;
וּדְבָרָיו שָׁמַעְתָּ	and thou didst hear His words
מִתּוֹךְ הָאֵשׁ׃	out of the midst of the fire.
37 וְתַחַת כִּי אָהַב	37. And because He loved
אֶת־אֲבֹתֶיךָ	thy fathers,
וַיִּבְחַר בְּזַרְעוֹ	and chose their seed
אַחֲרָיו	after them,
וַיּוֹצִאֲךָ בְּפָנָיו	and brought thee out before Him,
בְּכֹחוֹ הַגָּדֹל	with His great power,
מִמִּצְרָיִם׃	out of Egypt,
38 לְהוֹרִישׁ גּוֹיִם	38. to drive out nations
גְּדֹלִים וַעֲצֻמִים מִמְּךָ	greater and mightier than thou
מִפָּנֶיךָ	from before thee,
לַהֲבִיאֲךָ	to bring thee in,
לָתֶת־לְךָ אֶת־אַרְצָם	to give thee their land
נַחֲלָה	(for) an inheritance,
כַּיּוֹם הַזֶּה׃	as it is this day;
39 וְיָדַעְתָּ הַיּוֹם	39. know this day,
וַהֲשֵׁבֹתָ אֶל־לְבָבֶךָ	and lay it to thy heart,
כִּי יְהוָֹה הוּא הָאֱלֹהִים	that the Lord, He is God
בַּשָּׁמַיִם מִמַּעַל	in heaven above

Rashi — רש״י

37 וְתַחַת כִּי אָהַב.	**37. And because He loved**
וְכָל זֶה תַּחַת אֲשֶׁר אָהַב׃	And all this (was) because He loved.
וַיּוֹצִאֲךָ בְּפָנָיו.	**And (He) brought thee out before Him**
כְּאָדָם הַמַּנְהִיג בְּנוֹ לְפָנָיו,	as one who leads his son before him,
שֶׁנֶּאֱמַר (שָׁם)׃—	as it is stated (*ibid.*, v. 19),
וַיִּסַּע מַלְאַךְ הָאֱלֹהִים הַהֹלֵךְ וְגוֹ׳	"And the angel of God who went (before) . . . removed," etc.
וַיֵּלֶךְ מֵאַחֲרֵיהֶם;	"and he went behind them."
ד״א, וַיּוֹצִיאֲךָ בְּפָנָיו׳	Another explanation of (ויוציאך בפניו):
—בִּפְנֵי אֲבוֹתָיו,	"in the presence of their ancestors"
כְּמָה שֶׁנֶּאֱמַר (תְּהִ׳ ע״ח)׃—	as it is stated (Ps. 78.12),
נֶגֶד אֲבוֹתָם עָשָׂה פֶלֶא;	"In the sight of their fathers He did marvellous things."
וְאַל תִּתְמַה	And do not wonder
עַל שֶׁהִזְכִּירָם בִּלְשׁוֹן יָחִיד,	that it mentions them (i. e., their fathers) in the singular (בפניו, for בפניהם),
שֶׁהֲרֵי כְּתָבָם בִּלְשׁוֹן יָחִיד	for it has (already) written of them in the singular,
׳וַיִּבְחַר בְּזַרְעוֹ, אַחֲרָיו׳׃	'and He chose their seed (זַרְעוֹ, sing.) after them" (אַחֲרָיו, sing.).
38 מִמְּךָ מִפָּנֶיךָ.	**38. Than thou from before thee**
סָרְסֵהוּ וְדָרְשֵׁהוּ׃—	Transpose it (i. e., this verse) and explain it:
׳לְהוֹרִישׁ מִפָּנֶיךָ גּוֹיִם גְּדוֹלִים	'to drive out from before thee (מפניך) nations greater
וַעֲצוּמִים מִמְּךָ׃	and mightier than thou" (ממך).
כַּיּוֹם הַזֶּה.	**As it is this day**
כַּאֲשֶׁר אַתָּה רוֹאֶה הַיּוֹם׃	(I. e.,) as you see (it) this day.

וְעַל־הָאָרֶץ מִתָּחַת	and upon the earth beneath;
אֵין עוֹד:	there is none else.
40 וְשָׁמַרְתָּ	40. And thou shalt keep
אֶת־חֻקָּיו	His statutes.
וְאֶת־מִצְוֺתָיו	and His commandments,
אֲשֶׁר אָנֹכִי מְצַוְּךָ	which I command thee
הַיּוֹם	this day,
אֲשֶׁר יִיטַב לְךָ	that it may go well with thee,
וּלְבָנֶיךָ אַחֲרֶיךָ	and with thy children after thee,
וּלְמַעַן תַּאֲרִיךְ יָמִים	and that thou mayest prolong (thy) days
עַל־הָאֲדָמָה	upon the land,
אֲשֶׁר יְהוָה אֱלֹהֶיךָ	which the Lord thy God
נֹתֵן לְךָ	giveth thee,
כָּל־הַיָּמִים: פ	for ever.
שלישי	

41 אָז יַבְדִּיל מֹשֶׁה	41. Then Moses separated
שָׁלֹשׁ עָרִים	three cities
בְּעֵבֶר הַיַּרְדֵּן	beyond the Jordan
מִזְרְחָה שָׁמֶשׁ:	toward the sunrising;
42 לָנֻס שָׁמָּה רוֹצֵחַ	42. that the manslayer might flee thither,
אֲשֶׁר יִרְצַח	that slayeth
אֶת־רֵעֵהוּ	his neighbor
בִּבְלִי־דַעַת	unawares,
וְהוּא לֹא־שֹׂנֵא לוֹ	and hated him not
מִתְּמֹל שִׁלְשֹׁם	in time past;
וְנָס	and that fleeing
אֶל־אַחַת מִן־הֶעָרִים הָאֵל	unto one of these cities
וָחָי:	he might live:

Rashi — רש"י

41 אָז יַבְדִּיל.	**41. Then (he) separated**
נָתַן לֵב לִהְיוֹת חָרֵד לַדָּבָר	(The future tense is to be explained as follows:) He set (his) heart to be diligent in the matter
שֶׁיַּבְדִּילֵם,	that he should separate them.
וְאַף עַל פִּי שֶׁאֵינָן קוֹלְטוֹת	And even though they would not offer asylum
עַד שֶׁיִּבָּדְלוּ אוֹתָן	until there would be separated those (cities)
שֶׁל אֶרֶץ כְּנַעַן,	of the land of Canaan,
אָמַר מֹשֶׁה: מִצְוָה	Moses said: a commandment
שֶׁאֶפְשָׁר לְקַיְּמָהּ אֲקַיְּמֶנָּה (מַכּוֹת ז):	which it is possible to fulfill, I shall fulfill it (Mak. 7).

בְּעֵבֶר הַיַּרְדֵּן מִזְרְחָה שָׁמֶשׁ.	**Beyond the Jordan toward the sunrising**
בְּאוֹתוֹ עֵבֶר שֶׁבְּמִזְרָחוֹ שֶׁל יַרְדֵּן:	(I. e.,) on that side which is east of Jordan.
מִזְרְחָה שָׁמֶשׁ.	**Toward the sunrising**
לְפִי שֶׁהוּא דָבוּק,	Since it (מזרחה) is in the construct state,
נְקוּדָה רֵי"שׁ בַּחֲטָף,	(the letter) ר is vocalized with a Sheva:
מִזְרַח שֶׁל שֶׁמֶשׁ	"east of the sun,"
–מְקוֹם זְרִיחַת הַשֶּׁמֶשׁ:	(i. e.,) the place of the rising of the sun.

43 אֶת־בֶּ֧צֶר בַּמִּדְבָּ֛ר	43. Bezer in the wilderness,
בְּאֶ֥רֶץ הַמִּישֹׁ֖ר	in the table-land,
לָראוּבֵנִ֑י	for the Reubenites;
וְאֶת־רָאמֹ֤ת בַּגִּלְעָד֙	and Ramoth in Gilead,
לַגָּדִ֔י	for the Gadites;
וְאֶת־גּוֹלָ֥ן בַּבָּשָׁ֖ן	and Golan in Bashan,
לַֽמְנַשִּֽׁי׃	for the Manassites.
44 וְזֹ֖את הַתּוֹרָ֑ה	44. And this is the law
אֲשֶׁר־שָׂ֣ם מֹשֶׁ֔ה	which Moses set
לִפְנֵ֖י בְּנֵ֥י יִשְׂרָאֵֽל׃	before the children of Israel;
45 אֵ֚לֶּה הָעֵדֹ֔ת	45. these are the testimonies,
וְהַחֻקִּ֖ים וְהַמִּשְׁפָּטִ֑ים	and the statutes, and the ordinances,
אֲשֶׁ֨ר דִּבֶּ֤ר מֹשֶׁה֙	which Moses spoke
אֶל־בְּנֵ֣י יִשְׂרָאֵ֔ל	unto the children of Israel,
בְּצֵאתָ֖ם מִמִּצְרָֽיִם׃	when they came forth out of Egypt;
46 בְּעֵ֨בֶר הַיַּרְדֵּ֜ן	46. beyond the Jordan,
בַּגַּ֗יְא	in the valley
מ֚וּל בֵּ֣ית פְּע֔וֹר	over against Beth-Peor,
בְּאֶ֗רֶץ סִיחֹן֙	in the land of Sihon
מֶ֣לֶךְ הָֽאֱמֹרִ֔י	king of the Amorites,
אֲשֶׁ֥ר יוֹשֵׁ֖ב בְּחֶשְׁבּ֑וֹן	who dwelt at Heshbon,
אֲשֶׁ֨ר הִכָּ֤ה מֹשֶׁה֙ וּבְנֵ֣י יִשְׂרָאֵ֔ל	whom Moses and the children of Israel smote,
בְּצֵאתָ֖ם מִמִּצְרָֽיִם׃	when they came forth out of Egypt;
47 וַיִּֽירְשׁ֨וּ אֶת־אַרְצ֜וֹ	47. and they took his land in possession,
וְאֶת־אֶ֣רֶץ ׀ ע֣וֹג	and the land of Og
מֶֽלֶךְ־הַבָּשָׁ֗ן	king of Bashan,
שְׁנֵי֙ מַלְכֵ֣י הָֽאֱמֹרִ֔י	the two kings of the Amorites,
אֲשֶׁ֖ר בְּעֵ֣בֶר הַיַּרְדֵּ֑ן	who were beyond the Jordan
מִזְרַ֖ח שָֽׁמֶשׁ׃	(toward) the sun-rising;
48 מֵעֲרֹעֵ֞ר	48. from Aroer,
אֲשֶׁ֨ר עַל־שְׂפַת־נַ֣חַל אַרְנֹ֔ן	which is on the edge of the valley of Arnon,

Rashi — רש"י

44 וְזֹאת הַתּוֹרָה.	**44. And this is the law**
זוּ שֶׁהוּא עָתִיד לְסַדֵּר	(I. e.,) the one which he is destined to arrange
אַחַר פָּרָשָׁה זוּ:	after this section.
45 אֵלֶּה הָעֵדֹת וְגוֹ׳ אֲשֶׁר דִּבֶּר.	**45. These are the testimonies, etc., which (he) spoke**
הֵם הֵם אֲשֶׁר דִּבֶּר	These are the same which he spoke
בְּצֵאתָם מִמִּצְרַיִם	when they went forth from Egypt;
חָזַר וּשְׁנָאָהּ לָהֶם	he again taught it to them
בְּעַרְבוֹת מוֹאָב:	in the plains of Moab.
47 אֲשֶׁר בְּעֵבֶר הַיַּרְדֵּן.	**47. Who were beyond the Jordan**
שֶׁהוּא בַּמִּזְרָח,	(I. e.,) that to the east;
שֶׁהָעֵבֶר הַשֵּׁנִי הָיָה בַּמַּעֲרָב:	for the second side was to the west.

וְעַד־הַר שִׂיאֹן	even unto mount Sion —
הוּא חֶרְמוֹן׃	the same is Hermon —
49 וְכָל־הָעֲרָבָה	49. and all the Arabah
עֵבֶר הַיַּרְדֵּן	beyond the Jordan
מִזְרָחָה	eastward,
וְעַד יָם הָעֲרָבָה	even unto the sea of the Arabah,
תַּחַת אַשְׁדֹּת הַפִּסְגָּה׃ פ רביעי	under the slopes of Pisgah.

CHAPTER V — ה

1 וַיִּקְרָא מֹשֶׁה	1. And Moses called
אֶל־כָּל־יִשְׂרָאֵל	unto all Israel,
וַיֹּאמֶר אֲלֵהֶם	and said unto them:
שְׁמַע יִשְׂרָאֵל	Hear, O Israel,
אֶת־הַחֻקִּים	the statutes
אֶת־הַמִּשְׁפָּטִים	and the ordinances
אֲשֶׁר אָנֹכִי דֹּבֵר	which I speak
בְּאָזְנֵיכֶם הַיּוֹם	in your ears this day,
וּלְמַדְתֶּם אֹתָם	that ye may learn them,
וּשְׁמַרְתֶּם לַעֲשֹׂתָם׃	and observe to do them.
2 יְהוָה אֱלֹהֵינוּ	2. The Lord our God
כָּרַת עִמָּנוּ בְּרִית	made a covenant with us
בְּחֹרֵב׃	in Horeb.
3 לֹא אֶת־אֲבֹתֵינוּ	3. Not with our fathers
כָּרַת יְהוָה	did the Lord make
אֶת־הַבְּרִית הַזֹּאת	this covenant,
כִּי אִתָּנוּ אֲנַחְנוּ	but with us, (even) us,
אֵלֶּה פֹה הַיּוֹם כֻּלָּנוּ חַיִּים׃	who are all of us here alive to-day.
4 פָּנִים ׀ בְּפָנִים	4. Face to face
דִּבֶּר יְהוָה עִמָּכֶם	spoke the Lord with you
בָּהָר	in the mount
מִתּוֹךְ הָאֵשׁ׃	out of the midst of the fire —
5 אָנֹכִי עֹמֵד	5. I stood
בֵּין־יְהוָה וּבֵינֵיכֶם	between the Lord and you

Rashi — רש״י

5 3 לֹא אֶת־אֲבֹתֵינוּ.	5 3. **Not with our fathers**
לְבַד "כָּרַת ה' וְגוֹ'"	(I. e.,) alone, "did the Lord make," etc.,
כִּי אִתָּנוּ וְגוֹ'":	"but with us," etc.
פָּנִים בְּפָנִים.	**4. Face to face**
אָמַר ר' בֶּרֶכְיָה:—	Rabbi Berechiah said:
כָּךְ אָמַר מֹשֶׁה,	Thus spoke Moses:
אַל תֹּאמְרוּ אֲנִי מַטְעֶה אֶתְכֶם	Do not say (that) I cause you to err
עַל לֹא דָבָר,	for nought,
כְּדֶרֶךְ שֶׁהַסַּרְסוּר עוֹשֶׂה	in the manner that the middleman does
בֵּין הַמּוֹכֵר לַלּוֹקֵחַ,	between the seller and the buyer,
הֲרֵי הַמּוֹכֵר עַצְמוֹ מְדַבֵּר עִמָּכֶם (פְּסִי״ר):	for the seller Himself speaks with you (Pesikta Rabbati).

בָּעֵת הַהִוא	at that time,
לְהַגִּיד לָכֶם	to declare unto you
אֶת־דְּבַר יְהוָה	the word of the Lord;
כִּי יְרֵאתֶם	for ye were afraid
מִפְּנֵי הָאֵשׁ	because of the fire,
וְלֹא־עֲלִיתֶם בָּהָר	and went not up into the mount, —
לֵאמֹר: ס	saying:
6 אָנֹכִי יְהוָה אֱלֹהֶיךָ	6. I am the Lord thy God,
אֲשֶׁר הוֹצֵאתִיךָ	who brought thee out
מֵאֶרֶץ מִצְרַיִם	of the land of Egypt,
מִבֵּית עֲבָדִים:	out of the house of bondage.
7 לֹא־יִהְיֶה לְךָ	7. Thou shalt not have
אֱלֹהִים אֲחֵרִים	other gods
עַל־פָּנָי:	before Me.
8 לֹא־תַעֲשֶׂה־לְךָ	8. Thou shalt not make unto thee
פֶסֶל ׀	a graven image,
כָּל־תְּמוּנָה	even any manner of likeness,
אֲשֶׁר בַּשָּׁמַיִם ׀ מִמַּעַל	that is in heaven above,
וַאֲשֶׁר בָּאָרֶץ מִתָּחַת	or that is in the earth beneath,
וַאֲשֶׁר בַּמַּיִם ׀	or that is in the water
מִתַּחַת לָאָרֶץ:	under the earth.
9 לֹא־תִשְׁתַּחֲוֶה לָהֶם	9. Thou shalt not bow down unto them,
וְלֹא תָעָבְדֵם	nor serve them;
כִּי אָנֹכִי יְהוָה אֱלֹהֶיךָ	for I the Lord thy God
אֵל קַנָּא	am a jealous God,
פֹּקֵד עֲוֺן אָבוֹת	visiting the iniquity of the fathers
עַל־בָּנִים	upon the children
וְעַל־שִׁלֵּשִׁים וְעַל־רִבֵּעִים	and upon the third and upon the fourth generation
לְשֹׂנְאָי:	of them that hate Me,
10 וְעֹשֶׂה חֶסֶד	10. and showing mercy

Rashi — רש"י

5 לֵאמֹר.	**5. Saying**
מוּסָב עַל "דִּבֶּר ה' עִמָּכֶם	(This) refers to "The Lord spoke with you . . .
בָּהָר מִתּוֹךְ הָאֵשׁ,	in the mount out of the midst of the fire . . .
לֵאמֹר אָנֹכִי ה' וְגוֹ'	saying, I am the Lord," etc.,
וְאָנֹכִי עֹמֵד בֵּין־ה' וּבֵינֵיכֶם":	"and I stood between the Lord and you."
7 עַל־פָּנָי.	**7. Before Me**
בְּכָל מָקוֹם אֲשֶׁר אֲנִי שָׁם,	(I. e.,) in any place where I am,
וְזֶהוּ כָּל הָעוֹלָם.	and that is the entire universe.
דָּ"אַ כָּל זְמַן שֶׁאֲנִי קַיָּם.	Another interpretation: All the time that I exist.
עֲשֶׂרֶת הַדִּבְּרוֹת כְּבָר פֵּרַשְׁתִּים:	(As for) the Ten Commandments, I have already explained them (at Exodus 20).

לַאֲלָפִים	unto the thousandth (generation)
לְאֹהֲבַי	of them that love Me
וּלְשֹׁמְרֵי מִצְוֺתָו°׃ ס	and keep My commandments.
11 לֹא תִשָּׂא	11. Thou shalt not take
אֶת־שֵׁם־יְהוָה אֱלֹהֶיךָ	the name of the Lord thy God
לַשָּׁוְא	in vain;
כִּי לֹא יְנַקֶּה יְהוָה	for the Lord will not hold guiltless
אֵת אֲשֶׁר־יִשָּׂא	him that taketh
אֶת־שְׁמוֹ לַשָּׁוְא׃ ס	His name in vain.
12 שָׁמוֹר	12. Observe
אֶת־יוֹם הַשַּׁבָּת	the sabbath day,
לְקַדְּשׁוֹ	to keep it holy,
כַּאֲשֶׁר צִוְּךָ ׀ יְהוָה אֱלֹהֶיךָ׃	as the Lord thy God commanded thee.
13 שֵׁשֶׁת יָמִים תַּעֲבֹד	13. Six days shalt thou labor,
וְעָשִׂיתָ כָּל־מְלַאכְתֶּךָ׃	and do all thy work;
14 וְיוֹם הַשְּׁבִיעִי	14. but the seventh day
שַׁבָּת ׀ לַיהוָה אֱלֹהֶיךָ	is a sabbath unto the Lord thy God,
לֹא־תַעֲשֶׂה	(in it) thou shalt not do
כָל־מְלָאכָה	any manner of work,
אַתָּה ׀ וּבִנְךָ־וּבִתֶּךָ	thou, nor thy son, nor thy daughter,
וְעַבְדְּךָ־וַאֲמָתֶךָ	nor thy man-servant, nor thy maid-servant,
וְשׁוֹרְךָ וַחֲמֹרְךָ	nor thine ox, nor thine ass,
וְכָל־בְּהֶמְתֶּךָ	nor any of thy cattle,
וְגֵרְךָ	nor thy stranger
אֲשֶׁר בִּשְׁעָרֶיךָ	that is within thy gates;
לְמַעַן יָנוּחַ	that (there) may rest
עַבְדְּךָ וַאֲמָתְךָ	thy man-servant and thy maid-servant
כָּמוֹךָ׃	as well as thou.
15 וְזָכַרְתָּ	15. And thou shalt remember
כִּי־עֶבֶד הָיִיתָ ׀	that thou wast a servant

° מצותי, קרי.

Rashi — רש״י

12 **שָׁמוֹר.**	**12. Observe**
וּבָרִאשׁוֹנוֹת הוּא אוֹמֵר זָכוֹר,	And at the first (Commandments; at Ex. 20.8) it states, "Remember."
שְׁנֵיהֶם בְּדִבּוּר אֶחָד	Both of them ("Remember" and "Observe") in one communication
וּבְתֵיבָה אַחַת נֶאֶמְרוּ,	and with one word were uttered,
וּבִשְׁמִיעָה אַחַת נִשְׁמָעוּ (מְכִי׳):	and with one hearing (i. e., simultaneously) they were heard (Mekilta).
כַּאֲשֶׁר צִוְּךָ.	**As (He) commanded thee**
קוֹדֶם מַתַּן תּוֹרָה בְּמָרָה (שַׁבָּת פ״ז):	Prior to the giving of the Torah, at Marah (Shab. 87).
15 **וְזָכַרְתָּ כִּי־עֶבֶד הָיִיתָ וְגוֹ׳.**	**15. And thou shalt remember that thou wast a servant, etc.**
עַל מְנָת כֵּן פְּדָאֲךָ,	For that purpose He redeemed you,
שֶׁתִּהְיֶה לוֹ עֶבֶד	(viz.,) that you shall be a servant unto Him

בְּאֶרֶץ מִצְרַיִם	in the land of Egypt,
וַיֹּצִאֲךָ יְהוָֹה אֱלֹהֶיךָ	and the Lord thy God brought thee out
מִשָּׁם	thence
בְּיָד חֲזָקָה	by a mighty hand
וּבִזְרֹעַ נְטוּיָה	and by an outstretched arm;
עַל־כֵּן	therefore
צִוְּךָ יְהוָֹה אֱלֹהֶיךָ	the Lord thy God commanded thee
לַעֲשׂוֹת אֶת־יוֹם הַשַּׁבָּת: ס	to keep the sabbath day.
16 כַּבֵּד	16. Honor
אֶת־אָבִיךָ וְאֶת־אִמֶּךָ	thy father and thy mother,
כַּאֲשֶׁר צִוְּךָ יְהוָֹה אֱלֹהֶיךָ	as the Lord thy God commanded thee;
לְמַעַן ׀ יַאֲרִיכֻן יָמֶיךָ	that thy days may be long,
וּלְמַעַן יִיטַב לָךְ	and that it may go well with thee,
עַל הָאֲדָמָה	upon the land
אֲשֶׁר־יְהוָֹה אֱלֹהֶיךָ נֹתֵן לָךְ: ס	which the Lord thy God giveth thee.
17 לֹא תִּרְצָח: ס	17. Thou shalt not murder.
וְלֹא תִּנְאָף: ס	Neither shalt thou commit adultery.
וְלֹא תִּגְנֹב: ס	Neither shalt thou steal.
וְלֹא־תַעֲנֶה בְרֵעֲךָ עֵד שָׁוְא: ס	Neither shalt thou bear false witness against thy neighbor.
18 וְלֹא תַחְמֹד	18. Neither shalt thou covet
אֵשֶׁת רֵעֶךָ ס	thy neighbor's wife;
וְלֹא תִתְאַוֶּה	neither shalt thou desire
בֵּית רֵעֶךָ	thy neighbor's house,
שָׂדֵהוּ	his field,
וְעַבְדּוֹ וַאֲמָתוֹ	or his man-servant, or his maid-servant,
שׁוֹרוֹ וַחֲמֹרוֹ	his ox, or his ass,
וְכֹל אֲשֶׁר לְרֵעֶךָ: ס חמישי	or any thing that is thy neighbor's.

Rashi — רש״י

וְתִשְׁמוֹר מִצְוֹתָיו:	and that you shall observe His commandments.
16 כַּאֲשֶׁר צִוְּךָ.	**16. As (He) commanded thee**
אַף עַל כִּבּוּד אָב וָאֵם	Also concerning the honoring of a father and mother
נִצְטַוּוּ בְּמָרָה	were they commanded at Marah,
שֶׁנֶּאֱמַר (שְׁמוֹת ט״ו):—	as it is stated (Ex. 15.25),
שָׁם שָׂם לוֹ חוֹק וּמִשְׁפָּט (סַנְהֶ׳ נ״ו):	"There He made for them a statute and an ordiance" (cf. Rashi on that passage) (Sanh. 56).
17 וְלֹא תִּנְאָף.	**17. Neither shalt thou commit adultery**
אֵין לְשׁוֹן נִיאוּף אֶלָּא	The term ניאוף (applies) only
בְּאֵשֶׁת אִישׁ:	in reference to a married woman.
18 וְלֹא תִתְאַוֶּה.	**18. Neither shalt thou covet**
וְלָא תֵּירוֹג,	(As the Targum renders it,) "Neither shalt thou covet";
אַף הוּא לְשׁוֹן חֶמְדָּה,	it too (viz., תירוג) is a term (denoting) "pleasant,"
כְּמוֹ (בְּרֵא׳ ב):—	as (Gen. 2.9),
נֶחְמָד לְמַרְאֶה,	"pleasant (נחמד) to the sight"
דְּמִתַּרְגְּמִינָן דִּמְרַגַּג לְמֶחֱזֵי:	which is rendered by by the Targum "pleasant (מרגג) to see."

19 אֶת־הַדְּבָרִים הָאֵלֶּה	19. These words
דִּבֶּר יְהוָה	the Lord spoke
אֶל־כָּל־קְהַלְכֶם	unto all your assembly
בָּהָר	in the mount
מִתּוֹךְ הָאֵשׁ	out of the midst of the fire,
הֶעָנָן וְהָעֲרָפֶל	of the cloud, and of the thick darkness,
קוֹל גָּדוֹל	(with) a great voice,
וְלֹא יָסָף	and He added no more.
וַיִּכְתְּבֵם	And He wrote them
עַל־שְׁנֵי לֻחֹת אֲבָנִים	upon two tables of stone,
וַיִּתְּנֵם אֵלָי׃	and gave them unto me.
20 וַיְהִי	20. And it came to pass,
כְּשָׁמְעֲכֶם אֶת־הַקּוֹל	when ye heard the voice
מִתּוֹךְ הַחֹשֶׁךְ	out of the midst of the darkness,
וְהָהָר בֹּעֵר בָּאֵשׁ	while the mountain did burn with fire,
וַתִּקְרְבוּן אֵלַי	that ye came near unto me,
כָּל־רָאשֵׁי שִׁבְטֵיכֶם	(even) all the heads of your tribes,
וְזִקְנֵיכֶם׃	and your elders;
21 וַתֹּאמְרוּ	21. and ye said:
הֵן	'Behold,
הֶרְאָנוּ יְהוָה אֱלֹהֵינוּ	the Lord our God hath shown us
אֶת־כְּבֹדוֹ	His glory,
וְאֶת־גָּדְלוֹ	and His greatness,
וְאֶת־קֹלוֹ שָׁמַעְנוּ	and we have heard His voice
מִתּוֹךְ הָאֵשׁ	out of the midst of the fire;
הַיּוֹם הַזֶּה רָאִינוּ	this day we have seen
כִּי־יְדַבֵּר אֱלֹהִים	that God doth speak
אֶת־הָאָדָם	with man,
וָחָי׃	and he liveth.
22 וְעַתָּה	22. Now therefore
לָמָּה נָמוּת	why should we die?

Rashi — רש"י

19 וְלֹא יָסָף.	**19. And He added no more**
מְתַרְגְּמִינָן וְלָא פְסַק	(ולא יסף) is rendered in the Targum, "and it did not cease."
לְפִי שֶׁמִּדַּת בָּשָׂר וָדָם	Since (according to) the nature of (men of) flesh and blood,
אֵינָן יְכוֹלִים לְדַבֵּר	they are not able to utter
כָּל דִּבְרֵיהֶם בִּנְשִׁימָה אַחַת	all their words in one breath;
וּמִדַּת הַקָּבָּ"ה אֵינוֹ כֵן,	but the nature of the Holy One Blessed Be He is not so.
לֹא הָיָה פוֹסֵק	It did not pause;
וּמִשֶּׁלֹּא הָיָה פוֹסֵק	and since it did not pause,
לֹא הָיָה מוֹסִיף	it did not resume
כִּי קוֹלוֹ חָזָק	for His voice is mighty
וְקַיָּם לְעוֹלָם (סַנְהֶ' י"ז)׃	and exists forever (Sanh. 17).
דָּ"א, וְלֹא יָסָף'	Another interpretation of ולא יסף:
לֹא הוֹסִיף לְהֵרָאוֹת בְּאוֹתוֹ פוּמְבֵּי׃	He did not again (לא הוסיף) appear in such a demonstration.

כִּי תֹאכְלֵנוּ הָאֵשׁ הַגְּדֹלָה הַזֹּאת	for this great fire will consume us;
אִם־יֹסְפִים ׀ אֲנַחְנוּ לִשְׁמֹעַ	if we continue to hear
אֶת־קוֹל יְהוָה אֱלֹהֵינוּ	the voice of the Lord our God
עוֹד	any more,
וָמָתְנוּ׃	then we shall die.
23 כִּי מִי כָל־בָּשָׂר	23. For who is there of all flesh,
אֲשֶׁר שָׁמַע	that hath heard
קוֹל אֱלֹהִים חַיִּים	the voice of the living God
מְדַבֵּר מִתּוֹךְ־הָאֵשׁ	speaking out of the midst of the fire,
כָּמֹנוּ	as we (have),
וַיֶּחִי׃	and lived?
24 קְרַב אַתָּה	24. Go thou near,
וּשְׁמָע	and hear
אֵת כָּל־אֲשֶׁר יֹאמַר יְהוָה אֱלֹהֵינוּ	all that the Lord our God may say;
וְאַתְּ ׀ תְּדַבֵּר אֵלֵינוּ	and thou shalt speak unto us
אֵת כָּל־אֲשֶׁר יְדַבֵּר יְהוָה אֱלֹהֵינוּ	all that the Lord our God may speak
אֵלֶיךָ	unto thee;
וְשָׁמַעְנוּ	and we will hear
וְעָשִׂינוּ׃	and do (it).'
25 וַיִּשְׁמַע יְהוָה	25. And the Lord heard
אֶת־קוֹל דִּבְרֵיכֶם	the voice of your words,
בְּדַבֶּרְכֶם אֵלָי	when ye spoke unto me;
וַיֹּאמֶר יְהוָה אֵלַי	and the Lord said unto me:
שָׁמַעְתִּי אֶת־קוֹל	'I have heard the voice
דִּבְרֵי הָעָם הַזֶּה	of the words of this people,
אֲשֶׁר דִּבְּרוּ אֵלֶיךָ	which they have spoken unto thee;
הֵיטִיבוּ	they have well (said)
כָּל־אֲשֶׁר דִּבֵּרוּ׃	all that they have spoken.
26 מִי־יִתֵּן	26. Oh that
וְהָיָה לְבָבָם זֶה לָהֶם	they had such a heart as this,
לְיִרְאָה אֹתִי	to fear Me,

Rashi — רש"י

24 וְאַתְּ תְּדַבֵּר אֵלֵינוּ.	**24. And thou shalt speak unto us**
הִתַּשְׁתֶּם אֶת כֹּחִי כִּנְקֵבָה,	You have caused my strength to become weak like (that of) a woman (hence the fem. form אַתְּ),
שֶׁנִּצְטַעַרְתִּי עֲלֵיכֶם	for I was grieved concerning you,
וְרִפִּיתֶם אֶת יָדַי	and you weakened my hands,
כִּי רָאִיתִי שֶׁאֵינְכֶם חֲרֵדִים	since I saw that you are not anxious
לְהִתְקָרֵב אֵלָיו מֵאַהֲבָה,	to draw near unto Him out of love.
וְכִי לֹא הָיָה יָפֶה לָכֶם	Would it not have been better for you
לִלְמֹד מִפִּי הַגְּבוּרָה	to learn from the Mighty One,
וְלֹא לִלְמֹד מִמֶּנִּי׃	and not to learn from me?

וְלִשְׁמֹר אֶת־כָּל־ מִצְוֺתַי	and to keep all My commandments,
כָּל־הַיָּמִים	all the days,
לְמַעַן יִיטַב לָהֶם	that it might be well with them,
וְלִבְנֵיהֶם	and with their children
לְעֹלָם׃	for ever!
27 לֵךְ אֱמֹר לָהֶם	27. Go say to them:
שׁוּבוּ לָכֶם לְאָהֳלֵיכֶם׃	Return ye to your tents.
28 וְאַתָּה	28. But as for thee,
פֹּה עֲמֹד עִמָּדִי	stand thou here by Me,
וַאֲדַבְּרָה אֵלֶיךָ	and I will speak unto thee
אֵת כָּל־הַמִּצְוָה	all the commandments,
וְהַחֻקִּים	and the statutes,
וְהַמִּשְׁפָּטִים	and the ordinances,
אֲשֶׁר תְּלַמְּדֵם	which thou shalt teach them,
וְעָשׂוּ בָאָרֶץ	that they may do (them) in the land,
אֲשֶׁר אָנֹכִי נֹתֵן לָהֶם	which I give them
לְרִשְׁתָּהּ׃	to possess it.'
29 וּשְׁמַרְתֶּם לַעֲשׂוֹת	29. Ye shall observe to do therefore
כַּאֲשֶׁר צִוָּה יְהוָה אֱלֹהֵיכֶם אֶתְכֶם	as the Lord your God hath commanded you;
לֹא תָסֻרוּ	ye shall not turn aside
יָמִין וּשְׂמֹאל׃	(to the) right (hand) or (to the) left.
30 בְּכָל־הַדֶּרֶךְ	30. In all the way
אֲשֶׁר צִוָּה יְהוָה אֱלֹהֵיכֶם אֶתְכֶם	which the Lord your God has commanded you
תֵּלֵכוּ	ye shall walk,
לְמַעַן תִּחְיוּן	that ye may live,
וְטוֹב לָכֶם	and that it may be well with you,
וְהַאֲרַכְתֶּם יָמִים	and that you may prolong (your) days
בָּאָרֶץ	in the land
אֲשֶׁר תִּירָשׁוּן׃	which ye shall possess.

CHAPTER VI — ו

1 וְזֹאת הַמִּצְוָה	1. Now this is the commandment,
הַחֻקִּים	the statutes,
וְהַמִּשְׁפָּטִים	and the ordinances,
אֲשֶׁר צִוָּה יְהוָה אֱלֹהֵיכֶם	which the Lord your God commanded
לְלַמֵּד אֶתְכֶם	to teach you,
לַעֲשׂוֹת בָּאָרֶץ	that ye may do (them) in the land
אֲשֶׁר אַתֶּם עֹבְרִים שָׁמָּה	whither ye go over
לְרִשְׁתָּהּ׃	to possess it —
2 לְמַעַן תִּירָא	2. that thou mightest fear
אֶת־יְהוָה אֱלֹהֶיךָ	the Lord thy God,
לִשְׁמֹר אֶת־כָּל־ חֻקֹּתָיו	to keep all His statutes

וּמִצְוֺתָיו	and His commandments,
אֲשֶׁר אָנֹכִי מְצַוֶּךָ	which I command thee,
אַתָּה וּבִנְךָ וּבֶן־בִּנְךָ	thou, and thy son, and thy son's son,
כֹּל יְמֵי חַיֶּיךָ	all the days of thy life;
וּלְמַעַן יַאֲרִכֻן יָמֶיךָ׃	and that thy days may be prolonged.
3 וְשָׁמַעְתָּ יִשְׂרָאֵל	3. Hear therefore, O Israel,
וְשָׁמַרְתָּ לַעֲשׂוֹת	and observe to do (it);
אֲשֶׁר יִיטַב לְךָ	that it may be well with thee,
וַאֲשֶׁר תִּרְבּוּן מְאֹד	and that you may increase mightily,
כַּאֲשֶׁר דִּבֶּר יְהוָה אֱלֹהֵי אֲבֹתֶיךָ	as the Lord, the God of thy fathers, hath promised
לָךְ	unto thee —
אֶרֶץ זָבַת חָלָב וּדְבָשׁ׃ פ ששי	a land flowing with milk and honey.
4 שְׁמַע יִשְׂרָאֵל	4. Hear, O Israel:
יְהוָה אֱלֹהֵינוּ	The Lord Our God,
יְהוָה ׀ אֶחָד׃	The Lord is one.
5 וְאָהַבְתָּ	5. And thou shalt love
אֵת יְהוָה אֱלֹהֶיךָ	the Lord thy God
בְּכָל־לְבָבְךָ	with all thy heart,

° ע' ד' רבתי.

Rashi — רש"י

6 4 ה' אֱלֹהֵינוּ ה' אֶחָד.	6 **4. The Lord our God, the Lord is one**
ה' שֶׁהוּא אֱלֹהֵינוּ עַתָּה,	"The Lord," who is "our God" now,
וְלֹא אֱלֹהֵי הָאֻמּוֹת,	and not the God of the (other) nations,
הוּא עָתִיד לִהְיוֹת ה' אֶחָד,	He will be in the future "One Lord,"
שֶׁנֶּאֱמַר (צְפַנְ' ג):—	as it is stated (Zeph. 3.9),
כִּי אָז אֶהְפֹּךְ אֶל עַמִּים	"For then will I turn to the peoples
שָׂפָה בְרוּרָה	a pure language,
לִקְרֹא כֻלָּם בְּשֵׁם ה',	that they may all call upon the name of the Lord";
וְנֶאֱמַר (זְכַרְ' י"ד):—	and it is stated (Zech. 14.9),
בַּיּוֹם הַהוּא יִהְיֶה	"In that day shall
ה' אֶחָד וּשְׁמוֹ אֶחָד (עַיֵּ' סִפְרֵי):	the Lord be One, and His name One" (cf. Siphre).
5 וְאָהַבְתָּ.	**5. And thou shalt love**
עֲשֵׂה דְבָרָיו מֵאַהֲבָה,	Perform His commandments out of love.
אֵינוֹ דוֹמֶה הָעוֹשֶׂה מֵאַהֲבָה	One cannot compare him who acts out of love
לָעוֹשֶׂה מִיִּרְאָה,	to him who acts from fear,
הָעוֹשֶׂה אֵצֶל רַבּוֹ מִיִּרְאָה,	him who serves his master out of fear;
כְּשֶׁהוּא מַטְרִיחַ עָלָיו	when the latter overburdens him
מַנִּיחוֹ וְהוֹלֵךְ לוֹ (שָׁם):	he leaves him and goes away (*ibid.*).
בְּכָל־לְבָבְךָ.	**With all thy heart**
בִּשְׁנֵי יְצָרֶיךָ (סִפְרֵי, בְּרָ' נ"ד).	(I. e.,) with your two inclinations (Siphre; Ber. 54).
דָּבָר אַחֵר, בְּכָל לְבָבְךָ'	Another interpretation of "with all thy heart":
שֶׁלֹּא יִהְיֶה לִבְּךָ חָלוּק עַל הַמָּקוֹם (סִפְרֵי):	Your heart should not be divided against the Omnipresent (Siphre).

וּבְכָל־נַפְשְׁךָ	and with all thy soul,
וּבְכָל־מְאֹדֶךָ׃	and with all thy might.
6 וְהָיוּ הַדְּבָרִים הָאֵלֶּה	6. And these words shall be,
אֲשֶׁר אָנֹכִי מְצַוְּךָ	which I command thee
הַיּוֹם	this day,
עַל־לְבָבֶךָ׃	upon thy heart;
7 וְשִׁנַּנְתָּם לְבָנֶיךָ	7. and thou shalt teach them diligently unto thy children,

Rashi — רש״י

וּבְכָל־נַפְשְׁךָ.	**And with all thy soul**
אֲפִילוּ הוּא נוֹטֵל אֶת נַפְשְׁךָ (סִפְרֵי, בְּרָ׳ נ״ד)׃	Even if He were to take thy soul (Siphre; Ber. 54).
וּבְכָל־מְאֹדֶךָ.	**And with all thy might**
בְּכָל מָמוֹנְךָ,	(מאדך is to be interpreted) with all thy "possessions."
יֵשׁ לְךָ אָדָם	There are men
שֶׁמָּמוֹנוֹ חָבִיב עָלָיו מִגּוּפוֹ (בְּרָ׳ נ״ז),	whose possessions are more beloved by them than themselves (Ber. 57).
לְכָךְ נֶאֱמַר בְּכָל מְאֹדֶךָ.	Therefore it is stated, "with all thy possessions."
דָּ״אַ, וּבְכָל מְאֹדֶךָ׳	Another interpretation of ובכל מאדך:
בְּכָל מִדָּה וּמִדָּה שֶׁמּוֹדֵד לְךָ,	With whatever measure He metes out to thee,
בֵּין בְּמִדָּה טוֹבָה	whether it be a good measure
בֵּין בְּמִדַּת פּוּרְעָנוּת,	or a bad measure.
וְכֵן דָּוִד הוּא אוֹמֵר (תְּהִ׳ קט״ז)׃—	And similarly David states (Ps. 116.13),
כּוֹס יְשׁוּעוֹת אֶשָּׂא וְגוֹ׳	"I will lift up the cup of salvation, (I will call upon the name of the Lord)" etc.,
צָרָה וְיָגוֹן אֶמְצָא וְגוֹ׳ (עַיֵּ׳ סִפְרֵי)׃	"I found trouble and sorrow, (I will call upon the name of the Lord)" etc. (v. 3; cf. Siphre).
6 וְהָיוּ הַדְּבָרִים הָאֵלֶּה.	**6. And these words shall be**
וּמַהוּ הָאַהֲבָה?	Now what is this love?
שֶׁמִּתּוֹךְ כַּךְ אַתָּה מַכִּיר בְּהַקָּבָּ״ה	For in this manner you will know the Holy One Blessed Be He
וּמִדַּבֵּק בִּדְרָכָיו (סִפְרֵי)׃	and cling to His ways (Siphre).
אֲשֶׁר אָנֹכִי מְצַוְּךָ הַיּוֹם.	**Which I command thee this day**
לֹא יִהְיוּ בְעֵינֶיךָ	Let them not be in your eyes
כְּדְיוֹטַגְמָא יְשָׁנָה	like an antiquated ordinance
שֶׁאֵין אָדָם סוֹפְנָהּ,	which nobody minds,
אֶלָּא כַּחֲדָשָׁה	but like a recent one
שֶׁהַכֹּל רָצִין לִקְרָאתָהּ	towards which every one hastens.
דְּיוֹטַגְמָא – מִצְוַת הַמֶּלֶךְ	(The term) דְּיוֹטַגְמָא (denotes) a royal edict
הַבָּאָה בְּמִכְתָּב (סִפְרֵי)׃	committed to writing (Siphre).
7 וְשִׁנַּנְתָּם.	**7. And thou shalt teach them diligently**
לְשׁוֹן חִדּוּד הוּא,	(ושננתם) is an expression denoting "sharpness";
שֶׁיִּהְיוּ מְחֻדָּדִים בְּפִיךָ,	("These words") should be sharpened (ready) in your mouth,
שֶׁאִם יִשְׁאָלְךָ אָדָם דָּבָר	so that if anyone asks you something
לֹא תְהֵא צָרִיךְ לְגַמְגֵּם בּוֹ	you should not have to stammer regarding it,
אֶלָּא אֱמוֹר לוֹ מִיָּד (סִפְרֵי, קִידָ׳ ל)׃	but tell (it) to him immediately (Siphre; Kid. 30).
לְבָנֶיךָ.	**Unto thy children**
אֵלּוּ הַתַּלְמִידִים,	These are disciples.

וְדִבַּרְתָּ בָּם	and thou shalt talk of them
בְּשִׁבְתְּךָ בְּבֵיתֶךָ	when thou sittest in thy house,
וּבְלֶכְתְּךָ בַדֶּרֶךְ	and when thou walkest by the way,
וּבְשָׁכְבְּךָ	and when thou liest down,
וּבְקוּמֶךָ׃	and when thou risest up.

8 וּקְשַׁרְתָּם לְאוֹת	8. And thou shalt bind them for a sign
עַל־יָדֶךָ	upon thy hand,
וְהָיוּ לְטֹטָפֹת	and they shall be for frontlets
בֵּין עֵינֶיךָ׃	between thine eyes.

Rashi — רש״י

מָצִינוּ בְּכָל מָקוֹם	We find everywhere
שֶׁהַתַּלְמִידִים קְרוּיִם בָּנִים,	that disciples are termed "children,"
שֶׁנֶּאֱמַר (דְּבָר׳ י״ד)׃—	as it is stated (Deut. 14.1),
בָּנִים אַתֶּם לַה׳ אֱלֹהֵיכֶם,	"Ye are the children of the Lord your God";
וְאוֹמֵר (מ״ב ב)׃—	and it (also) states (II Ki. 2.3),
בְּנֵי הַנְּבִיאִים אֲשֶׁר בֵּית אֵל,	"The children (disciples) of the prophets that were at Beth-el."
וְכֵן בְּחִזְקִיָּהוּ,	And similarly with Hezekiah,
שֶׁלִּמֵּד תּוֹרָה לְכָל יִשְׂרָאֵל,	who taught the Torah to all of Israel
וּקְרָאָם בָּנִים	and he called them "children,"
שֶׁנֶּאֱמַר (דה״י ב כ״ט)׃—	as it is stated (II Chron. 29.11)
בָּנַי עַתָּה אַל תִּשָּׁלוּ,	"My children, be not now negligent."
וּכְשֵׁם שֶׁהַתַּלְמִידִים קְרוּיִם בָּנִים	And just as disciples are termed "children"
(שֶׁנֶּאֱמַר בָּנִים אַתֶּם לַה׳ אֱלֹהֵיכֶם)	(for it is stated, "Ye are the children of the Lord your God")
כָּךְ הָרַב קָרוּי אָב,	so is the teacher termed "father,"
שֶׁנֶּאֱמַר (מ״ב ב)׃—	as it is stated (II Ki. 2.12),
אָבִי אָבִי רֶכֶב יִשְׂרָאֵל וְגוֹ׳ (סִפְרֵי)׃	"My father, my father, the chariots of Israel," etc. (Siphre).
וְדִבַּרְתָּ בָּם.	**And thou shalt talk of them**
שֶׁלֹּא יְהֵא עִקַּר דִּבּוּרְךָ אֶלָּא בָּם	The main object of your talking should be only concerning them;
—עֲשֵׂם עִקָּר	make them primary,
וְאַל תַּעֲשֵׂם טָפֵל (שָׁם)׃	and do not make them secondary (*ibid.*).
וּבְשָׁכְבְּךָ.	**And when thou liest down**
יָכוֹל אֲפִילּוּ שָׁכַב בַּחֲצִי הַיּוֹם,	I might infer (that this applies) even if he lay down at midday,
תַּ״ל ״וּבְקוּמֶךָ״	therefore Scripture states, "and when thou risest up."
יָכוֹל אֲפִילּוּ עָמַד בַּחֲצִי הַלַּיְלָה	I might think (that this applies) even if he arose in the middle of the night,
תַּ״ל ״בְּשִׁבְתְּךָ בְּבֵיתֶךָ וּבְלֶכְתְּךָ בַדֶּרֶךְ״	therefore Scripture states, "when thou sittest in thy house, and when thou walkest by the way."
—דֶּרֶךְ אֶרֶץ דִּבְּרָה תוֹרָה,	Of ordinary conduct the Torah speaks:
זְמַן שְׁכִיבָה	the time of lying down (to sleep)
וּזְמַן קִימָה (שָׁם)׃	and the time of rising up (*ibid.*).
8 וּקְשַׁרְתָּם לְאוֹת עַל־יָדֶךָ.	**8. And thou shalt bind them for a sign upon thy hand**
אֵלּוּ תְפִלִּין שֶׁבַּזְּרוֹעַ׃	These are the phylacteries of the arm.
וְהָיוּ לְטֹטָפֹת בֵּין עֵינֶיךָ.	**And they shall be for frontlets between thine eyes**
אֵלּוּ תְפִלִּין שֶׁבָּרֹאשׁ,	These are the phylacteries of the head.

9 וּכְתַבְתָּם	9. And thou shalt write (them)
עַל־מְזֻזוֹת בֵּיתֶךָ	upon the door-posts of thy house,
וּבִשְׁעָרֶיךָ: ס	and upon thy gates.
10 וְהָיָה	10. And it shall be,
כִּי־יְבִיאֲךָ ׀ יְהוָה אֱלֹהֶיךָ	when the Lord thy God shall bring thee
אֶל־הָאָרֶץ	into the land
אֲשֶׁר נִשְׁבַּע לַאֲבֹתֶיךָ	which He swore unto thy fathers,
לְאַבְרָהָם	to Abraham,
לְיִצְחָק וּלְיַעֲקֹב	to Isaac, and to Jacob
לָתֶת לָךְ	to give thee —
עָרִים גְּדֹלֹת וְטֹבֹת	great and goodly cities,
אֲשֶׁר לֹא־בָנִיתָ:	which thou didst not built,
11 וּבָתִּים	11. and houses
מְלֵאִים כָּל־טוּב	full of all good (things),
אֲשֶׁר לֹא־מִלֵּאתָ	which thou didst not fill,
וּבֹרֹת חֲצוּבִים	and cisterns hewn out,
אֲשֶׁר לֹא־חָצַבְתָּ	which thou didst not hew,
כְּרָמִים וְזֵיתִים	vineyards and olive-trees,
אֲשֶׁר לֹא־נָטָעְתָּ	which thou didst not plant,
וְאָכַלְתָּ	and thou shalt eat
וְשָׂבָעְתָּ:	and be satisfied —
12 הִשָּׁמֶר לְךָ	12. (then) beware
פֶּן־תִּשְׁכַּח אֶת־יְהוָה	lest thou forget the Lord,
אֲשֶׁר הוֹצִיאֲךָ	who brought thee forth
מֵאֶרֶץ מִצְרָיִם	out of the land of Egypt,
מִבֵּית עֲבָדִים:	out of the house of bondage.

Rashi — רש"י

וְעַל שֵׁם מִנְיַן פַּרְשִׁיּוֹתֵיהֶם	And because of the number of their sections (viz., four),
נִקְרְאוּ טוֹטָפוֹת,	they are termed טוֹטָפֹת:
טט בְּכַתְפִּי שְׁתַּיִם	טט in Coptic is "two,"
פת בְּאַפְרִיקִי שְׁתַּיִם (סַנְהֶ' ד'):	פת in African is two (Sanh. 4).
9 מְזֻזוֹת בֵּיתֶךָ.	**9. The door-posts of thy house**
מְזֻזֹת כְּתִיב,	It is written מזזת (defectively; rather than the plena מזוזות),
שֶׁאֵין צָרִיךְ אֶלָּא אַחַת:	for only one is necessary (for each door-post).
וּבִשְׁעָרֶיךָ.	**And upon thy gates**
לְרַבּוֹת שַׁעֲרֵי חֲצֵרוֹת	Including the gates of courts,
וְשַׁעֲרֵי מְדִינוֹת	the gates of countries,
וְשַׁעֲרֵי עֲיָרוֹת (יוֹמָא י"א):	and the gates of cities (Yoma 11).
11 חֲצוּבִים.	**11. Hewn out**
לְפִי שֶׁהָיָה מְקוֹם טְרָשִׁין וּסְלָעִים	Since it was a place of crags and rocks,
נוֹפֵל בּוֹ לְשׁוֹן חֲצִיבָה:	the term "hewn" is appropriate for it.
12 מִבֵּית עֲבָדִים.	**12. Out of the house of bondage**
כְּתַרְגּוּמוֹ מִבֵּית עַבְדוּתָא,	(Understand עבדים) as the Targum renders it, "out of the house of bondage,"
מִמָּקוֹם שֶׁהֱיִיתֶם שָׁם עֲבָדִים:	(i.e.,) out of the place where you were slaves.

13 אֶת־יְהוָה אֱלֹהֶיךָ תִּירָא	13. Thou shalt fear the Lord thy God;
וְאֹתוֹ תַעֲבֹד	and Him thou shalt serve,
וּבִשְׁמוֹ תִּשָּׁבֵעַ׃	and by His name shalt thou swear.
14 לֹא תֵלְכוּן	14. Ye shall not go
אַחֲרֵי אֱלֹהִים אֲחֵרִים	after other gods,
מֵאֱלֹהֵי הָעַמִּים	of the gods of the peoples
אֲשֶׁר סְבִיבוֹתֵיכֶם׃	that are round about you;
15 כִּי אֵל קַנָּא	15. for a jealous God,
יְהוָה אֱלֹהֶיךָ	even the Lord thy God,
בְּקִרְבֶּךָ	is in the midst of thee;
פֶּן־יֶחֱרֶה אַף־יְהוָה אֱלֹהֶיךָ	lest the anger of the Lord thy God be kindled
בָּךְ	against thee,
וְהִשְׁמִידְךָ	and He destroy thee
מֵעַל פְּנֵי הָאֲדָמָה׃ ס	from off the face of the earth.
16 לֹא תְנַסּוּ	16. Ye shall not try
אֶת־יְהוָה אֱלֹהֵיכֶם	the Lord your God,
כַּאֲשֶׁר נִסִּיתֶם	as ye tried (him)
בַּמַּסָּה׃	in Massah.
17 שָׁמוֹר תִּשְׁמְרוּן	17. Ye shall diligently keep
אֶת־מִצְוֹת	the commandments
יְהוָה אֱלֹהֵיכֶם	of the Lord your God,
וְעֵדֹתָיו וְחֻקָּיו	and His testimonies, and His statutes,
אֲשֶׁר צִוָּךְ׃	which He hath commanded thee.

Rashi — רש״י

13 **וּבִשְׁמוֹ תִּשָּׁבֵעַ.**	**13. And by His name shalt thou swear**
אִם יֵשׁ בְּךָ כָּל הַמִּדּוֹת הַלָּלוּ,	If you have all these qualities,
שֶׁאַתָּה יָרֵא אֶת שְׁמוֹ	(viz.,) that you fear His name
וְעוֹבֵד אוֹתוֹ,	and you serve Him,
אָז בִּשְׁמוֹ תִּשָּׁבֵעַ,	then "by His name you may swear";
שֶׁמִּתּוֹךְ שֶׁאַתָּה יָרֵא אֶת שְׁמוֹ	for since you fear His name,
תְּהֵא זָהִיר בִּשְׁבוּעָתְךָ	you will be careful in your oath,
וְאִם לָאו, לֹא תִשָּׁבֵעַ׃	but if not, you shall not swear.
14 **מֵאֱלֹהֵי הָעַמִּים אֲשֶׁר סְבִיבוֹתֵיכֶם.**	**14. Of the gods of the peoples that are round about you**
הוּא הַדִּין לָרְחוֹקִים,	The same law (applies) to those that are distant;
אֶלָּא לְפִי שֶׁאַתָּה רוֹאֶה אֶת סְבִיבוֹתֶיךָ	but since you see those round about you
תּוֹעִים אַחֲרֵיהֶם,	erring after them,
הֻצְרַךְ לְהַזְהִיר עֲלֵיהֶם בְּיוֹתֵר׃	it was necessary to warn against them especially.
16 **בַּמַּסָּה.**	**16. In Massah**
כְּשֶׁיָּצְאוּ מִמִּצְרַיִם	When they went forth out of Egypt
שֶׁנִּסּוּהוּ בַמַּיִם,	and they tried Him regarding water,
שֶׁנֶּאֱמַר (שמות י״ז):—	as it is stated (Ex. 17.7),
הֲיֵשׁ ה׳ בְּקִרְבֵּנוּ׃	"Is the Lord among us".

18 וְעָשִׂיתָ	18. And thou shalt do
הַיָּשָׁר וְהַטּוֹב	that which is right and good
בְּעֵינֵי יְהוָה	in the sight of the Lord;
לְמַעַן יִיטַב לָךְ	that it may be well with thee,
וּבָאתָ	and that thou mayest go in
וְיָרַשְׁתָּ	and possess
אֶת־הָאָרֶץ הַטֹּבָה	the good land
אֲשֶׁר־נִשְׁבַּע יְהוָה לַאֲבֹתֶיךָ׃	which the Lord swore unto thy fathers,
19 לַהֲדֹף	19. to thrust out
אֶת־כָּל־אֹיְבֶיךָ	all thine enemies
מִפָּנֶיךָ	from before thee,
כַּאֲשֶׁר דִּבֶּר יְהוָה׃ ס	as the Lord hath spoken.
20 כִּי־יִשְׁאָלְךָ בִנְךָ	20. When thy son asketh thee
מָחָר	in time to come,
לֵאמֹר	saying:
מָה הָעֵדֹת	'What (mean) the testimonies,
וְהַחֻקִּים וְהַמִּשְׁפָּטִים	and the statutes, and the ordinances,
אֲשֶׁר צִוָּה יְהוָה אֱלֹהֵינוּ אֶתְכֶם׃	which the Lord our God hath commanded you?
21 וְאָמַרְתָּ לְבִנְךָ	21. then thou shalt say unto thy son:
עֲבָדִים הָיִינוּ לְפַרְעֹה	'We were Pharaoh's bondmen
בְּמִצְרָיִם	in Egypt;
וַיֹּצִיאֵנוּ יְהוָה מִמִּצְרַיִם	and the Lord brought us out of Egypt
בְּיָד חֲזָקָה׃	with a mighty hand.
22 וַיִּתֵּן יְהוָה	22. And the Lord showed
אוֹתֹת וּמֹפְתִים	signs and wonders,
גְּדֹלִים וְרָעִים ׀	great and sore,
בְּמִצְרַיִם	upon Egypt,
בְּפַרְעֹה וּבְכָל־בֵּיתוֹ	upon Pharaoh, and upon all his house,
לְעֵינֵינוּ׃	before our eyes.
23 וְאוֹתָנוּ הוֹצִיא מִשָּׁם	23. And He brought us out from thence,
לְמַעַן הָבִיא אֹתָנוּ	that He might bring us in,
לָתֶת לָנוּ	to give us

Rashi — רש״י

18 הַיָּשָׁר וְהַטּוֹב.	**18. That which is right and good**
זוּ פְּשָׁרָה לִפְנִים מִשּׁוּרַת הַדִּין׃	This (refers to) compromise inside the line of law (i. e., equity).
19 כַּאֲשֶׁר דִּבֵּר.	**19. As (He) hath spoken**
וְהֵיכָן דִּבֵּר?	And where did He speak?
וְהַמֹּתִי אֶת כָּל הָעָם וְגוֹ׳ (שְׁמוֹת כ״ג)׃	"And I will discomfit all the people," etc. (Ex. 23.27).
20 כִּי־יִשְׁאָלְךָ בִנְךָ מָחָר.	**20. When thy son asketh thee in time to come**
יֵשׁ מָחָר שֶׁהוּא אַחַר זְמַן׃	(The term) מָחָר (lit., "tomorrow") sometimes denotes "in time to come."

אֶת־הָאָ֫רֶץ	the land
אֲשֶׁר נִשְׁבַּע לַאֲבֹתֵֽינוּ׃	which he swore unto our fathers.
24 וַיְצַוֵּנוּ יְהוָה	24. And the Lord commanded us
לַעֲשׂוֹת	to do
אֶת־כָּל־הַחֻקִּים הָאֵלֶּה	all these statutes,
לְיִרְאָה	to fear
אֶת־יְהוָה אֱלֹהֵינוּ	the Lord our God.
לְטוֹב לָנוּ	for our good
כָּל־הַיָּמִים	all the days,
לְחַיֹּתֵנוּ כְּהַיּוֹם הַזֶּה׃	that he might preserve us alive as it is at this day.
25 וּצְדָקָה תִּהְיֶה־לָּנוּ	25. And it shall be righteousness unto us,
כִּי־נִשְׁמֹר לַעֲשׂוֹת	if we observe to do
אֶת־כָּל־הַמִּצְוָה הַזֹּאת	all this commandment
לִפְנֵי יְהוָה אֱלֹהֵינוּ	before the Lord our God,
כַּאֲשֶׁר צִוָּנוּ׃ ס	as He hath commanded us.

שביעי

CHAPTER VII — ז

1 כִּי יְבִיאֲךָ יְהוָה אֱלֹהֶיךָ	1. When the Lord thy God shall bring thee
אֶל־הָאָ֫רֶץ	into the land
אֲשֶׁר־אַתָּה בָא־שָׁמָּה	whither thou goest
לְרִשְׁתָּהּ	to possess it,
וְנָשַׁל גּוֹיִם־רַבִּים ׀	and shall cast out many nations
מִפָּנֶיךָ	before thee,
הַחִתִּי וְהַגִּרְגָּשִׁי	the Hittite, and the Girgashite,
וְהָאֱמֹרִי וְהַכְּנַעֲנִי	and the Amorite, and the Canaanite,
וְהַפְּרִזִּי וְהַחִוִּי	and the Perizzite, and the Hivite,
וְהַיְבוּסִי	and the Jebusite,
שִׁבְעָה גוֹיִם	seven nations
רַבִּים וַעֲצוּמִים מִמֶּךָּ׃	greater and mightier than thou;
2 וּנְתָנָם יְהוָה אֱלֹהֶיךָ	2. and when the Lord thy God shall deliver them up
לְפָנֶיךָ	before thee,
וְהִכִּיתָם	and thou shalt smite them;
הַחֲרֵם תַּחֲרִים אֹתָם	(then) thou shalt utterly destroy them;
לֹא־תִכְרֹת לָהֶם בְּרִית	thou shalt make no covenant with them,

Rashi — רש״י

7 1 וְנָשַׁל.	7 1. **And (when He) shall cast out**
לְשׁוֹן הַשְׁלָכָה וְהַתָּזָה,	(ונשל) denotes "casting out" and "cutting off";
וְכֵן (דְּבָר׳ י״ט):—	and similarly (Deut. 19.5),
וְנָשַׁל הַבַּרְזֶל:	"and the iron falls off" (ונשל).

וְלֹא תְחָנֵּם:	nor show mercy unto them;
3 וְלֹא תִתְחַתֵּן בָּם	3. neither shalt thou make marriages with them:
בִּתְּךָ	thy daughter
לֹא־תִתֵּן לִבְנוֹ	thou shalt not give unto his son,
וּבִתּוֹ	nor his daughter
לֹא־תִקַּח לִבְנֶךָ:	shalt thou take for thy son.
4 כִּי־יָסִיר אֶת־בִּנְךָ	4. For he will turn away thy son
מֵאַחֲרַי	from following Me,
וְעָבְדוּ	that they may serve
אֱלֹהִים אֲחֵרִים	other gods;
וְחָרָה אַף־יְהוָֹה בָּכֶם	so will the anger of the Lord be kindled against you,
וְהִשְׁמִידְךָ מַהֵר:	and He will destroy thee quickly.
5 כִּי־אִם־כֹּה תַעֲשׂוּ	5. But thus shall ye deal
לָהֶם	with them:
מִזְבְּחֹתֵיהֶם תִּתֹּצוּ	ye shall break down their altars,
וּמַצֵּבֹתָם תְּשַׁבֵּרוּ	and dash into pieces their pillars,
וַאֲשֵׁירֵהֶם תְּגַדֵּעוּן	and hew down their Asherim,

Rashi — רש"י

2 וְלֹא תְחָנֵּם.	**2. Nor (shalt thou) show mercy unto them**
לֹא תִתֵּן לָהֶם חֵן,	(ולא תחנם denotes:) do not show them grace (חן).
אָסוּר לוֹ לְאָדָם לוֹמַר	It is forbidden for any one to say,
כַּמָּה נָאֶה גּוֹי זֶה!	"How handsome is this heathen!"
דָּבָר אַחֵר, לֹא תִתֵּן לָהֶם	Another interpretation: Do not give them
חֲנָיָה בָּאָרֶץ (ע"ז כ):	a resting place (חניה) in the land ('Ab. Zarah 20).
4 כִּי־יָסִיר אֶת־בִּנְךָ מֵאַחֲרָי.	**4. For he will turn away thy son from following Me**
בְּנוֹ שֶׁל גּוֹי	The son of a heathen,
כְּשֶׁיִּשָּׂא אֶת בִּתְּךָ	if he will marry your daughter,
יָסִיר אֶת בִּנְךָ	will turn away your son,
אֲשֶׁר תֵּלֵד לוֹ בִתְּךָ מֵאַחֲרָי,	which your daughter will bear him, from following Me.
לִמְּדָנוּ שֶׁבֶּן בִּתְּךָ	(Hence) we learn that your daughter's son
הַבָּא מִן הַגּוֹי	that is born of a heathen
קָרוּי בִּנְךָ,	is considered your son;
אֲבָל בֶּן בִּנְךָ, הַבָּא מִן הַגּוֹיָה	but the son of your son that is born of a heathen woman
אֵינוֹ קָרוּי בִּנְךָ אֶלָּא בְּנָהּ,	is not considered your son, but her son,
שֶׁהֲרֵי לֹא נֶאֱמַר עַל בִּתּוֹ	for it is not stated regarding his daughter:
לֹא תִקַּח,	Thou shalt not take,
כִּי תָסִיר אֶת בִּנְךָ מֵאַחֲרָי:	for she will turn away thy son from following Me.
5 מִזְבְּחֹתֵיהֶם.	**5. Their altars**
שֶׁל בִּנְיָן:	(I. e.,) Built up (of several stones).
וּמַצֵּבֹתָם.	**And their pillars**
אֶבֶן אַחַת:	(Made of) one stone.
וַאֲשֵׁירֵהֶם.	**And their Asherim**
אִילָנוֹת שֶׁעוֹבְדִין אוֹתָן:	Trees which they worshipped.

וּפְסִילֵיהֶם	and their graven images
תִּשְׂרְפוּן בָּאֵשׁ:	ye shall burn with fire.
6 כִּי עַם קָדוֹשׁ אַתָּה	6. For thou art a holy people
לַיהוָה אֱלֹהֶיךָ	unto the Lord thy God:
בְּךָ בָּחַר ׀ יְהוָה אֱלֹהֶיךָ	the Lord thy God has chosen thee
לִהְיוֹת לוֹ לְעַם סְגֻלָּה	to be a people of His own treasure,
מִכֹּל הָעַמִּים	out of all the peoples
אֲשֶׁר עַל־פְּנֵי הָאֲדָמָה:	that are upon the face of the earth.
7 לֹא מֵרֻבְּכֶם	7. Not because ye were more in number
מִכָּל־הָעַמִּים	than any people
חָשַׁק יְהוָה בָּכֶם	did the Lord set His love upon you,
וַיִּבְחַר בָּכֶם	and choose you —
כִּי־אַתֶּם הַמְעַט	for ye were the fewest
מִכָּל־הָעַמִּים:	of all the peoples —

Rashi — רש״י

וּפְסִילֵיהֶם.	**And their graven images**
צְלָמִים:	(ופסיליהם denotes) images.
7 לֹא מֵרֻבְּכֶם.	**7. Not because ye were more in number**
כִּפְשׁוּטוֹ;	(Understand this) according to its plain meaning.
וּמִדְרָשׁוֹ לְפִי שֶׁאֵין אַתֶּם	And its Midrashic (interpretation): Since you do not
מַגְדִּילִים עַצְמְכֶם	glorify yourselves (boast)
כְּשֶׁאֲנִי מַשְׁפִּיעַ לָכֶם טוֹבָה,	when I bestow blessings upon you,
לְפִיכָךְ ״חָשַׁק... בָּכֶם	therefore, "He set His love upon you...
כִּי־אַתֶּם הַמְעַט״,	for ye were the fewest,"
—הַמְמַעֲטִין עַצְמְכֶם,	(i. e.) you made yourselves small
כְּגוֹן אַבְרָהָם שֶׁאָמַר (בְּרֵא׳ י״ח):—	like Abraham, who said (Gen. 18.27),
וְאָנֹכִי עָפָר וָאֵפֶר,	"I who am but dust and ashes";
וּכְגוֹן מֹשֶׁה וְאַהֲרֹן שֶׁאָמְרוּ (שְׁמוֹת ט״ז):—	and like Moses and Aaron, who said (Ex. 16.8),
וְנַחְנוּ מָה,	"And what are we?";
לֹא כִנְבוּכַדְנֶאצַּר שֶׁאָמַר (יְשַׁע׳ י״ד):—	not like Nebuchadnezzar who said (Isa. 14.14),
אֲדַמֶּה לְעֶלְיוֹן,	"I will be like the Most High";
וְסַנְחֵרִיב (שָׁם ל״ו) שֶׁאָמַר:—	or Sennacherib (*ibid.*, 36.20), who said,
מִי בְּכָל אֱלֹהֵי הָאֲרָצוֹת,	"Who are they among all the gods of these countries?";
וְחִירָם שֶׁאָמַר (יְחֶזְ׳ כ״ח):—	or Hiram, who said (Ezek. 28.2),
אֵל אָנִי מוֹשַׁב אֱלֹהִים יָשַׁבְתִּי (חוּלִּין פ״ט):	"I am a god, I sit in the seat of God" (Hul. 89).
כִּי־אַתֶּם הַמְעַט.	**For (כי) ye were the fewest**
הֲרֵי כִּי מְשַׁמֵּשׁ בִּלְשׁוֹן דְּהָא:	Here (the term) כי is used in the sense of "for."

8 כִּי מֵאַהֲבַת יְהוָה אֶתְכֶם	8. but because the Lord loved you,
וּמִשָּׁמְרוֹ	and because He would keep
אֶת־הַשְּׁבֻעָה	the oath
אֲשֶׁר נִשְׁבַּע לַאֲבֹתֵיכֶם	which He swore unto your fathers,
הוֹצִיא יְהוָה אֶתְכֶם	hath the Lord brought you out
בְּיָד חֲזָקָה	with a mighty hand,
וַיִּפְדְּךָ	and redeemed you
מִבֵּית עֲבָדִים	out of the house of bondage,
מִיַּד פַּרְעֹה מֶלֶךְ־מִצְרָיִם: מפטיר	from the hand of Pharaoh king of Egypt.
9 וְיָדַעְתָּ	9. Know therefore
כִּי־יְהוָה אֱלֹהֶיךָ	that the Lord thy God,
הוּא הָאֱלֹהִים	He is God;
הָאֵל הַנֶּאֱמָן	the faithful God,
שֹׁמֵר הַבְּרִית וְהַחֶסֶד	who keepeth covenant and mercy
לְאֹהֲבָיו	with them that love Him
וּלְשֹׁמְרֵי מִצְוֹתָו°	and keep His commandments
לְאֶלֶף דּוֹר:	to a thousand generations;
10 וּמְשַׁלֵּם לְשֹׂנְאָיו	10. and repayeth them that hate Him
אֶל־פָּנָיו	to their face,

° מצותיו קרי.

Rashi — רש״י

8 כִּי מֵאַהֲבַת יְהוָה.	**8. But (כי) because the Lord loved**
הֲרֵי כִּי מְשַׁמֵּשׁ בִּלְשׁוֹן אֶלָּא	Here (the term) כי is used in the sense of "but" —
לֹא מֵרֻבְּכֶם חָשַׁק ה׳ בָּכֶם	"Not because you were more in number did the Lord set His love upon you . . .
אֶלָּא מֵאַהֲבַת ה׳ אֶתְכֶם׳:	But because the Lord loved you."
וּמִשָּׁמְרוֹ אֶת־הַשְּׁבֻעָה.	**And because He would keep the oath**
מֵחֲמַת שָׁמְרוֹ אֶת הַשְּׁבוּעָה:	(וּמִשָּׁמְרוֹ means) "And because He would keep" the oath.
9 לְאֶלֶף דּוֹר.	**9. To a thousand generations**
וּלְהַלָּן (דְּבָרִ׳ ה)	But below (Deut. 5.10),
הוּא אוֹמֵר:— לַאֲלָפִים׳,	it states "unto thousands" (of generations).
כַּאן שֶׁהוּא סָמוּךְ אֵצֶל	Here, where it is adjacent to
לְשׁוֹמְרֵי מִצְוֹתָיו,	"those that keep His commandments,"
הוּא אוֹמֵר ,לְאֶלֶף׳,	it states "to a thousand";
וּלְהַלָּן שֶׁהוּא סָמוּךְ אֵצֶל לְאֹהֲבַי	but there were it is adjacent to "those that love Me,"
הָעוֹשִׂין מֵאַהֲבָה שֶׁשְּׂכָרָם יוֹתֵר גָּדוֹל	(i. e.,) those who act out of love, whose reward is greater,
הוּא אוֹמֵר ,לַאֲלָפִים׳ (סוֹטָה ל״א):	it states "to thousands" (Sotah 31).
לְאֹהֲבָיו.	**With them that love Him**
אֵלּוּ הָעוֹשִׂין מֵאַהֲבָה:	Those are they who act out of love.
וּלְשֹׁמְרֵי מִצְוֹתוֹ.	**And (with them that) keep His commandments**
אֵלּוּ הָעוֹשִׂין מִיִּרְאָה:	These are they who act from fear.
10 וּמְשַׁלֵּם לְשֹׂנְאָיו אֶל־פָּנָיו.	**10. And (He) repayeth them that hate Him to their face**
בְּחַיָּיו מְשַׁלֵּם לוֹ	(I. e.,) during his life-time He repays him

לְהַֽאֲבִידוֹ	to destroy them;
לֹ֤א יְאַחֵר֙ לְשֹׂ֣נְא֔וֹ	He will not be slack to him that hateth Him,
אֶל־פָּנָ֖יו יְשַׁלֶּם־לֽוֹ׃	He will repay him to his face.
11 וְשָׁמַרְתָּ֨	11. Thou shalt therefore keep
אֶת־הַמִּצְוָ֜ה	the commandment,
וְאֶת־הַֽחֻקִּ֣ים	and the statutes,
וְאֶת־הַמִּשְׁפָּטִ֗ים	and the ordinances,
אֲשֶׁ֨ר אָנֹכִ֧י מְצַוְּךָ֛	which I command thee
הַיּ֖וֹם	this day,
לַֽעֲשׂוֹתָֽם׃	to do them.

פ פ פ

12 וְהָיָ֣ה ׀	12. And it shall come to pass,
עֵ֣קֶב תִּשְׁמְע֗וּן	because ye hearken
אֵ֤ת הַמִּשְׁפָּטִים֙ הָאֵ֔לֶּה	to these ordinances,
וּשְׁמַרְתֶּ֥ם	and keep,
וַֽעֲשִׂיתֶ֖ם אֹתָ֑ם	and do them,
וְשָׁמַ֨ר יְהוָ֜ה אֱלֹהֶ֗יךָ לְךָ֗	that the Lord thy God shall keep with thee
אֶֽת־הַבְּרִית֙	the covenant
וְאֶת־הַחֶ֔סֶד	and the mercy
אֲשֶׁ֥ר נִשְׁבַּ֖ע לַֽאֲבֹתֶֽיךָ׃	which He swore unto thy fathers,
13 וַֽאֲהֵ֣בְךָ֔	13. and he will love thee,
וּבֵֽרַכְךָ֖	and bless thee,
וְהִרְבֶּ֑ךָ	and multiply thee;
וּבֵרַ֣ךְ פְּרִֽי־בִטְנְךָ֣	and He will also bless the fruit of thy body
וּפְרִֽי־אַ֠דְמָתֶךָ	and the fruit of thy land,
דְּגָנְךָ֨	thy corn
וְתִֽירֹשְׁךָ֜ וְיִצְהָרֶ֗ךָ	and thy wine, and thine oil,
שְׁגַר־אֲלָפֶ֙יךָ֙	the increase of thy kine

Rashi — רש"י

גְּמוּלוֹ הַטּוֹב,	the rewards of his goodness,
כְּדֵי לְהַאֲבִידוֹ מִן הָעוֹלָם הַבָּא:	in order to cause him to be lost from the world to come.
11 **הַיּוֹם לַעֲשׂוֹתָם.**	**11. This day, to do them**
וּלְמָחָר,	and tomorrow,
לָעוֹלָם הַבָּא,	(i. e.,) in the world to come,
לִטּוֹל שְׂכָרָם (עֵיר׳ כ״ב):	to receive a reward for them ('Er. 22).
12 **וְהָיָה עֵקֶב תִּשְׁמְעוּן.**	**12. And it shall come to pass, because ye hearken**
אִם הַמִּצְוֹת קַלּוֹת	If the commandments of minor importance,
שֶׁאָדָם דָּשׁ בַּעֲקֵבָיו	which one tramples with his heels (בעקביו, i. e., which one treats lightly)
"תִּשְׁמְעוּן":	"ye will hearken to."
וְשָׁמַר ה׳ וְגוֹ׳	**That the Lord (thy God) shall keep, etc.**
יִשְׁמֹר לְךָ הַבְטָחָתוֹ (עַיֵּ׳ תַּנְח׳):	He will keep His promise to you (cf. Tanḥuma).
13 **שְׁגַר־אֲלָפֶיךָ.**	**13. The increase of thy kine**
וְלָדֵי בְּקָרְךָ	(שגר means) "the young" of your cattle,

וְעַשְׁתְּרֹ֣ת צֹאנֶ֔ךָ	and the young of thy flock,
עַ֚ל הָֽאֲדָמָ֔ה	in the land
אֲשֶׁר־נִשְׁבַּ֥ע לַאֲבֹתֶ֖יךָ	which He swore unto thy fathers
לָ֥תֶת לָֽךְ׃	to give thee.
14 בָּר֥וּךְ תִּֽהְיֶ֖ה	14. Thou shalt be blessed
מִכָּל־הָֽעַמִּ֑ים	above all the peoples;
לֹא־יִהְיֶ֥ה בְךָ֛	(there) shall not be among you
עָקָ֥ר וַעֲקָרָ֖ה	male or female barren,
וּבִבְהֶמְתֶּֽךָ׃	or among your cattle.
15 וְהֵסִ֧יר יְהוָ֛ה מִמְּךָ֖	15. And the Lord will take away from thee
כָּל־חֹ֑לִי	all sickness;
וְכָל־מַדְוֵי֩ מִצְרַ֨יִם הָרָעִ֜ים	and any of the evil diseases of Egypt,
אֲשֶׁ֣ר יָדַ֗עְתָּ	which thou knowest,
לֹ֤א יְשִׂימָם֙ בָּ֔ךְ	He will not put upon thee,
וּנְתָנָ֖ם בְּכָל־שֹׂנְאֶֽיךָ׃	but will lay them upon all them that hate thee.
16 וְאָכַלְתָּ֣	16. And thou shalt consume
אֶת־כָּל־הָֽעַמִּ֗ים	all the peoples
אֲשֶׁ֨ר יְהוָ֤ה אֱלֹהֶ֙יךָ֙	that the Lord thy God
נֹתֵ֣ן לָ֔ךְ	shall deliver unto thee;
לֹא־תָח֥וֹס עֵינְךָ֖ עֲלֵיהֶ֑ם	thine eye shall not pity them;
וְלֹ֤א תַעֲבֹד֙ אֶת־אֱלֹ֣הֵיהֶ֔ם	neither shalt thou serve their gods;
כִּֽי־מוֹקֵ֥שׁ ה֖וּא לָֽךְ׃ ס	for that will be a snare unto thee.
17 כִּ֤י תֹאמַר֙ בִּלְבָ֣בְךָ֔	17. If thou shalt say in thy heart:

Rashi — רש״י

שֶׁהַנְּקֵבָה מְשַׁגֶּרֶת מִמְּעֶיהָ:	which the female beast casts forth from its belly.
וְעַשְׁתְּרֹת צֹאנֶךָ.	**And the young of thy flock**
מְנַחֵם פֵּרַשׁ אַבִּירֵי בָשָׁן (תְּה׳ כ״ב)	Menahem (ben Saruq) explains אבירי בשן (Ps. 22.13) as
–מִבְחַר הַצֹּאן,	"the choicest of the flock"
כְּמוֹ עַשְׁתְּרֹת קַרְנַיִם (בְּרֵא׳ י״ד),	as Ashteroth-karnaim (Gen. 14.5)
לְשׁוֹן חוֹזֶק,	which (viz., עשתרת) denotes "strength."
וְאוּנְקְלוֹס תִּרְגֵּם וְעֶדְרֵי עָנָךְ.	And Onkelos translates (ועשתרת צאנך), "and the flocks of thy sheep."
וְרַבּוֹתֵינוּ אָמְרוּ:–	And our Rabbis said:
לָמָּה נִקְרָא שְׁמָם עַשְׁתָּרוֹת	Why are they called עשתרות?
שֶׁמַּעֲשִׁירוֹת אֶת בַּעֲלֵיהֶן (חוּלִּין פ״ד):	Because they make wealthy (מעשירות) their owners (Hul. 84).
14 **עָקָר.**	**14. Male (or female) barren**
שֶׁאֵינוֹ מוֹלִיד:	(עקר denotes) one that does not beget (offspring).
17 **כִּי תֹאמַר בִּלְבָבְךָ.**	**17. If thou shalt say in thy heart**
עַל כָּרְחֲךָ לְשׁוֹן דִּילְמָא הוּא,	Of necessity (the term כִּי here) denotes "if;"
שֶׁמָּא תֹאמַר בִּלְבָבְךָ	perhaps you will say in your heart:
מִפְּנֵי שֶׁהֵם רַבִּים	Because they are numerous,

רַבִּים הַגּוֹיִם הָאֵלֶּה	'These nations (are) more
מִמֶּנִּי	than I;
אֵיכָה אוּכַל לְהוֹרִישָׁם:	how can I dispossess them?'
18 לֹא תִירָא מֵהֶם	18. thou shalt not be afraid of them;
זָכֹר תִּזְכֹּר	thou shalt well remember
אֵת אֲשֶׁר־עָשָׂה יְהוָה אֱלֹהֶיךָ	what the Lord thy God did
לְפַרְעֹה	unto Pharaoh,
וּלְכָל־מִצְרָיִם:	and unto all Egypt:
19 הַמַּסֹּת הַגְּדֹלֹת	19. the great trials
אֲשֶׁר־רָאוּ עֵינֶיךָ	which thine eyes saw,
וְהָאֹתֹת וְהַמֹּפְתִים	and the signs, and the wonders,
וְהַיָּד הַחֲזָקָה	and the mighty hand,
וְהַזְּרֹעַ הַנְּטוּיָה	and the outstretched arm,
אֲשֶׁר הוֹצִאֲךָ יְהוָה אֱלֹהֶיךָ	(whereby) the Lord thy God brought thee out;
כֵּן־יַעֲשֶׂה יְהוָה אֱלֹהֶיךָ	so shall the Lord thy God do
לְכָל־הָעַמִּים	unto all the peoples
אֲשֶׁר־אַתָּה יָרֵא מִפְּנֵיהֶם:	of whom thou art afraid.
20 וְגַם אֶת־הַצִּרְעָה	20. Moreover the hornet
יְשַׁלַּח יְהוָה אֱלֹהֶיךָ	will the Lord thy God send
בָּם	among them,
עַד־אֲבֹד הַנִּשְׁאָרִים	until they that are left perish,

Rashi — רש"י

לֹא אוּכַל לְהוֹרִישָׁם,	I shall not be able to dispossess them —
אַל תֹּאמַר כֵּן,	Do not say so.
"לֹא תִירָא מֵהֶם"	"Thou shalt not be afraid of them."
וְלֹא יִתָּכֵן לְפָרְשׁוֹ	And it is not possible to translate it (כִּי)
בְּאַחַת מִשְּׁאָר לְשׁוֹנוֹת שֶׁל כִּי	by any of the (three) other meanings of (the term) כִּי,
שֶׁיִּפּוֹל עָלָיו שׁוּב	so that there should appropriately refer to it (the expression in v. 18)
"לֹא תִירָא מֵהֶם":	"Thou shalt not be afraid of them."
19 הַמַּסֹּת.	**19. The trials**
נִסְיוֹנוֹת:	(המסת here denotes) "trials."
וְהָאֹתֹת.	**And the signs**
כְּגוֹן: וַיְהִי לְנָחָשׁ (שְׁמוֹת ד),	For example, "And it became a serpent" (Ex. 4.3):
וְהָיוּ לְדָם בַּיַּבָּשֶׁת (שָׁם):	"And it shall become blood upon the dry land" (*ibid.*, v. 9).
וְהַמֹּפְתִים.	**And the wonders**
הַמַּכּוֹת הַמּוּפְלָאוֹת:	The wondrous plagues.
וְהַיָּד הַחֲזָקָה.	**And the mighty hand**
זוֹ הַדֶּבֶר:	This (refers to) the pestilence.
וְהַזְּרֹעַ הַנְּטוּיָה.	**And the outstretched arm**
זוֹ הַחֶרֶב שֶׁל מַכַּת בְּכוֹרוֹת:	This (refers to) the sword of the slaying of the first-born.
20 הַצִּרְעָה.	**20. The hornet**
מִין שֶׁרֶץ הָעוֹף	(הצרעה is) a species of flying insects
שֶׁהָיְתָה זוֹרֶקֶת בָּהֶם מָרָה	that discharged poison into them
וּמְסָרַסְתָּן	and rendered them impotent

וְהַנִּסְתָּרִים מִפָּנֶיךָ:	and those that are hidden from before thee.
21 לֹא תַעֲרֹץ מִפְּנֵיהֶם	21. Thou shalt not be affrighted at them;
כִּי־יְהוָה אֱלֹהֶיךָ	for the Lord thy God
בְּקִרְבֶּךָ	is in the midst of thee,
אֵל גָּדוֹל וְנוֹרָא:	a God great and awful.
22 וְנָשַׁל יְהוָה אֱלֹהֶיךָ	22. And the Lord thy God will cast out
אֶת־הַגּוֹיִם הָאֵל	those nations
מִפָּנֶיךָ	before thee
מְעַט מְעָט	by little and little;
לֹא תוּכַל כַּלֹּתָם מַהֵר	thou mayest not consume them quickly,
פֶּן־תִּרְבֶּה עָלֶיךָ חַיַּת הַשָּׂדֶה:	lest the beasts of the field increase upon thee.
23 וּנְתָנָם יְהוָה אֱלֹהֶיךָ	23. But the Lord thy God shall deliver them up
לְפָנֶיךָ	before thee,
וְהָמָם מְהוּמָה גְדֹלָה	and shall discomfit them (with) a great discomfiture,
עַד הִשָּׁמְדָם:	until they be destroyed.
24 וְנָתַן מַלְכֵיהֶם	24. And He shall deliver their kings
בְּיָדֶךָ	into thy hand,
וְהַאֲבַדְתָּ אֶת־שְׁמָם	and thou shalt make their name to perish
מִתַּחַת הַשָּׁמָיִם	from under heaven;
לֹא־יִתְיַצֵּב אִישׁ	there shall no man be able to stand

Rashi — רש"י

וּמְסַמְּאָה אֶת עֵינֵיהֶם	and blinded their eyes
בְּכָל מָקוֹם שֶׁהָיוּ נִסְתָּרִין שָׁם (סוֹטָה ל"ו):	wherever they would hide themselves (Sotah 36).
22 פֶּן־תִּרְבֶּה עָלֶיךָ חַיַּת הַשָּׂדֶה.	**22. Lest the beasts of the field increase upon thee**
וַהֲלֹא אִם עוֹשִׂין רְצוֹנוֹ שֶׁל מָקוֹם	But is it not a fact that if they fulfill the will of the Omnipresent
אֵין מִתְיָרְאִין מִן הַחַיָּה,	they should not be afraid of beasts,
שֶׁנֶּאֱמַר (אִיּוֹב ה):—	as it is stated (Job 5.23):
וְחַיַּת הַשָּׂדֶה הָשְׁלְמָה־לָךְ?	"And the beasts of the field shall be at peace with thee"?
אֶלָּא גָלוּי הָיָה לְפָנָיו	However, it was revealed before Him
שֶׁעֲתִידִין לַחֲטוֹא:	that they are destined to sin.
23 וְהָמָם.	**23. And (He) shall discomfit them**
נָקוּד קָמֵץ כֻּלּוֹ,	All of it (viz., the verb) is vocalized with a Kamatz,
לְפִי שֶׁאֵין מ"ם אַחֲרוֹנָה מִן הַיְסוֹד,	because the final ם is not part of the root,
וַהֲרֵי הוּא כְּמוֹ וְהָם אוֹתָם,	and it is the equivalent of וְהָם (and he shall discomfit) אוֹתָם (them).
אֲבָל "וְהָמַם גַּלְגַּל עֶגְלָתוֹ (יְשַׁע' כ"ח)	However, (the form וְהָמַם) in "and though the roller of his wagon move noisily" (Isa. 28.28):
כֻּלּוֹ יְסוֹד,	all of it (המם) is the root (i. e., the final ם is not a suffix);

בְּפָנֶיךָ	before thee,
עַד הִשְׁמִדְךָ אֹתָם׃	until thou have destroyed them.
25 פְּסִילֵי אֱלֹהֵיהֶם	25. The graven images of their gods
תִּשְׂרְפוּן בָּאֵשׁ	shall ye burn with fire;
לֹא־תַחְמֹד	thou shalt not covet
כֶּסֶף וְזָהָב עֲלֵיהֶם	(the) silver or gold (that is) on them,
וְלָקַחְתָּ לָךְ	nor take it unto thee,
פֶּן תִּוָּקֵשׁ בּוֹ	lest thou be snared therein;
כִּי תוֹעֲבַת יְהוָה אֱלֹהֶיךָ הוּא׃	for it is an abomination to the Lord thy God.
26 וְלֹא־תָבִיא	26. And thou shalt not bring
תוֹעֵבָה	an abomination
אֶל־בֵּיתֶךָ	into thy house,
וְהָיִיתָ חֵרֶם כָּמֹהוּ	and be accursed like unto it;
שַׁקֵּץ ׀ תְּשַׁקְּצֶנּוּ	thou shalt utterly detest it,
וְתַעֵב ׀ תְּתַעֲבֶנּוּ	and thou shalt utterly abhor it;
כִּי־חֵרֶם הוּא׃ פ	for it is a devoted thing.

CHAPTER VIII — ח

1 כָּל־הַמִּצְוָה	1. All the commandment
אֲשֶׁר אָנֹכִי מְצַוְּךָ	which I command thee
הַיּוֹם	this day
תִּשְׁמְרוּן לַעֲשׂוֹת	shall ye observe to do;
לְמַעַן תִּחְיוּן	that ye may live,
וּרְבִיתֶם	and multiply,
וּבָאתֶם	and go in
וִירִשְׁתֶּם אֶת־הָאָרֶץ	and possess the land
אֲשֶׁר־נִשְׁבַּע יְהוָה לַאֲבֹתֵיכֶם׃	which the Lord swore unto your fathers.

Rashi — רש״י

לְפִיכָךְ חֶצְיוֹ קָמֵץ וְחֶצְיוֹ פַּתַּח,	consequently, half of it has a Kamatz and half of it a Patah,
כִּשְׁאָר פֹּעַל שֶׁל שָׁלֹשׁ אוֹתִיּוֹת:	like other verbs of three (root) letters.
8 1 כָּל־הַמִּצְוָה.	8 1. **All the commandment**
כִּפְשׁוּטוֹ;	(Understand this) in its usual sense.
וּמִדְרַשׁ אַגָּדָה	And an Aggadic interpretation:
אִם הִתְחַלְתָּ בְּמִצְוָה	If you begin a commandment,
גְּמוֹר אוֹתָהּ,	complete it,
שֶׁאֵינָהּ נִקְרֵאת אֶלָּא	for it is credited only
עַל שֵׁם הַגּוֹמְרָהּ,	to the one who completes it,
שֶׁנֶּאֱמַר (יְהוֹ׳ כ״ד):—	as it is stated (Josh. 32):
וְאֶת עַצְמוֹת יוֹסֵף	"And the bones of Joseph,
אֲשֶׁר הֶעֱלוּ בְנֵי יִשְׂרָאֵל מִמִּצְרַיִם	which the children of Israel brought up out of Egypt,
קָבְרוּ בִשְׁכֶם,	buried they in Shechem."
וַהֲלֹא מֹשֶׁה לְבַדּוֹ	But did not Moses alone
נִתְעַסֵּק בָּהֶם לְהַעֲלוֹתָם?	attend to them, to bring them up?
אֶלָּא לְפִי שֶׁלֹּא הִסְפִּיק לְגָמְרָהּ,	However, since he did not succeed in completing it,
וּגְמָרוּהָ יִשְׂרָאֵל	and the Israelites completed it,
נִקְרֵאת עַל שְׁמָם (תַּנְח׳):	it is credited to their name (Tanhuna).

2 וְזָכַרְתָּ	2. And thou shalt remember
אֶת־כָּל־הַדֶּרֶךְ	all the way
אֲשֶׁר הוֹלִיכְךָ יְהוָה אֱלֹהֶיךָ	which the Lord thy God hath led thee
זֶה אַרְבָּעִים שָׁנָה	these forty years
בַּמִּדְבָּר	in the wilderness,
לְמַעַן עַנֹּתְךָ	that He might afflict thee,
לְנַסֹּתְךָ	to prove thee,
לָדַעַת	to know
אֶת־אֲשֶׁר בִּלְבָבְךָ	what was in thy heart,
הֲתִשְׁמֹר מִצְוֹתָו°	whether thou wouldest keep His commandments,
אִם־לֹא׃	or not.
3 וַיְעַנְּךָ	3. And He afflicted thee,
וַיַּרְעִבֶךָ	and suffered thee to hunger,
וַיַּאֲכִלְךָ אֶת־הַמָּן	and fed thee with manna,
אֲשֶׁר לֹא־יָדַעְתָּ	which thou knowest not,
וְלֹא יָדְעוּן אֲבֹתֶיךָ	neither did thy fathers know;
לְמַעַן הוֹדִיעֲךָ	that He might make thee know,
כִּי לֹא עַל־הַלֶּחֶם לְבַדּוֹ	that not by bread only
יִחְיֶה הָאָדָם	doth man live,
כִּי עַל־כָּל־מוֹצָא פִי־יְהוָה	but by every thing that proceedeth out of the mouth of the Lord
יִחְיֶה הָאָדָם׃	doth man live.
4 שִׂמְלָתְךָ	4. Thy raiment
לֹא בָלְתָה מֵעָלֶיךָ	waxed not old upon thee,
וְרַגְלְךָ לֹא בָצֵקָה	neither did thy foot swell,
זֶה אַרְבָּעִים שָׁנָה׃	these forty years.
5 וְיָדַעְתָּ עִם־לְבָבֶךָ	5. And thou shalt consider in thy heart,

° מצותיו, קרי.

Rashi — רש"י

2 הֲתִשְׁמֹר מִצְוֹתָו.	**2. Whether thou wouldest keep His commandments**
שֶׁלֹּא תְנַסֵּהוּ	That you should not try Him,
וְלֹא תְהַרְהֵר אַחֲרָיו:	nor criticize Him.
4 שִׂמְלָתְךָ לֹא בָלְתָה.	**4. Thy raiment waxed not old**
עַנְנֵי כָבוֹד הָיוּ שָׁפִים בִּכְסוּתָם	The clouds of glory rubbed their clothes,
וּמְגַהֲצִים אוֹתָם	and polished them
כְּמִין כֵּלִים מְגֻהָצִים,	like polished utensils;
וְאַף קְטַנֵּיהֶם	and also their little ones,
כְּמוֹ שֶׁהָיוּ גְדֵלִים	as they grew up,
הָיָה גָדֵל לְבוּשָׁן עִמָּהֶם,	their clothes grew with them,
כִּלְבוּשׁ הַזֶּה שֶׁל חוֹמֶט	just like the covering (shell) of the snail
שֶׁגָּדֵל עִמּוֹ (עַיֵּ׳ יַלְק׳ תת״ן):	which grows together with it (cf. Yalqut 850).
לֹא בָצֵקָה.	**Neither did (thy foot) swell**
לֹא נָפְחָה כְּבָצֵק,	(בָּצֵקָה means) it did not swell like dough (בָּצֵק),
כְּדֶרֶךְ הוֹלְכֵי יָחֵף	in the manner of those who walk barefoot,
שֶׁרַגְלֵיהֶם נְפוּחוֹת:	whose feet swell.

כִּי כַּאֲשֶׁר יְיַסֵּר אִישׁ	that, as a man chasteneth
אֶת־בְּנוֹ	his son,
יְהוָה אֱלֹהֶיךָ מְיַסְּרֶךָּ׃	(so) the Lord thy God chasteneth thee.
6 וְשָׁמַרְתָּ	6. And thou shalt keep
אֶת־מִצְוֺת יְהוָה אֱלֹהֶיךָ	the commandments of the Lord thy God,
לָלֶכֶת בִּדְרָכָיו	to walk in His ways,
וּלְיִרְאָה אֹתוֹ׃	and to fear Him.
7 כִּי יְהוָה אֱלֹהֶיךָ	7. For the Lord thy God
מְבִיאֲךָ	bringeth thee
אֶל־אֶרֶץ טוֹבָה	into a good land,
אֶרֶץ נַחֲלֵי מָיִם	a land of brooks of water,
עֲיָנֹת וּתְהֹמֹת	of fountains and depths,
יֹצְאִים	springing forth
בַּבִּקְעָה וּבָהָר׃	in valleys and hills;
8 אֶרֶץ חִטָּה וּשְׂעֹרָה	8. a land of wheat and barley,
וְגֶפֶן וּתְאֵנָה	and vines, and fig-trees
וְרִמּוֹן	and pomegranates;
אֶרֶץ־זֵית שֶׁמֶן וּדְבָשׁ׃	a land of olive-oil and honey;
9 אֶרֶץ	9. a land
אֲשֶׁר לֹא בְמִסְכֵּנֻת	that without scarceness
תֹּאכַל־בָּהּ לֶחֶם	thou shalt eat bread therein
לֹא־תֶחְסַר כֹּל בָּהּ	thou shalt not lack any thing in it;
אֶרֶץ	a land
אֲשֶׁר אֲבָנֶיהָ בַרְזֶל	whose stones are iron,
וּמֵהֲרָרֶיהָ	and out of whose hills
תַּחְצֹב נְחֹשֶׁת׃	thou mayest dig brass.
10 וְאָכַלְתָּ	10. And thou shalt eat
וְשָׂבָעְתָּ	and be satisfied,
וּבֵרַכְתָּ	and bless
אֶת־יְהוָה אֱלֹהֶיךָ	the Lord thy God
עַל־הָאָרֶץ הַטֹּבָה	for the good land
אֲשֶׁר נָתַן־לָךְ׃ שני	which He hath given thee.
11 הִשָּׁמֶר לְךָ	11. Beware
פֶּן־תִּשְׁכַּח	lest thou forget
אֶת־יְהוָה אֱלֹהֶיךָ	the Lord thy God,
לְבִלְתִּי שְׁמֹר מִצְוֺתָיו	in not keeping His commandments,
וּמִשְׁפָּטָיו וְחֻקֹּתָיו	and His ordinances, and His statutes,
אֲשֶׁר אָנֹכִי מְצַוְּךָ הַיּוֹם׃	which I command thee this day;
12 פֶּן־תֹּאכַל	12. lest when thou hast eaten
וְשָׂבָעְתָּ	and art satisfied,
וּבָתִּים טֹבִים תִּבְנֶה	and hast built goodly houses,

Rashi — רש״י

8 זֵית שֶׁמֶן. זֵיתִים הָעוֹשִׂים שֶׁמֶן׃	8. **Olive-oil** (זית שמן denotes) olives that yield oil.

וְיָשָֽׁבְתָּ׃	and dwelt (therein);
13 וּבְקָרְךָ֤ וְצֹֽאנְךָ֙ יִרְבְּיֻ֔ן	13. and (when) thy herds and thy flocks multiply,
וְכֶ֥סֶף וְזָהָ֖ב יִרְבֶּה־לָּ֑ךְ	and thy silver and thy gold is multiplied,
וְכֹ֥ל אֲשֶׁר־לְךָ֖ יִרְבֶּֽה׃	and all that thou hast is multiplied;
14 וְרָ֖ם לְבָבֶ֑ךָ	14. then thy heart be lifted up,
וְשָֽׁכַחְתָּ֙	and thou forget
אֶת־יְהוָ֣ה אֱלֹהֶ֔יךָ	the Lord thy God,
הַמּוֹצִיאֲךָ֛	who brought thee forth
מֵאֶ֥רֶץ מִצְרַ֖יִם	out of the land of Egypt,
מִבֵּ֥ית עֲבָדִֽים׃	out of the house of bondage;
15 הַמּוֹלִ֨יכְךָ֜	15. who led thee
בַּמִּדְבָּ֣ר ׀ הַגָּדֹ֣ל וְהַנּוֹרָ֗א	through the great and dreadful wilderness,
נָחָ֣שׁ ׀ שָׂרָף֙	(wherein were) serpents, fiery serpents,
וְעַקְרָ֔ב	and scorpions,
וְצִמָּא֖וֹן	and drought
אֲשֶׁ֣ר אֵין־מָ֑יִם	where was no water;
הַמּוֹצִ֤יא לְךָ֙ מַ֔יִם	who brought thee forth water
מִצּ֖וּר הַחַלָּמִֽישׁ׃	out of the rock of flint;
16 הַמַּאֲכִ֨לְךָ֥ מָן֙ בַּמִּדְבָּ֔ר	16. who fed thee in the wilderness with manna,
אֲשֶׁ֥ר לֹא־יָדְע֖וּן אֲבֹתֶ֑יךָ	which thy fathers knew not;

לְמַ֣עַן עַנֹּֽתְךָ֗	that He might afflict thee,
וּלְמַ֣עַן נַסֹּתֶ֔ךָ	and that He might prove thee,
לְהֵיטִֽבְךָ֖ בְּאַחֲרִיתֶֽךָ׃	to do thee good in thy latter end;
17 וְאָמַרְתָּ֖ בִּלְבָבֶ֑ךָ	17. and thou say in thy heart:
כֹּחִי֙ וְעֹ֣צֶם יָדִ֔י	'My power and the might of my hand
עָ֥שָׂה לִ֖י	hath gotten me
אֶת־הַחַ֥יִל הַזֶּֽה׃	this wealth.'
18 וְזָֽכַרְתָּ֙	18. But thou shalt remember
אֶת־יְהוָ֣ה אֱלֹהֶ֔יךָ	the Lord thy God,
כִּ֣י ה֗וּא הַנֹּתֵ֥ן לְךָ֛ כֹּ֖חַ	for it is He that giveth thee power
לַעֲשׂ֣וֹת חָ֑יִל	to get wealth;
לְמַ֨עַן הָקִ֧ים	that He may establish
אֶת־בְּרִית֛וֹ	His covenant
אֲשֶׁר־נִשְׁבַּ֥ע לַאֲבֹתֶ֖יךָ	which He swore unto thy fathers,
כַּיּ֥וֹם הַזֶּֽה׃ פ	as it is this day.
19 וְהָיָ֗ה	19. And it shall be,
אִם־שָׁכֹ֤חַ תִּשְׁכַּח֙	if thou shalt forget
אֶת־יְהוָ֣ה אֱלֹהֶ֔יךָ	the Lord thy God,
וְהָֽלַכְתָּ֗	and walk
אַחֲרֵי֙ אֱלֹהִ֣ים אֲחֵרִ֔ים	after other gods,
וַֽעֲבַדְתָּ֖ם	and serve them,
וְהִשְׁתַּחֲוִ֣יתָ לָהֶ֑ם	and worship them,
הַעִדֹ֤תִי בָכֶם֙ הַיּ֔וֹם	I forewarn you this day

כִּי אָבֹד תֹּאבֵדוּן׃	that ye shall surely perish.
20 כַּגּוֹיִם	20. As the nations
אֲשֶׁר יְהוָה מַאֲבִיד	that the Lord maketh to perish
מִפְּנֵיכֶם	before you,
כֵּן תֹּאבֵדוּן	so shall ye perish;
עֵקֶב לֹא תִשְׁמְעוּן	because ye would not hearken
בְּקוֹל יְהוָה אֱלֹהֵיכֶם׃ פ	unto the voice of the Lord your God.

CHAPTER IX — ט

1 שְׁמַע יִשְׂרָאֵל	1. Hear, O Israel:
אַתָּה עֹבֵר הַיּוֹם אֶת־הַיַּרְדֵּן	thou art to pass over the Jordan this day
לָבֹא	to go in
לָרֶשֶׁת גּוֹיִם	to dispossess nations
גְּדֹלִים וַעֲצֻמִים מִמֶּךָּ	greater and mightier than thyself,
עָרִים גְּדֹלֹת וּבְצֻרֹת	cities great and fortified
בַּשָּׁמָיִם׃	up to heaven,
2 עַם־גָּדוֹל וָרָם	2. a people great and tall,
בְּנֵי עֲנָקִים	the sons of (the) Anakim,
אֲשֶׁר אַתָּה יָדַעְתָּ	whom thou knowest,
וְאַתָּה שָׁמַעְתָּ	and (of) whom thou hast heard (say):
מִי יִתְיַצֵּב	'Who can stand
לִפְנֵי בְּנֵי עֲנָק׃	before the children of Anak?'
3 וְיָדַעְתָּ הַיּוֹם	3. Know therefore this day,
כִּי יְהוָה אֱלֹהֶיךָ	that the Lord thy God
הוּא הָעֹבֵר לְפָנֶיךָ	is He who goeth over before thee,
אֵשׁ אֹכְלָה	as a devouring fire;
הוּא יַשְׁמִידֵם	He will destroy them,
וְהוּא יַכְנִיעֵם לְפָנֶיךָ	and He will bring them down before thee;
וְהוֹרַשְׁתָּם	so shalt thou drive them out,
וְהַאֲבַדְתָּם מַהֵר	and make them to perish quickly,
כַּאֲשֶׁר דִּבֶּר יְהוָה לָךְ׃ שלישי	as the Lord hath spoken unto thee.
4 אַל־תֹּאמַר בִּלְבָבְךָ	4. Speak not thou in thy heart,
בַּהֲדֹף יְהוָה אֱלֹהֶיךָ אֹתָם	after that the Lord thy God hath thrust them out
מִלְּפָנֶיךָ	from before thee,
לֵאמֹר	saying:

Rashi — רש"י

9 1 גְּדֹלִים וַעֲצֻמִים מִמֶּךָּ.	**9 1. Greater and mightier than thyself**
אַתָּה עָצוּם	You are mighty,
וְהֵם עֲצוּמִים מִמְּךָ (סִפְרֵי דְּבָר׳ י״א)׃	but they are mightier than you (Siphre, Deut. 11).
4 אַל־תֹּאמַר בִּלְבָבְךָ.	**4. Speak not thou in thy heart**
צִדְקָתִי וְרִשְׁעַת הַגּוֹיִם גָּרְמוּ׃	My righteousness and the wickedness of the nations caused (this).

בְּצִדְקָתִי	'For my righteousness
הֱבִיאַנִי יְהֹוָה	the Lord hath brought me in
לָרֶשֶׁת	to possess
אֶת הָאָרֶץ הַזֹּאת	this land;
וּבְרִשְׁעַת	whereas for the wickedness
הַגּוֹיִם הָאֵלֶּה	of these nations
יְהֹוָה מוֹרִישָׁם מִפָּנֶיךָ׃	the Lord doth drive them out before thee.'
5 לֹא בְצִדְקָתְךָ	5. Not for thy righteousness,
וּבְיֹשֶׁר לְבָבְךָ	or for the uprightness of thy heart
אַתָּה בָא	dost thou go in
לָרֶשֶׁת אֶת־אַרְצָם	to possess their land;
כִּי בְּרִשְׁעַת ׀	but for the wickedness
הַגּוֹיִם הָאֵלֶּה	of these nations
יְהֹוָה אֱלֹהֶיךָ מוֹרִישָׁם	the Lord thy God doth drive them out
מִפָּנֶיךָ	from before thee,
וּלְמַעַן הָקִים	and that He may establish
אֶת־הַדָּבָר	the word
אֲשֶׁר נִשְׁבַּע יְהֹוָה לַאֲבֹתֶיךָ	which the Lord swore unto thy fathers,
לְאַבְרָהָם	to Abraham,
לְיִצְחָק וּלְיַעֲקֹב׃	to Isaac, and to Jacob.
6 וְיָדַעְתָּ	6. Know therefore
כִּי לֹא בְצִדְקָתְךָ	that not for thy righteousness
יְהֹוָה אֱלֹהֶיךָ נֹתֵן לְךָ	that the Lord thy God giveth thee
אֶת־הָאָרֶץ הַטּוֹבָה הַזֹּאת	this good land
לְרִשְׁתָּהּ	to possess it;
כִּי עַם־קְשֵׁה־עֹרֶף אָתָּה׃	for thou art a stiffnecked people.
7 זְכֹר אַל־תִּשְׁכַּח	7. Remember, forget thou not,
אֵת אֲשֶׁר הִקְצַפְתָּ	how thou didst make wroth
אֶת־יְהֹוָה אֱלֹהֶיךָ	the Lord thy God
בַּמִּדְבָּר	in the wilderness;
לְמִן־הַיּוֹם	from the day
אֲשֶׁר־יָצָאתָ ׀	that thou didst go forth
מֵאֶרֶץ מִצְרַיִם	out of the land of Egypt,
עַד־בֹּאֲכֶם	until ye came
עַד־הַמָּקוֹם הַזֶּה	unto this place,
מַמְרִים הֱיִיתֶם	ye have been rebellious
עִם־יְהֹוָה׃	against the Lord.

Rashi — רש"י

5 לֹא בְצִדְקָתְךָ וְגוֹ'. אַתָּה בָא לָרֶשֶׁת וְגוֹ' כִּי בְּרִשְׁעַת הַגּוֹיִם.	**5. Not for thy righteousness, etc. dost thou go in to possess, etc. but (כי) for the wickedness of the nations**
הֲרֵי "כִּי" מְשַׁמֵּשׁ בִּלְשׁוֹן אֶלָּא:	Here (the term) כי is used in the sense of "but."

8 וּבְחֹרֵב	8. Also in Horeb
הִקְצַפְתֶּם אֶת־יְהוָה	ye made the Lord wroth,
וַיִּתְאַנַּף יְהוָה בָּכֶם	and the Lord was angered with you
לְהַשְׁמִיד אֶתְכֶם׃	to have destroyed you.
9 בַּעֲלֹתִי הָהָרָה	9. When I was gone up into the mount
לָקַחַת	to receive
לוּחֹת הָאֲבָנִים	the tables of stone,
לוּחֹת הַבְּרִית	even the tables of the covenant
אֲשֶׁר־כָּרַת יְהוָה עִמָּכֶם	which the Lord made with you,
וָאֵשֵׁב בָּהָר	then I abode in the mount
אַרְבָּעִים יוֹם	forty days
וְאַרְבָּעִים לַיְלָה	and forty nights;
לֶחֶם לֹא אָכַלְתִּי	I did neither eat bread,
וּמַיִם לֹא שָׁתִיתִי׃	nor drink water.
10 וַיִּתֵּן יְהוָה אֵלַי	10. And the Lord delivered unto me
אֶת־שְׁנֵי לוּחֹת הָאֲבָנִים	the two tables of stone,
כְּתֻבִים	written
בְּאֶצְבַּע אֱלֹהִים	with the finger of God;
וַעֲלֵיהֶם	and on them (was written)
כְּכָל־הַדְּבָרִים	according to all the words,
אֲשֶׁר דִּבֶּר יְהוָה עִמָּכֶם	which the Lord spoke with you
בָּהָר	in the mount
מִתּוֹךְ הָאֵשׁ	out of the midst of the fire
בְּיוֹם הַקָּהָל׃	in the day of the assembly.
11 וַיְהִי	11. And it came to pass
מִקֵּץ אַרְבָּעִים יוֹם	at the end of forty days
וְאַרְבָּעִים לַיְלָה	and forty nights,
נָתַן יְהוָה אֵלַי	that the Lord gave to me
אֶת־שְׁנֵי לֻחֹת הָאֲבָנִים	the two tables of stone,
לֻחוֹת הַבְּרִית׃	even the tables of the covenant.
12 וַיֹּאמֶר יְהוָה אֵלַי	12. And the Lord said unto me:
קוּם	'Arise,
רֵד מַהֵר מִזֶּה	get thee down quickly from hence;
כִּי שִׁחֵת עַמְּךָ	for thy people hath dealt corruptly'
אֲשֶׁר הוֹצֵאתָ מִמִּצְרָיִם	that thou hast brought forth out of Egypt;

Rashi — רש״י

9 וָאֵשֵׁב בָּהָר.	**9. Then I abode in the mount**
אֵין יְשִׁיבָה אֶלָּא לְשׁוֹן עַכָּבָה (מְגִ׳ כ״א)׃	(The term) ישיבה denotes only "tarrying" (Meg. 21).
10 לוּחֹת.	**10. Tables**
לוּחֹת כְּתִיב	It is written לוחת (defectively; not לוחות),
שֶׁשְּׁתֵּיהֶן שָׁווֹת (תַּנְח׳)׃	for both of them were alike (Tanḥuma).

סָרוּ מַהֵר	they are quickly turned aside
מִן־הַדֶּרֶךְ	out of the way
אֲשֶׁר צִוִּיתִם	which I commanded them;
עָשׂוּ לָהֶם מַסֵּכָה:	they have made them a molten image.
13 וַיֹּאמֶר יְהוָה אֵלַי	13. Furthermore the Lord said unto me,
לֵאמֹר	saying:
רָאִיתִי אֶת־הָעָם הַזֶּה	'I have seen this people,
וְהִנֵּה	and, behold,
עַם־קְשֵׁה־עֹרֶף הוּא:	it is a stiffnecked people;
14 הֶרֶף מִמֶּנִּי	14. let Me alone,
וְאַשְׁמִידֵם	that I may destroy them,
וְאֶמְחֶה אֶת־שְׁמָם	and blot out their name
מִתַּחַת הַשָּׁמָיִם	from under heaven;
וְאֶעֱשֶׂה אוֹתְךָ	and I will make (of) thee
לְגוֹי־עָצוּם וָרָב מִמֶּנּוּ:	a nation mightier and greater than they.'
15 וָאֵפֶן	15. So I turned
וָאֵרֵד מִן־הָהָר	and came down from the mount,
וְהָהָר בֹּעֵר בָּאֵשׁ	and the mount burned with fire;
וּשְׁנֵי לוּחֹת הַבְּרִית	and the two tables of the covenant
עַל שְׁתֵּי יָדָי:	(were) on my two hands.
16 וָאֵרֶא	16. And I looked,
וְהִנֵּה חֲטָאתֶם	and, behold, ye had sinned
לַיהוָה אֱלֹהֵיכֶם	against the Lord your God;
עֲשִׂיתֶם לָכֶם	ye had made for yourselves
עֵגֶל מַסֵּכָה	a molten calf;
סַרְתֶּם מַהֵר	ye had turned aside quickly
מִן־הַדֶּרֶךְ	out of the way
אֲשֶׁר־צִוָּה יְהוָה אֶתְכֶם:	which the Lord had commanded you.
17 וָאֶתְפֹּשׂ	17. And I took hold
בִּשְׁנֵי הַלֻּחֹת	of the two tables,
וָאַשְׁלִכֵם	and cast them
מֵעַל שְׁתֵּי יָדָי	out of my two hands,
וָאֲשַׁבְּרֵם לְעֵינֵיכֶם:	and broke them before your eyes.
18 וָאֶתְנַפַּל לִפְנֵי יְהוָה	18. And I fell down before the Lord,
כָּרִאשֹׁנָה	as at the first,
אַרְבָּעִים יוֹם	forty days
וְאַרְבָּעִים לַיְלָה	and forty nights;

Rashi — רש"י

18 וָאֶתְנַפַּל לִפְנֵי ה', כָּרִאשׁוֹנָה אַרְבָּעִים יוֹם.	**18. And I fell down before the Lord, as at the first, forty days**
שֶׁנֶּאֱמַר (שְׁמוֹת ל״ב):—	As it is stated (Ex. 32.30):
וְעַתָּה אֶעֱלֶה אֶל ה'	"And now I will go up unto the Lord,
אוּלַי אֲכַפְּרָה,	peradventure I shall make atonement".

לֶחֶם לֹא אָכַלְתִּי — I did neither eat bread,
וּמַיִם לֹא שָׁתִיתִי — nor drink water;
עַל כָּל־חַטַּאתְכֶם — because of all your sin
אֲשֶׁר חֲטָאתֶם — which ye sinned,
לַעֲשׂוֹת הָרַע — in doing that which was evil
בְּעֵינֵי יְהוָה — in the sight of the Lord,
לְהַכְעִיסוֹ׃ — to provoke Him.
19 כִּי יָגֹרְתִּי — 19. For I was in dread
מִפְּנֵי הָאַף וְהַחֵמָה — of the anger and hot displeasure,
אֲשֶׁר קָצַף יְהוָה עֲלֵיכֶם — wherewith the Lord was wroth against you
לְהַשְׁמִיד אֶתְכֶם — to destroy you.
וַיִּשְׁמַע יְהוָה אֵלַי — But the Lord hearkened unto me
גַּם בַּפַּעַם הַהִוא׃ — that time also.
20 וּבְאַהֲרֹן הִתְאַנַּף יְהוָה מְאֹד — 20. Moreover the Lord was very angry with Aaron

Rashi — רש"י

בְּאוֹתָהּ עֲלִיָּה — In that ascension
נִתְעַכַּבְתִּי אַרְבָּעִים יוֹם, — I tarried forty days;
נִמְצְאוּ כָלִים בְּכ"ט בְּאָב, — consequently they ended on the twenty ninth (day) of Ab.
שֶׁהוּא עָלָה בִּשְׁמֹנָה עָשָׂר בְּתַמּוּז, — for he ascended on the eighteenth (day) of Tammuz.
בּוֹ בַיּוֹם נִתְרַצָּה לְיִשְׂרָאֵל — On that very day He was reconciled to Israel,
וְאָמַר לוֹ לְמֹשֶׁה:– — and He said to Moses:
פְּסָל לְךָ שְׁנֵי לֻחֹת (שָׁם ל"ד), — "Hew thee out two tables" (*ibid.* 34. 1).
עָשָׂה עוֹד אַרְבָּעִים יוֹם, — He remained another forty days;
נִמְצְאוּ כָלִים בְּיוֹם הַכִּפּוּרִים, — consequently they ended on the Day of Atonement.
בּוֹ בַיּוֹם נִתְרַצָּה הַקָּבָּ"ה לְיִשְׂרָאֵל בְּשִׂמְחָה — On that very day the Holy One Blessed Be He was reconciled to Israel with joy,
וְאָמַר לוֹ לְמֹשֶׁה:– — and He said to Moses:
סָלַחְתִּי כִּדְבָרֶיךָ (בַּמִּדְ' י"ד), — "I have forgiven according to thy words" (Num. 14. 20).
לְכָךְ הֻקְבַּע לִמְחִילָה וְלִסְלִיחָה, — Therefore it was designated for pardon and forgiving.
וּמִנַּיִן שֶׁנִּתְרַצָּה בְּרָצוֹן שָׁלֵם? — And whence, (do we derive) that He was reconciled with complete goodwill?
שֶׁנֶּאֱמַר — For it is stated
בָּאַרְבָּעִים שֶׁל לֻחוֹת אַחֲרוֹנוֹת (דְּבָרְ' י'):– — regarding the forty (days) of the latter tables (Deut. 10),—
"וְאָנֹכִי עָמַדְתִּי בָהָר — "Now I stayed in the mount,
כַּיָּמִים הָרִאשׁוֹנִים", — as at the first time";
מָה הָרִאשׁוֹנִים בְּרָצוֹן — just as the first (were) with good will,
אַף אַחֲרוֹנִים בְּרָצוֹן, — so the latter (were) with good will.
אֱמוֹר מֵעַתָּה אֶמְצָעִיִּים — You may then say that the middle (days)
הָיוּ בְכַעַס: — were in anger.
20 וּבְאַהֲרֹן הִתְאַנַּף ה'. — **20. Moreover the Lord was very angry with Aaron**
לְפִי שֶׁשָּׁמַע לָכֶם: — Because he listened to you.

לְהַשְׁמִידוֹ	to destroy him;
וָאֶתְפַּלֵּל גַּם־בְּעַד אַהֲרֹן	and I prayed for Aaron also
בָּעֵת הַהִוא׃	the same time.
21 וְאֶת־חַטַּאתְכֶם	21. And your sin
אֲשֶׁר־עֲשִׂיתֶם	which ye had made,
אֶת־הָעֵגֶל	the calf,
לָקַחְתִּי	I took,
וָאֶשְׂרֹף אֹתוֹ ׀ בָּאֵשׁ	and burnt it with fire,
וָאֶכֹּת אֹתוֹ	and beat it in pieces,
טָחוֹן הֵיטֵב	grinding (it) well,
עַד אֲשֶׁר־דַּק לְעָפָר	until it was as fine as dust;
וָאַשְׁלִךְ אֶת־עֲפָרוֹ	and I cast the dust thereof
אֶל־הַנַּחַל הַיֹּרֵד מִן־הָהָר׃	into the brook that descended out of the mount. —
22 וּבְתַבְעֵרָה	22. And at Taberah,
וּבְמַסָּה	and at Massah,
וּבְקִבְרֹת הַתַּאֲוָה	and at Kibroth-hattaavah
מַקְצִפִים הֱיִיתֶם אֶת־יְהוָה׃	ye made the Lord wroth.
23 וּבִשְׁלֹחַ יְהוָה אֶתְכֶם	23. And when the Lord sent you
מִקָּדֵשׁ בַּרְנֵעַ	from Kadesh-barnea,
לֵאמֹר	saying:
עֲלוּ	'Go up
וּרְשׁוּ אֶת־הָאָרֶץ	and possess the land
אֲשֶׁר נָתַתִּי לָכֶם	which I have given you';
וַתַּמְרוּ	then ye rebelled
אֶת־פִּי יְהוָה אֱלֹהֵיכֶם	against the commandment of the Lord your God,
וְלֹא הֶאֱמַנְתֶּם לוֹ	and ye believed him not,
וְלֹא שְׁמַעְתֶּם בְּקֹלוֹ׃	nor hearkened to His voice.
24 מַמְרִים הֱיִיתֶם	24. Ye have been rebellious
עִם־יְהוָה	against the Lord

Rashi — רש"י

לְהַשְׁמִידוֹ.	**To destroy him**
זֶה כִלּוּי בָּנִים,	This (term implies) the destruction of children;
וְכֵן הוּא אוֹמֵר (עָמוֹס ב)׃—	and similarly it states (Amos 2.9),
וָאַשְׁמִיד פִּרְיוֹ מִמַּעַל׃	"Yet I destroyed (ואשמיד) his fruit from above."
וָאֶתְפַּלֵּל גַּם־בְּעַד אַהֲרֹן.	**And I prayed for Aaron also**
וְהוֹעִילָה תְּפִלָּתִי	And my prayer succeeded
לְכַפֵּר מֶחֱצָה,	in making atonement for half (of them);
וּמֵתוּ שְׁנַיִם וְנִשְׁאֲרוּ הַשְּׁנַיִם׃	two died, and two remained.
21 טָחוֹן.	**21. Grinding**
לְשׁוֹן הֹוֶה,	(The form טחון) denotes the present (continuous action),
כְּמוֹ הָלוֹךְ וְכַלּוֹת,	like הָלוֹךְ "going" in הָלוֹךְ וְכַלּוֹת (continuing to destroy);
מולא"נט בְּלַעַ"ז׃	*moulant* in O. F.

מִיּ֖וֹם דַּעְתִּ֥י אֶתְכֶֽם׃	from the day that I knew you. —
25 וָאֶתְנַפַּ֞ל לִפְנֵ֣י יְהוָ֗ה	25. So I fell down before the Lord
אֵ֣ת אַרְבָּעִ֥ים הַיּ֛וֹם	the forty days
וְאֶת־אַרְבָּעִ֥ים הַלַּ֖יְלָה	and the forty nights
אֲשֶׁ֣ר הִתְנַפָּ֑לְתִּי	that I fell down;
כִּֽי־אָמַ֥ר יְהוָ֖ה	because the Lord had said
לְהַשְׁמִ֥יד אֶתְכֶֽם׃	to destroy you.
26 וָאֶתְפַּלֵּ֣ל אֶל־יְהוָה֮	26. And I prayed unto the Lord,
וָאֹמַר֒	and I said:
אֲדֹנָ֣י יֱהֹוִ֗ה	'O Lord God,
אַל־תַּשְׁחֵ֤ת	destroy not
עַמְּךָ֙ וְנַחֲלָ֣תְךָ֔	Thy people and Thine inheritance,
אֲשֶׁ֥ר פָּדִ֖יתָ בְּגָדְלֶ֑ךָ	that thou hast redeemed through Thy greatness,
אֲשֶׁר־הוֹצֵ֥אתָ מִמִּצְרַ֖יִם	that Thou hast brought forth out of Egypt
בְּיָ֥ד חֲזָקָֽה׃	with a mighty hand.
27 זְכֹר֙ לַעֲבָדֶ֔יךָ	27. Remember Thy servants,

לְאַבְרָהָ֥ם	Abraham,
לְיִצְחָ֖ק וּֽלְיַעֲקֹ֑ב	Isaac, and Jacob;
אַל־תֵּ֗פֶן	look not
אֶל־קְשִׁי֙ הָעָ֣ם הַזֶּ֔ה	unto the stubbornness of this people,
וְאֶל־רִשְׁע֖וֹ	nor to their wickedness,
וְאֶל־חַטָּאתֽוֹ׃	nor to their sin;
28 פֶּן־יֹאמְר֗וּ הָאָ֘רֶץ֮	28. lest the land say,
אֲשֶׁ֣ר הוֹצֵאתָ֣נוּ מִשָּׁם֒	whence Thou broughtest us out:
מִבְּלִי֙ יְכֹ֣לֶת יְהוָ֔ה	Because the Lord was not able
לַהֲבִיאָ֕ם אֶל־הָאָ֖רֶץ	to bring them into the land
אֲשֶׁר־דִּבֶּ֣ר לָהֶ֑ם	(of) which He promised unto them,
וּמִשִּׂנְאָת֣וֹ אוֹתָ֔ם	and because He hated them,
הוֹצִיאָ֖ם	He hath brought them out
לַהֲמִתָ֥ם בַּמִּדְבָּֽר׃	to slay them in the wilderness.
29 וְהֵ֥ם עַמְּךָ֖	29. Yet they are Thy people
וְנַחֲלָתֶ֑ךָ	and Thy inheritance,
אֲשֶׁ֤ר הוֹצֵ֙אתָ֙	that Thou didst bring out
בְּכֹחֲךָ֣ הַגָּדֹ֔ל	by Thy great power
וּבִזְרֹעֲךָ֖ הַנְּטוּיָֽה׃ פ	and by Thy outstretched arm.'

רביעי

Rashi — רש"י

25 וָאֶתְנַפַּל וְגוֹ'.	**25. So I fell down, etc.**
אֵלּוּ הֵן עַצְמָם הָאֲמוּרִים לְמַעְלָה,	These are the same which are mentioned above.
וּכְפָלָן כָּאן,	And it repeats them here
לְפִי שֶׁכָּתוּב כָּאן סֵדֶר תְּפִלָּתוֹ.	because there is written here the order of his prayer,
שֶׁנֶּאֱמַר ה' אֱלֹהִים	as it is stated (v. 26), "O Lord God,
אַל־תַּשְׁחֵת עַמְּךָ וְגוֹ':	destroy not Thy people," etc.

CHAPTER X — י

1 בְּעֵת הַהִוא	1. At that time
אָמַר יְהוָה אֵלַי	the Lord said unto me:
פְּסָל־לְךָ	'Hew thee
שְׁנֵי־לוּחֹת אֲבָנִים	two tables of stone
כָּרִאשֹׁנִים	like unto the first,
וַעֲלֵה אֵלַי הָהָרָה	and come up unto Me in the mount;
וְעָשִׂיתָ לְּךָ אֲרוֹן עֵץ׃	and make thee an ark of wood.
2 וְאֶכְתֹּב עַל־הַלֻּחֹת	2. And I will write on the tables
אֶת־הַדְּבָרִים	the words
אֲשֶׁר הָיוּ	that were
עַל־הַלֻּחֹת הָרִאשֹׁנִים	on the first tables,
אֲשֶׁר שִׁבַּרְתָּ	which thou didst break,
וְשַׂמְתָּם בָּאָרוֹן׃	and thou shalt put them in the ark.'
3 וָאַעַשׂ	3. So I made
אֲרוֹן עֲצֵי שִׁטִּים	an ark of acacia-wood,
וָאֶפְסֹל	and hewed
שְׁנֵי־לֻחֹת אֲבָנִים	two tables of stone
כָּרִאשֹׁנִים	like unto the first,
וָאַעַל הָהָרָה	and went up into the mount,

Rashi — רש״י

10 1 בְּעֵת הַהִוא.	**10 1. At that time**
לְסוֹף אַרְבָּעִים יוֹם	At the end of the forty days
נִתְרַצָּה לִי	He was reconciled with me,
וְאָמַר לִי, פְּסָל לְךָ׳,	and He said to me: "Hew thee";
וְאַחַר כָּךְ:—	and afterwards,
,וְעָשִׂיתָ לְּךָ אֲרוֹן׳,	"and make thee an ark."
וַאֲנִי עָשִׂיתִי אָרוֹן תְּחִלָּה,	But I made the ark first,
שֶׁכְּשֶׁאָבוֹא וְהַלֻּחוֹת בְּיָדִי	for when I shall come with the tables in my hand,
הֵיכָן אֶתְּנֵם?	where would I put them?
וְלֹא זֶה הוּא הָאָרוֹן	This, however, is not the same ark
שֶׁעָשָׂה בְּצַלְאֵל,	which Bezalel made,
שֶׁהֲרֵי מִשְׁכָּן לֹא נִתְעַסְּקוּ בוֹ	for they did not engage themselves with the tabernacle
עַד לְאַחַר יוֹם הַכִּפּוּרִים,	until after the Day of Atonement,
כִּי בְרִדְתּוֹ מִן הָהָר	for when he descended from the Mount
צִוָּה לָהֶם	he commanded them
עַל מְלֶאכֶת הַמִּשְׁכָּן,	regarding the construction of the tabernacle;
וּבְצַלְאֵל עָשָׂה מִשְׁכָּן תְּחִלָּה	and Bezalel made the tabernacle first
וְאַחַר כָּךְ אָרוֹן וְכֵלִים,	and afterwards the ark and the vessels.
נִמְצָא זֶה אָרוֹן אַחֵר הָיָה,	Consequetly this was a different ark;
וְזֶהוּ שֶׁהָיָה יוֹצֵא עִמָּהֶם לַמִּלְחָמָה,	and this was the one which used to go forth with them to battle.
וְאוֹתוֹ שֶׁעָשָׂה בְצַלְאֵל	But the one which Bezalel made
לֹא יָצָא לַמִּלְחָמָה	did not go forth to battle,
אֶלָּא בִימֵי עֵלִי	except in the days of Eli,
וְנֶעֶנְשׁוּ עָלָיו וְנִשְׁבָּה (יְרוּשׁ׳ שְׁקָלִ׳ ו)׃	and they were punished for this and it was captured (Jer. Shek. 6).

וּשְׁנֵי הַלֻּחֹת בְּיָדִי׃	having the two tables in my hand.
4 וַיִּכְתֹּב עַל־הַלֻּחֹת	4. And He wrote on the tables,
כַּמִּכְתָּב הָרִאשׁוֹן	according to the first writing,
אֵת עֲשֶׂרֶת הַדְּבָרִים	the ten words,
אֲשֶׁר דִּבֶּר יְהֹוָה	which the Lord spoke
אֲלֵיכֶם בָּהָר	unto you in the mount
מִתּוֹךְ הָאֵשׁ	out of the midst of the fire
בְּיוֹם הַקָּהָל	in the day of the assembly;
וַיִּתְּנֵם יְהֹוָה אֵלָי׃	and the Lord gave them unto me.
5 וָאֵפֶן	5. And I turned
וָאֵרֵד מִן־הָהָר	and came down from the mount,
וָאָשִׂם אֶת־הַלֻּחֹת	and put the tables
בָּאָרוֹן	in the ark
אֲשֶׁר עָשִׂיתִי	which I had made;
וַיִּהְיוּ שָׁם	and there they are
כַּאֲשֶׁר צִוַּנִי יְהֹוָה׃	as the Lord commanded me. —
6 וּבְנֵי יִשְׂרָאֵל נָסְעוּ	6. And the children of Israel journeyed
מִבְּאֵרֹת בְּנֵי־יַעֲקָן	from Beeroth-bene-yaakan
מוֹסֵרָה	to Moserah;
שָׁם מֵת אַהֲרֹן	there Aaron died,

Rashi — רש"י

6 וּבְנֵי יִשְׂרָאֵל נָסְעוּ מִבְּאֵרֹת בְּנֵי־יַעֲקָן מוֹסֵרָה.	**6. And the children of Israel journeyed from Beeroth-bene-jaakan to Moserah**
מַה עִנְיָן זֶה לְכַאן?	What relation has this here?
וְעוֹד, וְכִי מִבְּאֵרוֹת בְּנֵי יַעֲקָן נָסְעוּ לְמוֹסֵרָה,	And furthermore, did they journey from Beeroth-bene-jaakan to Moserah?
וַהֲלֹא מִמּוֹסֵרָה בָּאוּ לִבְנֵי יַעֲקָן,	It was from Moserah that they came to Bene-jaakan;
שֶׁנֶּאֱמַר (בַּמִּדְ' ל"ג):—	as it is stated (Num. 33.31),
וַיִּסְעוּ מִמֹּסֵרוֹת וְגוֹ',	"and they journeyed from Moseroth," etc.
וְעוֹד, שָׁם מֵת אַהֲרֹן,	And furthermore, there did Aaron die.
וַהֲלֹא בְּהֹר הָהָר מֵת,	But did he not die in Mount Hor?
צֵא וַחֲשׁוֹב	Go forth and reckon,
וְתִמְצָא שְׁמֹנֶה מַסָּעוֹת	and you will find eight stages
מִמּוֹסֵרוֹת לְהֹר הָהָר,	from Moseroth to Mount Hor.
אֶלָּא אַף זוּ מִן הַתּוֹכָחָה,	However, this is also part of the rebuke;
וְעוֹד זֹאת עֲשִׂיתֶם	(viz.,) this too you have done:
כְּשֶׁמֵּת אַהֲרֹן בְּהֹר הָהָר	when Aaron died in Mount Hor
לְסוֹף אַרְבָּעִים שָׁנָה	at the end of forty years,
וְנִסְתַּלְּקוּ עַנְנֵי כָבוֹד,	and there departed the clouds of glory,
יְרֵאתֶם לָכֶם מִמִּלְחֶמֶת מֶלֶךְ עֲרָד,	you were afraid of war with the king of Arad
וּנְתַתֶּם רֹאשׁ לַחֲזוֹר לְמִצְרַיִם	and you appointed a chief to return to Egypt,
וַחֲזַרְתֶּם לַאֲחוֹרֵיכֶם	and you turned backwards
שְׁמֹנֶה מַסָּעוֹת עַד בְּנֵי יַעֲקָן,	eight stages to Bene-jaakan,
וּמִשָּׁם לְמוֹסֵרָה,	and from there to Moserah.

וַיִּקָּבֵר שָׁם	and there he was buried;
וַיְכַהֵן אֶלְעָזָר בְּנוֹ תַּחְתָּיו׃	and Eleazar his son ministered in the priest's office in his stead.
7 מִשָּׁם נָסְעוּ הַגֻּדְגֹּדָה	7. From there they journeyed to Gudgod;
וּמִן־הַגֻּדְגֹּדָה יָטְבָתָה	and from Gudgod to Yotbah,
אֶרֶץ נַחֲלֵי־מָיִם׃	a land of brooks of water. —

8 בָּעֵת הַהִוא	8. At that time
הִבְדִּיל יְהֹוָה	the Lord separated
אֶת־שֵׁבֶט הַלֵּוִי	the tribe of Levi,
לָשֵׂאת	to bear
אֶת־אֲרוֹן בְּרִית־יְהֹוָה	the ark of the covenant of the Lord,

Rashi — רש״י

שָׁם נִלְחֲמוּ בָכֶם בְּנֵי לֵוִי	There the sons of Levi battled against you
וְהָרְגוּ מִכֶּם וְאַתֶּם מֵהֶם,	and slew some of you, and you (slew) some of them,
עַד שֶׁהֶחֱזִירוּ אֶתְכֶם	until they returned you
בְּדֶרֶךְ חֲזָרַתְכֶם,	by the way of your turning back;
וּמִשָּׁם חֲזַרְתֶּם הַגֻּדְגֹּדָה	and from there you returned to Gudgod,
הוּא חֹר הַגִּדְגָּד׃	which is Hor-hagidgad (Num. 33.32).
7 **וּמִן־הַגֻּדְגֹּדָה וְגוֹ׳.**	**7. And from Gudgod, etc.**
וּבְמוֹסֵרָה עֲשִׂיתֶם אֵבֶל כָּבֵד	And in Moserah you made a great mourning
עַל מִיתָתוֹ שֶׁל אַהֲרֹן	over the death of Aaron
שֶׁגָּרְמָה לָכֶם זֹאת	which caused this (return) to you,
וְנִדְמָה לָכֶם כְּאִלּוּ מֵת שָׁם	and it seemed to you as though he had died there.
וְסָמַךְ מֹשֶׁה תוֹכָחָה זוֹ	And Moses adjoined this rebuke
לְשִׁבּוּר הַלּוּחוֹת	to the breaking of the tables,
לוֹמַר שֶׁקָּשָׁה מִיתָתָן שֶׁל צַדִּיקִים	to indicate that the death of the righteous is difficult
לִפְנֵי הַקָּבָּ״ה	before the Holy One Blessed Be He
כְּיוֹם שֶׁנִּשְׁתַּבְּרוּ בוֹ הַלּוּחוֹת,	like the day in which the tables were broken,
וּלְהוֹדִיעֲךָ שֶׁהוּקְשָׁה לוֹ	and to inform you that it was comparable to Him

מַה שֶּׁאָמְרוּ: נִתְּנָה רֹאשׁ (בַּמִּדְ׳ י״ד)	that which they said, "Let us make a captain" (Num. 14.4)
לִפְרוֹשׁ מִמֶּנּוּ	to depart from Him,
—כַּיּוֹם שֶׁעָשׂוּ בוֹ אֶת הָעֵגֶל׃	as the day in which they made the (Golden) Calf.
8 **בָּעֵת הַהִוא הִבְדִּיל ה׳ וְגוֹ׳.**	**8. At that time the Lord separated, etc.**
מוּסָב לְעִנְיָן הָרִאשׁוֹן	It refers to the previous context:
בָּעֵת הַהִוא,	"at that time"
בַּשָּׁנָה הָרִאשׁוֹנָה לְצֵאתְכֶם מִמִּצְרַיִם,	(i. e.,) during the first year of your departure from Egypt,
וּטְעִיתֶם בָּעֵגֶל	when you erred with the Calf
וּבְנֵי לֵוִי לֹא טָעוּ,	while the children of Levi did not err,
הִבְדִּילָם הַמָּקוֹם מִכֶּם;	the Omnipresent separated them from you.
וְסָמַךְ מִקְרָא זֶה	And this verse is adjoined
לַחֲזָרַת בְּנֵי יַעֲקָן	to the return to Bene-jaakan
לוֹמַר שֶׁאַף בְּזוֹ	to inform us that even in this
לֹא טָעוּ בָהּ בְּנֵי לֵוִי	the children of Levi did not err,
אֶלָּא עָמְדוּ בֶּאֱמוּנָתָם׃	but were steadfast in their faithfulness.
לָשֵׂאת אֶת־אָרוֹן.	**To bear the ark**
הַלְוִיִּם׃	(This refers to) "the Levites."

לַעֲמֹד֩ לִפְנֵ֨י יְהוָ֜ה	to stand before the Lord
לְשָֽׁרְת֗וֹ	to minister unto Him,
וּלְבָרֵ֣ךְ בִּשְׁמ֔וֹ	and to bless in His name,
עַ֖ד הַיּ֥וֹם הַזֶּֽה׃	unto this day.
9 עַל־כֵּ֗ן	9. Wherefore
לֹא־הָיָ֧ה לְלֵוִ֛י חֵ֥לֶק וְנַחֲלָ֖ה	Levi hath no portion nor inheritance
עִם־אֶחָ֑יו	with his brethren;
יְהוָה֙ ה֣וּא נַחֲלָת֔וֹ	the Lord is his inheritance,
כַּאֲשֶׁ֥ר דִּבֶּ֛ר יְהוָ֥ה אֱלֹהֶ֖יךָ לֽוֹ׃	according as the Lord thy God spoke unto him. —

10 וְאָנֹכִ֞י עָמַ֣דְתִּי	10. Now I stayed
בָהָ֗ר	in the mount,
כַּיָּמִים֙ הָרִ֣אשֹׁנִ֔ים	according to the first days,
אַרְבָּעִ֣ים י֔וֹם	forty days
וְאַרְבָּעִ֖ים לָ֑יְלָה	and forty nights;
וַיִּשְׁמַ֨ע יְהוָ֜ה אֵלַ֗י	and the Lord hearkened unto me
גַּ֚ם בַּפַּ֣עַם הַהִ֔וא	that time also;
לֹא־אָבָ֥ה יְהוָ֖ה הַשְׁחִיתֶֽךָ׃	the Lord would not destroy thee.
11 וַיֹּ֤אמֶר יְהוָה֙ אֵלַ֔י	11. And the Lord said unto me:

Rashi — רש"י

לַעֲמֹד לִפְנֵי ה' לְשָׁרְתוֹ וּלְבָרֵךְ בִּשְׁמוֹ.	**To stand before the Lord to minister unto Him, and to bless in His name**
הַכֹּהֲנִים,	(This refers to) "the priests,"
וְהוּא נְשִׂיאַת כַּפַּיִם (עֲרָכִ' י"א):	and it (has reference to) the raising of the hands ('Ar. 11).
9 עַל־כֵּן לֹא־הָיָה לְלֵוִי חֵלֶק.	**9. Wherefore Levi hath no portion**
לְפִי שֶׁהֻבְדְּלוּ לַעֲבוֹדַת מִזְבֵּחַ	Since they were set apart for the service of the altar
וְאֵינָן פְּנוּיִין	and are not free
לַחֲרוֹשׁ וְלִזְרוֹעַ:	to plow and to sow.
ה' הוּא נַחֲלָתוֹ.	**The Lord is his inheritance**
נוֹטֵל פְּרָס מְזֻמָּן	He receives a designated fare
מִבֵּית הַמֶּלֶךְ:	from the house of the King.
10 וְאָנֹכִי עָמַדְתִּי בָהָר.	**10. Now I stayed in the mount**

לְקַבֵּל הַלּוּחוֹת הָאַחֲרוֹנוֹת,	To receive the latter tables.
וּלְפִי שֶׁלֹּא פֵּרֵשׁ לְמַעְלָה	And since he did not specify above
כַּמָּה עָמַד בָּהָר	how long he stayed in the Mount
בַּעֲלִיָּה אַחֲרוֹנָה זוֹ,	during his latter ascension,
חָזַר וְהִתְחִיל בָּהּ:	he again begins with it.
כַּיָּמִים הָרִאשׁוֹנִים.	**As at the first time**
שֶׁל לוּחוֹת הָרִאשׁוֹנוֹת	(I. e.,) of the first tables;
מַה הֵם בְּרָצוֹן	just as they (were) with good will,
אַף אֵלּוּ בְרָצוֹן	so (were) these with good will.
אֲבָל הָאֶמְצָעִיִּים	But the middle (days),
שֶׁעָמַדְתִּי שָׁם לְהִתְפַּלֵּל עֲלֵיכֶם	that I stayed there to pray for you,
הָיוּ בְכַעַס:	were in anger.
11 וַיֹּאמֶר ה' אֵלַי וְגוֹ'.	**11. And the Lord said unto me, etc.**
אַף עַל פִּי שֶׁסַּרְתֶּם מֵאַחֲרָיו	Although you turned away from following Him

קֽוּם	'Arise,
לֵ֥ךְ לְמַסַּ֖ע לִפְנֵ֣י הָעָ֑ם	go before the people causing them to set forward,
וְיָבֹ֙אוּ֙	that they may go in
וְיִֽירְשׁ֣וּ אֶת־הָאָ֔רֶץ	and possess the land,
אֲשֶׁר־נִשְׁבַּ֥עְתִּי לַאֲבֹתָ֖ם	which I swore unto their fathers
לָתֵ֥ת לָהֶֽם׃ פ	to give unto them.'
חמישי	
12 וְעַתָּה֙ יִשְׂרָאֵ֔ל	12. And now, Israel,
מָ֚ה יְהוָ֣ה אֱלֹהֶ֔יךָ	what doth the Lord thy God
שֹׁאֵ֖ל מֵעִמָּ֑ךְ	require of thee,
כִּ֣י אִם־לְ֠יִרְאָה	but to fear
אֶת־יְהוָ֨ה אֱלֹהֶ֜יךָ	the Lord thy God,
לָלֶ֤כֶת בְּכָל־דְּרָכָיו֙	to walk in all His ways,
וּלְאַהֲבָ֣ה אֹת֔וֹ	and to love Him,
וְלַֽעֲבֹד֙	and to serve
אֶת־יְהוָ֣ה אֱלֹהֶ֔יךָ	the Lord thy God
בְּכָל־לְבָבְךָ֖	with all thy heart
וּבְכָל־נַפְשֶֽׁךָ׃	and with all thy soul;
13 לִשְׁמֹ֞ר	13. to keep
אֶת־מִצְוֺ֤ת יְהוָה֙	the commandments of the Lord,
וְאֶת־חֻקֹּתָ֔יו	and His statutes,
אֲשֶׁ֛ר אָנֹכִ֥י מְצַוְּךָ֖	which I command thee
הַיּ֑וֹם	this day,
לְט֖וֹב לָֽךְ׃	for thy good?
14 הֵ֗ן	14. Behold,
לַֽיהוָה֙ אֱלֹהֶ֔יךָ הַשָּׁמַ֖יִם	unto the Lord thy God belongeth the heaven,

Rashi — רש״י

וּטְעִיתֶם בָּעֵגֶל	and you erred with the Calf,
אָמַר לִי: לֵךְ נְחֵה אֶת הָעָם (שְׁמוֹת ל״ב):	He said to me, "Go, lead the people" (Ex. 32.34).
12 וְעַתָּה יִשְׂרָאֵל.	**12. And now, Israel**
אַף עַל פִּי שֶׁעֲשִׂיתֶם כָּל זֹאת,	Although you have done all this,
עוֹדֶנּוּ רַחֲמָיו	still His mercy
וְחִבָּתוֹ עֲלֵיכֶם,	and His love (are set) upon you;
וּמִכָּל מַה שֶּׁחֲטָאתֶם לְפָנָיו	and despite all that you have sinned before Him,
אֵינוֹ שׁוֹאֵל מִכֶּם	He does not ask of you
כִּי אִם לְיִרְאָה׳, וְגוֹ׳.	"but to fear," etc.
וְרַבּוֹתֵינוּ דָרְשׁוּ מִכָּאן:—	And our Rabbis derived from here (i. e., from שֹׁאֵל מֵעִמְּךָ):
הַכֹּל בִּידֵי שָׁמַיִם	Everything is in the hands of Heaven
חוּץ מִיִּרְאַת שָׁמַיִם (בְּרָ׳ ל״ג):	save fear of Heaven (Ber. 33).
13 לִשְׁמֹר אֶת־מִצְוֹת ה׳.	**13. To keep the commandments of the Lord**
וְאַף הִיא לֹא לְחִנָּם	And that too is not for nought,
אֶלָּא, לְטוֹב לָךְ׳	but "for thy good,"
שֶׁתְּקַבְּלוּ שָׂכָר:	that you should receive a reward.
14 הֵן לַה׳ אֱלֹהֶיךָ.	**14. Behold, unto the Lord thy God**
הַכֹּל, אַף עַל פִּי כֵן:	(belongs) everything; nevertheless,

וּשְׁמֵי הַשָּׁמָיִם	and the heaven of heavens,
הָאָרֶץ וְכָל־אֲשֶׁר־בָּהּ׃	the earth, and all that therein is.
15 רַק בַּאֲבֹתֶיךָ	15. Only in thy fathers
חָשַׁק יְהוָה	the Lord had a delight
לְאַהֲבָה אוֹתָם	to love them,
וַיִּבְחַר בְּזַרְעָם	and He chose their seed
אַחֲרֵיהֶם	after them,
בָּכֶם	(even) you
מִכָּל־הָעַמִּים	above all peoples,
כַּיּוֹם הַזֶּה׃	as it is this day.
16 וּמַלְתֶּם	16. Circumcise therefore
אֵת עָרְלַת לְבַבְכֶם	the foreskin of your heart,
וְעָרְפְּכֶם לֹא תַקְשׁוּ עוֹד׃	and be no more stiffnecked.
17 כִּי יְהוָה אֱלֹהֵיכֶם	17. For the Lord your God,
הוּא אֱלֹהֵי הָאֱלֹהִים	He is the God of gods,
וַאֲדֹנֵי הָאֲדֹנִים	and Lord of lords,
הָאֵל הַגָּדֹל	the great God,
הַגִּבֹּר וְהַנּוֹרָא	the mighty, and the awful,
אֲשֶׁר לֹא־יִשָּׂא פָנִים	who regardeth not persons,
וְלֹא יִקַּח שֹׁחַד׃	nor taketh reward.
18 עֹשֶׂה	18. He doth execute
מִשְׁפַּט יָתוֹם וְאַלְמָנָה	justice for the fatherless and widow,

Rashi — רש״י

15 רַק בַּאֲבֹתֶיךָ חָשַׁק ה׳.	**15. Only in thy fathers the Lord had a delight**
מִן הַכֹּל:	out of the entire (universe).
בָּכֶם.	**(Even) you**
כְּמוֹ שֶׁאַתֶּם רוֹאִים אֶתְכֶם חֲשׁוּקִים	As you see yourselves beloved
"מִכָּל הָעַמִּים כַּיּוֹם הַזֶּה":	"above all peoples, as it is this day."
16 עָרְלַת לְבַבְכֶם.	**16. The foreskin of your heart**
אוֹטֶם לְבַבְכֶם וְכִסּוּיוֹ:	(I. e.,) the obstruction of your heart and its covering.
17 וַאֲדֹנֵי הָאֲדֹנִים.	**17. And Lord of lords**
לֹא יוּכַל שׁוּם אָדוֹן	(I. e.,) no lord is able
לְהַצִּיל אֶתְכֶם מִיָּדוֹ:	to deliver you from His hand.
לֹא־יִשָּׂא פָנִים.	**(Who) regardeth not persons**
אִם תִּפְרְקוּ עֻלּוֹ:	If you will cast off His yoke.
וְלֹא יִקַּח שֹׁחַד.	**Nor taketh reward**
לְפַיְּסוֹ בְּמָמוֹן:	To appease Him with money.
18 עֹשֶׂה מִשְׁפַּט יָתוֹם וְאַלְמָנָה.	**18. He doth execute justice for the fatherless and widow**
הֲרֵי גְבוּרָה,	This indicates His might;
וְאֵצֶל גְבוּרָתוֹ אַתָּה מוֹצֵא	and with His might you find
עַנְוְתָנוּתוֹ (מְגִ׳ ל״א):	His humility (Meg. 31).

וְאֹהֵב גֵּר	and loveth the stranger,
לָתֶת לוֹ	in giving him
לֶחֶם וְשִׂמְלָה׃	bread and raiment.
19 וַאֲהַבְתֶּם אֶת־הַגֵּר	19. Love ye therefore the stranger;
כִּי־גֵרִים הֱיִיתֶם	for ye were strangers
בְּאֶרֶץ מִצְרָיִם׃	in the land of Egypt.
20 אֶת־יְהוָה אֱלֹהֶיךָ	20. The Lord thy God
תִּירָא	shalt thou fear;
אֹתוֹ תַעֲבֹד	Him shalt thou serve;
וּבוֹ תִדְבָּק	and to Him shalt thou cleave,
וּבִשְׁמוֹ תִּשָּׁבֵעַ׃	and by His name shalt thou swear.
21 הוּא תְהִלָּתְךָ	21. He is thy glory,
וְהוּא אֱלֹהֶיךָ	and He is thy God,
אֲשֶׁר־עָשָׂה אִתְּךָ	that hath done for thee
אֶת־הַגְּדֹלֹת וְאֶת־ הַנּוֹרָאֹת הָאֵלֶּה	these great and tremendous things,
אֲשֶׁר רָאוּ עֵינֶיךָ׃	which thine eyes have seen.
22 בְּשִׁבְעִים נֶפֶשׁ	22. With threescore and ten person(s)
יָרְדוּ אֲבֹתֶיךָ מִצְרָיְמָה	thy fathers went down into Egypt;
וְעַתָּה	and now
שָׂמְךָ יְהוָה אֱלֹהֶיךָ	the Lord thy God has made thee
כְּכוֹכְבֵי הַשָּׁמַיִם	as the stars of the heaven
לָרֹב׃	for multitude.

CHAPTER XI — יא

1 וְאָהַבְתָּ	1. Therefore thou shalt love
אֵת יְהוָה אֱלֹהֶיךָ	the Lord thy God,
וְשָׁמַרְתָּ מִשְׁמַרְתּוֹ	and keep His charge,
וְחֻקֹּתָיו וּמִשְׁפָּטָיו	and His statutes and His ordinances,
וּמִצְוֺתָיו	and His commandments
כָּל־הַיָּמִים׃	always.

Rashi — רש״י

וְאֹהֵב גֵּר לָתֶת לוֹ לֶחֶם וְשִׂמְלָה.	**And (He) loveth the stranger, in giving him bread and raiment**
וְדָבָר חָשׁוּב הוּא זֶה,	Now this is a significant matter,
שֶׁכָּל עַצְמוֹ שֶׁל יַעֲקֹב אָבִינוּ	since the very self of (all the energies of) Jacob, our ancestor,
עַל זֶה נִתְפַּלֵּל (בְּרֵא׳ כ״ח)׃—	prayed for this (Gen. 28.20),
וְנָתַן לִי לֶחֶם לֶאֱכֹל וּבֶגֶד לִלְבֹּשׁ׃	"And (if) He will give me bread to eat, and raiment to put on."
19 כִּי־גֵרִים הֱיִיתֶם.	**19. For ye were strangers**
מוּם שֶׁבְּךָ אַל תֹּאמַר לַחֲבֵרְךָ (ב״מ נ״ט)׃	(With) a fault which is your own do not reproach your neighbor (B. M. 59).
20 אֶת־ה׳ אֱלֹהֶיךָ תִּירָא.	**20. The Lord thy God shalt thou fear**
וְתַעֲבוֹד לוֹ וְתִדְבַּק בּוֹ,	And you shall serve Him and cleave to Him;
וּלְאַחַר שֶׁיִּהְיוּ בְךָ	and after you will possess
כָּל הַמִּדּוֹת הַלָּלוּ,	all these qualities,
אָז, בִּשְׁמוֹ תִּשָּׁבֵעַ׳:	then "by His name may you swear."

2 וִידַעְתֶּם הַיּוֹם	2. And know ye this day;
כִּי ׀ לֹא אֶת־בְּנֵיכֶם	for (I speak) not with your children,
אֲשֶׁר לֹא־יָדְעוּ	that have not known,
וַאֲשֶׁר לֹא־רָאוּ	and that have not seen
אֶת־מוּסַר	the chastisement
יְהֹוָה אֱלֹהֵיכֶם	of the Lord your God,
אֶת־גָּדְלוֹ	His greatness,
אֶת־יָדוֹ הַחֲזָקָה	His mighty hand,
וּזְרֹעוֹ הַנְּטוּיָה׃	and His outstretched arm,
3 וְאֶת־אֹתֹתָיו	3. and His signs,
וְאֶת־מַעֲשָׂיו	and His works
אֲשֶׁר עָשָׂה	which He did
בְּתוֹךְ מִצְרָיִם	in the midst of Egypt
לְפַרְעֹה מֶלֶךְ־מִצְרַיִם	unto Pharaoh the king of Egypt,
וּלְכָל־אַרְצוֹ׃	and unto all his land;
4 וַאֲשֶׁר עָשָׂה	4. and what He did
לְחֵיל מִצְרַיִם	unto the army of Egypt,
לְסוּסָיו וּלְרִכְבּוֹ	unto their horses and to their chariots;
אֲשֶׁר הֵצִיף	how He made to overflow
אֶת־מֵי יַם־סוּף	the water of the Red Sea
עַל־פְּנֵיהֶם	over them,
בְּרָדְפָם אַחֲרֵיכֶם	as they pursued after you,
וַיְאַבְּדֵם יְהֹוָה	and how the Lord hath destroyed them
עַד הַיּוֹם הַזֶּה׃	unto this day;
5 וַאֲשֶׁר עָשָׂה לָכֶם	5. and what He did unto you
בַּמִּדְבָּר	in the wilderness,
עַד־בֹּאֲכֶם	until ye came
עַד־הַמָּקוֹם הַזֶּה׃	unto this place;
6 וַאֲשֶׁר עָשָׂה	6. and what he did
לְדָתָן וְלַאֲבִירָם	unto Dathan and Abiram,
בְּנֵי אֱלִיאָב	the sons of Eliab,
בֶּן־רְאוּבֵן	the son of Reuben;
אֲשֶׁר פָּצְתָה הָאָרֶץ	how the earth opened up
אֶת־פִּיהָ	her mouth,
וַתִּבְלָעֵם	and swallowed them up,
וְאֶת־בָּתֵּיהֶם	and their households,
וְאֶת־אָהֳלֵיהֶם	and their tents,

Rashi — רש"י

11 2 וִידַעְתֶּם הַיּוֹם.	**11 2. And know ye this day**
תְּנוּ לֵב לָדַעַת וּלְהָבִין	Set (your) hearts to know and to understand
וּלְקַבֵּל תּוֹכַחְתִּי:	and to receive my reproof.
כִּי לֹא אֶת־בְּנֵיכֶם.	**For not with your children**
אֲנִי מְדַבֵּר עַכְשָׁיו	do I speak now,
שֶׁיּוּכְלוּ לוֹמַר	that they should be able to say:
אָנוּ לֹא יָדַעְנוּ	We did not know
וְלֹא רָאִינוּ בְּכָל זֶה:	and we did not see all this.

וְאֵת כָּל־הַיְקוּם	and all the substance
אֲשֶׁר בְּרַגְלֵיהֶם	that (was) at their feet,
בְּקֶרֶב כָּל־יִשְׂרָאֵל:	in the midst of all Israel;
7 כִּי עֵינֵיכֶם הָרֹאֹת	7. but your eyes have seen
אֵת כָּל־מַעֲשֵׂה יְהוָה הַגָּדֹל	all the great work of the Lord
אֲשֶׁר עָשָׂה:	which He did.
8 וּשְׁמַרְתֶּם	8. Therefore ye shall keep
אֶת־כָּל־הַמִּצְוָה	all the commandment
אֲשֶׁר אָנֹכִי מְצַוְּךָ הַיּוֹם	which I command thee this day,
לְמַעַן תֶּחֶזְקוּ	that ye may be strong,
וּבָאתֶם	and go in
וִירִשְׁתֶּם אֶת־הָאָרֶץ	and possess the land,
אֲשֶׁר אַתֶּם עֹבְרִים שָׁמָּה	whither ye go over
לְרִשְׁתָּהּ:	to possess it;
9 וּלְמַעַן תַּאֲרִיכוּ יָמִים	9. and that ye may prolong (your) days

Rashi — רש״י

6 בְּקֶרֶב כָּל־יִשְׂרָאֵל.	6. **In the midst of all Israel**
כָּל מָקוֹם שֶׁהָיָה אֶחָד מֵהֶם בּוֹרֵחַ	Wherever any one of them fled,
הָאָרֶץ נִבְקַעַת מִתַּחְתָּיו	the earth split under him
וּבוֹלַעְתּוֹ,	and swallowed him up;
אֵלּוּ דִּבְרֵי רַבִּי יְהוּדָה,	these are the words of Rabbi Judah.
אָמַר לוֹ ר׳ נְחֶמְיָה:—	Rabbi Nehemiah said to him:
וַהֲלֹא כְּבָר נֶאֱמַר (בְּמִדְ׳ ט״ז):—	But has it not been stated (Num. 16.32),
וַתִּפְתַּח הָאָרֶץ אֶת פִּיהָ,	"And the earth opened her mouth,"
—וְלֹא פִּיּוֹתֶיהָ!	— not "her mouths"?
אָמַר לוֹ: וּמָה אֲנִי מְקַיֵּם	(Rabbi Judah) said to him: How then shall I explain
,בְּקֶרֶב כָּל־יִשְׂרָאֵל׳?	"In the midst of all Israel?"
אָמַר לוֹ: שֶׁנַּעֲשֵׂית הָאָרֶץ	(Rabbi Nehemiah) said to him: The earth became
מִדְרוֹן כְּמַשְׁפֵּךְ,	sloping like a funnel,
וְכָל מָקוֹם שֶׁהָיָה אֶחָד מֵהֶם	and wherever any of them was,
הָיָה מִתְגַּלְגֵּל	he would roll
וּבָא עַד מְקוֹם הַבְּקִיעָה:	and come up to the place of the split.
וְאֵת כָּל־הַיְקוּם אֲשֶׁר בְּרַגְלֵיהֶם.	**And all the substance that (was) at their feet**
זֶה מָמוֹנוֹ שֶׁל אָדָם	This (refers to) the money of man
שֶׁמַּעֲמִידוֹ עַל רַגְלָיו (סַנְהֶ׳ ק״י):	which sets him upon his feet (Sanh. 110).
7 כִּי עֵינֵיכֶם הָרֹאֹת.	7. **But your eyes have seen**
מוּסָב עַל הַמִּקְרָא הָאָמוּר לְמַעְלָה	(This) refers to the verse mentioned above (v. 2),
—כִּי לֹא אֶת בְּנֵיכֶם	"For not with your children
אֲשֶׁר לֹא יָדְעוּ	that have not known,"
כִּי אִם עִמָּכֶם	but with you
אֲשֶׁר עֵינֵיכֶם הָרוֹאוֹת וְגוֹ׳:	"who have seen with your eyes," etc.

עַל־הָאֲדָמָה	upon the earth
אֲשֶׁר נִשְׁבַּע יְהוָה לַאֲבֹתֵיכֶם	which the Lord swore unto your fathers
לָתֵת לָהֶם	to give unto them
וּלְזַרְעָם	and to their seed,
אֶרֶץ	a land
זָבַת חָלָב וּדְבָשׁ: ס	flowing with milk and honey.
ששי	
10 כִּי הָאָרֶץ	10. For the land,
אֲשֶׁר אַתָּה בָא־שָׁמָּה	whither thou goest in
לְרִשְׁתָּהּ	to possess it,
לֹא כְאֶרֶץ מִצְרַיִם הִוא	is not as the land of Egypt,

Rashi — רש״י

10 לֹא כְאֶרֶץ מִצְרַיִם הוּא.	**10. (It) is not as the land of Egypt**
אֶלָּא טוֹבָה הֵימֶנָּה,	But better than it.
וְנֶאֶמְרָה הַבְטָחָה זוֹ לְיִשְׂרָאֵל	And this promise was made to Israel
בִּיצִיאָתָם מִמִּצְרַיִם,	when they went forth out of Egypt,
שֶׁהָיוּ אוֹמְרִים שֶׁמָּא לֹא נָבוֹא	for they used to say: •Perhaps we shall not come
אֶל אֶרֶץ טוֹבָה וְיָפָה כָּזוֹ.	to a land as good and as beautiful as this.
יָכוֹל בִּגְנוּתָהּ הַכָּתוּב מְדַבֵּר,	I might think that Scripture speaks of it derogatorily,
וְכָךְ אָמַר לָהֶם	and thus he said to them:
לֹא כְאֶרֶץ מִצְרַיִם הִיא	It is not as the land of Egypt
אֶלָּא רָעָה הֵימֶנָּה?	but worse than it.
תַּלְמוּד לוֹמַר (בַּמִּדְ׳ י״ג):—	(Therefore) Scripture states (Num. 13.22),
וְחֶבְרוֹן שֶׁבַע שָׁנִים נִבְנְתָה לִפְנֵי וְגוֹ׳,	"Now Hebron was built seven years before," etc.
אָדָם אֶחָד בְּנָאָן,	One man built them:
חָם בָּנָה צוֹעַן לְמִצְרַיִם בְּנוֹ,	Ham built Zoan for Mizraim his son,
וְחֶבְרוֹן לִכְנַעַן,	and Hebron (he built) for Canaan.
דֶּרֶךְ אֶרֶץ אָדָם בּוֹנֶה	Customarily, one builds (first)
אֶת הַנָּאֶה	the more beautiful,
וְאַחַר כָּךְ בּוֹנֶה אֶת הַגָּרוּעַ,	and afterwards he builds the inferior;
שֶׁפְּסָלְתּוֹ שֶׁל רִאשׁוֹן	for the base materials of the first
הוּא נוֹתֵן בַּשֵּׁנִי,	he puts into the second,
וּבְכָל מָקוֹם הֶחָבִיב קוֹדֶם,	and everywhere the (most) beloved is prior.
הָא לָמַדְתָּ חֶבְרוֹן יָפָה מִצּוֹעַן;	Hence you learn that Hebron was more beautiful than Zoan.
וּמִצְרַיִם מְשֻׁבַּחַת מִכָּל הָאֲרָצוֹת	And Egypt is superior to (more praiseworthy than) all other lands,
שֶׁנֶּאֱמַר (בְּרֵא׳ י״ג):—	as it is stated (Gen. 13.10),
כְּגַן ה׳ כְּאֶרֶץ מִצְרַיִם,	"like the garden of the Lord, like the land of Egypt."
וְצוֹעַן שֶׁבַח מִצְרַיִם הִיא	And Zoan was the praise of Egypt,
שֶׁהִיא מְקוֹם מַלְכוּת,	for it was the place of the kings,
שֶׁכֵּן הוּא אוֹמֵר (יְשַׁע׳ ל):—	as it states (Isa. 30.4),
הָיוּ בְצֹעַן שָׂרָיו,	"In Zoan, were his princes."
וְחֶבְרוֹן פְּסָלְתָּהּ שֶׁל יִשְׂרָאֵל,	And Hebron was the worst in Israel;

אֲשֶׁר יְצָאתֶם מִשָּׁם	from whence ye came out,
אֲשֶׁר תִּזְרַע	where thou didst sow
אֶת־זַרְעֲךָ	thy seed,
וְהִשְׁקִיתָ בְרַגְלְךָ	and didst water it with thy foot,
כְּגַן הַיָּרָק׃	as a garden of green herbs;
11 וְהָאָרֶץ	11. but the land,
אֲשֶׁר אַתֶּם עֹבְרִים שָׁמָּה	whither ye go
לְרִשְׁתָּהּ	to possess it,

Rashi — רש״י

לְכָךְ הֻקְצוּהָ לִקְבוּרַת מֵתִים,	(and) therefore it was designated for the burial of the dead;
וְאַף עַל פִּי כֵן	and nevertheless
הִיא יָפָה מִצּוֹעַן	it was more beautiful than Zoan.
וּבִכְתֻבּוֹת (דַּ׳ קי״ב)	And in (the Talmudic treatise) Kethuboth (fol. 112)
דָּרְשׁוּ בְּעִנְיָן אַחֵר:–	(our Rabbis) interpreted (this) in another manner:
אֶפְשָׁר אָדָם בּוֹנֶה בַּיִת לִבְנוֹ הַקָּטָן	Is it possible that a man should build a house (first) for his younger son
וְאַחַר כָּךְ לִבְנוֹ הַגָּדוֹל?	and afterwards for his older son?
אֶלָּא שֶׁמְּבֻנָּה עַל אֶחָד מִשִּׁבְעָה בְּצוֹעַן:	However it (Hebron) was seven times better built up than Zoan.
אֲשֶׁר יְצָאתֶם מִשָּׁם.	**From whence ye came out**
אֲפִילוּ אֶרֶץ רַעְמְסֵס אֲשֶׁר יְשַׁבְתֶּם בָּהּ	Even the land of Raamses in which you dwelt,
וְהִיא בְּמֵיטַב אֶרֶץ מִצְרַיִם,	which is of the best of the land of Egypt,
שֶׁנֶּאֱמַר בְּמֵיטַב הָאָרֶץ וְגוֹ׳ (בְּרֵא׳ מ״ז),	as it is stated, "In the best of the land," etc. (Gen. 47.6),
אַף הִיא אֵינָהּ כְּאֶרֶץ יִשְׂרָאֵל:	even that is not as the land of Israel.
וְהִשְׁקִיתָ בְרַגְלְךָ.	**And (thou) didst water it with thy foot**
אֶרֶץ מִצְרַיִם הָיְתָה צְרִיכָה	The land of Egypt required
לְהָבִיא מַיִם מִנִּילוּס בְּרַגְלְךָ	that water be brought from the Nile "with thy foot"
וּלְהַשְׁקוֹתָהּ צָרִיךְ אַתָּה	and in order to water it you were required
לִנְדֹּד מִשְּׁנָתְךָ וְלַעֲמוֹל,	to rise from your sleep and to toil;
וְהַנָּמוּךְ שׁוֹתֶה וְלֹא הַגָּבוֹהַּ,	and the lower (places) received water, but not the higher,
וְאַתָּה מַעֲלֶה הַמַּיִם	and you brought up the water
מִן הַנָּמוּךְ לַגָּבוֹהַּ,	from the lower (places) to the higher (places).
אֲבָל זוֹ "לִמְטַר הַשָּׁמַיִם	But this (land) "as the rain of heaven cometh down
תִּשְׁתֶּה־מָּיִם"	it drinketh water" (v. 11);
–אַתָּה יָשֵׁן עַל מִטָּתְךָ	while you sleep upon your bed
וְהַקָּבָּ״ה מַשְׁקֶה	the Holy One Blessed Be He waters
נָמוּךְ וְגָבוֹהַּ,	the low (places) and the high,
גָּלוּי וְשֶׁאֵינוֹ גָלוּי כְּאֶחָת (סִפְרֵי):	that which is open and that which is not open alike (Siphre).
כְּגַן הַיָּרָק.	**As a garden of green herbs**
שֶׁאֵין דַּי לוֹ בִּגְשָׁמִים	For which the rains are not sufficient,
וּמַשְׁקִין אוֹתוֹ בְּרֶגֶל וּבְכָתֵף:	and which must be watered by foot and by shoulder.

אֶ֤רֶץ הָרִים֙ וּבְקָעֹ֔ת	(is) a land of hills and valleys,
לִמְטַ֥ר הַשָּׁמַ֖יִם	as the rain of heaven cometh down
תִּשְׁתֶּה־מָּֽיִם׃	it drinketh water;
12 אֶ֕רֶץ	12. a land
אֲשֶׁר־יְהוָ֥ה אֱלֹהֶ֖יךָ	which the Lord thy God
דֹּרֵ֣שׁ אֹתָ֑הּ	careth for;
תָּמִ֗יד	always
עֵינֵ֨י יְהוָ֤ה אֱלֹהֶ֙יךָ֙ בָּ֔הּ	the eyes of the Lord thy God are upon it,
מֵֽרֵשִׁית֙ הַשָּׁנָ֔ה	from the beginning of the year
וְעַ֖ד אַחֲרִ֥ית שָׁנָֽה׃ ס	even unto the end of the year.

° חסר אל״ף.

Rashi — רש״י

11 אֶרֶץ הָרִים וּבְקָעֹת.	**11. (Is) a land of hills and valleys**
מְשֻׁבָּח הָהָר מִן הַמִּישׁוֹר,	The hill is superior to the plain,
שֶׁהַמִּישׁוֹר בְּבֵית כּוֹר	for (in) a plain, in an area requiring a Khor of seed
אַתָּה זוֹרֵעַ כּוֹר,	you can sow (only one) Khor of seed;
אֲבָל הָהָר בֵּית כּוֹר מִמֶּנּוּ	but (in) a hill, from an area requiring a Khor of seed
חֲמֵשֶׁת כּוֹרִין	five Khors (of seed can be sown),
אַרְבָּעָה מֵאַרְבָּעָה שִׁפּוּעָיו	four on its four slopes
וְאֶחָד בְּרֹאשׁוֹ:	and one on its summit.
וּבְקָעֹת.	**And valleys**
הֵן מִישׁוֹר:	These are plains.
12 אֲשֶׁר־ה׳ אֱלֹהֶיךָ דֹּרֵשׁ אֹתָהּ.	**12. Which the Lord thy God careth for**
וַהֲלֹא כָל הָאֲרָצוֹת דּוֹרֵשׁ,	But does He not care for all lands,
שֶׁנֶּאֱמַר (אִיּוֹב ל״ח):—	as it is stated (Job 38.26),
לְהַמְטִיר עַל אֶרֶץ לֹא אִישׁ?	"To cause it to rain on a land where no man is."
אֶלָּא כִּבְיָכוֹל אֵינוֹ דוֹרֵשׁ אֶלָּא אוֹתָהּ,	However, it is as though He cares only for it,
וְעַל יְדֵי אוֹתָהּ דְּרִישָׁה שֶׁדּוֹרְשָׁהּ,	and by means of that caring which He cares for it,
דּוֹרֵשׁ אֶת כָּל הָאֲרָצוֹת עִמָּהּ:	He cares for all the lands together with it.
תָּמִיד עֵינֵי ה׳ אֱלֹהֶיךָ בָּהּ.	**Always the eyes of the Lord thy God are upon it**
לִרְאוֹת מַה הִיא צְרִיכָה	to see what it requires,
וּלְחַדֵּשׁ בָּהּ גְּזֵרוֹת,	and to institute decrees for it,
עִתִּים לְטוֹבָה	sometimes for good
עִתִּים לְרָעָה,	sometimes for bad,
כו׳ כִּדְאִיתָא בְּר״הַ (דַּ׳ י״ז):	etc., as it is (stated) in (the Talmudic treatise) Rosh Ha-Shanah (fol. 17).
מֵרֵשִׁית הַשָּׁנָה.	**From the beginning of the year**
מֵרֹאשׁ הַשָּׁנָה נִדּוֹן	At the beginning of the year it is decreed
מַה יְּהֵא בְסוֹפָהּ (שָׁם ח):	what will be at the end of it (*ibid.*, 8).

13 וְהָיָה	13. And it shall come to pass,
אִם־שָׁמֹעַ תִּשְׁמְעוּ	if ye shall hearken diligently
אֶל־מִצְוֺתַי	unto My commandments
אֲשֶׁר אָנֹכִי מְצַוֶּה אֶתְכֶם הַיּוֹם	which I command you this day,
לְאַהֲבָה	to love
אֶת־יְהֹוָה אֱלֹהֵיכֶם	the Lord your God,
וּלְעָבְדוֹ	and to serve Him
בְּכָל־לְבַבְכֶם	with all your heart
וּבְכָל־נַפְשְׁכֶם:	and with all your soul,

Rashi — רש"י

13 וְהָיָה אִם־שָׁמֹעַ.	**13. And it shall come to pass, if ye shall hearken**
וְהָיָה מוּסָב עַל הָאָמוּר לְמַעְלָה,	"And it shall come to pass" refers to what was mentioned above (v. 11),
לִמְטַר הַשָּׁמַיִם תִּשְׁתֶּה מָּיִם׳:	"as the rain of heaven cometh down it drinketh water."
וְהָיָה אִם־שָׁמֹעַ תִּשְׁמְעוּ.	**And it shall come to pass, if ye shall hearken diligently**
אִם שָׁמוֹעַ בַּיָּשָׁן	If you will hearken (שמוע) to the old,
תִּשְׁמְעוּ בֶּחָדָשׁ,	you will hearken (תשמעו) to the new;
וְכֵן (דְּבָר׳ ח):—	and similarly (Deut. 8.19),
אִם שָׁכֹחַ תִּשְׁכַּח,	"If thou shalt indeed forget:"
אִם הִתְחַלְתָּ לִשְׁכּוֹחַ—	If you begin to forget,
סוֹפְךָ שֶׁתִּשְׁכַּח כֻּלָּהּ,	eventually you will forget all of it,
שֶׁכֵּן כְּתִיב בִּמְגִלָּה:—	for thus it is written in a Scroll,
אִם תַּעַזְבֵנִי יוֹם יוֹמַיִם אֶעֶזְבֶךָּ:	"If you will forsake Me one day I shall forsake you two days."
מְצַוֶּה אֶתְכֶם הַיּוֹם.	**(I) command you this day**
שֶׁיִּהְיוּ עֲלֵיכֶם חֲדָשִׁים,	that they should be new to you,
כְּאִלּוּ שְׁמַעְתֶּם בּוֹ בַּיּוֹם (סִפְרֵי):	as though you heard them this day (Siphre).
לְאַהֲבָה אֶת־ה׳.	**To love the Lord**
שֶׁלֹּא תֹאמַר, הֲרֵי אֲנִי לוֹמֵד	So that you should not say, I shall learn
בִּשְׁבִיל שֶׁאֶהְיֶה עָשִׁיר,	in order that I shall become wealthy,
בִּשְׁבִיל שֶׁאֶקָּרֵא רַב,	(or) in order that I shall be called a rabbi,
בִּשְׁבִיל שֶׁאֲקַבֵּל שָׂכָר,	(or) in order that I shall receive a reward;
אֶלָּא כָּל מַה שֶּׁתַּעֲשֶׂה	but whatever you do,
עֲשֵׂה מֵאַהֲבָה	do (it) out of love,
וְסוֹף הַכָּבוֹד לָבוֹא (שָׁם):	and eventually honor will come (*ibid.*).
וּלְעָבְדוֹ בְּכָל־לְבַבְכֶם.	**And to serve Him with all your heart**
עֲבוֹדָה שֶׁהִיא בַּלֵּב,	A service which is of the heart
וְזוֹ הִיא תְּפִלָּה,	and that is prayer,
שֶׁהַתְּפִלָּה קְרוּיָה עֲבוֹדָה,	for prayer is called service
שֶׁנֶּאֱמַר (דָּנִ׳ ו):—	as it is stated (Dan. 6.17),
אֱלָהָךְ דִּי אַנְתְּ פָּלַח לֵהּ בִּתְדִירָא,	"Thy God whom thou servest continually";
וְכִי יֵשׁ פּוּלְחָן בְּבָבֶל?	was there then any service in Babylon?
אֶלָּא עַל שֶׁהָיָה מִתְפַּלֵּל	However (it is called "service") because he used to pray,
שֶׁנֶּאֱמַר (שָׁם):—	as it is stated (*ibid.*, v. 11)
וְכַוִּין פְּתִיחָן לֵהּ וְגוֹ׳;	"and his windows were open," etc.
וְכֵן בְּדָוִד הוּא אוֹמֵר (תְּהִ׳ קמ"א):—	and likewise in reference to David it stated (Ps. 141.2),
תִּכּוֹן תְּפִלָּתִי קְטֹרֶת לְפָנֶיךָ:	"Let my prayer be set forth as incense before Thee" (incense being part of the sacrificial service).
בְּכָל־לְבַבְכֶם וּבְכָל־נַפְשְׁכֶם.	**With all your heart and with all your soul**
וַהֲלֹא כְּבָר הִזְהִיר (דְּבָר׳ ו):—	But did it not already forewarn (Deut. 6.5),

14 וְנָתַתִּי	14. that I will give
מְטַר־אַרְצְכֶם	the rain of your land
בְּעִתּוֹ	in its season,
יוֹרֶה וּמַלְקוֹשׁ	the former rain and the latter rain.
וְאָסַפְתָּ דְגָנֶךָ	that thou mayest gather in thy corn,
וְתִירֹשְׁךָ וְיִצְהָרֶךָ:	and thy wine, and thine oil.

Rashi — רש״י

בְּכָל לְבָבְךָ וּבְכָל נַפְשְׁךָ	"with all thy heart and with all thy soul?"
אֶלָּא אַזְהָרָה לְיָחִיד,	However (there is) a forewarning for the individual,
אַזְהָרָה לְצִבּוּר (סִפְרֵי):	(and) a forwarning for the community (Siphre).
14 וְנָתַתִּי מְטַר־אַרְצְכֶם.	**14. That I will give the rain of your land**
עֲשִׂיתֶם מַה שֶּׁעֲלֵיכֶם	(If) you will do what is incumbent upon you,
אַף אֲנִי אֶעֱשֶׂה מַה שֶּׁעָלַי (שָׁם):	I also will do what is incumbent upon Me (*ibid.*).
בְּעִתּוֹ.	**In its season**
בַּלֵּילוֹת	(I. e.,) at night,
שֶׁלֹּא יַטְרִיחוּ אֶתְכֶם;	so that it should not trouble you.
ד״אַ ,בְּעִתּוֹ׳ בְּלֵילֵי שַׁבָּתוֹת	Another interpretation בעתו: on Sabbath eves,
שֶׁהַכֹּל מְצוּיִן בְּבָתֵּיהֶם:	when all are found in their homes.
יוֹרֶה.	**The former rain**
הִיא רְבִיעָה הַנּוֹפֶלֶת	This is the rain which falls
לְאַחַר הַזְּרִיעָה,	after the sowing,
שֶׁמַּרְוָה אֶת הָאָרֶץ	which saturates (מרוה) the earth
וְאֶת הַזְּרָעִים:	and the seeds.
מַלְקוֹשׁ.	**The later rain**
רְבִיעָה הַיּוֹרֶדֶת סָמוּךְ לַקָּצִיר,	The rain which falls close before the harvest
לְמַלְּאֹת הַתְּבוּאָה בְּקַשֶּׁיהָ	to fill the wheat in its stalks.
וּלְשׁוֹן מַלְקוֹשׁ דָּבָר הַמְאוּחָר	And the term מלקוש (denotes) something that is late,
כִּדְמְתַרְגְּמִינַן (בְּרֵא׳ ל):	as the Targum renders (Gen. 30.42),
וְהָיָה הָעֲטֻפִים לְלָבָן– לַקְּשַׁיָּא	"And those born late "(were Laban's)" by לקשיא.
ד״אַ לְכָךְ נִקְרֵאת מַלְקוֹשׁ,	Another interpretation: For this reason is it called מלקוש,
שֶׁיּוֹרֶדֶת עַל הַמְּלִילוֹת	because it falls on the ripe ears (מלילות)
וְעַל הַקַּשִּׁין:	and on the stalks (קשין).
וְאָסַפְתָּ דְגָנֶךָ.	**That thou mayest gather in thy corn**
אַתָּה תַּאַסְפֶנּוּ אֶל הַבַּיִת	You will gather it into the house,
וְלֹא אוֹיְבֶיךָ,	and not your enemies,
כְּעִנְיָן שֶׁנֶּאֱמַר (יְשַׁעְ׳ ס״ב):–	in the manner that is stated (Isa. 62.8),
אִם אֶתֵּן דְּגָנֵךְ וְגוֹ׳	"Surely I will no more give thy corn," etc.,
כִּי מְאַסְפָיו יֹאכְלֻהוּ,	but they that have gathered it shall eat it,
וְלֹא כְעִנְיָן שֶׁנֶּאֱמַר (שׁוֹפְ׳ ו):–	and not as it is stated (Judg. 6.3),
וְהָיָה אִם זָרַע יִשְׂרָאֵל וְגוֹ׳:	"And so it was, when Israel had sown" (that the Midianites came up and destroyed the produce of the land) etc.

15 וְנָתַתִּי עֵשֶׂב	15. And I will give grass
בְּשָׂדְךָ	in thy fields
לִבְהֶמְתֶּךָ	for thy cattle,
וְאָכַלְתָּ	and thou shalt eat
וְשָׂבָעְתָּ:	and be satisfied.

16 הִשָּׁמְרוּ לָכֶם	16. Take heed to yourselves,
פֶּן־יִפְתֶּה לְבַבְכֶם	lest your heart be deceived,
וְסַרְתֶּם	and ye turn aside,
וַעֲבַדְתֶּם	and serve

Rashi — רש״י

15 **וְנָתַתִּי עֵשֶׂב בְּשָׂדְךָ.**	**15. And I will give grass in thy fields**
שֶׁלֹּא תִצְטָרֵךְ לְהוֹלִיכָהּ	That you shall not be required to lead them
לְמִדְבָּרוֹת;	to (distant) pastures.
ד״אַ שֶׁתְּהֵא גוֹזֵז תְּבוּאָתְךָ	Another interpretation: You shall trim your wheat (corn)
כָּל יְמוֹת הַגְּשָׁמִים	all the rainy season,
וּמַשְׁלִיךְ לִפְנֵי בְהֶמְתְּךָ	and cast it before your cattle;
וְאַתָּה מוֹנֵעַ יָדְךָ מִמֶּנָּה	and if you shall withhold your hand from it (stop doing this)
שְׁלֹשִׁים יוֹם קוֹדֶם לַקָּצִיר	thirty days before the harvest,
וְאֵינָהּ פּוֹחֶתֶת מִדְּגָנָהּ (סִפְרֵי):	it will not give you less of its corn (than if you had not fed your cattle with it) (Siphre).
וְאָכַלְתָּ וְשָׂבָעְתָּ.	**And thou shalt eat and be satisfied**
הֲרֵי זוֹ בְּרָכָה אַחֶרֶת	This is another blessing:
שֶׁתְּהֵא בְרָכָה מְצוּיָה בְּפַת	That blessing be found in the bread
בְּתוֹךְ הַמֵּעַיִם	within your inwards,
,,וְאָכַלְתָּ וְשָׂבָעְתָּ״:	"and thou shalt eat and be satisfied."
16 **הִשָּׁמְרוּ לָכֶם.**	**16. Take heed to yourselves**
כֵּיוָן שֶׁתִּהְיוּ אוֹכְלִים וְשׂבְעִים	Since you will eat and be satisfied
הִשָּׁמְרוּ לָכֶם שֶׁלֹּא תִבְעֲטוּ,	"take heed to yourselves" lest you rebel,
שֶׁאֵין אָדָם מוֹרֵד בְּהַקָּבָּ״ה	for no one rebels against the Holy One Blessed Be He
אֶלָּא מִתּוֹךְ שְׂבִיעָה,	except from being satiated,
שֶׁנֶּאֱמַר (דְּבָר׳ ח):—	as it is stated (Deut. 8.12–13),
פֶּן תֹּאכַל וְשָׂבָעְתָּ	"Lest when thou hast eaten and art satisfied . . .
וּבְקָרְךָ וְצֹאנְךָ יִרְבְּיֻן,	and when thy herds and thy flocks multiply."
מַה הוּא אוֹמֵר אַחֲרָיו?	What does it state afterwards?
וְרָם לְבָבֶךָ וְשָׁכַחְתָּ:	"Then thy heart be lifted up, and thou forget" (v. 14).
וְסַרְתֶּם.	**And ye turn aside**
לִפְרוֹשׁ מִן הַתּוֹרָה,	to separate yourselves from the Torah,
וּמִתּוֹךְ כַּךְ	and as a result of this
,,וַעֲבַדְתֶּם אֱלֹהִים אֲחֵרִים״,	"and ye serve other gods";
שֶׁכֵּיוָן שֶׁאָדָם פּוֹרֵשׁ מִן הַתּוֹרָה	for as soon as one separates himself from the Torah
הוֹלֵךְ וּמִדַּבֵּק בַּעֲ״ז,	he goes and associates with idolatry.
וְכֵן דָּוִד אוֹמֵר (שְׁ״א כ״ו):—	And similarly David says (I Sam. 26.19),
כִּי גֵרְשׁוּנִי הַיּוֹם	"For they have driven me out this day
מֵהִסְתַּפֵּחַ בְּנַחֲלַת ה׳	that I should not cleave unto the inheritance of the Lord,
לֵאמֹר, לֵךְ עֲבֹד וְגוֹ׳,	saying: 'Go, serve'," etc.
וּמִי אָמַר לוֹ כֵּן?	And who spoke to him thus?

אֱלֹהִים אֲחֵרִים	other (strange) gods,
וְהִשְׁתַּחֲוִיתֶם לָהֶם׃	and bow down to them;
17 וְחָרָה אַף־יְהוָה	17. and the anger of the Lord be kindled
בָּכֶם	against you,
וְעָצַר אֶת־הַשָּׁמַיִם	and He shut up the heaven,
וְלֹא־יִהְיֶה מָטָר	so that there shall be no rain,
וְהָאֲדָמָה לֹא תִתֵּן	and the ground shall not yield
אֶת־יְבוּלָהּ	her fruit;
וַאֲבַדְתֶּם מְהֵרָה	and ye perish quickly

Rashi — רש״י

אֶלָּא כֵּיוָן שֶׁאֲנִי מְגֹרָשׁ	However, since I am driven out
מִלַּעֲסוֹק בַּתּוֹרָה,	from being engaged in (the study of) the Torah,
הֲרֵינִי קָרוֹב לַעֲבוֹד אֱלֹהִים אֲחֵרִים׃	I am almost as one who serves other gods.
אֱלֹהִים אֲחֵרִים.	**Other (strange) gods**
שֶׁהֵם אֲחֵרִים לְעוֹבְדֵיהֶם	They are "strangers" to their worshipers:
צוֹעֵק אֵלָיו וְאֵינוֹ עוֹנֵהוּ,—	(the latter) cries to him but he does not answer him,
נִמְצָא עָשׂוּי לוֹ כְּנָכְרִי (סִפְרֵי)׃	consequently, he is towards him like a stranger (Siphre).
17 **אֶת־יְבוּלָהּ.**	**17. Her fruit**
אַף מַה שֶּׁאַתָּה מוֹבִיל לָהּ,	Even that which you bring (מוביל) to it,
כָּעִנְיָן שֶׁנֶּאֱמַר (חַגַּי א)׃—	in the manner that is stated (Hag. 1.6),
זְרַעְתֶּם הַרְבֵּה וְהָבֵא מְעָט (סִפְרֵי)׃	"Ye have sown much, and brought in little" (Siphre).
וַאֲבַדְתֶּם מְהֵרָה.	**And ye (shall) perish quickly**
עַל כָּל שְׁאָר הַיִּסּוּרִין	In addition to all the other afflictions,
אַגְלֶה אֶתְכֶם מִן הָאֲדָמָה	I will exile you from the earth
שֶׁגָּרְמָה לָכֶם לַחֲטוֹא;	which caused you to sin.
מָשָׁל לְמֶלֶךְ	This may be likened to a king
שֶׁשִּׁלַּח בְּנוֹ לְבֵית הַמִּשְׁתֶּה	who sent his son to a feast
וְהָיָה יוֹשֵׁב וּמְפַקְּדוֹ	and repeatedly admonished him,
אַל תֹּאכַל יוֹתֵר מִצָּרְכְּךָ,	"Do not eat more than you require
שֶׁתָּבֹא נָקִי לְבֵיתְךָ,	in order that you should return clean to your home."
וְלֹא הִשְׁגִּיחַ הַבֵּן הַהוּא,	But that son did not take care;
אָכַל וְשָׁתָה יוֹתֵר מִצָּרְכּוֹ	he ate and drank more than his needs,
וְהֵקִיא וְטִנֵּף	and he vomited and soiled
אֶת כָּל בְּנֵי הַמְּסִבָּה,	all who were present.
נְטָלוּהוּ בְּיָדָיו וּבְרַגְלָיו	They took him by his hands and by his feet
וּזְרָקוּהוּ אֲחוֹרֵי פַּלְטְרִין (שָׁם)׃	and threw him behind the palace (*ibid.*).
מְהֵרָה.	**Quickly**
אֵינִי נוֹתֵן לָכֶם אַרְכָּא,	I will not give you an extension;
וְאִם תֹּאמְרוּ וַהֲלֹא נִתְּנָה אַרְכָּא	and if you ask, Was there not granted an extension
לְדוֹר הַמַּבּוּל	to the generation of the flood,
שֶׁנֶּאֱמַר (בְּרֵא׳ ו)׃—	as it is stated (Gen. 6.3),
וְהָיוּ יָמָיו מֵאָה וְעֶשְׂרִים שָׁנָה,	"Therefore shall his days be (a reprieve shall be given him for) a hundred and twenty years"?

מֵעַל הָאָרֶץ הַטֹּבָה	from off the good land
אֲשֶׁר יְהוָה נֹתֵן לָכֶם׃	which the Lord giveth you.
18 וְשַׂמְתֶּם	18. Therefore shall ye lay up
אֶת־דְּבָרַי אֵלֶּה	these My words
עַל־לְבַבְכֶם	in your heart
וְעַל־נַפְשְׁכֶם	and in your soul;
וּקְשַׁרְתֶּם אֹתָם	and ye shall bind them
לְאוֹת עַל־יֶדְכֶם	for a sign upon your hand,
וְהָיוּ לְטוֹטָפֹת	and they shall be for frontlets
בֵּין עֵינֵיכֶם׃	between your eyes.
19 וְלִמַּדְתֶּם אֹתָם	19. And ye shall teach them
אֶת־בְּנֵיכֶם	your children,
לְדַבֵּר בָּם	to talk of them,
בְּשִׁבְתְּךָ בְּבֵיתֶךָ	when thou sittest in thy house,
וּבְלֶכְתְּךָ בַדֶּרֶךְ	and when thou walkest by the way,
וּבְשָׁכְבְּךָ	and when thou liest down,
וּבְקוּמֶךָ׃	and when thou risest up.
20 וּכְתַבְתָּם	20. And thou shalt write them

Rashi — רש"י

דּוֹר הַמַּבּוּל לֹא הָיָה לָהֶם	The generation of the Flood they did not have
מִמִּי לִלְמוֹד	from whom to learn,
וְאַתֶּם יֵשׁ לָכֶם מִמִּי לִלְמוֹד (סִפְרֵי):	but you do have from whom to learn (Siphre).
18 **וְשַׂמְתֶּם אֶת־דְּבָרַי.**	**18. Therefore shall ye lay up (these) My words**
אַף לְאַחַר שֶׁתִּגָּלוּ	Even after you have been exiled,
הֱיוּ מְצֻיָּנִים בְּמִצְוֹת,	distinguish yourselves by (observing) the commandments:
הַנִּיחוּ תְּפִלִּין,	put on the phylacteries,
עֲשׂוּ מְזוּזוֹת,	prepare Mezuzoth,
כְּדֵי שֶׁלֹּא יִהְיוּ לָכֶם חֲדָשִׁים	so that they be not new to you
כְּשֶׁתַּחְזְרוּ,	when you return.
וְכֵן הוּא אוֹמֵר (יִרְמְ׳ ל״א):—	And similarly it states (Jer. 31.21),
הַצִּיבִי לָךְ צִיֻּנִים (סִפְרֵי):	"Set thee up waymarks" (Siphre).
19 **לְדַבֵּר בָּם.**	**19. To talk of them**
מִשָּׁעָה שֶׁהַבֵּן יוֹדֵעַ לְדַבֵּר,	From the moment that (your) son knows how to talk
לַמְּדֵהוּ תּוֹרָה צִוָּה לָנוּ מֹשֶׁה	teach him "a Torah commanded us Moses,"
שֶׁיְּהֵא זֶה לִמּוּד דִּבּוּרוֹ;	that this should be his learning to talk.
מִכַּאן אָמְרוּ:—	Hence (our Rabbis) said:
כְּשֶׁהַתִּינוֹק מַתְחִיל לְדַבֵּר	When a child begins to talk,
אָבִיו מֵשִׂיחַ עִמּוֹ בִּלְשׁוֹן הַקֹּדֶשׁ	his father should converse with him in the Holy Tongue,
וּמְלַמְּדוֹ תּוֹרָה,	and should teach him the Torah;
וְאִם לֹא עָשָׂה כֵן	and if he does not do so,
הֲרֵי הוּא כְּאִלּוּ קוֹבְרוֹ,	it is as though he buries him,
שֶׁנֶּאֱמַר ״וְלִמַּדְתֶּם אֹתָם אֶת־בְּנֵיכֶם לְדַבֵּר בָּם וְגוֹ׳״:	as it is stated, "And ye shall teach them your children to talk of them," etc.

עַל־מְזוּזוֹת בֵּיתֶךָ	upon the door-posts of thy house,
וּבִשְׁעָרֶיךָ׃	and upon thy gates;
21 לְמַעַן יִרְבּוּ יְמֵיכֶם	21. that your days may be multiplied,
וִימֵי בְנֵיכֶם	and the days of your children,
עַל הָאֲדָמָה	upon the earth
אֲשֶׁר נִשְׁבַּע יְהוָה לַאֲבֹתֵיכֶם	which the Lord swore unto your fathers
לָתֵת לָהֶם	to give them,
כִּימֵי הַשָּׁמַיִם	as the days of the heaven
עַל־הָאָרֶץ׃ ס	above the earth.

שביעי ומפטיר

22 כִּי אִם־שָׁמֹר תִּשְׁמְרוּן	22. For if ye shall diligently keep
אֶת־כָּל־הַמִּצְוָה הַזֹּאת	all this commandment
אֲשֶׁר אָנֹכִי מְצַוֶּה אֶתְכֶם	which I command you,
לַעֲשֹׂתָהּ	to do it,
לְאַהֲבָה	to love
אֶת־יְהוָה אֱלֹהֵיכֶם	the Lord your God,
לָלֶכֶת בְּכָל־דְּרָכָיו	to walk in all His ways,
וּלְדָבְקָה־בוֹ׃	and to cleave unto Him,

Rashi —רש״י—

21 לְמַעַן יִרְבּוּ יְמֵיכֶם וִימֵי בְנֵיכֶם.	**21. That your days may be multiplied, and the days of your children**
אִם עֲשִׂיתֶם כֵּן, יִרְבּוּ,	If you do so, they will be multiplied,
וְאִם לָאו, לֹא יִרְבּוּ,	but if not, they will not be multiplied;
שֶׁדִּבְרֵי תוֹרָה נִדְרָשִׁין	for the words of the Torah are to be interpreted:
מִכְּלַל לָאו הֵן	from the negative (you understand) the positive,
וּמִכְּלַל הֵן לָאו (סִפְרֵי):	and from the positive (you understand) the negative (Siphre).
לָתֵת לָהֶם.	**To give them**
לָתֵת לָכֶם אֵין כְּתִיב כָּאן,	To give "you" is not written here,
אֶלָּא לָתֵת לָהֶם,	but to give "them";
מִכָּאן מָצִינוּ לְמֵדִים	hence we derive
תְּחִיַּת הַמֵּתִים מִן הַתּוֹרָה:	(that) resurrection of the dead (is inferred) from the Torah.
22 שָׁמֹר תִּשְׁמְרוּן.	**22. Ye shall diligently keep**
אַזְהָרַת שְׁמִירוֹת הַרְבֵּה,	(The double use of שמר indicates) a forewarning for many observances,
לְהִזָּהֵר בְּתַלְמוּדוֹ	to guard one's learning
שֶׁלֹּא יִשְׁתַּכַּח (שָׁם):	lest he forget (*ibid.*).
לָלֶכֶת בְּכָל־דְּרָכָיו.	**To walk in all His ways**
הוּא רַחוּם	He is merciful,
וְאַתָּה תְּהֵא רַחוּם,	and you should be merciful;
הוּא גּוֹמֵל חֲסָדִים	He is charitable,
וְאַתָּה גּוֹמֵל חֲסָדִים (שָׁם):	and you (should be) charitable (*ibid.*).
וּלְדָבְקָה־בוֹ.	**And to cleave unto Him**
אֶפְשָׁר לוֹמַר כֵּן?	Is it possible to speak thus?
וַהֲלֹא אֵשׁ אוֹכְלָה הוּא?	Is He not "a consuming fire" (Deut. 4.24)?

23 וְהוֹרִישׁ יְהוָה	23. then will the Lord drive out
אֶת־כָּל־הַגּוֹיִם הָאֵלֶּה	all these nations
מִלִּפְנֵיכֶם	from before you,
וִירִשְׁתֶּם גּוֹיִם	and ye shall dispossess nations
גְּדֹלִים וַעֲצֻמִים מִכֶּם׃	greater and mightier than yourselves.
24 כָּל־הַמָּקוֹם	24. Every place
אֲשֶׁר תִּדְרֹךְ כַּף־רַגְלְכֶם בּוֹ	whereon the sole of your foot shall tread
לָכֶם יִהְיֶה	shall be yours:
מִן־הַמִּדְבָּר	from the wilderness,
וְהַלְּבָנוֹן	and the Lebanon,
מִן־הַנָּהָר	from the river,
נְהַר־פְּרָת	the river Euphrates,
וְעַד הַיָּם הָאַחֲרוֹן	even unto the hinder sea
יִהְיֶה גְּבֻלְכֶם׃	shall be your border.
25 לֹא־יִתְיַצֵּב אִישׁ	25. No man shall stand
בִּפְנֵיכֶם	against you:

Rashi — רש"י

אֶלָּא הִדָּבֵק בְּתַלְמִידִים וּבַחֲכָמִים	However, cleave to disciples and to the wise,
וּמַעֲלֶה אֲנִי עָלֶיךָ	and I will credit you
כְּאִלּוּ נִדְבַּקְתָּ בּוֹ (סִפְרֵי)׃	as though you cleave to Him (Siphre).
23 **וְהוֹרִישׁ ה'.**	**23. Then will the Lord drive out**
עֲשִׂיתֶם מַה שֶּׁעֲלֵיכֶם,	If you do what is incumbent upon you,
אַף אֲנִי אֶעֱשֶׂה מַה שֶּׁעָלַי (שָׁם)׃	then I will do what is incumbent upon Me (*ibid.*).
וַעֲצֻמִים מִכֶּם.	**And mightier than yourselves**
אַתֶּם גִּבּוֹרִים,	You are mighty,
וְהֵם גִּבּוֹרִים מִכֶּם,	but they are mightier than you;
שֶׁאִם לֹא שֶׁיִּשְׂרָאֵל גִּבּוֹרִים	for if the Israelites were not mighty,
מַה הַשֶּׁבַח הַהוּא	what is (the significance of) the superiority
שֶׁמְּשַׁבֵּחַ אֶת הָאֱמוֹרִיִּים	with which the Amorites are made superior
לוֹמַר "וַעֲצוּמִים מִכֶּם"?	by saying, "and mightier than yourselves?"
אֶלָּא אַתֶּם גִּבּוֹרִים מִשְּׁאָר הָאֻמּוֹת,	However, you are mightier than the other peoples,
וְהֵם גִּבּוֹרִים מִכֶּם׃	but they are mightier than you.
25 **לֹא־יִתְיַצֵּב אִישׁ וְגוֹ'.**	**25. No man shall stand, etc.**
אֵין לִי אֶלָּא אִישׁ,	I know only that a man (shall not stand);
אֻמָּה וּמִשְׁפָּחָה	a nation, or a family,
וְאִשָּׁה בִּכְשָׁפֶיהָ מִנַּיִן?	or a woman with magic, whence (do we know)?
תַּלְמוּד לוֹמַר לֹא יִתְיַצֵּב	Scripture states, "There shall not stand";
— מִכָּל מָקוֹם,	(this refers to) in any instance.
אִם כֵּן, מַה תַּלְמוּד לוֹמַר אִישׁ?	If so, why does Scripture state "a man?"
אֲפִילוּ כְּעוֹג מֶלֶךְ הַבָּשָׁן׃	(It indicates) even one like Og king of Bashan.

פַּחְדְּכֶם	the fear of you
וּמוֹרַאֲכֶם	and the dread of you
יִתֵּן ׀ יְהוָה אֱלֹהֵיכֶם	shall the Lord your God lay
עַל־פְּנֵי כָל־הָאָרֶץ	upon all the land
אֲשֶׁר תִּדְרְכוּ־בָהּ	that ye shall tread upon,
כַּאֲשֶׁר דִּבֶּר לָכֶם׃	as He hath spoken unto you.

ס ס ס

26 רְאֵה	26. Behold,
אָנֹכִי נֹתֵן לִפְנֵיכֶם הַיּוֹם	I set before you this day
בְּרָכָה וּקְלָלָה׃	a blessing and a curse:
27 אֶת־הַבְּרָכָה	27. the blessing,
אֲשֶׁר תִּשְׁמְעוּ	if ye shall hearken
אֶל־מִצְוֺת	unto the commandments
יְהוָה אֱלֹהֵיכֶם	of the Lord your God,
אֲשֶׁר אָנֹכִי מְצַוֶּה אֶתְכֶם הַיּוֹם׃	which I command you this day;
28 וְהַקְּלָלָה	28. and the curse,
אִם־לֹא תִשְׁמְעוּ	if ye shall not hearken
אֶל־מִצְוֺת	unto the commandments
יְהוָה אֱלֹהֵיכֶם	of the Lord your God,
וְסַרְתֶּם מִן־הַדֶּרֶךְ	but turn aside out of the way,
אֲשֶׁר אָנֹכִי מְצַוֶּה אֶתְכֶם הַיּוֹם	which I command you this day,
לָלֶכֶת	to go

Rashi — רש״י

פַּחְדְּכֶם וּמוֹרַאֲכֶם.	**The fear of you and the dread of you**
וַהֲלֹא פַּחַד הוּא מוֹרָא?	Is not פחד (fear) the same as מורא (dread)?
אֶלָּא פַּחְדְּכֶם עַל הַקְּרוֹבִים	However, "fear of you" (He shall lay) upon those who are near,
וּמוֹרַאֲכֶם עַל הָרְחוֹקִים.	and "dread of you" upon those who are distant.
פַּחַד לְשׁוֹן בְּעִיתַת פִּתְאוֹם,	פחד (fear) denotes sudden fright,
מוֹרָא לְשׁוֹן דְּאָגָה מִיָּמִים רַבִּים׃	מורא (dread) denotes anxiety of many days.
כַּאֲשֶׁר דִּבֶּר לָכֶם.	**As He hath spoken unto you**
וְהֵיכָן דִּבֵּר?	And where did He speak (thus)?
(שְׁמוֹת כ״ג): אֶת אֵימָתִי אֲשַׁלַּח לְפָנֶיךָ וְגוֹ׳׃	(Ex. 23.27) "My terror will I send before thee," etc.
26 רְאֵה אָנֹכִי נֹתֵן... בְּרָכָה וּקְלָלָה.	**26. Behold, I set . . . a blessing and a curse**
הָאֲמוּרוֹת בְּהַר גְּרִזִּים	Those which are stated on Gerizim
וּבְהַר עֵיבָל׃	and on mount Ebal.
27 אֶת־הַבְּרָכָה.	**27. The blessing**
עַל מְנָת "אֲשֶׁר תִּשְׁמְעוּ"׃	on condition that "ye shall hearken."
28 מִן־הַדֶּרֶךְ אֲשֶׁר אָנֹכִי מְצַוֶּה אֶתְכֶם הַיּוֹם לָלֶכֶת וְגוֹ׳.	**28. Out of the way which I command you this day, to go, etc.**
הָא לָמַדְתָּ	Hence you learn (that)
כָּל הָעוֹבֵד עֲ״ז	whosoever worships idols
הֲרֵי הוּא סָר מִכָּל הַדֶּרֶךְ	turns aside from the entire way

אַחֲרֵי אֱלֹהִים אֲחֵרִים	after other gods,
אֲשֶׁר־לֹא יְדַעְתֶּם: ס	which ye have not known.
29 וְהָיָה	29. And it shall come to pass,
כִּי יְבִיאֲךָ יְהוָה אֱלֹהֶיךָ	when the Lord thy God shall bring thee
אֶל־הָאָרֶץ	into the land
אֲשֶׁר־אַתָּה בָא־שָׁמָּה	whither thou goest
לְרִשְׁתָּהּ	to possess it,
וְנָתַתָּה	that thou shalt set
אֶת־הַבְּרָכָה	the blessing
עַל־הַר גְּרִזִים	upon mount Gerizim,
וְאֶת־הַקְּלָלָה	and the curse
עַל־הַר עֵיבָל:	upon mount Ebal.
30 הֲלֹא־הֵמָּה	30. Are they not
בְּעֵבֶר הַיַּרְדֵּן	beyond the Jordan,
אַחֲרֵי דֶּרֶךְ	behind the way
מְבוֹא הַשֶּׁמֶשׁ	of the going down of the sun,

Rashi — רש"י

שֶׁנִּצְטַוּוּ יִשְׂרָאֵל,	which the Israelites were commanded.
מִכָּאן אָמְרוּ:—	Hence (our Rabbis) said:
הַמּוֹדֶה בַּעֲ"ז	One who acknowledges idolatry
כְּכוֹפֵר בְּכָל הַתּוֹרָה כֻּלָּהּ (סִפְרֵי):	is as one who denies the entire Torah (Siphre).
29 **וְנָתַתָּ אֶת־הַבְּרָכָה.**	**29. That thou shalt set the blessing**
כְּתַרְגּוּמוֹ יָת מְבָרְכַיָּא	(את הברכה is to be interpreted) as the Targum renders it: ית מברכיא,
—אֶת הַמְבָרְכִים:	"those who bless."
עַל־הַר גְּרִזִים.	**Upon mount Gerizim**
כְּלַפֵּי הַר גְּרִזִים	(על means here) "towards" mount Gerizim;
הוֹפְכִין פְּנֵיהֶם	they turned their faces
וּפָתְחוּ בִּבְרָכָה	and began with a blessing:
בָּרוּךְ הָאִישׁ	"Blessed be the man
אֲשֶׁר לֹא יַעֲשֶׂה פֶסֶל וּמַסֵּכָה וְגוֹ'.	that maketh not a graven or a molten image," etc.
כָּל הָאֲרוּרִים שֶׁבַּפָּרָשָׁה	All *the cursed* in that section (Deut. 27)
אָמְרוּ תְחִלָּה בִּלְשׁוֹן בָּרוּךְ	(they) said first in the form of a blessing,
וְאַחַר כָּךְ הָפְכוּ פְנֵיהֶם	and afterwards they turned their faces
כְּלַפֵּי הַר עֵיבָל	towards mount Ebal
וּפָתְחוּ בִקְלָלָה (סוֹטָה ל"ג):	and began with a curse (Sotah 33).
30 **הֲלֹא־הֵמָּה.**	**30. Are they not**
נָתַן בָּהֶם סִימָן:	He gave a sign regarding them.
אַחֲרֵי.	**Behind**
אַחַר הַעֲבָרַת הַיַּרְדֵּן	(I.e.,) after the crossing of the Jordan
הַרְבֵּה וְהָלְאָה לְמֶרְחוֹק;	much farther on in the distance.
וְזֶהוּ לְשׁוֹן אַחֲרֵי,	And that is the meaning of אחרי (with final ׳):
כָּל מָקוֹם שֶׁנֶּאֱמַר אַחֲרֵי, מוּפְלָג הוּא:	wherever אחרי is stated, it denotes distance (in time or space).
דֶּרֶךְ מְבוֹא הַשֶּׁמֶשׁ.	**The way of the going down of the sun**
לְהַלָּן מִן הַיַּרְדֵּן לְצַד מַעֲרָב,	Beyond the Jordan towards the west.

בְּאֶרֶץ הַכְּנַעֲנִי	in the land of the Canaanites
הַיֹּשֵׁב בָּעֲרָבָה	that dwell in the Arabah
מוּל הַגִּלְגָּל	over against Gilgal,
אֵצֶל אֵלוֹנֵי מֹרֶה׃	beside the terebinths of Moreh?
31 כִּי אַתֶּם עֹבְרִים אֶת־הַיַּרְדֵּן	31. For ye are to pass over the Jordan
לָבֹא	to go in
לָרֶשֶׁת אֶת־הָאָרֶץ	to possess the land
אֲשֶׁר־יְהוָה אֱלֹהֵיכֶם	which the Lord your God
נֹתֵן לָכֶם	giveth you,
וִירִשְׁתֶּם אֹתָהּ	and ye shall possess it,
וִישַׁבְתֶּם־בָּהּ׃	and dwell therein.
32 וּשְׁמַרְתֶּם לַעֲשׂוֹת	32. And ye shall observe to do
אֵת כָּל־הַחֻקִּים	all the statutes
וְאֶת־הַמִּשְׁפָּטִים	and the ordinances
אֲשֶׁר אָנֹכִי נֹתֵן	which I set
לִפְנֵיכֶם	before you
הַיּוֹם׃	this day

CHAPTER XII — יב

1 אֵלֶּה הַחֻקִּים	1. These are the statutes
וְהַמִּשְׁפָּטִים	and the ordinances
אֲשֶׁר תִּשְׁמְרוּן	which ye shall observe

Rashi — רש"י

וְטַעַם הַמִּקְרָא מוֹכִיחַ	And the accentuation of the verse proves
שֶׁהֵם שְׁנֵי דְבָרִים,	that they (i. e., אחרי and דרך) are two (separate) terms,
שֶׁנֻּקְּדוּ בִּשְׁנֵי טְעָמִים,	for they are punctuated with two accents:
אַחֲרֵי׳ נָקוּד, בְּפַשְׁטָא,	אחרי is punctuated with Pashta
וְ,דֶרֶךְ׳ נָקוּד בְּמַשְׁפֵּל,	and דרך is punctuated with a Mashpel (=Yethib).
וְהוּא דָגֵשׁ,	And it (i. e., the ד of דרך) has a Dagesh;
וְאִם הָיָה ,אַחֲרֵי דֶרֶךְ׳ דִּבּוּר אֶחָד,	for if אחרי דרך were one phrase,
הָיָה נָקוּד ,אַחֲרֵי׳ בִּמְשָׁרֵת,	then אחרי would have been punctuated with a servile (conjunctive accent),
בְּשׁוֹפָר הָפוּךְ,	(viz.,) with an inverted Shofar (i. e., with a Mahpach),
וְ,דֶרֶךְ׳ בְּפַשְׁטָא וְרָפֶה׃	and דרך with a Pashta, and (the ד would be) Raphe ("soft," i. e., without a Dagesh).
מוּל הַגִּלְגָּל.	**Over against Gilgal**
רָחוֹק מִן הַגִּלְגָּל׃	(I. e.,) distant from Gilgal.
אֵלוֹנֵי מֹרֶה.	**The terebinths of Moreh**
שְׁכֶם הוּא,	This is Shechem,
שֶׁנֶּאֱמַר (בְּרֵא׳ י״ב)׃–	as it is stated (Gen. 12.6),
עַד מְקוֹם שְׁכֶם	"unto the place of Shechem,
עַד אֵלוֹן מוֹרֶה (סִפְרִי)׃	unto the terebinth of Moreh" (Siphre).
31 כִּי אַתֶּם עֹבְרִים אֶת־הַיַּרְדֵּן וְגוֹ׳.	**31. For ye are to pass over the Jordan, etc.**
נִסִּים שֶׁל יַרְדֵּן	The miracles of the Jordan
יִהְיוּ סִימָן בְּיֶדְכֶם	shall be a sign in your hands

לַעֲשׂוֹת בָּאָרֶץ	to do in the land
אֲשֶׁר נָתַן יְהוָה אֱלֹהֵי אֲבֹתֶיךָ	which the Lord, the God of thy fathers, hath given
לְךָ לְרִשְׁתָּהּ	to thee to possess it,
כָּל־הַיָּמִים	all the days
אֲשֶׁר־אַתֶּם חַיִּים	that ye live
עַל־הָאֲדָמָה׃	upon the earth.
2 אַבֵּד תְּאַבְּדוּן	2. Ye shall surely destroy
אֶת־כָּל־הַמְּקֹמוֹת	all the places,
אֲשֶׁר עָבְדוּ־שָׁם הַגּוֹיִם	wherein the nations served,
אֲשֶׁר אַתֶּם יֹרְשִׁים אֹתָם	which ye are to dispossess,
אֶת־אֱלֹהֵיהֶם	their gods,
עַל־הֶהָרִים הָרָמִים	upon the high mountains,
וְעַל־הַגְּבָעוֹת	and upon the hills,
וְתַחַת כָּל־עֵץ רַעֲנָן׃	and under every leafy tree.
3 וְנִתַּצְתֶּם	3. And ye shall break down
אֶת־מִזְבְּחֹתָם	their altars,
וְשִׁבַּרְתֶּם	and dash in pieces
אֶת־מַצֵּבֹתָם	their pillars,
וַאֲשֵׁרֵיהֶם תִּשְׂרְפוּן בָּאֵשׁ	and burn their Asherim with fire;
וּפְסִילֵי אֱלֹהֵיהֶם	and the graven images of their gods
תְּגַדֵּעוּן	ye shall hew down;

Rashi — רש״י

שֶׁתָּבֹאוּ וְתִירְשׁוּ אֶת הָאָרֶץ׃	that you will come and inherit the Land.
12 2 אַבֵּד תְּאַבְּדוּן.	12 **2. Ye shall surely destroy**
אַבֵּד וְאַחַר כָּךְ תְּאַבְּדוּן!	Destroy and again destroy! (i. e. completely destroy).
מִכָּאן לְעוֹקֵר עֲ״ז	Hence (we derive) that one who destroys an idol
שֶׁצָּרִיךְ לְשָׁרֵשׁ אַחֲרֶיהָ (עֲ״ז מ״ה)׃	must remove its roots after it ('Ab. Zarah 45).
אֶת־כָּל־הַמְּקֹמוֹת אֲשֶׁר עָבְדוּ־שָׁם וְגוֹ׳.	**All the places, wherein (the nations) served, etc.**
וּמַה תְּאַבְּדוּן מֵהֶם?	And what shall you destroy of them?
„אֶת אֱלֹהֵיהֶם״ אֲשֶׁר „עַל הֶהָרִים״׃	"their gods" that are "upon the high mountains."
3 מִזְבֵּחַ.	**3. Altar**
שֶׁל אֲבָנִים הַרְבֵּה׃	(One which is constructed) of many stones.
מַצֵּבָה.	**Pillar**
שֶׁל אֶבֶן אַחַת,	(One which is constructed) of one stone.
וְהִיא בִּימוֹס שֶׁשְּׁנוּיָה בְּמִשְׁנָה (עֲ״ז מ״ז)׃—	And this is the the bomos (pedestal for an idol) which is mentioned in the Mishna ('Ab. Zarah 47):
אֶבֶן שֶׁחָצְבָה מִתְּחִלָּתָהּ לְבִימוֹס׃	(it is) a stone originally hewn for an idol's pedestal.
אֲשֵׁרָה.	**Asherah**
אִילָן הַנֶּעֱבָד׃	A tree that is worshipped.

וְאִבַּדְתֶּ֥ם אֶת־שְׁמָ֖ם	and ye shall destroy their name
מִן־הַמָּק֥וֹם הַהֽוּא׃	out of that place.
4 לֹא־תַעֲשׂ֣וּן כֵּ֔ן	4. You shall not do so
לַיהוָ֖ה אֱלֹהֵיכֶֽם׃	unto the Lord your God.
5 כִּ֠י אִֽם־אֶל־הַמָּק֞וֹם	5. But unto the place
אֲשֶׁר־יִבְחַ֨ר יְהוָ֤ה אֱלֹֽהֵיכֶם֙	which the Lord your God shall choose
מִכָּל־שִׁבְטֵיכֶ֔ם	out of all your tribes
לָשׂ֥וּם אֶת־שְׁמ֖וֹ שָׁ֑ם	to put His name there,
לְשִׁכְנ֥וֹ תִדְרְשׁ֖וּ	(even) unto His habitation shall ye seek,
וּבָ֥אתָ שָֽׁמָּה׃	and thither thou shalt come;
6 וַהֲבֵאתֶ֣ם שָׁ֗מָּה	6. and ye shall bring thither
עֹלֹֽתֵיכֶם֙ וְזִבְחֵיכֶ֔ם	your burnt-offerings, and your sacrifices,
וְאֵת֙ מַעְשְׂרֹ֣תֵיכֶ֔ם	and your tithes,

Rashi — רש״י

וְאִבַּדְתֶּם אֶת־שְׁמָם.	**And ye shall destroy their name**
לְכַנּוֹת לָהֶם שֵׁם לִגְנַאי,	by calling them nicknames of reproach;
בֵּית גַּלְיָא קוֹרִין לָהּ בֵּית כַּרְיָא,	(e. g.) Beth-galia (idolator's "Place of Oracles") they should call Beth-Karia ("Place of Ruins"),
עֵין כֹּל עֵין קוֹץ (שָׁם ל״ו):	En-kol ("Well of All") (they should call) En-koș ("Well of the Thorn") (*ibid.*, 36).
4 לֹא־תַעֲשׂוּן כֵּן.	**4. Ye shall not do so**
לְהַקְטִיר לַשָּׁמַיִם בְּכָל מָקוֹם	(Viz., to sacrifice to Heaven in any place,
כִּי אִם הַמָּקוֹם אֲשֶׁר יִבְחַר.	only in the place which He shall choose.
ד״א וְנִתַּצְתֶּם אֶת־מִזְבְּחֹתָם,	Another interpretation of "And ye shall break down their altars . . .
וְאִבַּדְתֶּם אֶת שְׁמָם,	and ye shall destroy their name . . .
לֹא תַעֲשׂוּן כֵּן;	Ye shall not do so";
אַזְהָרָה לַמּוֹחֵק אֶת הַשֵּׁם	(This is) a forewarning against obliterating the (Divine) Name
וְלַנּוֹתֵץ אֶבֶן מִן הַמִּזְבֵּחַ	and against removing a stone from the altar
אוֹ מִן הָעֲזָרָה (מַכּ׳ כ״ב).	or from the Court (Mak. 22).
אָמַר רַ׳ יִשְׁמָעֵאל:—	Rabbi Ishmael said:
וְכִי תַעֲלֶה עַל דַּעְתְּךָ	Would it enter your mind
שֶׁיִּשְׂרָאֵל נוֹתְצִין אֶת הַמִּזְבְּחוֹת?	that the Israelites would break down the altars?
אֶלָּא שֶׁלֹּא תַעֲשׂוּ כְּמַעֲשֵׂיהֶם	However, you should not do like their doings,
וְיִגְרְמוּ עֲוֹנוֹתֵיכֶם	lest your iniquities bring it about
לְמִקְדַּשׁ אֲבוֹתֵיכֶם שֶׁיִּתְחָרֵב (סִפְרֵי):	that the Sanctuary of your fathers be destroyed. (Siphre).
לְשִׁכְנוֹ תִדְרְשׁוּ.	**(Even) unto His habitation shall ye seek**
זֶה מִשְׁכַּן שִׁילֹה:	This (refers to) the tabernacle of Shiloh.
6 וְזִבְחֵיכֶם.	**6. And your sacrifices**
שְׁלָמִים שֶׁל חוֹבָה:	Peace-offerings which are obligatory.
מַעְשְׂרֹתֵיכֶם.	**Your tithes**
מַעֲשַׂר בְּהֵמָה	The tithe of cattle
וּמַעֲשֵׂר שֵׁנִי,	and the second tithe,
לֶאֱכוֹל לִפְנִים מִן הַחוֹמָה:	to be eaten within the walls.

וְאֶת תְּרוּמַת יֶדְכֶם — and the offering of your hand,

וְנִדְרֵיכֶם — and your vows,

וְנִדְבֹתֵיכֶם — and your freewill-offerings,

וּבְכֹרֹת בְּקַרְכֶם — and the firstlings of your herd

וְצֹאנְכֶם: — and of your flock;

7 וַאֲכַלְתֶּם־שָׁם — 7. and there shall ye eat

לִפְנֵי יְהוָה אֱלֹהֵיכֶם — before the Lord your God,

וּשְׂמַחְתֶּם — and ye shall rejoice

בְּכֹל מִשְׁלַח יֶדְכֶם — in all that ye put your hand unto,

אַתֶּם וּבָתֵּיכֶם — ye and your households,

אֲשֶׁר בֵּרַכְךָ יְהוָה אֱלֹהֶיךָ: — wherein the Lord thy God hath blessed thee.

8 לֹא תַעֲשׂוּן — 8. Ye shall not do

כְּכֹל — after all

אֲשֶׁר אֲנַחְנוּ עֹשִׂים פֹּה הַיּוֹם — that we do here this day,

אִישׁ — every man

Rashi — רש״י

תְּרוּמַת יֶדְכֶם. — **The offering of your hand**

אֵלּוּ הַבִּכּוּרִים, — These are the first-fruits,

שֶׁנֶּאֱמַר בָּהֶם (דְּבָר׳ כ״ו):— — as it is stated regarding them (Deut. 26.4),

וְלָקַח הַכֹּהֵן הַטֶּנֶא מִיָּדֶךָ: — "And the priest shall take the basket out of thy hand."

וּבְכֹרֹת בְּקַרְכֶם. — **And the firstlings of your herd**

לִתְּנָם לַכֹּהֵן — To give them to the priest

וְיַקְרִיבֵם שָׁם: — and he will offer them there.

7 **אֲשֶׁר בֵּרַכְךָ ה׳.** — **7. Wherein the Lord hath blessed thee**

לְפִי הַבְּרָכָה הָבֵא (סִפְרֵי): — According to the blessing, bring (offerings) (Siphre).

8 **לֹא תַעֲשׂוּן כְּכֹל אֲשֶׁר אֲנַחְנוּ עֹשִׂים וְגוֹ׳.** — **8. Ye shall not do after all that we do, etc.**

מוּסָב לְמַעְלָה — (This) refers to the above, (11.31.)

עַל כִּי אַתֶּם עֹבְרִים, אֶת־הַיַּרְדֵּן וְגוֹ׳, — to, "When ye shall pass over the Jordan", etc.

כְּשֶׁתַּעַבְרוּ אֶת הַיַּרְדֵּן — (i. e.) When you shall cross the Jordan,

מִיָּד אַתֶּם מֻתָּרִים — you are immediately permitted

לְהַקְרִיב בְּבָמָה — to sacrifice upon temporary altars

כָּל י״ד שָׁנָה שֶׁל כִּבּוּשׁ וְחִלּוּק, — all the fourteen years of the conquest and the division.

וּבְבָמָה לֹא תַקְרִיבוּ — But upon these altar you may not offer

כָּל מַה שֶּׁאַתֶּם מַקְרִיבִים — all that you offer

פֹּה הַיּוֹם׳ בְּמִשְׁכָּן, — "here this day" in the tabernacle,

שֶׁהוּא עִמָּכֶם — which is with you

וְנִמְשַׁח — and has been anointed

וְהוּא כָּשֵׁר לְהַקְרִיב בּוֹ — and is ritually fit to offer upon it

חַטָּאוֹת וַאֲשָׁמוֹת — sin-offerings and guilt-offerings,

נְדָרִים וּנְדָבוֹת, — vows and free-will offerings;

אֲבָל בְּבָמָה אֵין קָרֵב אֶלָּא — but upon a temporary altar there may be offered only

הַנִּדָּר וְהַנִּדָּב, — a vow and a free-will offering.

וְזֶהוּ ,אִישׁ כָּל־הַיָּשָׁר בְּעֵינָיו׳, — And that is (the meaning of) "every man whatsoever is right in his own eyes":

נְדָרִים וּנְדָבוֹת, — vows and free-will offerings

שֶׁאַתֶּם מִתְנַדְּבִים — which you offer

כָּל־הַיָּשָׁר בְּעֵינָיו׃	whatsoever is right in his own eyes;
9 כִּי לֹא־בָאתֶם עַד־עָתָּה	9. for ye are not come as yet
אֶל־הַמְּנוּחָה	to the rest
וְאֶל־הַנַּחֲלָה	and to the inheritance,
אֲשֶׁר־יְהוָה אֱלֹהֶיךָ	which the Lord your God
נֹתֵן לָךְ׃	giveth thee.
10 וַעֲבַרְתֶּם אֶת־הַיַּרְדֵּן	10. But when ye go over the Jordan,
וִישַׁבְתֶּם בָּאָרֶץ	and dwell in the land
אֲשֶׁר־יְהוָה אֱלֹהֵיכֶם	which the Lord your God
מַנְחִיל אֶתְכֶם	causeth you to inherit,
וְהֵנִיחַ לָכֶם	and He giveth you rest
מִכָּל־אֹיְבֵיכֶם	from all your enemies
מִסָּבִיב	round about,
וִישַׁבְתֶּם־בֶּטַח׃ שני	so that ye dwell in safety;
11 וְהָיָה	11. then it shall come to pass,
הַמָּקוֹם	(that) the place

Rashi — רש״י

עַל יְדֵי שֶׁיָּשָׁר בְּעֵינֵיכֶם לַהֲבִיאָם	because it is right in your eyes to bring them,
וְלֹא עַל יְדֵי חוֹבָה,	and not because of obligation;
אוֹתָם תַּקְרִיבוּ בְּבָמָה (זְבָחִ׳ קי״ז):	these you may offer upon the temporary altars (Zeb. 117).
9 כִּי לֹא־בָאתֶם.	**9. For ye are not come**
כָּל אוֹתָן י״ד שָׁנָה:	all those fourteen years.
עַד־עָתָּה.	**As yet**
כְּמוֹ עֲדַיִין:	(עד עתה has the same meaning) as עדיין (as yet).
אֶל־הַמְּנוּחָה.	**To the rest**
זוּ שִׁילֹה (זְבָחִ׳ קי״ט):	This (refers to) Shiloh (Zeb. 119).
הַנַּחֲלָה.	**The inheritance**
זוּ יְרוּשָׁלַיִם:	This (refers to) Jerusalem.
10 וַעֲבַרְתֶּם אֶת־הַיַּרְדֵּן. וִישַׁבְתֶּם בָּאָרֶץ.	**10. But when ye go over the Jordan and dwell in the land**
שֶׁתְּחַלְּקוּהָ	You shall divide it,
וִיהֵא כָל אֶחָד מַכִּיר אֶת חֶלְקוֹ	that every one shall recognize his portion
וְאֶת שִׁבְטוֹ:	and his tribe.
וְהֵנִיחַ לָכֶם.	**And He giveth you rest**
לְאַחַר כִּבּוּשׁ וְחִלּוּק	After the conquest and the division,
וּמְנוּחָה מִן הַגּוֹיִם	and (when there will be) rest from the nations
אֲשֶׁר הֵנִיחַ ה׳	which the Lord had left
לְנַסּוֹת בָּם אֶת יִשְׂרָאֵל	in order to test the Israelites by means of them.
—וְאֵין זוּ אֶלָּא בִּימֵי דָוִד. אָז:	And this was only during the days of David. Then,
11 וְהָיָה הַמָּקוֹם וְגוֹ׳.	**11. Then it shall come to pass (that) the place, etc.**
בְּנוּ לָכֶם בֵּית הַבְּחִירָה בִּירוּשָׁלַיִם,	Build unto you the Temple in Jerusalem.
וְכֵן הוּא אוֹמֵר בְּדָוִד (שְׁ״ב ז):—	And thus it states regarding David (II Sam. 7.1–2),
וַיְהִי כִּי יָשַׁב הַמֶּלֶךְ בְּבֵיתוֹ	"And it came to pass, when the king dwelt in his house,

אֲשֶׁר־יִבְחַר יְהוָה אֱלֹהֵיכֶם בּוֹ	which the Lord your God shall choose
לְשַׁכֵּן שְׁמוֹ שָׁם	to cause His name to dwell there,
שָׁמָּה תָבִיאוּ	thither shall ye bring
אֵת כָּל־אֲשֶׁר אָנֹכִי מְצַוֶּה אֶתְכֶם	all that I command you:
עוֹלֹתֵיכֶם וְזִבְחֵיכֶם	your burnt-offerings, and your sacrifices,
מַעְשְׂרֹתֵיכֶם	your tithes,
וּתְרֻמַת יֶדְכֶם	and the offering of your hand,
וְכֹל מִבְחַר נִדְרֵיכֶם	and all your choice vows
אֲשֶׁר תִּדְּרוּ לַיהוָה׃	which ye vow unto the Lord.
12 וּשְׂמַחְתֶּם	12. And you shall rejoice
לִפְנֵי יְהוָה אֱלֹהֵיכֶם	before the Lord your God,
אַתֶּם	ye,
וּבְנֵיכֶם וּבְנֹתֵיכֶם	and your sons, and your daughters,
וְעַבְדֵיכֶם	and your men-servants,
וְאַמְהֹתֵיכֶם	and your maid-servants,
וְהַלֵּוִי אֲשֶׁר בְּשַׁעֲרֵיכֶם	and the Levite that is within your gates;
כִּי אֵין לוֹ חֵלֶק וְנַחֲלָה	for as much as he hath no portion nor inheritance
אִתְּכֶם׃	with you.
13 הִשָּׁמֶר לְךָ	13. Take heed to thyself
פֶּן־תַּעֲלֶה	that thou offer not

Rashi — רש״י

וַה׳ הֵנִיחַ לוֹ מִסָּבִיב מִכָּל אֹיְבָיו	And the Lord had given him rest from all his enemies round about,
וַיֹּאמֶר הַמֶּלֶךְ אֶל נָתָן הַנָּבִיא	that the king said unto Nathan the prophet:
רְאֵה אָנֹכִי יוֹשֵׁב בְּבֵית אֲרָזִים,	See now, I dwell in a house of cedar,
וַאֲרוֹן הָאֱלֹהִים יֹשֵׁב בְּתוֹךְ הַיְרִיעָה׃	but the Ark of God dwelleth within curtains."
שָׁמָּה תָבִיאוּ וְגוֹ׳.	**Thither shall ye bring, etc.**
לְמַעְלָה אָמוּר לְעִנְיַן שִׁילֹה	Above it is stated in reference to Shiloh,
כָּאן אָמוּר לְעִנְיַן יְרוּשָׁלַיִם,	and here it is stated in reference to Jerusalem.
לְכָךְ חִלְּקָם הַכָּתוּב	And for this reason Scripture states them separately,
לִתֵּן הֶתֵּר בֵּין זוֹ לָזוֹ,	in order to give permission (to offer on a bamah) between one and the other;
מִשֶּׁחָרְבָה שִׁילֹה	from the destruction of Shiloh
וּבָאוּ לְנוֹב	until they came to Nob,
וְחָרְבָה נוֹב וּבָאוּ לְגִבְעוֹן	and (from) the destruction of Nob and (until) they came to Gibeon,
הָיוּ הַבָּמוֹת מֻתָּרוֹת	the temporary altars were permitted,
עַד שֶׁבָּאוּ יְרוּשָׁלַיִם (זְבָחִ׳ קי״ט)׃	until they came to Jerusalem (Zeb. 119).
מִבְחַר נִדְרֵיכֶם.	**Your choice vows**
מְלַמֵּד שֶׁיָּבִיא מִן הַמֻּבְחָר (סִפְרֵי)׃	(This) teaches that one should bring of the choicest (Siphre).
13 הִשָּׁמֶר לְךָ.	**13. Take heed to thyself**
לִתֵּן לֹא תַעֲשֶׂה עַל הַדָּבָר׃	(This is repeated) in order to place a prohibitive command upon this matter.

עֹלֹתֶיךָ	thy burnt-offerings
בְּכָל־מָקוֹם	in every place
אֲשֶׁר תִּרְאֶה׃	that thou seest;
14 כִּי אִם־בַּמָּקוֹם	14. but in the place
אֲשֶׁר־יִבְחַר יְהוָה	which the Lord shall choose
בְּאַחַד שְׁבָטֶיךָ	in one of thy tribes,
שָׁם תַּעֲלֶה	there thou shalt offer
עֹלֹתֶיךָ	thy burnt-offerings,
וְשָׁם תַּעֲשֶׂה	and there thou shalt do
כֹּל אֲשֶׁר אָנֹכִי מְצַוֶּךָּ׃	all that I command thee.
15 רַק	15. Notwithstanding,
בְּכָל־אַוַּת נַפְשְׁךָ	after all the desire of thy soul

Rashi — רש״י

בְּכָל־מָקוֹם אֲשֶׁר תִּרְאֶה.	**In every place that thou seest**
אֲשֶׁר יַעֲלֶה בְלִבְּךָ,	(I. e.,) where it will enter your heart;
אֲבָל אַתָּה מַקְרִיב	but you may offer
עַל פִּי נָבִיא	by the commandment of a prophet,
כְּגוֹן אֵלִיָּהוּ בְּהַר הַכַּרְמֶל (שָׁם)׃	like Elijah on mount Carmel (*ibid.*).
14 **בְּאַחַד שְׁבָטֶיךָ.**	**14. In one of thy tribes**
בְּחֶלְקוֹ שֶׁל בִּנְיָמִין,	(Viz.,) in the portion of Benjamin.
וּלְמַעְלָה הוּא אוֹמֵר:— מִכָּל שִׁבְטֵיכֶם׳,	But above (v. 5) it states "of all thy tribes";
הָא כֵּיצַד?	how is this (possible)?
כְּשֶׁקָּנָה דָוִד אֶת הַגּוֹרֶן	When David purchased the threshing-floor
מֵאֲרַוְנָה הַיְבוּסִי	from Araunah the Jebusite,
גָּבָה הַזָּהָב מִכָּל הַשְּׁבָטִים,	he collected the gold from all the tribes;
וּמְכָל מְקוֹם הַגּוֹרֶן	nevertheless the threshing-floor
בְּחֶלְקוֹ שֶׁל בִּנְיָמִין הָיָה׃	was in the portion of Benjamin.
15 **רַק בְּכָל־אַוַּת נַפְשְׁךָ.**	**15. Notwitstanding, after all the desire of thy soul**
בַּמֶּה הַכָּתוּב מְדַבֵּר?	Concerning what does Scripture speak?
אִם בִּבְשַׂר תַּאֲוָה לְהַתִּירָהּ לָהֶם	If (it is) regarding meat (eaten) for (satisfying) the appetite, to make it permitted to them,
בְּלֹא הַקְרָבַת אֵימוּרִים	without offering the inward,
הֲרֵי הוּא אוֹמֵר בְּמָקוֹם אַחֵר (פָּסוּק כ):—	does it not state in another passage (V. 20),
כִּי יַרְחִיב ה׳ אֱלֹהֶיךָ אֶת גְּבֻלְךָ וְגוֹ׳	"When the Lord thy God shall enlarge thy border," etc.,
וְאָמַרְתָּ אֹכְלָה בָשָׂר וְגוֹ׳,	"and thou shalt say: I will eat flesh," etc.?
בַּמֶּה זֶה מְדַבֵּר?	Concerning what then does this speak?
בְּקָדָשִׁים שֶׁנָּפַל בָּהֶם מוּם	Regarding consecrated animals in which there occured a blemish,
שֶׁיִּפָּדוּ וְיֵאָכְלוּ בְּכָל מָקוֹם,	that they may be redeemed and eaten in any place.
יָכוֹל יִפָּדוּ עַל מוּם עוֹבֵר,	I might infer that they may be redeemed for a temporary blemish;
תַּלְמוּד לוֹמַר רַק׃	(therefore) Scripture states, "Notwithstanding."

תִּזְבַּח — thou mayest slaughter

וְאָכַלְתָּ בָשָׂר — and eat flesh,

כְּבִרְכַּת יְהוָה אֱלֹהֶיךָ — according to the blessing of the Lord thy God

אֲשֶׁר נָתַן־לְךָ — which He hath given thee;

בְּכָל־שְׁעָרֶיךָ — within all thy gates;

הַטָּמֵא וְהַטָּהוֹר — the unclean and the clean

יֹאכְלֶנּוּ — may eat thereof,

כַּצְּבִי וְכָאַיָּל׃ — as (of) the gazelle, and as (of) the hart.

16 רַק הַדָּם — 16. Only the blood

לֹא תֹאכֵלוּ — ye shall not eat;

עַל־הָאָרֶץ תִּשְׁפְּכֶנּוּ — upon the earth thou shalt pour it out

כַּמָּיִם׃ — as water.

17 לֹא־תוּכַל לֶאֱכֹל — 17. Thou mayest not eat

Rashi — רש״י

תִּזְבַּח וְאָכַלְתָּ. — **Thou mayest slaughter and eat**

אֵין לְךָ בָּהֶם — You have not regarding them

הֶתֵּר גִּזָּה וְחָלָב — permission (to make use of their) wool or milk;

אֶלָּא אֲכִילָה עַל יְדֵי זְבִיחָה (בְּכוֹ׳ ו): — only eating through slaughtering (Bek. 6).

הַטָּמֵא וְהַטָּהוֹר. — **The unclean and the clean**

לְפִי שֶׁבָּאוּ מִכֹּחַ קָדָשִׁים, — Since they (the consecrated animals that had become blemished) were formerly consecrated animals,

שֶׁנֶּאֱמַר בָּהֶם (וַיִּקְ׳ ז):— — regarding which it is stated (Lev. 7.19),

וְהַבָּשָׂר אֲשֶׁר יִגַּע בְּכָל טָמֵא — "And the flesh that toucheth any unclean thing

לֹא יֵאָכֵל, — shall not be eaten,"

הֻצְרַךְ לְהַתִּיר בּוֹ — it was necessary to grant prmission for this

שֶׁטָּמֵא וְטָהוֹר — that the unclean and the clean

אוֹכְלִים בִּקְעָרָה אַחַת — may eat (of it) in one dish,

"כַּצְּבִי וְכָאַיָּל" — "as of the gazelle and as of the hart"

שֶׁאֵין קָרְבָּן בָּאָה מֵהֶם: — for no offering can be brought from them.

כַּצְּבִי וְכָאַיָּל. — **As (of) the gazelle and as (of) the hart**

לְפַטְרָן מִן הַזְּרוֹעַ — To exempt them from (giving to the priest) the shoulder

וְהַלְּחָיַיִם וְהַקֵּבָה (סִפְרֵי): — and the cheeks and the stomach (Siphre).

16 רַק הַדָּם לֹא תֹאכֵלוּ. — **16. Only the blood ye shall not eat**

אַף עַל פִּי שֶׁאָמַרְתִּי — Although I have said

שֶׁאֵין לְךָ בּוֹ זְרִיקַת דָּם בַּמִּזְבֵּחַ, — that you must not sprinkle its blood upon the altar (because it is blemished),

לֹא תֹאכְלֶנּוּ: — you may not eat it.

תִּשְׁפְּכֶנּוּ כַּמָּיִם. — **Thou shalt pour it out as water**

לוֹמַר לְךָ שֶׁאֵין צָרִיךְ כִּסּוּי (סִפְרֵי, חוּלִין פ״ד); — To inform you that it does not require covering (Siphre; Ḥul. 84).

ד״א הֲרֵי הוּא כַּמַּיִם — Another interpretation: It is as water

לְהַכְשִׁיר אֶת הַזְּרָעִים: — in making grain fit for (priestly) uncleanness.

17 לֹא־תוּכַל. — **17. Thou mayest not (eat)**

בָּא הַכָּתוּב לִתֵּן לֹא תַעֲשֶׂה — (By repeating the injunction) Scripture comes to place a prohibitive command

עַל הַדָּבָר: — upon the matter.

לֹא־תוּכַל. — **Thou mayest not (eat)**

רַבִּי יְהוֹשֻׁעַ בֶּן קָרְחָה אוֹמֵר:— — Rabbi Joshua the son of Korḥah said:

בִּשְׁעָרֶיךָ	within thy gates
מַעְשַׂר דְּגָנְךָ	the tithe of thy corn,
וְתִירֹשְׁךָ וְיִצְהָרֶךָ	or of thy wine, or of thine oil,
וּבְכֹרֹת בְּקָרְךָ	or the firstlings of thy herd
וְצֹאנֶךָ	or of thy flock,
וְכָל־נְדָרֶיךָ	nor any of thy vows
אֲשֶׁר תִּדֹּר	which thou vowest,
וְנִדְבֹתֶיךָ	nor thy freewill-offerings,
וּתְרוּמַת יָדֶךָ׃	nor the offering of thy hand;
18 כִּי אִם־לִפְנֵי יְהוָה אֱלֹהֶיךָ	18. but before the Lord thy God
תֹּאכְלֶנּוּ	thou shalt eat them
בַּמָּקוֹם	in the place
אֲשֶׁר יִבְחַר יְהוָה אֱלֹהֶיךָ בּוֹ	which the Lord thy God shall choose,
אַתָּה וּבִנְךָ וּבִתֶּךָ	thou, and thy son, and thy daughter,
וְעַבְדְּךָ וַאֲמָתֶךָ	and thy man-servant, and thy maid-servant,

Rashi — רש״י

יָכוֹל אַתָּה,	You are able,
אֲבָל אֵינְךָ רַשָּׁאי,	but you are not permitted.
כַּיּוֹצֵא בוֹ (יְהוֹ׳ ט״ו)׃—	Similar to this (is) (Josh. 15.63),
וְאֶת הַיְבוּסִי יוֹשְׁבֵי יְרוּשָׁלִַם	"And as for the Jebusites, the inhabitants of Jerusalem,
לֹא יָכְלוּ בְנֵי יִשְׂרָאֵל (יְהוּדָה)	the children of Israel (Judah) could (יכלו) not
לְהוֹרִישָׁם,	drive them out";
יְכוֹלִים הָיוּ,	they were able,
אֶלָּא שֶׁאֵינָן רַשָּׁאִין	but they were not permitted,
לְפִי שֶׁכָּרַת לָהֶם אַבְרָהָם בְּרִית	for Abraham had made a covenant with them
כְּשֶׁלָּקַח מֵהֶם מְעָרַת הַמַּכְפֵּלָה;	when he purchased from them the cave of Machpelah.
וְלֹא יְבוּסִים הָיוּ,	They were not Jebusites,
אֶלָּא חִתִּיִּים הָיוּ,	but they were Hittites.
אֶלָּא עַל שֵׁם הָעִיר	However, because of the city
שֶׁשְּׁמָהּ יְבוּס	whose name was Jebus (were they called Jebusites).
כָּךְ מְפוֹרָשׁ בְּפִרְקֵי דְרַבִּי אֱלִיעֶזֶר (פֶּ׳ ל״ו)	Thus it is explained in the Pirke de Rabbi Eliezer (Chapt. 36);
וְהוּא שֶׁנֶּאֱמַר (שְׁ״ב ה)׃—	and that is what is stated (II Sam. 5.6),
כִּי אִם הֱסִירְךָ הַעִוְרִים	"Except thou take away the blind
וְהַפִּסְחִים,	and the lame (thou shalt not come in hither),"
—צְלָמִים שֶׁכָּתְבוּ עֲלֵיהֶם אֶת הַשְּׁבוּעָה׃	(i. e.,) the images upon which they had written the oath (which Abraham had taken).
וּבְכֹרֹת בְּקָרְךָ.	**Or the firstlings of thy herd**
אַזְהָרָה לַכֹּהֲנִים׃	(This in contradistinction to מַעְשַׂר דְּגָנְךָ is) a forewarning to the priests (since the Israelites were not at all permitted to eat firstlings).
וּתְרוּמַת יָדֶךָ.	**Nor the offering of thy hand**
אֵלּוּ הַבִּכּוּרִים׃	These are the first fruits.
18 לִפְנֵי ה׳.	**18. Before the Lord**
לִפְנִים מִן הַחוֹמָה׃	(I. e.,) within the wall.

וְהַלֵּוִי אֲשֶׁר בִּשְׁעָרֶיךָ	and the Levite that is within thy gates;
וְשָׂמַחְתָּ	and thou shalt rejoice
לִפְנֵי יְהוָה אֱלֹהֶיךָ	before the Lord thy God
בְּכֹל מִשְׁלַח יָדֶךָ׃	in all that thou puttest thy hand unto.
19 הִשָּׁמֶר לְךָ	19. Take heed to thyself
פֶּן־תַּעֲזֹב אֶת־הַלֵּוִי	that thou forsake not the Levite
כָּל־יָמֶיךָ	as long as thou livest
עַל־אַדְמָתֶךָ׃ ס	upon thy land.
20 כִּי־יַרְחִיב יְהוָה אֱלֹהֶיךָ	20. When the Lord thy God shall enlarge
אֶת־גְּבֻלְךָ	thy border,
כַּאֲשֶׁר דִּבֶּר־לָךְ	as He hath promised thee,
וְאָמַרְתָּ	and thou shalt say:
אֹכְלָה בָשָׂר	'I will eat flesh,'
כִּי־תְאַוֶּה נַפְשְׁךָ	because thy soul desireth
לֶאֱכֹל בָּשָׂר	to eat flesh;
בְּכָל־אַוַּת נַפְשְׁךָ	after all the desire of thy soul
תֹּאכַל בָּשָׂר׃	thou mayest eat flesh.
21 כִּי־יִרְחַק מִמְּךָ הַמָּקוֹם	21. If the place be too far from thee,

Rashi — רש"י

וְהַלֵּוִי אֲשֶׁר בִּשְׁעָרֶיךָ.	**And the Levite that is within thy gates**
אִם אֵין לְךָ לָתֵת לוֹ מֵחֶלְקוֹ,	If you do not have (enough) to give him of his portion,
כְּגוֹן מַעֲשֵׂר רִאשׁוֹן,	such as the first tithe,
תֵּן לוֹ מַעֲשַׂר עָנִי,	give him the tithe for the poor;
אֵין לְךָ מַעֲשַׂר עָנִי,	if you have no tithe for the poor
הַזְמִינֵהוּ עַל שְׁלָמֶיךָ (סִפְרֵי):	invite him to your peace-offerings (Siphre).
19 הִשָּׁמֶר לְךָ.	**19. Take heed to thyself**
לִתֵּן לֹא תַעֲשֶׂה עַל הַדָּבָר (סִפְרֵי):	(This injunction is repeated) to place a prohibitive command upon the matter (Siphre).
עַל־אַדְמָתֶךָ.	**Upon thy land**
אֲבָל בַּגּוֹלָה אֵינְךָ מֻזְהָר עָלָיו	But in exile you are not forewarned concerning him
יוֹתֵר מֵעֲנִיֵּי יִשְׂרָאֵל (שָׁם):	more than for the (other) poor of Israel (*ibid.*).
20 כִּי־יַרְחִיב וְגוֹ'.	**20. When (He) shall enlarge, etc.**
לִמְּדָה תוֹרָה דֶּרֶךְ אֶרֶץ	The Torah teaches proper conduct,
שֶׁלֹּא יִתְאַוֶּה אָדָם	(viz.,) a person should not desire
לֶאֱכוֹל בָּשָׂר	to eat flesh,
אֶלָּא מִתּוֹךְ רַחֲבַת יָדַיִם וְעוֹשֶׁר (חולין פ"ד):	save when (he lives) in abundance and wealth (Ḥul. 84).
בְּכָל אַוַּת נַפְשְׁךָ וְגוֹ'.	**After all the desire of thy soul, etc.**
אֲבָל בַּמִּדְבָּר נֶאֱסַר לָהֶם	But in the wilderness there was forbidden to them
בְּשַׂר חֻלִּין	ordinary meat,
אֶלָּא אִם כֵּן מַקְדִּישָׁהּ	unless they consecrated it
וּמַקְרִיבָהּ שְׁלָמִים (שָׁם ט"ז):	and offered it as a peace-offering (*ibid.*, 16).
21 כִּי־יִרְחַק מִמְּךָ הַמָּקוֹם.	**21. If the place be too far from thee**
וְלֹא תוּכַל לָבֹא	And you will not be able to come

אֲשֶׁר יִבְחַר יְהוָה אֱלֹהֶיךָ	which the Lord thy God shall choose
לָשׂוּם שְׁמוֹ שָׁם	to put his name there,
וְזָבַחְתָּ	then thou shalt slaughter
מִבְּקָרְךָ וּמִצֹּאנְךָ	of thy herd and of thy flock,
אֲשֶׁר נָתַן יְהוָה לְךָ	which the Lord hath given thee,
כַּאֲשֶׁר צִוִּיתִ°ךָ	as I have commanded thee,
וְאָכַלְתָּ בִּשְׁעָרֶיךָ	and thou shalt eat within thy gates,
בְּכֹל אַוַּת נַפְשֶׁךָ׃	after all the desire of thy soul.

° חסר יו"ד.

22 אַךְ	22. Howbeit
כַּאֲשֶׁר יֵאָכֵל אֶת־הַצְּבִי	as the gazelle is eaten,
וְאֶת־הָאַיָּל	and the hart,
כֵּן תֹּאכְלֶנּוּ	so thou shalt eat thereof;
הַטָּמֵא וְהַטָּהוֹר	the unclean and the clean
יַחְדָּו יֹאכְלֶנּוּ׃	may eat thereof alike.
23 רַק חֲזַק	23. Only be steadfast
לְבִלְתִּי אֲכֹל הַדָּם	in not eating the blood;
כִּי הַדָּם הוּא הַנָּפֶשׁ	for the blood is the life;

Rashi — רש"י

וְלַעֲשׂוֹת שְׁלָמִים בְּכָל יוֹם	and to offer peace-offerings every day
כְּמוֹ עַכְשָׁיו שֶׁהַמִּשְׁכָּן הוֹלֵךְ עִמָּכֶם׃	as at present when the tabernacle journeys with you.
וְזָבַחְתָּ... כַּאֲשֶׁר צִוִּיתִךָ.	**Then thou shalt slaughter . . . as I have commanded thee**
לִמְּדָנוּ שֶׁיֵּשׁ צִוּוּי בִּזְבִיחָה	(This) teaches us that there is a commandment regarding the slaughtering,
הֵאַיךְ יִשְׁחוֹט,	how he should slaughter,
וְהֵן הִלְכוֹת שְׁחִיטָה	and these are the laws of ritual slaughter
שֶׁנֶּאֶמְרוּ לְמֹשֶׁה בְּסִינַי (שָׁם כ"ח)׃	which were told to Moses on Sinai (*ibid.*, 28).
22 אַךְ כַּאֲשֶׁר יֵאָכֵל אֶת־הַצְּבִי וְגוֹ'.	**22. Howbeit as the gazelle is eaten, etc.**
אֵינְךָ מֻזְהָר	You are not forewarned
לְאָכְלָן בְּטָהֳרָה,	to eat them in (a state of) cleanness.
אִי מַה צְבִי וְאַיָּל חֶלְבָּן מוּתָּר	If so, then as the fat of the gazelle and hart is permissible,
אַף חוּלִּין חֶלְבָּן מוּתָּר?	so should (not) the fat of ordinary animals be permissible?
תַּ"ל אַךְ׃	(Therefore) Scripture states "only" (אך).
23 רַק חֲזַק לְבִלְתִּי אֲכֹל הַדָּם.	**23. Only be steadfast in not eating the blood**
מִמַּה שֶּׁנֶּאֱמַר חֲזַק אַתָּה לָמֵד	From the words "Be steadfast" you can derive
שֶׁהָיוּ שְׁטוּפִים בְּדָם לְאָכְלוֹ,	that they were dissolute in the eating of blood;
לְפִיכָךְ הֻצְרַךְ לוֹמַר חֲזַק	consequently it was necessary to state "Be steadfast."
דִּבְרֵי רַ' יְהוּדָה	(This is) the opinion of Rabbi Jehudah.
רַ' שִׁמְעוֹן בֶּן עַזַּאי אוֹמֵר׃—	Rabbi Simeon the son of 'Azzai says:
לֹא בָא הַכָּתוּב אֶלָּא	Scripture comes only
לְהַזְהִירְךָ וּלְלַמֶּדְךָ	to admonish you and to teach you

וְלֹא־תֹאכַל הַנֶּפֶשׁ — and thou shalt not eat the life
עִם־הַבָּשָׂר: — with the flesh.
24 לֹא תֹּאכְלֶנּוּ — 24. Thou shalt not eat it;
עַל־הָאָרֶץ תִּשְׁפְּכֶנּוּ — thou shalt pour it out upon the earth
כַּמָּיִם: — as water.
25 לֹא תֹּאכְלֶנּוּ — 25. Thou shalt not eat it;
לְמַעַן יִיטַב לְךָ — that it may go well with thee,
וּלְבָנֶיךָ אַחֲרֶיךָ — and with thy children after thee,
כִּי־תַעֲשֶׂה הַיָּשָׁר — when thou shalt do that which is right
בְּעֵינֵי יְהוָה: — in the eyes of the Lord.
26 רַק קָדָשֶׁיךָ — 26. Only thy holy things
אֲשֶׁר־יִהְיוּ לְךָ — which thou hast,

Rashi — רש"י

עַד כַּמָּה אַתָּה צָרִיךְ — to what extent you are required
לְהִתְחַזֵּק בְּמִצְוֹת, — to be steadfast in (the fulfillment of the) commandments:
אִם הַדָּם — If (as regards) blood,
שֶׁהוּא קַל לְהִשָּׁמֵר מִמֶּנּוּ — from which it is easy to guard oneself,
שֶׁאֵין אָדָם מִתְאַוֶּה לוֹ, — since no one has a desire for it,
הֻצְרַךְ לְחַזֶּקְךָ בְּאַזְהָרָתוֹ, — it was necessary to urge you strongly concerning its prohibition,
קַל וָחוֹמֶר לִשְׁאָר מִצְוֹת (סִפְרֵי): — how much more so (does this apply) to other commandments (Siphre).

וְלֹא־תֹאכַל הַנֶּפֶשׁ עִם הַבָּשָׂר. — **And thou shalt not eat the life with the flesh**
אַזְהָרָה לְאֵבֶר מִן הֶחָי (חוּלִּין ק"ב): — (This is) a forewarning against (eating) a limb (torn) from a living animal (Ḥul. 102).

24 לֹא תֹאכְלֶנּוּ. — **24. Thou shalt not eat it**
אַזְהָרָה לְדַם הַתַּמְצִית (כְּרִית' ד): — (This is) a forewarning against the last blood (oozing through the cut of a vein) (Ker. 4).

25 לֹא תֹאכְלֶנּוּ. — **25. Thou shalt not eat it**
אַזְהָרָה לְדַם הָאֵבָרִים (שָׁם): — (This is) a forewarning against (eating) the blood (contained in) the limbs (*ibid.*).

לְמַעַן יִיטַב לְךָ וְגוֹ'. — **That it may go well with thee, etc.**
צֵא וּלְמַד — Go forth and learn
מַתַּן שְׂכָרָן שֶׁל מִצְוֹת, — (how great is) the reward (for the observance) of the commandments:
אִם הַדָּם — if (in the case of) blood,
שֶׁנַּפְשׁוֹ שֶׁל אָדָם קָצָה מִמֶּנּוּ — for which the soul of man has disgust,
הַפּוֹרֵשׁ מִמֶּנּוּ — he who abstains from it
זוֹכֶה לוֹ וּלְבָנָיו אַחֲרָיו, — benefits himself and his children after him,
קַל וָחוֹמֶר לְגָזֵל וַעֲרָיוֹת — then all the more so (he will be rewarded who abstains from) robbery and incest,
שֶׁנַּפְשׁוֹ שֶׁל אָדָם מִתְאַוָּה לָהֶם (מַכ' כ"ג): — for which the soul of man is seized with a desire (Mak. 23).

26 רַק קָדָשֶׁיךָ — **26. Only thy holy things**
אַף עַל פִּי שֶׁאַתָּה מוּתָּר לִשְׁחוֹט חוּלִּין, — Although you are permitted to slaughter ordinary animals,
לֹא הִתַּרְתִּי לְךָ לִשְׁחוֹט — I have not permitted you to slaughter
אֶת הַקֳּדָשִׁים — consecrated animals,
וּלְאָכְלָן בִּשְׁעָרֶיךָ — and to eat them in your cities
בְּלֹא הַקְרָבָה, — without offering (them as sacrifices),
אֶלָּא הֲבִיאֵם לְבֵית הַבְּחִירָה: — but bring them to the Temple.

וּנְדָרֶיךָ	and thy vows,
תִּשָּׂא	thou shalt bear,
וּבָאתָ אֶל־הַמָּקוֹם	and go unto the place
אֲשֶׁר־יִבְחַר יְהוָה׃	which the Lord shall choose;
27 וְעָשִׂיתָ עֹלֹתֶיךָ	27. and thou shalt offer thy burnt-offerings,
הַבָּשָׂר וְהַדָּם	the flesh and the blood,
עַל־מִזְבַּח	upon the altar
יְהוָה אֱלֹהֶיךָ	of the Lord thy God;
וְדַם־זְבָחֶיךָ	and the blood of thy sacrifices
יִשָּׁפֵךְ עַל־מִזְבַּח	shall be poured out against the altar
יְהוָה אֱלֹהֶיךָ	of the Lord thy God;
וְהַבָּשָׂר תֹּאכֵל׃	and thou shalt eat the flesh.
28 שְׁמֹר וְשָׁמַעְתָּ	28. Observe and hear
אֵת כָּל־הַדְּבָרִים הָאֵלֶּה	all these words
אֲשֶׁר אָנֹכִי מְצַוֶּךָּ	which I command thee,
לְמַעַן יִיטַב לְךָ	that it may go well with thee,

Rashi — רש"י

27 **וְעָשִׂיתָ עֹלֹתֶיךָ.**	**27. And thou shalt offer thy burnt-offerings**
אִם עוֹלוֹת הֵן,	If they are burnt-offerings,
תֵּן הַבָּשָׂר וְהַדָּם	place the flesh and the blood
עַל גַּבֵּי הַמִּזְבֵּחַ,	upon the altar;
וְאִם זִבְחֵי שְׁלָמִים הֵם,	and if they are peace-offerings,
דַּם זְבָחֶיךָ יִשָּׁפֵךְ	"the blood of thy sacrifices shall be poured out
עַל הַמִּזְבֵּחַ תְּחִלָּה	against the altar" first,
וְאַחַר כָּךְ ,וְהַבָּשָׂר תֹּאכֵל׳.	and afterwards "thou shalt eat the flesh."
וְעוֹד דָּרְשׁוּ רַבּוֹתֵינוּ:—	And our Rabbis interpreted further:
רַק קָדָשֶׁיךָ בָּא לְלַמֵּד	(The expression) "only thy holy things" comes to teach
עַל הַקָּדָשִׁים שֶׁבְּחוּצָה לָאָרֶץ	concerning animals consecrated outside of the Land (of Israel),
וּלְלַמֵּד עַל הַתְּמוּרוֹת	as well as to teach concerning exchanges (of one sacrificial animal for another),
וְעַל וַלְדוֹת קָדָשִׁים שֶׁיַּקְרִיבוּ (סִפְרֵי, בְּכוֹ׳ י״ד):	and concerning the young of consecrated animals that they should be offered (in Jerusalem) (Siphre; Bek. 14)
28 **שְׁמֹר**	**28. Observe**
זוֹ מִשְׁנָה	This (implies) study (of the oral law),
שֶׁאַתָּה צָרִיךְ לְשָׁמְרָהּ בְּבִטְנְךָ	which you must keep within you
שֶׁלֹּא תִשְׁכַּח,	that it shold not be forgotten
כְּעִנְיָן שֶׁנֶּאֱמַר (מִשְׁלֵי כ״ב):—	as it is stated (Prov. 22.18),
כִּי נָעִים כִּי תִשְׁמְרֵם בְּבִטְנֶךָ,	"For it is a pleasant thing if thou keep them within thee."
וְאִם שָׁנִיתָ אֶפְשָׁר	And if you study, it is possible
שֶׁתִּשְׁמַע וּתְקַיֵּם,	that you will hear and (observe (it));
הָא כָּל שֶׁאֵינוֹ בִכְלַל מִשְׁנָה	but one that has not studied,
אֵינוֹ בִכְלַל מַעֲשֶׂה (סִפְרֵי):	cannot be among those who act (correctly) (Siphre).
אֵת כָּל־הַדְּבָרִים	**All (these) words**
שֶׁתְּהֵא חֲבִיבָה עָלֶיךָ	There should be cherished by you
מִצְוָה קַלָּה	a light commandment
כְּמִצְוָה חֲמוּרָה (שָׁם):	just as a difficult commandment (*ibid.*).

וּלְבָנֶיךָ אַחֲרֶיךָ	and with thy children after thee
עַד־עוֹלָם	for ever,
כִּי תַעֲשֶׂה	when thou doest
הַטּוֹב וְהַיָּשָׁר	that which is good and right
בְּעֵינֵי יְהוָה אֱלֹהֶיךָ: ס שלישי	in the eyes of the Lord thy God.
29 כִּי־יַכְרִית יְהוָה אֱלֹהֶיךָ	29. When the Lord thy God shall cut off
אֶת־הַגּוֹיִם	the nations,
אֲשֶׁר אַתָּה בָא־שָׁמָּה	whither thou goest in
לָרֶשֶׁת אוֹתָם	to dispossess them
מִפָּנֶיךָ	from before thee,
וְיָרַשְׁתָּ אֹתָם	and thou dispossessest them
וְיָשַׁבְתָּ בְּאַרְצָם:	and dwellest in their land;
30 הִשָּׁמֶר לְךָ	30. take heed to thyself
פֶּן־תִּנָּקֵשׁ אַחֲרֵיהֶם	that thou be not ensnared to follow them,
אַחֲרֵי הִשָּׁמְדָם	after that they are destroyed
מִפָּנֶיךָ	from before thee;

Rashi — רש"י

הַטּוֹב.	**That which is good**
בְּעֵינֵי הַשָּׁמָיִם:	In the sight of Heaven
וְהַיָּשָׁר.	**And (that which is) right**
בְּעֵינֵי אָדָם:	In the eyes of man.
30 פֶּן תִּנָּקֵשׁ.	**30. That thou be not ensnared**
אוּנְקְלוֹס תִּרְגֵּם לְשׁוֹן מוֹקֵשׁ	Onkelos translates (תנקש) as denoting a "snare" (מוקש).
וַאֲנִי אוֹמֵר שֶׁלֹּא חָשׁ לְדַקְדֵּק בַּלָּשׁוֹן,	And I say that he was not careful in minutely examining the term,
שֶׁלֹּא מָצִינוּ נוּ"ן בִּלְשׁוֹן יוֹקֵשׁ,	for we do not find (the letter) נ in the term for "to snare,"
וַאֲפִילּוּ לִיסוֹד הַנּוֹפֵל מִמֶּנּוּ	even as a root letter (פ"נ) which falls out (in the course of conjugation);
אֲבָל בִּלְשׁוֹן טֵרוּף וְקִשְׁקוּשׁ	but in the terms "to strike" and "to knock"
מָצִינוּ נוּ"ן,	we do find the letter נ,
וְאַרְכֻּבָּתֵהּ דָּא לְדָא נָקְשָׁן (דָּנִי' ה).	"and his knees struck (נקשן) one against the other" (Dan. 5.6).
וְאַף זֶה אֲנִי אוֹמֵר	And here too I say (that)
פֶּן תִּנָּקֵשׁ אַחֲרֵיהֶם,	פן תנקש אחריהם (denotes)
פֶּן תִּטָּרֵף אַחֲרֵיהֶם,	"lest you be struck bewildered; (תטרף) by following them,"
לִהְיוֹת כָּרוּךְ אַחַר מַעֲשֵׂיהֶם;	by clinging to their doings.
וְכֵן (תְּהִ' ק"ט):—	And similarly (Ps. 109.11),
יְנַקֵּשׁ נוֹשֶׁה לְכָל אֲשֶׁר לוֹ,	"Let the creditor distress (ינקש) all that he hath,"
—מְקַלֵּל אֶת הָרָשָׁע	(i. e.,) he (David) curses the wicked man
לִהְיוֹת עָלָיו נוֹשִׁים רַבִּים	that he should have many creditors
וְיִהְיוּ מַחֲזִירִין וּמִתְנַקְּשִׁין	who should continually distress (him)
אַחַר מְמוֹנוֹ:	for his money
אַחֲרֵי הִשָּׁמְדָם מִפָּנֶיךָ.	**After that they are destroyed from before thee**
אַחַר שֶׁתִּרְאֶה	After you will see
שֶׁאַשְׁמִידֵם מִפָּנֶיךָ,	that I will destroy them from before you,
יֵשׁ לְךָ לָתֵת לֵב	you should set (your) heart (to understand)

וּפֶן־תִּדְרֹשׁ לֵאלֹהֵיהֶם	and that thou inquire not after their gods,
לֵאמֹר	saying:
אֵיכָה יַעַבְדוּ הַגּוֹיִם הָאֵלֶּה	'How used these nations to serve
אֶת־אֱלֹהֵיהֶם	their gods?
וְאֶעֱשֶׂה־כֵּן גַּם־אָנִי׃	even so will I do likewise.'
31 לֹא־תַעֲשֶׂה כֵן	31. Thou shalt not do so
לַיהוָה אֱלֹהֶיךָ	unto the Lord thy God;
כִּי כָל־תּוֹעֲבַת יְהוָה	for every abomination to the Lord,
אֲשֶׁר שָׂנֵא	which He hateth,
עָשׂוּ לֵאלֹהֵיהֶם	have they done unto their gods;
כִּי גַּם אֶת־בְּנֵיהֶם	for even their sons
וְאֶת־בְּנֹתֵיהֶם	and their daughters
יִשְׂרְפוּ בָאֵשׁ	do they burn in the fire
לֵאלֹהֵיהֶם׃	to their gods.

Rashi — רש"י

מִפְּנֵי מָה נִשְׁמְדוּ אֵלּוּ,	for what reason were these destroyed;
מִפְּנֵי מַעֲשִׂים מְקֻלְקָלִים	because of the corrupt deeds
שֶׁבִּידֵיהֶם!	which (were) upon their hands.
אַף אַתָּה לֹא תַעֲשֶׂה כֵן	You, therefore, should not do so,
שֶׁלֹּא יָבוֹאוּ אֲחֵרִים וְיַשְׁמִידוּךָ:	lest there come others who will destroy you.
אֵיכָה יַעַבְדוּ.	**How used (these nations) to serve**
לְפִי שֶׁלֹּא עָנַשׁ עַל עֲבוֹדָה זָרָה	Since he does not punish for idolatry
אֶלָּא עַל זִבּוּחַ וְקִטּוּר	except for sacrificing (to the idol) and offering incense,
וְנִסּוּךְ וְהִשְׁתַּחֲוָאָה,	and performing libation, and bowing down,
כְּמוֹ שֶׁכָּתוּב (שְׁמוֹת כ"ב):—	as it is written (Ex. 22.19),
בִּלְתִּי לַה' לְבַדּוֹ,	"Save unto the Lord only,"
—דְּבָרִים הַנַּעֲשִׂים לַגָּבוֹהַּ,	(i. e.,) the things which are performed for the Most High,
בָּא וְלִמֶּדְךָ כָּאן	it comes to teach you here
שֶׁאִם דַּרְכָּהּ שֶׁל ע"ז	that if it is the custom of this idol
לְעָבְדָהּ בְּדָבָר אַחֵר,	to be worshipped in another manner,
כְּגוֹן פּוֹעֵר לִפְעוֹר	such as to uncover oneself before Peor,
וְזוֹרֵק אֶבֶן לְמַרְקוּלִיס	or to throw a stone to Mercurius,
זוֹ הִיא עֲבוֹדָתוֹ וְחַיָּב,	this is its (mode of) worship, and he is guilty.
אֲבָל זִבּוּחַ וְקִטּוּר	But sacrificing, and offering incense,
וְנִסּוּךְ וְהִשְׁתַּחֲוָאָה	and performing libation, and bowing down,
אֲפִילוּ שֶׁלֹּא כְדַרְכָּהּ חַיָּב (סַנְהֶ' ס):	even if it is not its mode (of worship), he is guilty (Sanh. 60).
31 **כִּי גַּם אֶת בְּנֵיהֶם.**	**31. For even their sons**
גַּם' לְרַבּוֹת אֶת אֲבוֹתֵיהֶם וְאִמּוֹתֵיהֶם;	(The term) גם (comes) to include their fathers and their mothers (amongst those whom they used to burn).
אָמַר רַבִּי עֲקִיבָא:—	Rabbi Akiba said:
אֲנִי רָאִיתִי נָכְרִי	I saw a heathen
שֶׁכְּפָתוֹ לְאָבִיו	who bound his father
לִפְנֵי כַלְבּוֹ וַאֲכָלוֹ (סִפְרֵי):	before his dog, and it devoured him (Siphre).

CHAPTER XIII — יג

1 אֶת כָּל־הַדָּבָר	1. All this word
אֲשֶׁר אָנֹכִי מְצַוֶּה אֶתְכֶם	which I command you,
אֹתוֹ תִשְׁמְרוּ לַעֲשׂוֹת	that shall ye observe to do;
לֹא־תֹסֵף עָלָיו	thou shalt not add thereto,
וְלֹא תִגְרַע מִמֶּנּוּ׃ פ	nor diminish from it.
2 כִּי־יָקוּם בְּקִרְבְּךָ	2. If there arise in the midst of thee
נָבִיא	a prophet,
אוֹ חֹלֵם חֲלוֹם	or a dreamer of dreams
וְנָתַן אֵלֶיךָ אוֹת	and he give thee a sign
אוֹ מוֹפֵת׃	or a wonder,

Rashi — רש"י

13 1 אֵת כָּל־הַדָּבָר.	**13 1. All this word**
קַלָּה כַּחֲמוּרָה (שָׁם)׃	The easy as well as the difficult (*ibid.*).
תִּשְׁמְרוּ לַעֲשׂוֹת.	**Shall ye observe to do**
לִתֵּן לֹא תַעֲשֶׂה	(This comes) to place a prohibitive command
עַל עֲשֵׂה הָאֲמוּרִים בְּפָרָשָׁה,	upon the positive commands mentioned in (this) section,
שֶׁכָּל הִשָּׁמֵר	for every instance of (the term) "take heed"
לְשׁוֹן לֹא תַעֲשֶׂה הוּא,	implies a prohibitive command;
אֶלָּא שֶׁאֵין לוֹקִין	but (the difference between this and an ordinary prohibition is that) one does not receive lashes
עַל הִשָּׁמֵר שֶׁל עֲשֵׂה (מַכּוֹת י"ג)׃	where it states "Take heed" (השמר) in addition to a positive command (Mak. 13).
לֹא תֹסֵף עָלָיו.	**Thou shalt not add thereto**
חֲמִשָּׁה טוֹטָפוֹת,	(I. e.,) five inscriptions in phylacteries,
חֲמִשָּׁה מִינִין בַּלּוּלָב,	five kinds in the Lulab
אַרְבַּע בְּרָכוֹת לְבִרְכַּת כֹּהֲנִים (סִפְרֵי)׃	four blessings for the Priestly Blessing (Siphre).
2 וְנָתַן אֵלֶיךָ אוֹת.	**2. And he give thee a sign**
בַּשָּׁמַיִם,	in the heavens,
כְּעִנְיָן שֶׁנֶּאֱמַר בְּגִדְעוֹן (שׁוֹפְ' ו)׃—	as it is stated regarding Gideon (Judg. 6.17),
וְעָשִׂיתָ לִּי אוֹת	"Then show me a sign";
וְאוֹמֵר (שָׁם) יְהִי נָא חֹרֶב אֶל הַגִּזָּה וְגוֹ'׃	and it states (*ibid.*, v. 39), "Let it now be dry upon the fleece," etc.
אוֹ מוֹפֵת.	**Or a wonder**
בָּאָרֶץ	on earth.
(ס"א;	[Other texts (read):
וְנָתַן אֵלֶיךָ אוֹת.	"And if he give thee a sign"
בַּשָּׁמַיִם,	in the heavens,
דִּכְתִיב (בְּרֵא' א)׃—	as it is written (Gen. 1.14),
וְהָיוּ לְאֹתֹת וּלְמוֹעֲדִים׃	"And let them be for signs and for seasons."
אוֹ מוֹפֵת.	"Or a wonder"
בָּאָרֶץ	on the earth,
דִּכְתִיב,	as it is written (Judg. 6.37),
אִם טַל יִהְיֶה	"If there be dew
עַל־הַגִּזָּה לְבַדָּהּ	on the fleece only,
וְעַל כָּל־הָאָרֶץ חוֹרֶב.)	and it be dry upon all the ground."]
אַף עַל פִּי כֵן לֹא תִשְׁמַע לוֹ,	Nevertheless thou shalt not hearken unto him.
וְאִם תֹּאמַר	And if you will say:
מִפְּנֵי מָה נוֹתֵן לוֹ הַקָּבָּ"ה	Why does the Holy One Blessed Be He grant him

3 וּבָא הָאוֹת וְהַמּוֹפֵת	3. and the sign or the wonder come to pass,
אֲשֶׁר־דִּבֶּר אֵלֶיךָ	whereof he spoke unto thee, —
לֵאמֹר	saying:
נֵלְכָה	'Let us go
אַחֲרֵי אֱלֹהִים אֲחֵרִים	after other gods,
אֲשֶׁר לֹא־יְדַעְתָּם	which thou hast not known,
וְנָעָבְדֵם:	and let us serve them';
4 לֹא תִשְׁמַע	4. thou shalt not hearken
אֶל־דִּבְרֵי	unto the words
הַנָּבִיא הַהוּא	of that prophet,
אוֹ אֶל־חוֹלֵם הַחֲלוֹם הַהוּא	or unto that dreamer of dream(s);
כִּי מְנַסֶּה יְהוָה אֱלֹהֵיכֶם אֶתְכֶם	for the Lord your God putteth you to proof,
לָדַעַת	to know
הֲיִשְׁכֶם אֹהֲבִים	whether ye do love
אֶת־יְהוָה אֱלֹהֵיכֶם	the Lord your God
בְּכָל־לְבַבְכֶם	with all your heart
וּבְכָל־נַפְשְׁכֶם:	and with all your soul.
5 אַחֲרֵי יְהוָה אֱלֹהֵיכֶם	5. After the Lord your God
תֵּלֵכוּ	shall ye walk,
וְאֹתוֹ תִירָאוּ	and Him shall ye fear,
וְאֶת־מִצְוֹתָיו תִּשְׁמֹרוּ	and His commandments shall ye keep,
וּבְקֹלוֹ תִשְׁמָעוּ	and unto His voice shall ye hearken,
וְאֹתוֹ תַעֲבֹדוּ	and Him shall ye serve,
וּבוֹ תִדְבָּקוּן:	and unto Him shall ye cleave.
6 וְהַנָּבִיא הַהוּא	6. And that prophet,
אוֹ חֹלֵם הַחֲלוֹם הַהוּא	or that dreamer of dreams,
יוּמָת	shall be put to death;

Rashi — רש"י

מֶמְשָׁלָה לַעֲשׂוֹת אוֹת?	power to show a sign?
"כִּי מְנַסֶּה ה' אֱלֹהֵיכֶם אֶתְכֶם":	"For the Lord your God putteth you to proof."
5 **וְאֶת־מִצְוֹתָיו תִּשְׁמֹרוּ.**	**5. And His commandments shall ye keep**
תּוֹרַת מֹשֶׁה:	(I. e.,) the Torah of Moses.
וּבְקֹלוֹ תִשְׁמָעוּ.	**And unto His voice shall ye hearken**
בְּקוֹל הַנְּבִיאִים:	(I. e.,) unto the voice of the prophets.
וְאֹתוֹ תַעֲבֹדוּ.	**And Him shall ye serve**
בְּמִקְדָּשׁוֹ (סִפְרֵי):	In His sanctuary (Siphre).
וּבוֹ תִדְבָּקוּן.	**And unto Him shall ye cleave**
הִדָּבֵק בִּדְרָכָיו	Cleave to His ways;
—גְּמוֹל חֲסָדִים,	do kindly deeds,
קְבוֹר מֵתִים,	bury the dead,
בַּקֵּר חוֹלִים	visit the sick,
כְּמוֹ שֶׁעָשָׂה הַקָּבָּ"ה (סוֹטָה י"ד):	just as the Holy One Blessed Be He did (Sotah 14).

כִּי דִבֶּר־סָרָה	because he hath spoken perversion
עַל־יְהוָה אֱלֹהֵיכֶם	against the Lord your God,
הַמּוֹצִיא | אֶתְכֶם מֵאֶרֶץ מִצְרַיִם	who brought you out of the land of Egypt,
וְהַפֹּדְךָ	and redeemed thee
מִבֵּית עֲבָדִים	out of the house of bondage,
לְהַדִּיחֲךָ מִן־הַדֶּרֶךְ	to draw thee aside out of the way
אֲשֶׁר צִוְּךָ יְהוָה אֱלֹהֶיךָ	which the Lord thy God commanded thee
לָלֶכֶת בָּהּ	to walk in.
וּבִעַרְתָּ הָרָע	So shalt thou put away the evil
מִקִּרְבֶּךָ: ס	from the midst of thee.
7 כִּי יְסִיתְךָ אָחִיךָ	7. If thy brother entice thee,
בֶן־אִמֶּךָ	the son of thy mother,
אוֹ־בִנְךָ אוֹ־בִתְּךָ	or thy son, or thy daughter,
אוֹ | אֵשֶׁת חֵיקֶךָ	or the wife of thy bosom,
אוֹ רֵעֲךָ	or thy friend,
אֲשֶׁר כְּנַפְשְׁךָ	that is as thine own soul,

Rashi — רש"י

6 סָרָה.	**6. Perversion**
דָּבָר הַמּוּסָר מִן הָעוֹלָם,	(סרה is) a thing which is removed (מוסר) from the world,
שֶׁלֹּא הָיָה	which neither existed
וְלֹא נִבְרָא	nor was created,
וְלֹא צִוִּיתִיו לְדַבֵּר כֵּן,	and I did not command him to speak so;
דישטו"רנורא בְּלַעַ"ז:	*detournoure* in O. F.
וְהַפֹּדְךָ מִבֵּית עֲבָדִים.	**And (who) redeemed thee out of the house of bondage**
אֲפִילּוּ אֵין לוֹ עָלֶיךָ אֶלָּא	Even though He had no (other claim) on you but
שֶׁפְּדָאֲךָ דַּיּוֹ (סִפְרֵי):	that He redeemed you, that is sufficient. (Siphre).
7 כִּי יְסִיתְךָ.	**7. If (there) entice thee**
אֵין הַסָתָה אֶלָּא גֵרוּי,	(The term) הסתה (denotes) only "inciting,"
שֶׁנֶּאֱמַר (שְׁמוּאֵל כ"ו)	as it is stated (I Sam. 26.19),
אִם ה' הֱסִיתְךָ בִי,	"If it be the Lord that hath stirred thee up (הסיתך) against me";
אנסיטר"א בְּלַעַ"ז,	*inciter* in O. F.,
שֶׁמַּשִּׁיאוֹ לַעֲשׂוֹת כֵּן:	(i. e.,) he induces him to do so.
אָחִיךָ.	**Thy brother**
מֵאָב:	Of the (same) father.
אוֹ בֶן־אִמֶּךָ.	**Or the son of thy mother**
מֵאֵם:	Of the (same) mother.
חֵיקֶךָ.	**(Or the wife of) thy bosom**
הַשּׁוֹכֶבֶת בְּחֵיקֶךָ	She who lies in your bosom
וּמְחַקָּה בָּךְ,	and cleaves to you;
אפקיי"דא בְּלַעַ"ז,	*afficheé* in O. F.
וְכֵן (יְחֶזְ' מ"ג):—	And similarly (Ezek. 43.14),
וּמֵחֵיק הָאָרֶץ	"And from that which is fixed (ומחיק) to the ground,"
—מִיסוֹד הַתָּקוּעַ בָּאָרֶץ:	(i. e.,) from the foundation which is fixed in the ground.
אֲשֶׁר כְּנַפְשְׁךָ.	**That is as thine own soul**
זֶה אָבִיךָ,	This (refers to) your father.
פֵּרַשׁ לְךָ הַכָּתוּב	Scripture specifies for you
אֶת הַחֲבִיבִין לְךָ,	those cherished by you;
קַל וָחוֹמֶר לַאֲחֵרִים:	how much more so (does this apply) to others.

בַּסֵּתֶר	in secrecy,
לֵאמֹר	saying:
נֵלְכָה	'Let us go,
וְנַעַבְדָה	and let us serve
אֱלֹהִים אֲחֵרִים	other gods',
אֲשֶׁר לֹא יָדַעְתָּ	which thou hast not known,
אַתָּה וַאֲבֹתֶיךָ׃	thou, nor thy fathers;

8 מֵאֱלֹהֵי הָעַמִּים	8. of the gods of the peoples
אֲשֶׁר סְבִיבֹתֵיכֶם	that are round about you,
הַקְּרֹבִים אֵלֶיךָ	those nigh unto thee,
אוֹ הָרְחֹקִים מִמֶּךָּ	or far off from thee,
מִקְצֵה הָאָרֶץ	from the (one) end of the earth
וְעַד־קְצֵה הָאָרֶץ׃	even unto the (other) end of the earth;

Rashi — רש"י

בַּסֵּתֶר.	**In secrecy**
דִּבֵּר הַכָּתוּב בַּהֹוֶה,	Scripture speaks in customary (language),
שֶׁאֵין דִּבְרֵי מֵסִית אֶלָּא בַּסֵּתֶר,	for the words of one who incites people to worship idols (are said) only in secret.
וְכֵן שְׁלֹמֹה הוּא אוֹמֵר (מִשְׁלֵי ז)	And similarly Solomon states (Prov. 7.9),
בְּנֶשֶׁף בְּעֶרֶב יוֹם	"In the twilight, in the evening of the day,
בְּאִישׁוֹן לַיְלָה וַאֲפֵלָה׃	In the blackness of night and the darkness."
אֲשֶׁר לֹא יְדַעְתָּ אַתָּה וַאֲבוֹתֶיךָ.	**Which thou hast not known, thou, nor thy fathers**
דָּבָר זֶה גְּנַאי גָּדוֹל הוּא לְךָ	This thing is a great reproach unto you,
שֶׁאַף הָאֻמּוֹת אֵין מַנִּיחִין	for even the nations do not forsake
מַה שֶּׁמָּסְרוּ לָהֶם אֲבוֹתֵיהֶם,	what their fathers handed down to them;
וְזֶה אוֹמֵר לְךָ עֲזוֹב	yet he tells you: Forsake
מַה שֶּׁמָּסְרוּ לְךָ אֲבוֹתֶיךָ (סִפְרֵי)׃	what your fathers handed down to you (Siphre).

8 הַקְּרֹבִים אֵלֶיךָ אוֹ הָרְחֹקִים.	**8. Those nigh unto thee, or far off**
לָמָּה פָּרַט קְרוֹבִים וּרְחוֹקִים?	Why does it specify nigh and far off?
אֶלָּא כָּךְ אָמַר הַכָּתוּב;	However Scripture intimates as follows:
מִטִּיבָן שֶׁל קְרוֹבִים	From the nature of those that are near
אַתָּה לָמֵד טִיבָן שֶׁל רְחוֹקִים,	you can learn the nature of those that are far off;
כְּשֵׁם שֶׁאֵין מַמָּשׁ בִּקְרוֹבִים,	just as there is no reality in the near ones,
כָּךְ אֵין מַמָּשׁ בִּרְחוֹקִים (סַנְהֶ׳ ס״א)׃	so there is no reality in those far off (Sanh. 61).
מִקְצֵה הָאָרֶץ.	**From the (one) end of the earth**
זוּ חַמָּה וּלְבָנָה	This (refers to) the sun, and moon
וּצְבָא הַשָּׁמַיִם	and host of the heavens,
שֶׁהֵן מְהַלְּכִין מִסּוֹף הָעוֹלָם	which move from one end of the world
וְעַד סוֹפוֹ (סִפְרֵי)׃	to the other end (Siphre).

9 לֹא־תֹאבֶה לוֹ	9. thou shalt not consent unto him,
וְלֹא תִשְׁמַע אֵלָיו	nor hearken unto him;
וְלֹא־תָחוֹס עֵינְךָ עָלָיו	neither shall thine eye pity him,
וְלֹא־תַחְמֹל	neither shalt thou spare,
וְלֹא־תְכַסֶּה עָלָיו׃	neither shalt thou conceal him;
10 כִּי הָרֹג תַּהַרְגֶנּוּ	10. but thou shalt surely kill him;
יָדְךָ תִּהְיֶה־בּוֹ בָרִאשׁוֹנָה	thy hand shall be first upon him
לַהֲמִיתוֹ	to put him to death,
וְיַד כָּל־הָעָם בָּאַחֲרֹנָה׃	and afterwards the hand of all the people.

Rashi — רש"י

9 לֹא־תֹאבֶה לוֹ.	**9. Thou shalt not consent unto him**
לֹא תְהֵא תָאֵב לוֹ,	(לא תאבה לו denotes) you shall have no "longing" (תאב) for him,
לֹא תֶאֱהָבֵנוּ,	you shall not love him.
לְפִי שֶׁנֶּאֱמַר (וַיִּקְ' י"ט):—	Since it is stated (Lev. 19.18),
וְאָהַבְתָּ לְרֵעֲךָ כָּמוֹךָ,	"and thou shalt love thy neighbor as thyself,"
—אֶת זֶה לֹא תֶאֱהַב:	(it was necessary to state here:) this one you shall not love.
וְלֹא תִשְׁמַע אֵלָיו.	**Nor hearken unto him**
—בְּהִתְחַנְּנוֹ עַל נַפְשׁוֹ	When he makes supplication for his soul
לִמְחוֹל לוֹ,	to forgive him.
לְפִי שֶׁנֶּאֱמַר (שְׁמוֹת כ"ג):—	Since it is stated (Ex. 23.5),
עָזֹב תַּעֲזֹב עִמּוֹ,	"(If thou see the ass of him that hateth thee,) thou shalt surely release with him" (i.e. aid him),
—לָזֶה לֹא תַעֲזֹב:	(it was necessary to state here:) this one you shall not aid.
וְלֹא־תָחוֹס עֵינְךָ עָלָיו.	**Neither shall thine eye pity him**
לְפִי שֶׁנֶּאֱמַר (וַיִּקְ' י"ט):—	Since it is stated (Lev. 19.16),
לֹא תַעֲמֹד עַל דַּם רֵעֶךָ,	"Thou shalt not stand idly by the blood of thy neighbor,"
—עַל זֶה לֹא תָחוּס:	(it was necessary to state here:) on this one you shall not have pity.
וְלֹא־תַחְמֹל.	**Neither shalt thou spare**
לֹא תְהַפֵּךְ בִּזְכוּתוֹ:	Do not search for his merits.
וְלֹא־תְכַסֶּה עָלָיו.	**Neither shalt thou conceal him**
אִם אַתָּה יוֹדֵעַ לוֹ חוֹבָה	If you know a sin concerning him,
אֵינְךָ רַשַּׁאי לִשְׁתּוֹק (סִפְרֵי):	you are not permitted to remain silent (Siphre).
10 כִּי הָרֹג תַּהַרְגֶנּוּ.	**10. But thou shalt surely kill him**
[אִם יָצָא מִבֵּ"ד זַכַּאי	[If he leaves the court acquitted,
הַחֲזִירֵהוּ לְחוֹבָה,]	you shall return him to condemn (him);]
יָצָא מִבֵּית דִּין חַיָּב	if he leaves the court condemned,
אַל תַּחֲזִירֵהוּ לִזְכוּת (שָׁם):	you shall not return him to acquit (him) (*ibid.*).
יָדְךָ תִּהְיֶה־בּוֹ בָּרִאשׁוֹנָה.	**Thy hand shall be first upon him**
מִצְוָה בְּיַד הַנִּסָּת לַהֲמִיתוֹ,	It is the duty of him that was incited to idolatry to kill him.
לֹא מֵת בְּיָדוֹ,	If he did not die by his hand,
יָמוּת בְּיַד אֲחֵרִים,	he must die by the hand of others,
שֶׁנֶּאֱמַר ,,וְיַד כָּל־הָעָם' וְגוֹ':	as it is stated, "And the hand of all the people," etc.

11 וּסְקַלְתּוֹ בָאֲבָנִים	11. And thou shalt stone him with stones,
וָמֵת	that he die;
כִּי בִקֵּשׁ לְהַדִּיחֲךָ	because he hath sought to draw thee away
מֵעַל יְהוָה אֱלֹהֶיךָ	from the Lord thy God,
הַמּוֹצִיאֲךָ	who brought thee out
מֵאֶרֶץ מִצְרַיִם	of the land of Egypt,
מִבֵּית עֲבָדִים׃	out of the house of bondage.
12 וְכָל־יִשְׂרָאֵל	12. And all Israel
יִשְׁמְעוּ וְיִרָאוּן	shall hear, and fear,
וְלֹא־יוֹסִפוּ לַעֲשׂוֹת	and they shall do no more
כַּדָּבָר הָרָע הַזֶּה	any such wickedness as this
בְּקִרְבֶּךָ׃ ס	in the midst of thee.
13 כִּי־תִשְׁמַע	13. If thou shalt hear (tell)
בְּאַחַת עָרֶיךָ	concerning one of thy cities,
אֲשֶׁר יְהוָה אֱלֹהֶיךָ	which the Lord thy God
נֹתֵן לְךָ	giveth thee
לָשֶׁבֶת שָׁם	to dwell there,
לֵאמֹר׃	saying:
14 יָצְאוּ אֲנָשִׁים בְּנֵי־בְלִיַּעַל	14. '(Certain) men, base fellows are gone out
מִקִּרְבֶּךָ	from the midst of thee,
וַיַּדִּיחוּ	and have drawn away
אֶת־יֹשְׁבֵי עִירָם	the inhabitants of their city,
לֵאמֹר	saying:
נֵלְכָה וְנַעַבְדָה	Let us go, and serve
אֱלֹהִים אֲחֵרִים	other gods,
אֲשֶׁר לֹא־יְדַעְתֶּם׃	which ye have not known';

Rashi — רש"י

13 לָשֶׁבֶת שָׁם.	**13. To dwell there**
פְּרָט לִירוּשָׁלַיִם	Excluding Jerusalem,
שֶׁלֹּא נִתְּנָה לְדִירָה (שָׁם)׃	which was not given for dwelling (to any particular tribe) (*ibid.*).
כִּי תִשְׁמַע . . . לֵאמֹר.	**If thou shalt hear . . . saying**
אוֹמְרִים כֵּן יָצְאוּ וְגוֹ׳׃	(means, if thou shalt hear people) saying thus: "There are gone out," etc.
14 אֲנָשִׁים.	**14. Men**
וְלֹא נָשִׁים׃	But not women.
בְּנֵי־בְלִיַּעַל.	**Base fellows**
בְּלִי עוֹל,	(בליעל is to be interpreted as (בלי עול "without a yoke."
שֶׁפָּרְקוּ עֻלּוֹ שֶׁל מָקוֹם (שָׁם)׃	for they have removed the yoke of the Omnipresent (*ibid.*).
יֹשְׁבֵי עִירָם.	**The inhabitants of their city**
וְלֹא יוֹשְׁבֵי עִיר אַחֶרֶת,	But not the inhabitants of another city.
מִכָּאן אָמְרוּ:—	Hence (our Rabbis) said:
אֵין נַעֲשֵׂית עִיר הַנִּדַּחַת	it does not become a condemned city
עַד שֶׁיַּדִּיחוּהָ אֲנָשִׁים	unless men (i. e., not women) lead it astray
וְעַד שֶׁיִּהְיוּ מַדִּיחֶיהָ מִתּוֹכָהּ (סַנְהֶ׳ קי״א)׃	and unless its seducers are from its midst (Sanh. 111).

15 וְדָרַשְׁתָּ	15. then thou shalt inquire,
וְחָקַרְתָּ	and make search,
וְשָׁאַלְתָּ הֵיטֵב	and ask diligently;
וְהִנֵּה אֱמֶת	and, behold, (if it be) truth,
נָכוֹן הַדָּבָר	the thing certain,
נֶעֶשְׂתָה הַתּוֹעֵבָה הַזֹּאת	that such abomination is wrought
בְּקִרְבֶּךָ׃	in the midst of thee;
16 הַכֵּה תַכֶּה	16. thou shalt surely smite
אֶת־יֹשְׁבֵי הָעִיר הַהִוא	the inhabitants of that city
לְפִי־חָרֶב	with the edge of the sword,
הַחֲרֵם אֹתָהּ	destroying it utterly,
וְאֶת־כָּל־אֲשֶׁר־בָּהּ	and all that is therein
וְאֶת־בְּהֶמְתָּהּ	and the cattle thereof,
לְפִי־חָרֶב׃	with the edge of the sword.
17 וְאֶת־כָּל־שְׁלָלָהּ	17. And all the spoil of it
תִּקְבֹּץ	thou shalt gather
אֶל־תּוֹךְ רְחֹבָהּ	into the midst of the broad place thereof,
וְשָׂרַפְתָּ בָאֵשׁ	and shalt burn with fire
אֶת־הָעִיר	the city,
וְאֶת־כָּל־שְׁלָלָהּ	and all the spoil thereof
כָּלִיל	every whit,

Rashi — רש״י

15 וְדָרַשְׁתָּ וְחָקַרְתָּ וְשָׁאַלְתָּ הֵיטֵב.	**15. Then thou shalt inquire, and make search, and ask diligently**
מִכָּאן לָמְדוּ שֶׁבַע חֲקִירוֹת	Hence (our Rabbis) derived seven questions (to be asked at a hearing),
מִרִבּוּי הַמִּקְרָא,	from the amplification of the text.
כָּאן יֵשׁ ג׳	Here there are three:
דְּרִישָׁה וַחֲקִירָה וְהֵיטֵב׳,	inquiry, search and diligence;
–וְשָׁאַלְתָּ׳ אֵינוֹ מִן הַמִּנְיָן	"and than shalt ask" is not (included) in the number,
וּמִמֶּנּוּ לָמְדוּ בְּדִיקוֹת	and from this they derive cross-examination (of witnesses as to accompanying circumstances).
וּבְמָקוֹם אַחֵר הוּא אוֹמֵר (דְּבָר׳ י״ט)׃–	And in another passage it states (Deut. 19.18),
וְדָרְשׁוּ הַשֹּׁפְטִים הֵיטֵב,	"And the judges shall inquire diligently";
וְעוֹד בְּמָקוֹם אַחֵר הוּא אוֹמֵר (שָׁם י״ז)׃–	and in still another passage it states (*ibid.*, 17.4),
וְדָרַשְׁתָּ הֵיטֵב,	"And thou shalt inquire diligently."
וְלָמְדוּ הֵיטֵב הֵיטֵב לִגְזֵרָה שָׁוָה,	And (the Rabbis established (from the word) היטב an inference by analogy,
לִתֵּן הָאָמוּר שֶׁל זֶה בָּזֶה (סַנְהֶ׳ מ)׃	to apply what is stated in one (text) to the other (Sanh. 40).
16 הַכֵּה תַכֶּה	**16. Thou shalt surely smite**
אִם אֵינְךָ יָכוֹל לַהֲמִיתָם	If you are not able to put them to death
בְּמִיתָה הַכְּתוּבָה בָּהֶם,	with that death which is written regarding them,
הֲמִיתֵם בְּאַחֶרֶת (סִפְרֵי, בָּ״מ ל״א)׃	slay them by another (death) (Siphre; B. M. 31).

לַיהוָ֖ה אֱלֹהֶ֑יךָ	for the Lord thy God;
וְהָיְתָה֙ תֵּ֣ל עוֹלָ֔ם	and it shall be a heap for ever;
לֹ֥א תִבָּנֶ֖ה עֽוֹד׃	it shall not be built again.
18 וְלֹֽא־יִדְבַּ֥ק בְּיָדְךָ֛ מְא֖וּמָה	18. And there shall cleave nought to thy hand
מִן־הַחֵ֑רֶם	of the devoted thing,
לְמַ֩עַן֩ יָשׁ֨וּב יְהוָ֜ה	that the Lord may turn
מֵחֲר֣וֹן אַפּ֗וֹ	from the fierceness of His anger,
וְנָֽתַן־לְךָ֤ רַחֲמִים֙	and show thee mercy
וְרִֽחַמְךָ֣	and have compassion upon thee,
וְהִרְבֶּ֔ךָ	and multiply thee,
כַּאֲשֶׁ֥ר נִשְׁבַּ֖ע לַאֲבֹתֶֽיךָ׃	as He hath sworn unto thy fathers;
19 כִּ֣י תִשְׁמַ֗ע	19. when thou shalt hearken
בְּקוֹל֙ יְהוָ֣ה אֱלֹהֶ֔יךָ	to the voice of the Lord thy God,
לִשְׁמֹר֙ אֶת־כָּל־מִצְוֺתָ֔יו	to keep all His commandments
אֲשֶׁ֛ר אָנֹכִ֥י מְצַוְּךָ֖ הַיּ֑וֹם	which I command thee this day,
לַעֲשׂוֹת֙ הַיָּשָׁ֔ר	to do that which is right
בְּעֵינֵ֖י יְהוָ֥ה אֱלֹהֶֽיךָ׃ ס רביעי	in the eyes of the Lord thy God.

CHAPTER XIV — יד

1 בָּנִ֣ים אַתֶּ֔ם	1. Ye are children
לַיהוָ֖ה אֱלֹהֵיכֶ֑ם	of the Lord your God:
לֹ֣א תִתְגֹּדְד֗וּ	ye shall not cut yourselves,
וְלֹֽא־תָשִׂ֧ימוּ קָרְחָ֛ה	nor make any baldness
בֵּ֥ין עֵינֵיכֶ֖ם	between your eyes

Rashi — רש"י

17 לַה' אֱלֹהֶיךָ.	**17. Unto the Lord thy God**
לִשְׁמוֹ וּבִשְׁבִילוֹ:	For His name and for His sake.
18 לְמַעַן יָשׁוּב ה' מֵחֲרוֹן אַפּוֹ.	**18. That the Lord may turn from the fierceness of His anger**
שֶׁכָּל זְמַן שֶׁעֲ"ז בָּעוֹלָם	For as long as idolatry (exists) in the world,
חֲרוֹן אַף בָּעוֹלָם (סִפְרֵי):	(His) fierce anger (will exist) in the world (Siphre).
14 1 לֹא תִתְגֹּדְדוּ.	**14 1. You shall not cut yourselves**
לֹא תִתְּנוּ גְדִידָה וְשֶׂרֶט בִּבְשַׂרְכֶם	You shall not make a gash or a scratch upon your flesh
עַל מֵת	for the dead,
כְּדֶרֶךְ שֶׁהָאֱמוֹרִיִּים עוֹשִׂין,	in the manner that the Amorites do;
לְפִי שֶׁאַתֶּם בָּנָיו שֶׁל מָקוֹם	for you are the children of the Omnipresent
וְאַתֶּם רְאוּיִין לִהְיוֹת נָאִים	and it is fitting that you be comely,
וְלֹא גְדוּדִים וּמְקָרָחִים:	and not cut up or bald.
בֵּין עֵינֵיכֶם.	**Between your eyes**
אֵצֶל הַפַּדַּחַת,	Near the forehead.
וּבְמָקוֹם אַחֵר הוּא אוֹמֵר (וַיִּקְ' כ"א):–	And in another passage it states (Lev. 21.5),
לֹא יִקְרְחוּ קָרְחָה בְּרֹאשָׁם,	"They shall not make baldness upon their head";
–לַעֲשׂוֹת כָּל הָרֹאשׁ	(this comes) to make the entire head

לָמֵת:	for the dead.
2 כִּי עַם קָדוֹשׁ אַתָּה	2. For thou art a holy people
לַיהוָה אֱלֹהֶיךָ	unto the Lord thy God,
וּבְךָ בָּחַר יְהוָה	and the Lord hath chosen thee
לִהְיוֹת לוֹ לְעַם סְגֻלָּה	to be a people of a select portion unto Himself
מִכֹּל הָעַמִּים	out of all peoples
אֲשֶׁר עַל פְּנֵי הָאֲדָמָה: ס	that are upon the face of the earth.
3 לֹא תֹאכַל	3. Thou shalt not eat
כָּל־תּוֹעֵבָה:	any abominable thing.
4 זֹאת הַבְּהֵמָה	4. These are the beasts
אֲשֶׁר תֹּאכֵלוּ	which ye may eat:
שׁוֹר	the ox,
שֵׂה כְשָׂבִים	the sheep,
וְשֵׂה עִזִּים:	and the goat,
5 אַיָּל וּצְבִי	5. the hart, and the gazelle,
וְיַחְמוּר	and the roebuck,

Rashi — רש"י

כְּבֵין הָעֵינַיִם (סִפְרֵי):	as between the eyes (subject to the same law of making bald) (Siphre).
2 כִּי עַם קָדוֹשׁ אַתָּה.	**2. For thou art a holy people**
קְדוּשַּׁת עַצְמְךָ מֵאֲבוֹתֶיךָ,	Your own holiness (is derived) from your fathers,
וְעוֹד "וּבְךָ בָּחַר ה'":	and in addition, "thee hath the Lord chosen."
3 כָּל־תּוֹעֵבָה.	**3. Any abominable thing**
כָּל שֶׁתִּעַבְתִּי לְךָ	Whatever I have declared an abomination for you,
כְּגוֹן צָרַם אֹזֶן בְּכוֹר	such as making a slit in the ear of a firstling
כְּדֵי לְשָׁחֲטוֹ בַּמְּדִינָה	in order to slaughter it in the country (outside Jerusalem),
הֲרֵי דָבָר שֶׁתִּעַבְתִּי לְךָ,	this is a thing which I have declared an abomination for you;
כָּל מוּם לֹא יִהְיֶה בּוֹ,	for no blemish shall be in it.
בָּא וְלִמֵּד כָּאן	It comes and teaches here
שֶׁלֹּא יִשְׁחַט וְיֹאכַל עַל אוֹתוֹ הַמּוּם,	that he may not slaughter and eat it because of that defect.
בַּשֵּׁל בָּשָׂר בְּחָלָב	Cooking meat in milk
הֲרֵי דָבָר שֶׁתִּעַבְתִּי לְךָ,	is a thing which I I have declared abominable to you;
וְהִזְהִיר כָּאן עַל אֲכִילָתוֹ (חוּלִּין קי"ד):	and it forewarns here against eating it (Ḥul. 114).
4 זֹאת הַבְּהֵמָה וְגוֹ'.	**4. These are the beasts, etc.**
5 אַיָּל וּצְבִי וְיַחְמוּר.	**5. The hart and the gazelle and the roebuck**
לִמְּדָנוּ שֶׁהַחַיָּה בִּכְלַל בְּהֵמָה, (סִפְרֵי, חוּלִּין ע"א)	(This, the fact that Scripture begins with הבהמה) teaches us that חיה is included in (the term) בהמה (Siphre; Ḥul. 71).
וְלִמְּדָנוּ	And (this) also teaches us
שֶׁבְּהֵמָה וְחַיָּה טְמֵאָה	that unclean cattle and beasts
מְרֻבָּה מִן הַטְּהוֹרָה,	are more numerous than the clean,
שֶׁבְּכָל מָקוֹם פּוֹרֵט	for in every place it enumerates
אֶת הַמּוּעָט (חוּלִּין ס"ג):	the less numerous (Ḥul. 63).

and the wild goat,	וְאַקּוֹ
and the pygarg,	וְדִישֹׁן
and the antelope,	וּתְאוֹ
and the mountain-sheep.	וָזָמֶר׃
6. And every beast	6 וְכָל־בְּהֵמָה
that parteth the hoof,	מַפְרֶסֶת פַּרְסָה
and hath the hoof wholly cloven in two	וְשֹׁסַעַת שֶׁסַע שְׁתֵּי פְרָסוֹת
(and) cheweth the cud,	מַעֲלַת גֵּרָה
among the beasts,	בַּבְּהֵמָה
that ye may eat.	אֹתָהּ תֹּאכֵלוּ׃

7. Nevertheless these	7 אַךְ אֶת־זֶה
ye shall not eat	לֹא תֹאכְלוּ
of them that only chew the cud,	מִמַּעֲלֵי הַגֵּרָה
or of them that only have the hoof cloven:	וּמִמַּפְרִיסֵי הַפַּרְסָה הַשְּׁסוּעָה
the camel,	אֶת־הַגָּמָל
and the hare,	וְאֶת־הָאַרְנֶבֶת
and the rock-badger,	וְאֶת־הַשָּׁפָן
because they chew the cud	כִּי־מַעֲלֵה גֵרָה הֵמָּה
but part not the hoof,	וּפַרְסָה לֹא הִפְרִיסוּ
they are unclean to you;	טְמֵאִים הֵם לָכֶם׃

Rashi — רש״י

And the wild goat	וְאַקּוֹ.
(אקו) is rendered by the Targum יַעְלָא,	מְתֻרְגָּם יַעְלָא,
(cf.) "wild goats (יעלי) of the rock" (Job 39.1);	יַעֲלֵי סָלַע,
this is *steinbock* (in German).	הוּא אשטנב״וק:
And the pygarg	וּתְאוֹ.
(תאו is rendered by Targum) תור בלא	תּוֹר בָּלָא
(which denotes) "ox of the forest";	תּוֹר הַיַּעַר,
באלא (denotes) "forest" in the Aramaic language.	בָּאלָ״א יַעַר בְּלָשׁוֹן אֲרַמִּי:
6. That parteth	6 מַפְרֶסֶת
(מפרסת denotes) "cloven," as the Targum translates it (סְדִיקָא).	סְדוּקָה כְּתַרְגּוּמוֹ:
Hoof	פַּרְסָה.
(פרסה means) *plante* (in O. F.).	פלאנט״ה:
And (hath the hoof) cloven	וְשֹׁסַעַת.

(שסעת denotes) divided into two nails;	חֲלוּקָה בִשְׁתֵּי צִפָּרְנַיִם,
for it may be parted but not divided into (two) nails,	שֶׁיֵּשׁ סְדוּקָה וְאֵינָהּ חֲלוּקָה בְּצִפָּרְנַיִם,
and that is unclean.	וְהִיא טְמֵאָה:
Among the beasts	בַּבְּהֵמָה.
This implies that what is found	מַשְׁמַע מַה שֶּׁנִּמְצָא
in the animal may you eat.	בַּבְּהֵמָה אֱכוֹל,
Hence (the Rabbis) said	מִכָּאן אָמְרוּ:—
that an embryo becomes permissible through the slaughtering of its mother (Ḥul. 69).	שֶׁהַשְּׁלִיל נִתָּר בִּשְׁחִיטַת אִמּוֹ (חוּלִין ס״ט):
7. The (hoof) cloven	7 הַשְּׁסוּעָה.
(Lit., a cleft one): it (השסועה is) (a certain) creature	בְּרִיָּה הִיא
that has two backs	שֶׁיֵּשׁ לָהּ שְׁנֵי גַבִּין
and two spinal columns (*ibid.*, 60).	וּשְׁתֵּי שִׁדְרָאוֹת (שָׁם ס׳):—

8 וְאֶת־הַחֲזִיר	8. and the swine,
כִּי־מַפְרִיס פַּרְסָה הוּא	because he parteth the hoof
וְלֹא גֵרָה	but cheweth not the cud,
טָמֵא הוּא לָכֶם	he is unclean unto you;
מִבְּשָׂרָם לֹא תֹאכֵלוּ	of their flesh ye shall not eat,
וּבְנִבְלָתָם לֹא תִגָּעוּ: ס	and their carcasses ye shall not touch.
9 אֶת־זֶה תֹּאכְלוּ	9. These ye may eat
מִכֹּל אֲשֶׁר בַּמָּיִם	of all that are in the waters:
כֹּל אֲשֶׁר־לוֹ	whatsoever hath
סְנַפִּיר וְקַשְׂקֶשֶׂת	fins and scales
תֹּאכֵלוּ:	may ye eat;
10 וְכֹל אֲשֶׁר אֵין־לוֹ	10. and whatsoever hath not
סְנַפִּיר וְקַשְׂקֶשֶׂת	fins and scales
לֹא תֹאכֵלוּ	ye shall not eat;
טָמֵא הוּא לָכֶם: ס	it is unclean unto you.
11 כָּל־צִפּוֹר טְהֹרָה	11. Of all clean birds
תֹּאכֵלוּ:	ye may eat.
12 וְזֶה אֲשֶׁר לֹא־תֹאכְלוּ מֵהֶם	12. But these are they of which ye shall not eat:
הַנֶּשֶׁר	the great vulture,

Rashi — רש"י

אָמְרוּ רַבּוֹתֵינוּ: לָמָּה נִשְׁנוּ?	Our Rabbis said: Why are (these) repeated?
בַּבְּהֵמוֹת מִפְּנֵי הַשְּׁסוּעָה	The animals (are repeated) because of the (animal called) "shesu'ah,"
וּבָעוֹפוֹת מִפְּנֵי הָרָאָה	and the birds because of the bird called "raah,"
שֶׁלֹּא נֶאֶמְרוּ בְּת"כ (שָׁם ס"ג):	which are not mentioned in the Law of the Priests (*ibid.*, 63).
8 וּבְנִבְלָתָם לֹא תִגָּעוּ.	**8. And their carcasses ye shall not touch**
רַבּוֹתֵינוּ פֵּרְשׁוּ בְּרֶגֶל,	Our Rabbis interpreted (this verse) in reference to the festivals
שֶׁאָדָם חַיָּב לְטַהֵר עַצְמוֹ בָּרֶגֶל	that one must purify himself for the festivals.
יָכוֹל יִהְיוּ מֻזְהָרִים בְּכָל הַשָּׁנָה,	I might infer that they should be prohibited for the entire year,
תַּלְמוּד לוֹמַר אֱמֹר אֶל הַכֹּהֲנִים וְגוֹ',	(therefore) Scripture states, "Say unto the priests," etc. (Lev. 25).
וּמַה טֻמְאַת הַמֵּת, חֲמוּרָה,	If the uncleanness from a corpse, which is stringent,
הַכֹּהֲנִים מוּזְהָרִים	the priests are forewarned (regarding it)
וְאֵין יִשְׂרָאֵל מוּזְהָרִים	but the Israelites are not forewarned,
טֻמְאַת נְבֵלָה, קַלָּה,	then (regarding) the uncleanness of a carcass, which is slight,
לֹא כָּל שֶׁכֵּן:	this is all the more so.
11 כָּל־צִפּוֹר טְהֹרָה תֹּאכֵלוּ.	**11. Of all clean birds ye may eat**
לְהַתִּיר מְשֻׁלַּחַת שֶׁבִּמְצוֹרָע (קִידּ' נ"ז):	(This comes) to make permissible (the bird) which is sent off by a leprous person (Kid. 57).
12 וְזֶה אֲשֶׁר לֹא־תֹאכְלוּ מֵהֶם.	**12. But these are they of which ye shall not eat**
לֶאֱסוֹר אֶת הַשְּׁחוּטָה (שָׁם):	To forbid (the bird) which is slaughtered (for the leprous person) (*ibid.*).

וְהַפֶּרֶס	and the bearded vulture,
וְהָעָזְנִיָּה:	and the ospray;
13 וְהָרָאָה	13. and the glede.
וְאֶת־הָאַיָּה	and the falcon.
וְהַדַּיָּה לְמִינָהּ:	and the kite after its kinds;
14 וְאֵת כָּל־עֹרֵב	14. and every raven
לְמִינוֹ:	after its kinds;
15 וְאֵת בַּת הַיַּעֲנָה	15. and the ostrich,
וְאֶת־הַתַּחְמָס	and the night-hawk,
וְאֶת־הַשָּׁחַף	and the seamew.
וְאֶת־הַנֵּץ לְמִינֵהוּ:	and the hawk after its kinds;
16 אֶת־הַכּוֹס	16. the little owl,
וְאֶת־הַיַּנְשׁוּף	and the great owl,
וְהַתִּנְשָׁמֶת:	and the horned owl;
17 וְהַקָּאָת	17. and the pelican,
וְאֶת־הָרָחָמָה	and the carrion vulture,
וְאֶת־הַשָּׁלָךְ:	and the cormorant;
18 וְהַחֲסִידָה	18. and the stork,
וְהָאֲנָפָה	and the heron
לְמִינָהּ	after its kinds,

Rashi — רש״י

13 וְהָרָאָה וְאֶת־הָאַיָּה.	**13. And the glede, and the falcon**
הִיא רָאָה הִיא אַיָּה הִיא דַיָּה,	The *raah* is the same as the *ayyah* and the *dayyah*.
וְלָמָּה נִקְרָא שְׁמָהּ רָאָה?	And why is its name called *raah*?
שֶׁרוֹאָה בְּיוֹתֵר,	Because it sees (רואה) exceptionally well.
וְלָמָּה הִזְהִיר בְּכָל שְׁמוֹתֶיהָ?	And why is it prohibited under all its names?
שֶׁלֹּא לִתֵּן פִּתְחוֹן פֶּה	In order not to give an opening
לְבַעַל דִּין לַחֲלוֹק,	to any opponent to disagree,
שֶׁלֹּא יְהֵא הָאוֹסְרָהּ	(i. e.,) that he who forbids it should not
קוֹרֵא אוֹתָהּ רָאָה,	call it *raah*,
וְהַבָּא לְהַתִּיר אוֹמֵר:—	while he who comes to make it permissible will say:
זוּ דַיָּה שְׁמָהּ	This is named *dayyah*
אוֹ אַיָּה שְׁמָהּ,	or it is named *ayyah*.
וְזוּ לֹא אָסַר הַכָּתוּב.	And this (bird) Scripture did not forbid.
וּבָעוֹפוֹת פֵּרַט לְךָ הַטְּמֵאִים	And of the birds, (Scripture) specifies for you the unclean ones,
לְלַמֵּד	to teach
שֶׁהָעוֹפוֹת הַטְּהוֹרִים	that the clean birds
מְרֻבִּים עַל הַטְּמֵאִים,	are more numerous than the unclean;
לְפִיכָךְ פָּרַט אֶת הַמּוּעָט (חולי׳ ס״ג):	therefore it specifies the less numerous (Ḥul. 63).
16 הַתִּנְשֶׁמֶת.	**16. The horned owl**
קלב״א שורי״ץ:	*Chauve-souris* (in O. F.).
17 שָׁלָךְ.	**17. And the cormorant**
הַשּׁוֹלֶה דָּגִים מִן הַיָּם (שָׁם):	(It is called שלך because) it catches (שׁוֹלֶה) fish out of the sea (*ibid.*).

and the hoopoe,	וְהַדּוּכִיפַת
and the bat.	וְהָעֲטַלֵּף׃
19. And all winged swarming things	19 וְכֹל שֶׁרֶץ הָעוֹף
are unclean unto you;	טָמֵא הוּא לָכֶם
they shall not be eaten.	לֹא יֵאָכֵלוּ׃
20. Of all clean winged things	20 כָּל־עוֹף טָהוֹר
ye may eat.	תֹּאכֵלוּ׃
21. Ye shall not eat of	21 לֹא תֹאכְלוּ
any thing that dieth of itself;	כָל־נְבֵלָה
unto the stranger that is within thy gates	לַגֵּר אֲשֶׁר־בִּשְׁעָרֶיךָ
thou mayest give it,	תִּתְּנֶנָּה
that he may eat it;	וַאֲכָלָהּ
or thou mayest sell it unto a foreigner;	אוֹ מָכֹר לְנָכְרִי
for thou art a holy people	כִּי עַם קָדוֹשׁ אַתָּה
unto the Lord thy God;	לַיהוָה אֱלֹהֶיךָ

Rashi — רש״י

18. And the hoopoe	18 **דּוּכִיפַת.**
(דוכיפת) is a wild cock,	הוּא תַּרְנְגוֹל הַבָּר,
and in O. F. *herupe*;	וּבְלַעַ"ז הרופ"א
and its crest is double (Git. 68).	וְכַרְבָּלְתּוֹ כְּפוּלָה (גִּיטִּין ס"ח):
19. Winged swarming things	19 **שֶׁרֶץ הָעוֹף.**
These are the low creatures	הֵם הַנְּמוּכִים,
that swarm upon the earth;	הָרוֹחֲשִׁים עַל הָאָרֶץ,
flies, and bees,	זְבוּבִין וּצְרָעִים
and unclean locusts	וַחֲגָבִים טְמֵאִים
are called swarming things.	קְרוּיִים שֶׁרֶץ:
20. Of all clean winged things ye may eat	20 **כָּל־עוֹף טָהוֹר תֹּאכֵלוּ.**
But not the unclean.	וְלֹא אֶת הַטָּמֵא,
It comes to add a positive command to the prohibitive command.	בָּא לִתֵּן עֲשֵׂה עַל לֹא תַעֲשֶׂה;
And similarly of animals, this ye may eat,	וְכֵן בִּבְהֵמָה אֹתָהּ תֹּאכֵלוּ,
but not an unclean animal.	וְלֹא בְהֵמָה טְמֵאָה,
A prohibitive command derived from a positive command (is equivalent to) a positive command,	לָאו הַבָּא מִכְּלַל עֲשֵׂה עֲשֵׂה,
to make the transgressor answerable for a positive and prohibitive command.	לַעֲבוֹר עֲלֵיהֶם בַּעֲשֵׂה וְלֹא תַעֲשֶׂה:
21. Unto the stranger that is within thy gates	21 **לַגֵּר אֲשֶׁר־בִּשְׁעָרֶיךָ.**
(This refers to) a resident alien who took upon himself	גֵּר תּוֹשָׁב שֶׁקִּבֵּל עָלָיו
not to worship idols,	שֶׁלֹּא לַעֲבוֹד עֲ"זָ
but he eats the flesh of animals not ritually slaughtered.	וְאוֹכֵל נְבֵלוֹת:
For thou art a holy people unto the Lord	**כִּי עַם קָדוֹשׁ אַתָּה לַה'.**
Sanctify yourself with that which is permissible for you;	קַדֵּשׁ אֶת עַצְמְךָ בְּמוּתָּר לָךְ
things which are permitted, but which some treat as forbidden,	—דְּבָרִים הַמּוּתָּרִים וַאֲחֵרִים נוֹהֲגִים בָּהֶם אִסּוּר
do not treat them as permitted in their presence (Siphre).	אַל תַּתִּירֵם בִּפְנֵיהֶם (סִפְרֵי):

לֹא־תְבַשֵּׁל גְּדִי	thou shalt not seethe a kid
בַּחֲלֵב אִמּוֹ: פ	in its mother's milk.
חמישי	
22 עַשֵּׂר תְּעַשֵּׂר	22. Thou shalt surely tithe
אֵת כָּל־תְּבוּאַת זַרְעֶךָ	all the increase of thy seed,
הַיֹּצֵא הַשָּׂדֶה	that which is brought forth in the field
שָׁנָה שָׁנָה:	year (by) year.
23 וְאָכַלְתָּ	23. And thou shalt eat
לִפְנֵי ׀ יְהוָה אֱלֹהֶיךָ	before the Lord thy God,
בַּמָּקוֹם אֲשֶׁר־יִבְחַר	in the place which He shall choose

Rashi — רש"י

לֹא תְבַשֵּׁל גְּדִי.	**Thou shalt not seethe a kid**
שָׁלֹשׁ פְּעָמִים,	(This is stated) three times,
פְּרָט לְחַיָּה וּלְעוֹפוֹת	to exclude wild beasts and fowl,
וְלִבְהֵמָה טְמֵאָה (חוּלִּין קי"ג):	and unclean cattle (Ḥul. 113).
לֹא תְבַשֵּׁל גְּדִי.	**Thou shalt not seethe a kid**
22 עַשֵּׂר תְּעַשֵּׂר.	**22. Thou shalt surely tithe**
מַה עִנְיָן זֶה אֵצֶל זֶה?	What relation has the latter to the former (command)?
אָמַר לָהֶם הַקָּבָּ"ה לְיִשְׂרָאֵל	The The Holy One Blessed Be He said to Israel:
אַל תְּגָרְמוּ לִי	Do not cause Me
לְבַשֵּׁל גְּדָיִים שֶׁל תְּבוּאָה	to destroy the kernels (גדיים) of (your) grain
עַד שֶׁהֵן בִּמְעֵי אִמּוֹתֵיהֶן,	while they are within their mothers (i. e., yet in the stalks);
שֶׁאִם אֵין אַתֶּם מְעַשְּׂרִים מַעַשְׂרוֹת כָּרָאוּי	for if you do not give tithes properly,
כְּשֶׁהוּא סָמוּךְ לְהִתְבַּשֵּׁל	when it is about to become ripe
אֲנִי מוֹצִיא רוּחַ קָדִים	I will bring forth an east wind
וְהִיא מְשַׁדֶּפֶתָן,	and it will blast them,
שֶׁנֶּאֱמַר (מ"ב י"ט):—	as it is stated (II Ki. 19.26),
וּשְׁדֵפָה לִפְנֵי קָמָה,	"And as corn blasted before it is grown up."
וְכֵן לְעִנְיַן בִּכּוּרִים (תַּנְח'):	The same applies to first fruits (i. e. for its juxtaposition to לא תבשל גדי) (Tanḥuma).
שָׁנָה שָׁנָה.	**Year (by) year**
מִכָּאן שֶׁאֵין מְעַשְּׂרִין	Hence (we derive) that one may not tithe
מִן הֶחָדָשׁ עַל הַיָּשָׁן (סִפְרֵי):	from the new for the old (Siphre).
23 וְאָכַלְתָּ וְגוֹ'.	**23. And thou shalt eat, etc.**
זֶה מַעֲשֵׂר שֵׁנִי,	This (refers to) the second tithe,
שֶׁכְּבָר לִמְּדָנוּ	for (Scripture) has already taught us
לִתֵּן מַעֲשֵׂר רִאשׁוֹן לַלְוִיִּם,	(that one) must give the first tithe to the Levites,
שֶׁנֶּאֱמַר (בְּמִדְ' י"ח):—	as it is stated (Num. 18.26),
כִּי תִקְחוּ מֵאֵת בְּנֵי יִשְׂרָאֵל וְגוֹ',	"When ye take from the children of Israel," etc.
וְנָתַן לָהֶם רְשׁוּת לְאָכְלוֹ	And it gives them permission to eat it
בְּכָל מָקוֹם	in any place,
שֶׁנֶּאֱמַר (שָׁם י"ח):—	as it is stated (*ibid.*, 18.31),
וַאֲכַלְתֶּם אֹתוֹ בְּכָל מָקוֹם,	"And ye may eat it in any place";
עַל כָּרְחֲךָ זֶה מַעֲשֵׂר אַחֵר הוּא:	of necessity, therefore, this (refers to) a different tithe.

לְשַׁכֵּ֥ן שְׁמ֖וֹ שָׁ֑ם	to cause his name to dwell there,
מַעְשַׂ֣ר דְּגָנְךָ֗	the tithe of thy corn,
תִּירֹשְׁךָ֙ וְיִצְהָרֶ֔ךָ	of thy wine, and of thine oil,
וּבְכֹרֹ֥ת בְּקָרְךָ֖	and the firstlings of thy herd
וְצֹאנֶ֑ךָ	and thy flock;
לְמַ֣עַן תִּלְמַ֗ד	that thou mayest learn
לְיִרְאָ֛ה	to fear
אֶת־יְהוָ֥ה אֱלֹהֶ֖יךָ	the Lord thy God
כָּל־הַיָּמִֽים׃	always.
24 וְכִֽי־יִרְבֶּ֨ה מִמְּךָ֜ הַדֶּ֗רֶךְ	24. And if the way be too long for thee
כִּ֣י לֹ֣א תוּכַל֮ שְׂאֵתוֹ֒	so that thou art not able to carry it,
כִּֽי־יִרְחַ֤ק מִמְּךָ֙ הַמָּק֔וֹם	because the place is too far from thee,
אֲשֶׁ֤ר יִבְחַר֙ יְהוָ֣ה אֱלֹהֶ֔יךָ	which the Lord thy God shall choose,
לָשׂ֥וּם שְׁמ֖וֹ שָׁ֑ם	to set His name there,
כִּ֥י יְבָרֶכְךָ֖ יְהוָ֥ה אֱלֹהֶֽיךָ׃	when the Lord thy God shall bless thee;
25 וְנָתַתָּ֖ה בַּכָּ֑סֶף	25. then shalt thou turn (it) into money,
וְצַרְתָּ֤ הַכֶּ֙סֶף֙ בְּיָ֣דְךָ֔	and bind up the money in thy hand,
וְהָֽלַכְתָּ֙ אֶל־הַמָּק֔וֹם	and shalt go unto the place
אֲשֶׁ֥ר יִבְחַ֛ר יְהוָ֥ה אֱלֹהֶ֖יךָ בּֽוֹ׃	which the Lord thy God shall choose.
26 וְנָתַתָּ֣ה הַכֶּ֡סֶף	26. And thou shalt bestow the money
בְּכֹל֩	for whatsoever
אֲשֶׁר־תְּאַוֶּ֨ה נַפְשְׁךָ֜	thy soul desireth,
בַּבָּקָ֣ר וּבַצֹּ֗אן	for oxen, or for sheep,
וּבַיַּ֙יִן֙ וּבַשֵּׁכָ֔ר	or for wine, or for strong drink,
וּבְכֹ֛ל	or for whatever
אֲשֶׁ֥ר תִּֽשְׁאָלְךָ֖ נַפְשֶׁ֑ךָ	thy soul asketh of thee;
וְאָכַ֣לְתָּ שָּׁ֗ם	and thou shalt eat there
לִפְנֵי֙ יְהוָ֣ה אֱלֹהֶ֔יךָ	before the Lord thy God,

Rashi — רש"י

24 כִּי יְבָרֶכְךָ.	**24. When (He) shall bless thee**
שֶׁתְּהֵא הַתְּבוּאָה מְרֻבָּה לָשֵׂאת:	that the produce will be too abundant to carry.
26 בְּכֹל אֲשֶׁר־תְּאַוֶּה נַפְשְׁךָ.	**26. For whatsoever thy soul desireth**
כְּלָל:—	(This is) a generalization.
בַּבָּקָר וּבַצֹּאן וּבַיַּיִן וּבַשֵּׁכָר	**For oxen, or for sheep, or for wine, or for strong drink**
פְּרָט:—	(This is) a specification.
וּבְכֹל אֲשֶׁר תִּשְׁאָלְךָ נַפְשֶׁךָ.	**Or for whatever thy soul asketh of thee**
חָזַר וְכָלַל,—	(Scripture) again includes (them) in a general statement:
מָה הַפְּרָט מְפֹרָשׁ	How (is it in the case of) the particulars (mentioned here)?
וְלַד וַלְדוֹת הָאָרֶץ	They are products (ולד) of what is born of the earth
וְרָאוּי לְמַאֲכַל אָדָם וְכוּ' (עֵיר' כ"ז):	and is fitting as food for man, etc. ('Er. 27).

וְשָׂמַחְתָּ	and thou shalt rejoice,
אַתָּה וּבֵיתֶךָ׃	thou and thy household.
27 וְהַלֵּוִי	27. And the Levite,
אֲשֶׁר־בִּשְׁעָרֶיךָ	who is within thy gates,
לֹא תַעַזְבֶנּוּ	thou shalt not forsake him;
כִּי אֵין לוֹ חֵלֶק וְנַחֲלָה עִמָּךְ׃ ס	for he hath no portion nor inheritance with thee.
28 מִקְצֵה ׀ שָׁלֹשׁ שָׁנִים	28. At the end of (every) three years
תּוֹצִיא	thou shalt bring forth
אֶת־כָּל־מַעְשַׂר	all the tithe
תְּבוּאָתְךָ	of thine increase,
בַּשָּׁנָה הַהִוא	(even) in the same year,
וְהִנַּחְתָּ בִּשְׁעָרֶיךָ׃	and thou shalt lay (it) up within thy gates.
29 וּבָא הַלֵּוִי	29. And the Levite, shall come,
כִּי אֵין־לוֹ חֵלֶק וְנַחֲלָה עִמָּךְ	because he hath no portion nor inheritance with thee,
וְהַגֵּר	and the stranger,
וְהַיָּתוֹם	and the fatherless,
וְהָאַלְמָנָה	and the widow,
אֲשֶׁר בִּשְׁעָרֶיךָ	that are within thy gates,

Rashi — רש״י

27 וְהַלֵּוִי וְגוֹ׳ לֹא תַעַזְבֶנּוּ.	**27. And the Levite, etc., thou shalt not forsake him**
מִלִּתֵּן לוֹ מַעֲשֵׂר רִאשׁוֹן׃	By not giving him the first tithe.
כִּי אֵין לוֹ חֵלֶק וְנַחֲלָה עִמָּךְ.	**For he hath no portion nor inheritance with thee**
יָצְאוּ לֶקֶט שִׁכְחָה וּפֵאָה	There are excluded gleanings, the forgotten sheaf, and the corner (left for the poor),
וְהֶפְקֵר,	and freed fields,
שֶׁאַף הוּא יֵשׁ לוֹ חֵלֶק	where he too has a portion
עִמְּךָ בָּהֶן כָּמוֹךָ	with you in them just as you,
וְאֵינָן חַיָּבִין בְּמַעֲשֵׂר׃	and they are not subject to tithes.
28 מִקְצֵה שָׁלֹשׁ שָׁנִים.	**28. At the end of (every) three years**
בָּא וְלִמֵּד שֶׁאִם הִשְׁהָה מַעְשְׂרוֹתָיו	It comes and teaches that if he procrastinated in giving tithes
שֶׁל שָׁנָה רִאשׁוֹנָה	of the first year
וּשְׁנִיָּה לִשְׁמִטָּה,	and of the second year of release,
שֶׁיְּבַעֲרֵם מִן הַבַּיִת בַּשְּׁלִישִׁית׃	that he should remove them from his house during the third (year).
29 וּבָא הַלֵּוִי.	**29. And the Levite shall come**
וְיִטּוֹל מַעֲשֵׂר רִאשׁוֹן׃	and he shall take the first tithe.
וְהַגֵּר וְהַיָּתוֹם.	**And the stranger, and the fatherless**
וְיִטְּלוּ מַעֲשֵׂר שֵׁנִי,	and they shall take the second tithe,
שֶׁהוּא שֶׁל עָנִי שֶׁל שָׁנָה זוֹ,	since it is for the poor in that year;
וְלֹא תֹאכְלֶנּוּ אַתָּה בִּירוּשָׁלַיִם	but you may not eat it in Jerusalem
כְּדֶרֶךְ שֶׁנִּזְקַקְתָּ לֶאֱכוֹל	in the way that you were required to eat
מַעֲשֵׂר שֵׁנִי שֶׁל שְׁתֵּי שָׁנִים׃	the second tithe of the (first) two years.

וְאָכְלוּ	and they shall eat,
וְשָׂבֵעוּ	and be satisfied;
לְמַעַן יְבָרֶכְךָ יְהוָה אֱלֹהֶיךָ	that the Lord thy God may bless thee
בְּכָל־מַעֲשֵׂה יָדְךָ	in all the work of thy hand
אֲשֶׁר תַּעֲשֶׂה: ס ששי	which thou doest.

CHAPTER XV — טו

1 מִקֵּץ שֶׁבַע־שָׁנִים	1. At the end of (every) seven years
תַּעֲשֶׂה שְׁמִטָּה:	thou shalt make a release.
2 וְזֶה דְּבַר הַשְּׁמִטָּה	2. And this is the manner of the release:
שָׁמוֹט כָּל־בַּעַל מַשֵּׁה יָדוֹ	every creditor shall release (his hand)
אֲשֶׁר יַשֶּׁה בְּרֵעֵהוּ	that which he hath lent unto his neighbor;
לֹא־יִגֹּשׂ אֶת־רֵעֵהוּ	he shall not exact (it) of his neighbor
וְאֶת־אָחִיו	and his brother;
כִּי־קָרָא שְׁמִטָּה לַיהוָה:	because the Lord's release hath been proclaimed.
3 אֶת־הַנָּכְרִי תִּגֹּשׂ	3. Of a foreigner thou shalt exact (it);

Rashi — רש"י

וְאָכְלוּ וְשָׂבֵעוּ.	**And they shall eat, and be satisfied**
תֵּן לָהֶם כְּדֵי שְׂבִיעָה	Give them sufficiently to satisfy (them).
מִכָּאן אָמְרוּ:—	Hence (our Rabbis) said:
אֵין פּוֹחֲתִין לֶעָנִי בַּגּוֹרֶן וְכוּ׳ (סִפְרֵי),	They may not give to the poor from the threshing floor less than, etc. (Siphre).
וְאַתָּה הוֹלֵךְ לִירוּשָׁלַיִם	And you (shall) go to Jerusalem
בְּמַעֲשַׂר שֶׁל שָׁנָה רִאשׁוֹנָה וּשְׁנִיָּה	with the tithe of the first and second year(s)
שֶׁהִשְׁהֵיתָ	which you detained,
וּמִתְוַדֶּה בִּעַרְתִּי הַקֹּדֶשׁ מִן הַבַּיִת	and you shall confess: I have put away the hallowed things out of the house,
כְּמוֹ שֶׁמְּפֹרָשׁ בְּכִי תְכַלֶּה לַעְשֵׂר (דְּבָר׳ כ״ו):	as it is stated in (the section), "When thou hast made an end in tithing" (Deut. 26.12 ff.).
15 1 מִקֵּץ שֶׁבַע־שָׁנִים.	**15 1. At the end of (every) seven years**
יָכוֹל שֶׁבַע שָׁנִים לְכָל מִלְוֶה וּמִלְוֶה,	I might think that (this denotes) seven years for each loan,
תַּלְמוּד לוֹמַר קָרְבָה שְׁנַת הַשֶּׁבַע,	but Scripture states (15.9), "The seventh year is at hand."
וְאִם אַתָּה אוֹמֵר	And if you say:
שֶׁבַע שָׁנִים לְכָל מִלְוֶה וּמִלְוֶה,	Seven years for each loan,
לְהַלְוָאוֹת כָּל אֶחָד וְאֶחָד,	(i. e.,) from the time of lending of each one,
הֵאַךְ הִיא קָרְבָה?	how is it at hand?
הָא לָמַדְתָּ שֶׁבַע שָׁנִים לְמִנְיַן הַשְּׁמִטָּה (סִפְרֵי):	Hence you derive that the seven years are numbered from the year of release (Siphre).
2 שָׁמוֹט כָּל־בַּעַל מַשֵּׁה יָדוֹ.	**2. Every creditor shall release (his hand)**
שָׁמוֹט אֶת יָדוֹ שֶׁל כָּל בַּעַל מַשֶּׁה:	(The syntax is to be construed:) Release the hand of every creditor.
3 אֶת־הַנָּכְרִי תִּגֹּשׂ.	**3. Of a foreigner thou shalt exact (it)**
זוּ מִצְוַת עֲשֵׂה (שָׁם):	This is a positive command (*ibid.*).

וַאֲשֶׁר יִהְיֶה לְךָ אֶת־אָחִיךָ	but whatsoever of thine is with thy brother
תַּשְׁמֵט יָדֶךָ׃	thy hand shall release.
4 אֶפֶס כִּי לֹא יִהְיֶה־בְּךָ אֶבְיוֹן	4. Howbeit there shall be no needy among you —
כִּי־בָרֵךְ יְבָרֶכְךָ יְהוָה	for the Lord thy God will surely bless thee
בָּאָרֶץ	in the land
אֲשֶׁר יְהוָה אֱלֹהֶיךָ	which the Lord thy God
נֹתֵן־לְךָ נַחֲלָה	giveth to thee (for) an inheritance
לְרִשְׁתָּהּ׃	to possess it —
5 רַק אִם־שָׁמוֹעַ תִּשְׁמַע	5. if only thou diligently hearken
בְּקוֹל יְהוָה אֱלֹהֶיךָ	unto the voice of the Lord thy God,
לִשְׁמֹר לַעֲשׂוֹת	to observe to do
אֶת־כָּל־הַמִּצְוָה הַזֹּאת	all this commandment
אֲשֶׁר אָנֹכִי מְצַוְּךָ הַיּוֹם׃	which I command thee this day.
6 כִּי־יְהוָה אֱלֹהֶיךָ	6. For the Lord thy God
בֵּרַכְךָ	will bless thee,
כַּאֲשֶׁר דִּבֶּר־לָךְ	as He promised thee;

Rashi — רש״י

4 אֶפֶס כִּי לֹא יִהְיֶה־בְּךָ אֶבְיוֹן.	**4. Howbeit there shall be no needy among you**
וּלְהַלָּן הוּא אוֹמֵר:—	But further it states (v. 11),
כִּי לֹא יֶחְדַּל אֶבְיוֹן?	"For the poor shall never cease"?
אֶלָּא בִּזְמַן שֶׁאַתֶּם עוֹשִׂים	However, as long as you fulfill
רְצוֹנוֹ שֶׁל מָקוֹם	the will of the Omnipresent,
אֶבְיוֹנִים בַּאֲחֵרִים	the poor (will be) among others
וְלֹא בָכֶם,	and not among you;
וּכְשֶׁאֵין אַתֶּם עוֹשִׂים רְצוֹנוֹ שֶׁל מָקוֹם	but if you do not fulfill the will of the Omnipresent,
אֶבְיוֹנִים בָּכֶם:	(there will be) poor among you.
אֶבְיוֹן.	**Needy**
דַּל מֵעָנִי,	(The אביון is even) lower than the עני ("poor") man.
וּלְשׁוֹן אֶבְיוֹן	And the term אביון (denotes)
שֶׁהוּא תָּאֵב לְכָל דָּבָר:	one who longs for (תאב; is in need of) everything.
5 רַק אִם־שָׁמוֹעַ תִּשְׁמַע.	**5. If only thou diligently hearken**
אָז ,לֹא יִהְיֶה־בְּךָ אֶבְיוֹן׳:	Then (v. 4) "there shall be no needy among you".
שָׁמוֹעַ תִּשְׁמַע.	**Thou (shalt) diligently hearken**
שָׁמַע קִמְעָא	(The repetition of the verbal form suggests): If one hearkens a little (i. e. shows the desire to obey)
מַשְׁמִיעִין אוֹתוֹ הַרְבֵּה:	he is caused to hearken much (i. e. he hearkens and observes every Divine command).
6 כַּאֲשֶׁר דִּבֶּר־לָךְ.	**6. As He promised thee**
וְהֵיכָן דִּבֵּר?	And where did He promise?
בָּרוּךְ אַתָּה בָּעִיר (דְּבָר׳ כ״ח) (סִפְרֵי):	"Blessed be thou in the city" (Deut. 28.3 ff.) (Siphre).

וְהַעֲבַטְתָּ גּוֹיִם רַבִּים	and thou shalt lend unto many nations,
וְאַתָּה לֹא תַעֲבֹט	but thou shalt not borrow;
וּמָשַׁלְתָּ בְּגוֹיִם רַבִּים	and thou shalt rule over many nations,
וּבְךָ לֹא יִמְשֹׁלוּ׃ ס	but they shall not rule over thee.
7 כִּי־יִהְיֶה בְךָ	7. If there be among you
אֶבְיוֹן	a needy man,
מֵאַחַד אַחֶיךָ	one of thy brethren,
בְּאַחַד שְׁעָרֶיךָ	within any of thy gates,
בְּאַרְצְךָ	in thy land
אֲשֶׁר־יְהוָה אֱלֹהֶיךָ	which the Lord thy God
נֹתֵן לָךְ	giveth thee,
לֹא תְאַמֵּץ	thou shalt not harden
אֶת־לְבָבְךָ	thy heart,
וְלֹא תִקְפֹּץ אֶת־יָדְךָ	nor shut thy hand

Rashi — רש"י

וְהַעֲבַטְתָּ.	**And thou shalt lend**
כָּל לְשׁוֹן הַלְוָאָה	Every term (referring to) a loan,
כְּשֶׁנּוֹפֵל עַל הַמַּלְוֶה	when it applies to the lender
נוֹפֵל בִּלְשׁוֹן מַפְעִיל,	it is expressed in the causative (hiph'il) form,
כְּגוֹן וְהִלְוִיתָ,	as וְהִלְוִיתָ (and thou shalt lend),
וְהַעֲבַטְתָּ,	וְהַעֲבַטְתָּ (and thou shalt lend).
וְאִם הָיָה אוֹמֵר וְעָבַטְתָּ	If it had stated וְעָבַטְתָּ (the qal form;),
הָיָה נוֹפֵל עַל הַלֹּוֶה,	it would apply to the borrower,
כְּמוֹ וְלָוִיתָ:	as וְלָוִיתָ (and thou shalt borrow).
וְהַעֲבַטְתָּ גּוֹיִם.	**And thou shalt lend unto nations**
יָכוֹל שֶׁתְּהֵא לֹוֶה מִזֶּה	I might think that you will borrow from one
וּמַלְוֶה לָזֶה,	and lend to another,
תַּ"ל וְאַתָּה לֹא תַעֲבוֹט:	(therefore) Scripture states, "but thou shalt not borrow."
וּמָשַׁלְתָּ בְּגוֹיִם רַבִּים.	**And thou shalt rule over many nations**
יָכוֹל גּוֹיִם אֲחֵרִים	I might think that other nations
מוֹשְׁלִים עָלֶיךָ,	will rule over you,
תַּ"ל וּבְךָ לֹא יִמְשֹׁלוּ (שָׁם):	(therefore) Scripture states, "but they shall not rule over thee" (*ibid.*)
7 כִּי־יִהְיֶה בְךָ אֶבְיוֹן.	**7. If there be among you a needy man**
הַתָּאֵב תָּאֵב קוֹדֵם:	Who is most needy, comes first.
מֵאַחַד אַחֶיךָ.	**One of thy brethren**
אָחִיךָ מֵאָבִיךָ	Your brother of your father
קוֹדֵם לְאָחִיךָ מֵאִמֶּךָ:	has precedence over your brother of your mother.
שְׁעָרֶיךָ.	**Thy gates**
עֲנִיֵּי עִירְךָ קוֹדְמִים	The poor of your own city have precedence
לַעֲנִיֵּי עִיר אַחֶרֶת:	over the poor of another city.
לֹא־תְאַמֵּץ.	**Thou shalt not harden**
יֵשׁ לְךָ אָדָם שֶׁמִּצְטַעֵר	There are people who grieve
אִם יִתֵּן אִם לֹא יִתֵּן,	whether they give (charity) or do not give;
לְכַךְ נֶאֱמַר לֹא תְאַמֵּץ,	consequently it is stated, "thou shalt not harden (thy heart)."
יֵשׁ לְךָ שֶׁפּוֹשֵׁט אֶת יָדוֹ	There are some who stretch forth their hand
וְקוֹפְצָהּ,	and then shut it;
לְכַךְ נֶאֱמַר לֹא תִקְפֹּץ (שָׁם):	consequently it is stated, "and thou shalt not shut (thy hand)" (*ibid.*).

מֵאָחִיךָ הָאֶבְיוֹן׃	from thy needy brother;
8 כִּי־פָתֹחַ תִּפְתַּח	8. but thou shalt surely open
אֶת־יָדְךָ לוֹ	thy hand unto him,
וְהַעֲבֵט תַּעֲבִיטֶנּוּ	and shalt surely lend him
דֵּי מַחְסֹרוֹ	sufficient for his need
אֲשֶׁר יֶחְסַר לוֹ׃	(in that) which is wanting unto him.
9 הִשָּׁמֶר לְךָ	9. Beware unto thyself
פֶּן־יִהְיֶה דָבָר עִם־לְבָבְךָ בְלִיַּעַל	that there be not a base thought in thy heart,
לֵאמֹר	saying:
קָרְבָה שְׁנַת־הַשֶּׁבַע	'The seventh year is at hand,
שְׁנַת הַשְּׁמִטָּה	the year of release';
וְרָעָה עֵינְךָ	and thy eye be evil
בְּאָחִיךָ הָאֶבְיוֹן	against thy needy brother,
וְלֹא תִתֵּן לוֹ	and thou give him nought;
וְקָרָא עָלֶיךָ	and he cry against thee
אֶל־יְהוָה	unto the Lord,
וְהָיָה בְךָ חֵטְא׃	and it be sin in thee.

Rashi — רש״י

מֵאָחִיךָ הָאֶבְיוֹן.	**From thy needy brother**
אִם לֹא תִתֵּן לוֹ	If you will not give to him,
סוֹפְךָ לִהְיוֹת אָחִיו שֶׁל אֶבְיוֹן (שָׁם)׃	eventually you will be the brother of a needy (i. e. become needy yourself) (*ibid.*).
8 פָּתֹחַ תִּפְתַּח.	**8. Thou shalt surely open**
אֲפִילוּ כַּמָּה פְּעָמִים (שָׁם)׃	Even many times (*ibid.*).
כִּי־פָתֹחַ תִּפְתַּח.	**But thou shalt surely open**
הֲרֵי כִּי מְשַׁמֵּשׁ בִּלְשׁוֹן אֶלָּא׃	Here (the term) כי serves in the sense of "but".
וְהַעֲבֵט תַּעֲבִיטֶנּוּ.	**And (thou shalt) surely lend him**
אִם לֹא רָצָה בְּמַתָּנָה	If he does not want (it) as a gift,
תֵּן לוֹ בְּהַלְוָאָה׃	give (it) to him as a loan.
דֵּי מַחְסֹרוֹ.	**Sufficient for his need**
וְאִי אַתָּה מְצֻוֶּה לְהַעֲשִׁירוֹ׃	But you are not commanded to make him wealthy.
אֲשֶׁר יֶחְסַר לוֹ.	**(In that) which is wanting unto him**
אֲפִילוּ סוּס לִרְכּוֹב עָלָיו	Even a horse to ride upon,
וְעֶבֶד לָרוּץ לְפָנָיו (שָׁם)׃	or a servant to run before him (*ibid.*).
לוֹ.	**Unto him**
זוֹ אִשָּׁה,	This (refers to) a wife.
וְכֵן הוּא אוֹמֵר (בְּרֵא׳ ב)׃–	And similarly it states (Gen. 2.18),
אֶעֱשֶׂה לּוֹ עֵזֶר כְּנֶגְדּוֹ (כְּתוּ׳ ס״ו)׃	"I will make unto him (לו) a help meet for him" (Ket. 66).
9 וְקָרָא עָלֶיךָ.	**9. And he cry against thee**
יָכוֹל מִצְוָה,	I might think that (this is) mandatory (that he should cry against thee);
תַּ״ל וְלֹא יִקְרָא׃	(therefore) Scripture states (Deut. 24. 15), "then he will not cry."
וְהָיָה בְךָ חֵטְא.	**And it be sin in thee**
מִכָּל מָקוֹם,	In any case,
אֲפִילוּ לֹא יִקְרָא,	even if he will not cry.
אִם כֵּן לָמָּה נֶאֱמַר וְקָרָא עָלֶיךָ?	If so, why is it stated "and he cry against thee"?

10 נָתוֹן תִּתֵּן לוֹ	10. Thou shalt surely give him,
וְלֹא־יֵרַע לְבָבְךָ	and thy heart shall not be grieved
בְּתִתְּךָ לוֹ	when thou givest unto him;
כִּי בִּגְלַל ׀ הַדָּבָר הַזֶּה	because that for this thing
יְבָרֶכְךָ יְהוָה אֱלֹהֶיךָ	the Lord thy God will bless thee
בְּכָל־מַעֲשֶׂךָ	in all thy work,
וּבְכֹל מִשְׁלַח יָדֶךָ׃	and in all that thou puttest thy hand unto.
11 כִּי לֹא־יֶחְדַּל אֶבְיוֹן	11. For the poor shall never cease
מִקֶּרֶב הָאָרֶץ	out of the land;
עַל־כֵּן אָנֹכִי מְצַוְּךָ	therefore I command thee,
לֵאמֹר	saying:
פָּתֹחַ תִּפְתַּח אֶת־יָדְךָ	'Thou shalt open thy hand
לְאָחִיךָ לַעֲנִיֶּךָ וּלְאֶבְיֹנְךָ	unto thy brother, unto thy poor and needy one
בְּאַרְצֶךָ׃ ס	in thy land.'
12 כִּי־יִמָּכֵר לְךָ	12. If there be sold unto thee
אָחִיךָ הָעִבְרִי	thy brother, a Hebrew man,

Rashi — רש״י

מְמַהֵר אֲנִי לִפָּרַע עַל יְדֵי הַקּוֹרֵא יוֹתֵר מִמִּי שֶׁאֵינוֹ קוֹרֵא (שָׁם):	I hasten to exact punishment through him who cries more than through him who does not cry (*ibid.*).
10 נָתוֹן תִּתֵּן לוֹ	**10. Thou shalt surely give him**
אֲפִילוּ מֵאָה פְּעָמִים:	Even a hundred times.
לוֹ.	**Unto him**
בֵּינוֹ וּבֵינֶךָ:	Between him and you.
כִּי בִּגְלַל הַדָּבָר.	**Because that for (this) thing**
אֲפִילוּ אָמַרְתָּ לִתֵּן,	(דבר means literally "word.") Even if you said that you will give (but are later unable to do so),
אַתָּה נוֹטֵל שְׂכַר הָאֲמִירָה	you will receive a reward for the saying
עִם שְׂכַר הַמַּעֲשֶׂה (שָׁם):	together with the reward for the doing (*ibid.*).
11 עַל־כֵּן.	**11. Therefore**
מִפְּנֵי כֵן:	(על here has the force) "because" of this.
לֵאמֹר.	**Saying**
עֵצָה לְטוֹבָתְךָ אֲנִי מַשִּׂיאֲךָ:	Advice for your (own) good I offer you.
לְאָחִיךָ לַעֲנִיֶּךָ.	**Unto thy brother, unto thy poor (one)**
לְאֵיזֶה אָח?	To which brother?
לֶעָנִי:	To the poor one.
לַעֲנִיֶּךָ.	**Unto thy poor (one)**
בְּיוּ״ד אֶחָד,	(The word עֲנִיֶּךָ is written) with one ';
לְשׁוֹן עָנִי אֶחָד הוּא,	it denotes one poor man.
אֲבָל עֲנִיֵּיךָ בִּשְׁנֵי יוּדִי״ן	But עֲנִיֵּיךָ with two ''s,
שְׁנֵי עֲנִיִּים:	(denotes) two poor men.
12 כִּי־יִמָּכֵר לְךָ.	**12. If there be sold unto thee**
עַל יְדֵי אֲחֵרִים,	Through others.
בִּמְכָרוּהוּ בֵּית דִּין בִּגְנֵבָתוֹ	Regarding one whom the court of law sold for having committed a burglary,
הַכָּתוּב מְדַבֵּר;	does Scripture speak.
וַהֲרֵי כְּבָר נֶאֱמַר	But it has already been stated (Ex. 21.2 ff.),
כִּי תִקְנֶה עֶבֶד עִבְרִי	"If thou buy a Hebrew servant";

אוֹ הָעִבְרִיָּה	or a Hebrew woman,
וַעֲבָדְךָ שֵׁשׁ שָׁנִים	he shall serve thee six years;
וּבַשָּׁנָה הַשְּׁבִיעִת	and in the seventh year
תְּשַׁלְּחֶנּוּ חָפְשִׁי	thou shalt let him go free
מֵעִמָּךְ׃	from thee.
13 וְכִי־תְשַׁלְּחֶנּוּ	13. And when thou lettest him go
חָפְשִׁי	free
מֵעִמָּךְ	from thee,
לֹא תְשַׁלְּחֶנּוּ רֵיקָם׃	thou shalt not let him go empty;
14 הַעֲנֵיק תַּעֲנִיק לוֹ	14. thou shalt furnish him liberally
מִצֹּאנְךָ	out of thy flock,
וּמִגָּרְנְךָ	and out of thy threshing-floor,
וּמִיִּקְבֶךָ	and out of thy wine-press;

Rashi — רש"י

וּבְמָכְרוּהוּ בֵּית דִּין הַכָּתוּב מְדַבֵּר?	and regarding one whom the court has sold Scripture speaks.
אֶלָּא מִפְּנֵי שְׁנֵי דְבָרִים	Nevertheless (this is stated) because of two things
שֶׁנִּתְחַדְּשׁוּ כָּאן,	which are new here:
אֶחָד, שֶׁכָּתוּב ,אוֹ הָעִבְרִיָּה׳	The first that it is stated "or a Hebrew woman" —
אַף הִיא תֵּצֵא בְּשֵׁשׁ,	she too goes free after six (years),
וְלֹא שֶׁמְּכָרוּהָ בֵּית דִּין,	although the court did not sell her;
שֶׁאֵין הָאִשָּׁה נִמְכֶּרֶת בִּגְנֵבָתָהּ,	for a woman is not sold for her theft,
שֶׁנֶּאֱמַר ,בִּגְנֵבָתוֹ׳	because it is stated "for his theft"
וְלֹא ,בִּגְנֵבָתָהּ׳	but not "for her theft";
אֶלָּא בִקְטַנָּה— שֶׁמְּכָרָהּ אָבִיהָ,	but (this speaks) of a minor whom her father sold.
וְלִמֵּד כָּאן	And it teaches here
שֶׁאִם יָצְאוּ שֵׁשׁ שָׁנִים	that if the six years ended
קוֹדֶם שֶׁתָּבִיא סִימָנִין תֵּצֵא,	before she brought signs (of puberty) she goes free.
וְעוֹד חִדֵּשׁ כָּאן ,הַעֲנֵיק תַּעֲנִיק׳,	And also it introduces here (the law) "Thou shalt furnish him liberally."
14 **הַעֲנֵיק תַּעֲנִיק.**	**14. Thou shalt furnish liberally**
לְשׁוֹן עֲדִי בְּגוֹבַהּ	This denotes ornaments (worn) loftily
וּבְמַרְאִית הָעַיִן,	and that are apparent to the eye,
דָּבָר שֶׁיְּהֵא נִיכָּר	something by which it shall be recognized
שֶׁהֱטִיבוֹתָ לוֹ;	that you have benefited him.
וְיֵשׁ מְפָרְשִׁים,	And others explain (the term העניק)
לְשׁוֹן הַטְעָנָה עַל צַוָּארוֹ:	as denoting suspension around his neck.
מִצֹּאנְךָ וּמִגָּרְנְךָ וּמִיִּקְבֶךָ.	**Out of thy flock, and out of thy threshing-floor, and out of thy wine-press**
יָכוֹל אֵין לִי אֶלָּא אֵלּוּ בִלְבָד,	I might infer that he must give him only these alone,
תַּלְמוּד לוֹמַר ,אֲשֶׁר בֵּרַכְךָ׳	(therefore) Scripture states, "Of that wherewith He hath blessed thee,"
—מִכָּל מַה שֶׁבֵּרַכְךָ בּוֹרַאֲךָ.	of every thing with which your Creator has blessed you.
וְלָמָּה נֶאֶמְרוּ אֵלּוּ?	And why are these specified?
מַה אֵלּוּ מְיֻחָדִים	Just as these are singled out
שֶׁהֵם בִּכְלַל בְּרָכָה	in that they are subject to blessing (i.e. to propagating),
אַף כָּל שֶׁהוּא בִּכְלַל בְּרָכָה,	so too (you are obliged to furnish him only with) anything which is subject to blessing,

אֲשֶׁר בֵּרַכְךָ יְהוָה אֱלֹהֶיךָ	of that wherewith the Lord thy God hath blessed thee
תִּתֶּן־לוֹ׃	thou shalt give unto him.
15 וְזָכַרְתָּ	15. And thou shalt remember
כִּי עֶבֶד הָיִיתָ	that thou wast a bondman
בְּאֶרֶץ מִצְרַיִם	in the land of Egypt,
וַיִּפְדְּךָ יְהוָה אֱלֹהֶיךָ	and the Lord thy God redeemed thee;
עַל־כֵּן אָנֹכִי מְצַוְּךָ	therefore I command thee
אֶת־הַדָּבָר הַזֶּה	this thing
הַיּוֹם׃	to-day.
16 וְהָיָה	16. And it shall be,
כִּי־יֹאמַר אֵלֶיךָ	if he say unto thee:
לֹא אֵצֵא מֵעִמָּךְ	'I will not go out from thee';
כִּי אֲהֵבְךָ	because he loveth thee
וְאֶת־בֵּיתֶךָ	and thy house,
כִּי־טוֹב לוֹ עִמָּךְ׃	because he fareth well with thee;
17 וְלָקַחְתָּ	17. then thou shalt take
אֶת־הַמַּרְצֵעַ	an awl,
וְנָתַתָּה בְאָזְנוֹ	and thrust (it) through his ear
וּבַדֶּלֶת	and into the door,
וְהָיָה לְךָ עֶבֶד	and he shall be thy bondman
עוֹלָם	forever.
וְאַף לַאֲמָתְךָ	And also unto thy bondwoman
תַּעֲשֶׂה־כֵּן׃	thou shalt do likewise.

Rashi — רש"י

יָצְאוּ פְּרָדוֹת;	to the exclusion of mules.
וְלָמְדוּ רַבּוֹתֵינוּ בְּמַסֶּ׳ קִדּוּשִׁין (דַּ׳ י"ז)	And our Rabbis derived in the treatise Kiddushin (fol. 17)
בִּגְזֵרָה שָׁוָה	by analogy based on similar terms
כַּמָּה נוֹתֵן לוֹ	how much he must give him
מִכָּל מִין וָמִין:	of each kind.
15 וְזָכַרְתָּ כִּי עֶבֶד הָיִיתָ.	**15. And thou shalt remember that thou wast a bondman**
וְהַעֲנַקְתִּי וְשָׁנִיתִי לָךְ	And I furnished you with gifts twice,
מִבִּזַּת מִצְרַיִם	from the spoil of Egypt
וּבִזַּת הַיָּם,	and the spoil at the Sea;
אַף אַתָּה הַעֲנֵק וּשְׁנֵה לוֹ:	you too should furnish him with gifts twice.
17 עֶבֶד עוֹלָם.	**17. (A) bondman forever**
יָכוֹל כְּמַשְׁמָעוֹ	I might think that (this is to be understood) in its usual meaning;
תַּ"ל (וַיִּקְ׳ כ"ה):—	therefore Scripture states (Lev. 25.10),
וְשַׁבְתֶּם אִישׁ אֶל אֲחֻזָּתוֹ	"and ye shall return every man unto his possession,
וְאִישׁ אֶל מִשְׁפַּחְתּוֹ תָּשֻׁבוּ,	and ye shall return every man unto his family."
הָא לָמַדְתָּ	Hence you learn
שֶׁאֵין זֶה אֶלָּא עוֹלָמוֹ שֶׁל יוֹבֵל (מְכִי׳ שְׁמ׳ כ"א):	that this refers only to the "forever" (עוֹלָם) of the Jubilee (Mekilta at Ex. 21).
וְאַף לַאֲמָתְךָ תַּעֲשֶׂה כֵּן.	**And also unto thy bondwoman thou shalt do likewise**
הַעֲנֵק לָהּ;	Furnish her liberally.
יָכוֹל אַף לִרְצִיעָה	I might think that also in reference to boring
הִשְׁוָה הַכָּתוּב אוֹתָהּ,	does Scripture consider her the same (as a bondman);
תַּ"ל (שְׁמוֹת כ"א):—	(therefore) Scripture states (Ex. 21.5),

18 לֹֽא־יִקְשֶׁ֣ה בְעֵינֶ֗ךָ	18. It shall not seem hard unto thee,
בְּשַׁלֵּֽחֲךָ֨ אֹת֤וֹ חָפְשִׁי֙	when thou lettest him go free
מֵֽעִמָּ֔ךְ	from thee;
כִּ֚י מִשְׁנֶה֙	for to the double
שְׂכַ֣ר שָׂכִ֔יר	of the hire of a hireling
עֲבָֽדְךָ֖ שֵׁ֣שׁ שָׁנִ֑ים	hath he served thee six years;
וּבֵֽרַכְךָ֙ יְהוָ֣ה אֱלֹהֶ֔יךָ	and the Lord thy God will bless thee
בְּכֹ֖ל אֲשֶׁ֥ר תַּעֲשֶֽׂה׃ פ שביעי	in all that thou doest.
19 כָּל־הַ֠בְּכוֹר	19. Every firstling
אֲשֶׁ֨ר יִוָּלֵ֜ד	that is born
בִּבְקָֽרְךָ֤ וּבְצֹֽאנְךָ֙	of thy herd and of thy flock,
הַזָּכָ֔ר	the male,
תַּקְדִּ֖ישׁ	thou shalt sanctify
לַיהוָ֣ה אֱלֹהֶ֑יךָ	unto the Lord thy God;

Rashi — רש״י

וְאִם אָמֹר יֹאמַר הָעֶבֶד	"But if the servant shall plainly say,"
עֶבֶד נִרְצָע—	(i. e.,) a bondman may be bored,
וְאֵין אָמָה נִרְצַעַת (סִפְרֵי):	but a bondwoman may not be bored (Siphre).
18 כִּי מִשְׁנֶה שְׂכַר שָׂכִיר.	**18. For to the double of the hire of a hireling**
מִכָּאן אָמְרוּ:—	Hence (our Rabbis) said:
עֶבֶד עִבְרִי עוֹבֵד	A Hebrew servant serves
בֵּין בַּיּוֹם וּבֵין בַּלַּיְלָה,	both by day and by night,
וְזֶהוּ כִּפְלַיִם	and that is double
שֶׁבַּעֲבוֹדַת שְׂכִירֵי יוֹם,	the service of those hired by the day.
וּמַהוּ עֲבוֹדָתוֹ בַּלַּיְלָה?	And what is his service by night?
רַבּוֹ מוֹסֵר לוֹ שִׁפְחָה כְּנַעֲנִית	His master gives over to him a Canaanite maidservant,
וְהַוְּלָדוֹת לָאָדוֹן:	and the children (belong to the master.
19 כָּל־הַבְּכוֹר וְגוֹ׳ תַּקְדִּישׁ.	**19. Every firstling, etc., thou shalt sanctify**
וּבְמָקוֹם אַחֵר הוּא אוֹמֵר (וַיִּקְ׳ כ״ז):—	But in another passage it states (Lev. 27.26),
אַךְ בְּכוֹר אֲשֶׁר יְבֻכַּר לַה׳	"Howbeit the firstling among beasts, which is born as a firstling to the Lord,
לֹא יַקְדִּישׁ אִישׁ אוֹתוֹ,	no man shall sanctify it."
הָא כֵּיצַד?	How is this (reconciled)?
אֵינוֹ מַקְדִּישׁוֹ לְקָרְבָּן אַחֵר;	He may not sanctify it for a different offering.
וְכַאן לִמֵּד	And here it teaches
שֶׁמִּצְוָה לוֹמַר	that it is a duty to say:
הֲרֵי אַתָּה קָדוֹשׁ לִבְכוֹרָה.	Behold you are sanctified as a firstling.
ד״א אִי אֶפְשַׁר לוֹמַר תַּקְדִּישׁ	Another interpretation: It is impossible to say "You shall sanctify,"
שֶׁכְּבָר נֶאֱמַר לֹא יַקְדִּישׁ	for it is already stated "he shall not sanctify";
וְאִי אֶפְשַׁר לוֹמַר לֹא יַקְדִּישׁ	and it impossible to say "he shall not sanctify",
שֶׁהֲרֵי כְּבָר נֶאֱמַר תַּקְדִּישׁ,	for it is already stated, "you shall sanctify."
הָא כֵּיצַד?	How is this (explained)?
מַקְדִּישׁ אַתָּה הֶקְדֵּשׁ עִלּוּי	You sanctify it by dedicating its value (for him),

לֹא תַעֲבֹד	thou shalt do no work
בִּבְכֹר שׁוֹרֶךָ	with the firstling of thine ox,
וְלֹא תָגֹז	nor shear
בְּכוֹר צֹאנֶךָ׃	the firstling of thy flock.
20 לִפְנֵי יְהֹוָה אֱלֹהֶיךָ	20. Before the Lord thy God
תֹּאכְלֶנּוּ	thou shalt eat it
שָׁנָה בְשָׁנָה	year (by) year

Rashi — רש״י

וְנוֹתֵן לְהֶקְדֵּשׁ	and give that to the Temple,
כְּפִי טוֹבַת הֲנָאָה שֶׁבּוֹ (עֲרָ׳ כ״ט)׃	in accordance with the benefit of the enjoyment thereof (‘Ar. 29).
לֹא תַעֲבֹד בִּבְכֹר שׁוֹרֶךָ.	**Thou shalt do no work with the firstling of thine ox,**
וְלֹא תָגֹז וְגוֹ׳.	**Nor shear, etc.**
אַף הַחִלּוּף לָמְדוּ רַבּוֹתֵינוּ שֶׁאָסוּר,—	Also the reverse (of this) did our Rabbis derive that it is forbidden;
אֶלָּא שֶׁדִּבֶּר הַכָּתוּב בַּהוֹוֶה (בְּכוֹ׳ כ״ה)׃	but Scripture speaks of that which is customary, (Bek. 25).
20 לִפְנֵי ה׳ אֱלֹהֶיךָ תֹּאכְלֶנּוּ.	**20. Before the Lord thy God thou shalt eat it**
לַכֹּהֵן הוּא אוֹמֵר,	To the priest it speaks,
שֶׁכְּבָר מָצִינוּ שֶׁהוּא מִמַּתְּנוֹת כְּהֻנָּה	for we have already found that it is one of the priestly gifts,
אֶחָד תָּם	whether it be perfect
וְאֶחָד בַּעַל מוּם,	or have a blemish,
שֶׁנֶּאֱמַר (בַּמִּדְ׳ י״ח)	as it is stated (Num. 18.18),
וּבְשָׂרָם יִהְיֶה לָּךְ וְגוֹ׳ (בְּכוֹ׳ כ״ח)׃	“And their flesh shall be thine,” etc. (Bek. 28).
שָׁנָה בְשָׁנָה.	**Year by year**
מִכָּאן שֶׁאֵין מַשְׁהִין אוֹתוֹ	Hence (it is derived) that one must not detain it
יוֹתֵר עַל שְׁנָתוֹ;	more than its year.
יָכוֹל יְהֵא פָּסוּל	I might think that it becomes unfit
מִשֶּׁעָבְרָה שְׁנָתוֹ,	after its year has passed;
כְּבָר הוּקַּשׁ לְמַעֲשֵׂר,	but it has already been compared to tithes,
שֶׁנֶּאֱמַר (דְּבָרִ׳ י״ד)׃—	as it is stated (Deut. 14.23),
וְאָכַלְתָּ לִפְנֵי ה׳ אֱלֹהֶיךָ	“And thou shalt eat before the Lord thy God . . .
מַעֲשַׂר דְּגָנְךָ תִּירֹשְׁךָ וְיִצְהָרֶךָ	the tithe of thy corn, of thy wine, and of thine oil,
וּבְכֹרֹת בְּקָרְךָ וְצֹאנֶךָ,	and the firstlings of thy herd and of thy flock.”
מַה מַּעֲשֵׂר שֵׁנִי	Just as the second tithe
אֵינוֹ נִפְסָל מִשָּׁנָה לַחֲבֶרְתָּהּ	does not become unfit from (one) year to the next,
אַף בְּכוֹר אֵינוֹ נִפְסָל,	so the firstling does not become unfit;
אֶלָּא שֶׁמִּצְוָה תּוֹךְ שְׁנָתוֹ (בְּכוֹ׳ כ״ז)׃	however, it is mandatory (to offer and consume it) during its (first) year (Bek. 27).
שָׁנָה בְשָׁנָה.	**Year by year**
אִם שְׁחָטוֹ בְּסוֹף שְׁנָתוֹ	If he slaughtered it at the end (i. e., the last day) of its year,
אוֹכְלוֹ אוֹתוֹ הַיּוֹם	he may eat it that day
וְיוֹם אֶחָד מִשָּׁנָה אַחֶרֶת,	and one day of the following year.
לָמֵד שֶׁנֶּאֱכַל	(This) teaches that it may be eaten
לִשְׁנֵי יָמִים וְלַיְלָה אֶחָד (שָׁם)׃	for two days and one night (*ibid.*).

בַּמָּקוֹם	in the place
אֲשֶׁר־יִבְחַר יְהוָה	which the Lord shall choose,
אַתָּה וּבֵיתֶךָ׃	thou and thy household.
21 וְכִי־יִהְיֶה בוֹ מוּם	21. And if (there) be any blemish therein,
פִּסֵּחַ אוֹ עִוֵּר	lameness or blindness,
כֹּל מוּם רָע	any ill blemish whatsoever,
לֹא תִזְבָּחֶנּוּ	thou shalt not sacrifice it
לַיהוָה אֱלֹהֶיךָ׃	to the Lord thy God.
22 בִּשְׁעָרֶיךָ תֹּאכְלֶנּוּ	22. Thou shalt eat it within thy gates;
הַטָּמֵא וְהַטָּהוֹר יַחְדָּו	the unclean and the clean may eat it alike,
כַּצְּבִי וְכָאַיָּל׃	as the gazelle, and as the hart.
23 רַק אֶת־דָּמוֹ	23. Only the blood thereof
לֹא תֹאכֵל	thou shalt not eat;
עַל־הָאָרֶץ תִּשְׁפְּכֶנּוּ	upon the ground thou shalt pour it out
כַּמָּיִם׃ פ	as water.

CHAPTER XVI — טז

1 שָׁמוֹר	1. Observe
אֶת־חֹדֶשׁ הָאָבִיב	the month of Abib,

Rashi — רש"י

21 מוּם.	**21. Blemish**
כְּלָל:	(This is) a generalization
פִּסֵּחַ אוֹ עִוֵּר	**Lameness or blindness**
פְּרָט:	(This is) a specification.
כֹּל מוּם רָע	**Any ill blemish whatsoever**
חָזַר וְכָלַל,	(Scripture) goes back to generalize.
מַה הַפְּרָט מְפוֹרָשׁ	Just as the specification explicitly states
מוּם הַגָּלוּי	a blemish which is apparent
וְאֵינוֹ חוֹזֵר,	and does not heal,
אַף כָּל מוּם שֶׁבְּגָלוּי	so every blemish which is apparent
וְאֵינוֹ חוֹזֵר (שָׁם ל"ז):	and does not heal (*ibid.*, 37).
23 רַק־אֶת דָּמוֹ לֹא תֹאכֵל.	**23. Only the blood thereof thou shalt not eat**
שֶׁלֹּא תֹאמַר,	(Though this has already been prohibited, it is mentioned) lest you say (that)
הוֹאִיל וְכֻלּוֹ הֻתַּר	since it is a thing entirely permitted
הַבָּא מִכְּלַל אִסּוּר הוּא,	that comes from the category of forbidden things,
שֶׁהֲרֵי קָדוֹשׁ	for it had been consecrated
וְנִשְׁחַט בַּחוּץ	nevertheless it was slaughtered outside (the court)
בְּלֹא פִּדְיוֹן וְנֶאֱכַל	without being redeemed, and it may be eaten,
יָכוֹל יְהֵא אַף הַדָּם מוּתָּר,	I might think that the blood too is permitted;
תַּלְמוּד לוֹמַר ,רַק אֶת־דָּמוֹ לֹא תֹאכֵל:	(therefore) Scripture states, "Only thou shalt not eat the blood thereof."
16 1 שָׁמוֹר אֶת־חֹדֶשׁ הָאָבִיב.	**16 1. Observe the month of Abib**
מִקּוֹדֶם בּוֹאוֹ שְׁמוֹר	Before its coming observe
שֶׁיְּהֵא רָאוּי לְאָבִיב	that it should be fitting for Abib (spring)
לְהַקְרִיב בּוֹ אֶת מִנְחַת הָעוֹמֶר	to offer in it the meal-offering of the Omer;
וְאִם לָאו עַבֵּר אֶת הַשָּׁנָה (סַנְהֶ' י"א):	and if not, proclaim a leap year (Sanh. 11).

וְעָשִׂיתָ פֶּסַח	and keep the passover
לַיהוָה אֱלֹהֶיךָ	unto the Lord thy God;
כִּי בְּחֹדֶשׁ הָאָבִיב	for in the month of Abib
הוֹצִיאֲךָ יְהוָה אֱלֹהֶיךָ	the Lord thy God brought thee forth
מִמִּצְרַיִם	out of Egypt
לָיְלָה׃	by night.
2 וְזָבַחְתָּ פֶּסַח	2. And thou shalt sacrifice the passover-offering
לַיהוָה אֱלֹהֶיךָ	unto the Lord thy God
צֹאן וּבָקָר	(of the) flock and (of the) herd,
בַּמָּקוֹם	in the place
אֲשֶׁר יִבְחַר יְהוָה	which the Lord shall choose,
לְשַׁכֵּן שְׁמוֹ שָׁם׃	to cause His name to dwell there.
3 לֹא־תֹאכַל עָלָיו חָמֵץ	3. Thou shalt eat no leavened bread with it;
שִׁבְעַת יָמִים	seven days
תֹּאכַל־עָלָיו מַצּוֹת	shalt thou eat unleavened bread therewith,
לֶחֶם עֹנִי	even the bread of affliction;
כִּי בְחִפָּזוֹן יָצָאתָ	for in haste didst thou come forth
מֵאֶרֶץ מִצְרַיִם	out of the land of Egypt;

Rashi — רש״י

מִמִּצְרַיִם לָיְלָה.	**Out of Egypt by night**
וַהֲלֹא בַּיּוֹם יָצְאוּ	But did they not go forth by day,
שֶׁנֶּאֱמַר (בַּמִּדְ׳ ל״ג):—	as it is stated (Num. 33.3),
מִמָּחֳרַת הַפֶּסַח יָצְאוּ בְנֵי יִשְׂרָאֵל וְגוֹ׳?	"On the morrow after the passover the children of Israel went out," etc.?
אֶלָּא לְפִי שֶׁבַּלַּיְלָה	However (it is stated "by night") since at night
נָתַן לָהֶם פַּרְעֹה רְשׁוּת לָצֵאת,	Pharaoh gave them permission to go forth
שֶׁנֶּאֱמַר (שְׁמוֹת י״ב):—	as it is stated (Ex. 12.31),
וַיִּקְרָא לְמֹשֶׁה וּלְאַהֲרֹן לַיְלָה וְגוֹ׳:	"And he called unto Moses and unto Aaron by night," etc.
2 וְזָבַחְתָּ פֶּסַח לַה׳ אֱלֹהֶיךָ צֹאן.	**2. And thou shalt sacrifice the passover-offering unto the Lord thy God, (of the) flock**
שֶׁנֶּאֱמַר (שְׁמוֹת י״ב):—	as it is stated (Ex. 12.5),
מִן הַכְּבָשִׂים וּמִן הָעִזִּים תִּקָּחוּ:	"from the sheep, or from the goats, shall ye take it."
וּבָקָר.	**And (of the) herd**
תִּזְבַּח לַחֲגִיגָה,	you shall sacrifice as a festive offering;
שֶׁאִם נִמְנוּ עַל הַפֶּסַח	for if there were numbered for the passover-offering
חֲבוּרָה מְרֻבָּה,	a numerous party,
מְבִיאִים עִמּוֹ חֲגִיגָה	they bring together with it a festive offering
כְּדֵי שֶׁיְּהֵא נֶאֱכָל עַל הַשּׂוֹבַע (פְּסָ׳ מ״ט):—	in order that (the passover-offering) shall be eaten after the appetite is satisfied (Pes. 49).
וְעוֹד לָמְדוּ רַבּוֹתֵינוּ	In addition our Rabbis derived
דְּבָרִים הַרְבֵּה מִפָּסוּק זֶה:	many things from this verse.
3 לֶחֶם עֹנִי.	**3. Bread of affliction**
לֶחֶם שֶׁמַּזְכִּיר אֶת הָעֹנִי	(I. e.,) bread that recalls the affliction
שֶׁנִּתְעַנּוּ בְמִצְרָיִם:	which they suffered in Egypt.
כִּי בְחִפָּזוֹן יָצָאתָ.	**For in haste didst thou come forth**
וְלֹא הִסְפִּיק בָּצֵק לְהַחֲמִיץ	And the dough did not have time to leaven;

לְמַעַן תִּזְכֹּר	that thou mayest remember
אֶת־יוֹם צֵאתְךָ	the day when thou camest forth
מֵאֶרֶץ מִצְרַיִם	out of the land of Egypt
כֹּל יְמֵי חַיֶּיךָ׃	all the days of thy life.
4 וְלֹא־יֵרָאֶה לְךָ שְׂאֹר	4. And there shall no leaven be seen with thee
בְּכָל־גְּבֻלְךָ	in all thy borders
שִׁבְעַת יָמִים	seven days;
וְלֹא־יָלִין	neither shall remain all night
מִן־הַבָּשָׂר	any of the flesh,
אֲשֶׁר תִּזְבַּח בָּעֶרֶב	which thou sacrificest at even
בַּיּוֹם הָרִאשׁוֹן	on the first day,
לַבֹּקֶר׃	until the morning.

Rashi — רש״י

וְזֶה יִהְיֶה לְךָ לְזִכָּרוֹן;	and this shall serve you as a memorial.
וְחִפָּזוֹן לֹא שֶׁלְּךָ הָיָה	And the haste was not yours,
אֶלָּא שֶׁל מִצְרַיִם,	but the Egyptians',
שֶׁכֵּן הוּא אוֹמֵר (שְׁמוֹת י״ב):—	for thus it states (Ex. 12.33),
וַתֶּחֱזַק מִצְרַיִם עַל הָעָם וְגוֹ׳:	"And the Egyptians were urgent upon the people, etc."
לְמַעַן תִּזְכֹּר.	**That thou mayest remember**
עַל יְדֵי אֲכִילַת הַפֶּסַח וְהַמַּצָּה	by partaking of the passover-offering and the unleavened bread
„אֶת־יוֹם צֵאתְךָ":	"the day when thou camest forth."
4 וְלֹא־יָלִין מִן־הַבָּשָׂר אֲשֶׁר תִּזְבַּח בָּעֶרֶב בַּיּוֹם הָרִאשׁוֹן לַבֹּקֶר.	**4. Neither shall remain all night any of the flesh which thou sacrificest at even on the first day, until the morning**
אַזְהָרָה לְמוֹתִיר בְּפֶסַח דּוֹרוֹת,	(This is) a forewarning against leaving over of the passover-offering, for (future) generations,
לְפִי שֶׁלֹּא נֶאֱמַר אֶלָּא	since (this regulation) was stated only
בְּפֶסַח מִצְרַיִם;	in reference to the passover-offering of Egypt.
וְיוֹם רִאשׁוֹן הָאָמוּר כָּאן	And the "first day" which is stated here
הוּא י״ד בְּנִיסָן,	is the fourteenth of Nisan,
כְּמָה דְּאַתְּ אָמַר (שְׁמוֹת י״ב):—	as you say (Ex. 12.15),
אַךְ בַּיּוֹם הָרִאשׁוֹן	"Howbeit the first day
תַּשְׁבִּיתוּ שְׂאֹר מִבָּתֵּיכֶם,	ye shall put away leaven out of your houses."
וּלְפִי שֶׁנִּסְתַּלֵּק הַכָּתוּב	And since the verse departed
מֵעִנְיָנוֹ שֶׁל פֶּסַח	from the subject of the passover-offering,
וְהִתְחִיל לְדַבֵּר בְּחֻקּוֹת שִׁבְעַת יָמִים,	and began to speak of the regulations of the seven days,
כְּגוֹן, שִׁבְעַת יָמִים תֹּאכַל עָלָיו מַצּוֹת	as, "Seven days shalt thou eat unleavened bread therewith"
וְלֹא יֵרָאֶה לְךָ שְׂאֹר בְּכָל גְּבֻלְךָ,	and "and there shall be no leaven seen with thee in all thy borders,"
הֻצְרַךְ לְפָרֵשׁ	it was necessary to specify
בְּאֵיזוֹ זְבִיחָה הוּא מַזְהִיר,	regarding which sacrifice it forewarns.
שֶׁאִם כָּתַב וְלֹא יָלִין	For if it had written, "and there shall not remain all night
מִן הַבָּשָׂר אֲשֶׁר תִּזְבַּח	any of the flesh which thou sacrificest
בָּעֶרֶב לַבֹּקֶר	at even, until the morning,"

5 לֹא תוּכַל לִזְבֹּחַ	5. Thou mayest not sacrifice
אֶת־הַפָּסַח	the passover-offering
בְּאַחַד שְׁעָרֶיךָ	within any of thy gates,
אֲשֶׁר־יְהוָה אֱלֹהֶיךָ	which the Lord thy God
נֹתֵן לָךְ׃	giveth thee;
6 כִּי אִם־אֶל־הַמָּקוֹם	6. but at the place
אֲשֶׁר־יִבְחַר יְהוָה אֱלֹהֶיךָ	which the Lord thy God shall choose
לְשַׁכֵּן שְׁמוֹ	to cause His name to dwell in,
שָׁם תִּזְבַּח	there thou shalt sacrifice
אֶת־הַפֶּסַח	the passover-offering
בָּעָרֶב	at even,
כְּבוֹא הַשֶּׁמֶשׁ	at the going down of the sun,
מוֹעֵד צֵאתְךָ	at the season that thou camest forth
מִמִּצְרָיִם׃	out of Egypt.

Rashi — רש"י

הָיִיתִי אוֹמֵר	I would have said (that)
שְׁלָמִים הַנִּשְׁחָטִים כָּל שִׁבְעָה	peace-offerings which are slaughtered all seven days
כֻּלָּן בְּבַל תּוֹתִירוּ	are all subject to (the regulation) "Thou shalt not leave over"
וְאֵינָן נֶאֱכָלִין אֶלָּא לְיוֹם וָלַיְלָה,	and they may be eaten only a day and a night;
לְכָךְ כָּתַב ,בָּעֶרֶב בַּיּוֹם הָרִאשׁוֹן׳.	therefore it writes "(neither shall any of the flesh . . .) at even the first day (remain all night)."
דָּבָר אַחֵר, בַּחֲגִיגַת י"ד	Another interpretation: Regarding the Festival sacrifice of the fourteenth (of Nisan)
הַכָּתוּב מְדַבֵּר,	Scripture speaks,
וְלִמֵּד עָלֶיהָ	and it teaches concerning it
שֶׁנֶּאֱכֶלֶת לִשְׁנֵי יָמִים,	that it may be eaten for two days.
וְהָרִאשׁוֹן הָאָמוּר כָּאן	And the first which is mentioned here,
בְּיוֹם טוֹב הָרִאשׁוֹן הַכָּתוּב מְדַבֵּר,	concerning the first day of the festival Scripture speaks,
וְכֵן מַשְׁמָעוּת הַמִּקְרָא	and thus it is implied by the verse:
בְּשַׂר חֲגִיגָה—	the flesh of the festive sacrifice,
אֲשֶׁר תִּזְבַּח בָּעֶרֶב	which you will sacrifice towards the evening,
לֹא יָלִין בְּיוֹם טוֹב הָרִאשׁוֹן	should not remain overnight on the first day of the festival
עַד בָּקְרוֹ שֶׁל שֵׁנִי,	until the morning of the second (day),
אֲבָל נֶאֱכֶלֶת הִיא	but it may be eaten
בְּאַרְבָּעָה עָשָׂר וּבַחֲמִשָּׁה עָשָׂר,	on the fourteenth and on the fifteenth (days of Nisan).
וְכַךְ הִיא שְׁנוּיָה בְּמַסֶּ׳ פְּסָחִים (דַ׳ ע"א):	And thus it is taught in the treatise Pesaḥim (fol. 71)
6 בָּעֶרֶב כְּבוֹא הַשֶּׁמֶשׁ. מוֹעֵד צֵאתְךָ מִמִּצְרָיִם.	**6. At even, at the going down of the sun, at the season that thou comest forth out of Egypt**
הֲרֵי שְׁלֹשָׁה זְמַנִּים חֲלוּקִים,	Here there are three separate times:
בָּעֶרֶב מִשֵּׁשׁ שָׁעוֹת וּלְמַעְלָה	at even from six hours and upward
זְבָחֵהוּ,	sacrifice it,
וּכְבֹא הַשֶּׁמֶשׁ תֹּאכְלֵהוּ,	and at the going down of the sun you shall eat it,
וּמוֹעֵד צֵאתְךָ אַתָּה שׂוֹרְפֵהוּ,	and at the season that thou comest forth you must burn it;

7. And thou shalt roast and eat it	7 וּבִשַּׁלְתָּ וְאָכַלְתָּ
in the place	בַּמָּקוֹם
which the Lord thy God shall choose;	אֲשֶׁר יִבְחַר יְהוָה אֱלֹהֶיךָ בּוֹ
and thou shalt turn in the morning,	וּפָנִיתָ בַבֹּקֶר
and go to thy tents.	וְהָלַכְתָּ לְאֹהָלֶיךָ׃

8. Six days	8 שֵׁשֶׁת יָמִים
thou shalt eat unleavened bread;	תֹּאכַל מַצּוֹת
and on the seventh day	וּבַיּוֹם הַשְּׁבִיעִי
(shall be) a restraining	עֲצֶרֶת
unto the Lord thy God;	לַיהוָה אֱלֹהֶיךָ

Rashi — רש״י

that is, it becomes left over	כְּלוֹמַר נַעֲשָׂה נוֹתָר
and it goes out to the place of burning (Siphre).	וְיֵצֵא לְבֵית הַשְּׂרֵיפָה (סִפְרֵי):
7. And thou shalt roast it	**7 וּבִשַּׁלְתָּ.**
This is roasting by fire,	זֶהוּ צְלִי אֵשׁ,
for this too is termed בשול (which usually denotes "cooking").	שֶׁאַף הוּא קָרוּי בִּשּׁוּל:
And thou shalt turn in the morning	**וּפָנִיתָ בַבֹּקֶר.**
On the morning of the second day.	לְבָקְרוֹ שֶׁל שֵׁנִי,
(This) teaches that he is required to remain overnight	מְלַמֵּד שֶׁטָּעוּן לִינָה
on the night following the festival (Siphre; Ḥag. 17).	לֵיל שֶׁל מוֹצָאֵי יוֹם טוֹב (סִפְרֵי, חֲגִי׳ י״ז):
8 Six days thou shalt eat unleavened bread	**8 שֵׁשֶׁת יָמִים תֹּאכַל מַצּוֹת.**
But in another passage it states (Ex. 12.15)	וּבְמָקוֹם אַחֵר הוּא אוֹמֵר (שְׁמוֹת י״ב):—
"seven days"?	שִׁבְעַת יָמִים?
Seven from the old (crop)	שִׁבְעָה מִן הַיָּשָׁן
or six (out of the seven, after the omer was offered) from the new (Siphre; Men. 66).	וְשִׁשָּׁה מִן הֶחָדָשׁ (סִפְרֵי, מְנָח׳ ס״ו).
Another interpretation: it teaches	דָּ״אַ לָמֵד
regarding the eating of unleavened bread on the seventh day	עַל אֲכִילַת מַצָּה בַּשְּׁבִיעִי
that it is not obligatory.	שֶׁאֵינָהּ חוֹבָה,
And hence here you learn concerning the six days,	וּמִכָּאן אַתָּה לָמֵד לְשֵׁשֶׁת הַיָּמִים,
for the seventh was in a generalization,	שֶׁהֲרֵי שְׁבִיעִי בִּכְלָל הָיָה
and it departed from the generalization	וְיָצָא מִן הַכְּלָל
to teach that the eating of unleavened bread during it is not obligatory,	לְלַמֵּד שֶׁאֵין אֲכִילַת מַצָּה בּוֹ חוֹבָה
but optional;	אֶלָּא רְשׁוּת,
and not to teach regarding itself did it depart,	וְלֹא לְלַמֵּד עַל עַצְמוֹ יָצָא,
but to teach regarding the entire generalization did it depart:	אֶלָּא לְלַמֵּד עַל הַכְּלָל כֻּלּוֹ יָצָא,
just as the seventh is optional,	מַה שְּׁבִיעִי רְשׁוּת
so all of them (i. e., the six days) are optional,	אַף כֻּלָּם רְשׁוּת,
except the first night,	חוּץ מִלַּיְלָה הָרִאשׁוֹן
which Scripture established as obligatory,	שֶׁהַכָּתוּב קְבָעוֹ חוֹבָה,
as it is stated (Ex. 12.18),	שֶׁנֶּאֱמַר (שְׁמוֹת י״ב):—
"At even ye shall eat unleavened bread" (Mekilta; Pes. 102).	בָּעֶרֶב תֹּאכְלוּ מַצּוֹת (מְכִי׳, פְּסָ׳ ק״ב):
A restraining unto the Lord thy God	**עֲצֶרֶת לַה׳ אֱלֹהֶיךָ.**
(עצרת: is to be interpreted as from:) "restrain" yourself from work.	עֲצוֹר עַצְמְךָ מִן הַמְּלָאכָה

לֹא תַעֲשֶׂה מְלָאכָה׃ ס	thou shalt do no work (therein).
9 שִׁבְעָה שָׁבֻעֹת	9. Seven weeks
תִּסְפָּר־לָךְ	shalt thou number unto thee;
מֵהָחֵל חֶרְמֵשׁ	from (the time) the sickle is first put
בַּקָּמָה	to the standing corn
תָּחֵל לִסְפֹּר	shalt thou begin to number
שִׁבְעָה שָׁבֻעוֹת׃	seven weeks.
10 וְעָשִׂיתָ	10. And thou shalt keep
חַג שָׁבֻעוֹת	the feast of weeks
לַיהוָה אֱלֹהֶיךָ	unto the Lord thy God
מִסַּת	after the measure
נִדְבַת יָדְךָ	of the freewill-offering of thy hand,
אֲשֶׁר תִּתֵּן	which thou shalt give,
כַּאֲשֶׁר יְבָרֶכְךָ יְהוָה אֱלֹהֶיךָ׃	according as the Lord thy God blesseth thee.
11 וְשָׂמַחְתָּ	11. And thou shalt rejoice
לִפְנֵי ׀ יְהוָה אֱלֹהֶיךָ	before the Lord thy God,
אַתָּה וּבִנְךָ וּבִתֶּךָ	thou, and thy son, and thy daughter,
וְעַבְדְּךָ וַאֲמָתֶךָ	and thy man-servant, and thy maid-servant,
וְהַלֵּוִי אֲשֶׁר בִּשְׁעָרֶיךָ	and the Levite that is within thy gates,
וְהַגֵּר	and the stranger,
וְהַיָּתוֹם וְהָאַלְמָנָה	and the fatherless, and the widow,
אֲשֶׁר בְּקִרְבֶּךָ	that are in the midst of thee,
בַּמָּקוֹם	in the place

Rashi — רש"י

ד"א כְּנוּפְיָא שֶׁל מַאֲכָל וּמִשְׁתֶּה,	Another interpretation: A gathering for eating and drinking,
לְשׁוֹן, נַעְצְרָה נָּא אוֹתָךְ (שׁוֹפ׳ י"ג):	as in "Let us detain (נעצרה) thee," (Judg. 13.15).
9 מֵהָחֵל חֶרְמֵשׁ בַּקָּמָה.	**9. From (the time) the sickle is first put to the standing corn**
מִשֶּׁנִּקְצַר הָעוֹמֶר	From the time the Omer is cut,
שֶׁהוּא רֵאשִׁית הַקָּצִיר (סִפְרֵי, מְנָח׳ ע"א):	which is the beginning of the harvesting (Siphre; Men. 71).
10 מִסַּת נִדְבַת יָדְךָ.	**10. After the measure of the freewill-offering of thy hand**
דֵּי נִדְבַת יָדְךָ.	According to the sufficiency of the freewill-offering of your hand;
הַכֹּל לְפִי הַבְּרָכָה	entirely according to your blessings
הָבֵא שַׁלְמֵי שִׂמְחָה	bring peace-offerings of joy
וְקַדֵּשׁ קְרוּאִים לֶאֱכוֹל:	and summon guests to eat.
11 וְהַלֵּוִי וְגוֹ׳ וְהַגֵּר וְהַיָּתוֹם וְהָאַלְמָנָה.	**11. And the Levite ... and the stranger, and the fatherless, and the widow**
אַרְבָּעָה שֶׁלִּי	Four of Mine
כְּנֶגֶד אַרְבָּעָה שֶׁלְּךָ	corresponding to four of yours:
—,בִּנְךָ וּבִתְּךָ וְעַבְדְּךָ וַאֲמָתֶךָ׳	"thy son, and thy daughter, and thy man-servant, and thy maid-servant."
אִם אַתָּה מְשַׂמֵּחַ אֶת שֶׁלִּי	If you will gladden Mine,
אֲנִי מְשַׂמֵּחַ אֶת שֶׁלְּךָ:	I will gladden yours.

which the Lord thy God shall choose	אֲשֶׁר יִבְחַר יְהוָה אֱלֹהֶיךָ
to cause His name to dwell there.	לְשַׁכֵּן שְׁמוֹ שָׁם׃
12. And thou shalt remember	12 וְזָכַרְתָּ
that thou wast a bondman	כִּי־עֶבֶד הָיִיתָ
in Egypt;	בְּמִצְרָיִם
and thou shalt observe	וְשָׁמַרְתָּ
and do	וְעָשִׂיתָ
these statutes.	אֶת־הַחֻקִּים הָאֵלֶּה׃ פ מפטיר
13. The feast of tabernacles	13 חַג הַסֻּכֹּת
thou shalt keep	תַּעֲשֶׂה לְךָ
seven days,	שִׁבְעַת יָמִים
when thou hast gathered in from thy threshing-floor	בְּאָסְפְּךָ מִגָּרְנְךָ
and from thy winepress.	וּמִיִּקְבֶךָ׃
14. And thou shalt rejoice in thy feast,	14 וְשָׂמַחְתָּ בְּחַגֶּךָ
thou, and thy son, and thy daughter,	אַתָּה וּבִנְךָ וּבִתֶּךָ
and thy man-servant, and thy maid-servant,	וְעַבְדְּךָ וַאֲמָתֶךָ
and the Levite, and the stranger,	וְהַלֵּוִי וְהַגֵּר
and the fatherless, and the widow,	וְהַיָּתוֹם וְהָאַלְמָנָה
that are within thy gates.	אֲשֶׁר בִּשְׁעָרֶיךָ׃
15. Seven days	15 שִׁבְעַת יָמִים
thou shalt keep a feast unto the Lord thy God	תָּחֹג לַיהוָה אֱלֹהֶיךָ
in the place	בַּמָּקוֹם
which the Lord shall choose;	אֲשֶׁר־יִבְחַר יְהוָה
because the Lord thy God shall bless thee	כִּי יְבָרֶכְךָ יְהוָה אֱלֹהֶיךָ
in all thine increase,	בְּכֹל תְּבוּאָתְךָ
and in all the work of thy hands,	וּבְכֹל מַעֲשֵׂה יָדֶיךָ
and thou shalt be altogether joyful.	וְהָיִיתָ אַךְ שָׂמֵחַ׃

Rashi — רש"י

12. And thou shalt remember that thou wast a bondman, etc.	12 וְזָכַרְתָּ כִּי־עֶבֶד הָיִיתָ וגו'.
On this condition have I redeemed you,	עַל מְנַת כֵּן פְּדִיתִיךָ
that you observe and do these statutes.	שֶׁתִּשְׁמוֹר וְתַעֲשֶׂה הַחֻקִּים הָאֵלֶּה׃
13. When thou hast gathered in	13 בְּאָסְפְּךָ.
At the time of in-gathering,	בִּזְמַן הָאָסִיף
when you bring in to (your) house	שֶׁאַתָּה מַכְנִיס לַבַּיִת
the fruits of the summer.	פֵּירוֹת הַקַּיִץ.
Another interpretation of "When thou hast gathered in from thy threshing floor and from thy wine ress":	ד"א, בְּאָסְפְּךָ מִגָּרְנְךָ וּמִיִּקְבֶךָ'
it teaches that you should cover the Succah (booth)	לִמֵּד שֶׁמְּסַכְּכִין אֶת הַסֻּכָּה
with the refuse of the threshing-floor and of the wine-press (Suk. 12)	בִּפְסֹלֶת גּוֹרֶן וָיֶקֶב (סוּכָּה י"ב)׃
15. And thou shalt be altogether joyful	15 וְהָיִיתָ אַךְ שָׂמֵחַ.
According to its plain meaning this does not denote a command	לְפִי פְּשׁוּטוֹ אֵין זֶה לְשׁוֹן צִוּוּי

16 שָׁלוֹשׁ פְּעָמִים | בַּשָּׁנָה	16. Three times in a year
יֵרָאֶה כָל־זְכוּרְךָ	shall all thy males appear
אֶת־פְּנֵי | יְהוָה אֱלֹהֶיךָ	before the Lord thy God
בַּמָּקוֹם אֲשֶׁר יִבְחָר	in the place which He shall choose:
בְּחַג הַמַּצּוֹת	on the feast of unleavened bread,
וּבְחַג הַשָּׁבֻעוֹת	and on the feast of weeks,
וּבְחַג הַסֻּכּוֹת	and on the feast of tabernacles;
וְלֹא יֵרָאֶה	and they shall not appear
אֶת־פְּנֵי יְהוָה	before the Lord
רֵיקָם׃	empty;
17 אִישׁ כְּמַתְּנַת יָדוֹ	17. every man (shall give) as he is able,
כְּבִרְכַּת יְהוָה אֱלֹהֶיךָ	according to the blessing of the Lord thy God
אֲשֶׁר נָתַן־לָךְ׃	which He hath given thee.

ס ס ס

18 שֹׁפְטִים וְשֹׁטְרִים	18. Judges and officers
תִּתֶּן־לְךָ	shalt thou make thee
בְּכָל־שְׁעָרֶיךָ	in all thy gates,
אֲשֶׁר יְהוָה אֱלֹהֶיךָ	which the Lord thy God
נֹתֵן לְךָ	giveth thee,

Rashi — רש״י

אֶלָּא לְשׁוֹן הַבְטָחָה,	but it denotes a promise,
וּלְפִי תַּלְמוּדוֹ לָמְדוּ מִכָּאן	and according to its interpretation they derived hence
לְרַבּוֹת לֵילֵי יוֹם טוֹב הָאַחֲרוֹן	to include the eves of the last day of the festival
לְשִׂמְחָה (שָׁם מ״ח)׃	for joy (*ibid.*, 48).
16 **וְלֹא יֵרָאֶה אֶת־פְּנֵי ה׳ רֵיקָם.**	**16. And they shall not appear before the Lord empty**
אֶלָּא הָבֵא עוֹלוֹת רְאִיָּה	But bring burnt-offerings of appearance
וְשַׁלְמֵי חֲגִיגָה׃	and festive peace-offerings.
17 **אִישׁ כְּמַתְּנַת יָדוֹ.**	**17. Every man (shall give) as he is able**
מִי שֶׁיֵּשׁ לוֹ אוֹכְלִין הַרְבֵּה	He who has many that will eat,
וּנְכָסִים מְרֻבִּין	and numerous possessions,
יָבִיא עוֹלוֹת מְרֻבּוֹת	should bring many burnt-offerings
וּשְׁלָמִים מְרֻבִּים (סִפְרֵי, חֲגִי׳ ח)׃	and many peace-offerings (Siphre; Ḥag. 8).
18 **שֹׁפְטִים וְשֹׁטְרִים.**	**18. Judges and officers**
שׁוֹפְטִים דַּיָּנִין	(The term) שופטים (denotes) judges
הַפּוֹסְקִין אֶת הַדִּין;	who decide the law;
וְשׁוֹטְרִים	and officers
הָרוֹדִין אֶת הָעָם	are those who govern the people
אַחַר מִצְוָתָם	after their command (i.e., of the judges),
שֶׁמַּכִּין וְכוֹפְתִין	who strike and bind
בְּמַקֵּל וּבִרְצוּעָה	with a rod or with a lash
עַד שֶׁיְּקַבֵּל עָלָיו	until one takes upon himself
אֶת דִּין הַשּׁוֹפֵט (סַנְהֶ׳ ט״ז)׃	the decision of the judge (Sanh. 16).
בְּכָל־שְׁעָרֶיךָ.	**In all thy gates**
בְּכָל עִיר וְעִיר׃	(I. e.,) in each city.

לִשְׁבָטֶיךָ	for thy tribes;
וְשָׁפְטוּ אֶת־הָעָם	and they shall judge the people
מִשְׁפַּט־צֶדֶק׃	(with) righteous judgment.
19 לֹא־תַטֶּה מִשְׁפָּט	19. Thou shalt not wrest judgment;
לֹא תַכִּיר פָּנִים	thou shalt not respect persons;
וְלֹא־תִקַּח שֹׁחַד	neither shalt thou take a gift;
כִּי הַשֹּׁחַד	for a gift
יְעַוֵּר עֵינֵי חֲכָמִים	doth blind the eyes of the wise,
וִיסַלֵּף	and pervert
דִּבְרֵי צַדִּיקִם׃	the words of the righteous.
20 צֶדֶק צֶדֶק תִּרְדֹּף	20. Justice, justice shalt thou follow,

Rashi — רש״י

לִשְׁבָטֶיךָ.	**For thy tribes**
מוּסָב עַל ,תִּתֶּן לְךָ׳	(This) refers to "thou shalt make thee,"
שׁוֹפְטִים וְשׁוֹטְרִים— תִּתֶּן לְךָ	(i. e.,) judges and officers thou shalt make thee
בְּכָל שְׁעָרֶיךָ	in all thy gates
אֲשֶׁר ה׳ אֱלֹהֶיךָ נוֹתֵן לָךְ׃	which the Lord thy God giveth thee.
לִשְׁבָטֶיךָ.	**For thy tribes**
מְלַמֵּד שֶׁמּוֹשִׁיבִין דַּיָּנִין	(This) teaches that they must seat (appoint) judges
לְכָל שֵׁבֶט וָשֵׁבֶט	for each tribe
וּבְכָל עִיר וָעִיר (סִפְרֵי, סַנְהֶ׳ ט״ז)׃	and in each city (Siphre; Sanh. 16).
וְשָׁפְטוּ אֶת־הָעָם וְגוֹ׳.	**And they shall judge the people, etc.**
מַנֵּה דַיָּנִים מוּמְחִים וְצַדִּיקִים	Appoint judges (who are) expert and righteous
לִשְׁפּוֹט צֶדֶק (עַיֵּ׳ סִפְרֵי)׃	to judge righteously (cf. Siphre).
19 לֹא־תַטֶּה מִשְׁפָּט.	**19. Thou shalt not wrest judgment**
כְּמַשְׁמָעוֹ׃	(To be understood) in its usual meaning.
לֹא תַכִּיר פָּנִים.	**Thou shalt not respect persons**
אַף בִּשְׁעַת הַטַּעֲנוֹת;	Even at the time of (their) pleas.
אַזְהָרָה לַדַּיָּן	(This is) a forewarning to the judge
שֶׁלֹּא יְהֵא רַךְ לָזֶה	that he should not be lenient to one
וְקָשֶׁה לָזֶה,	and stern to the other (litigant),
אֶחָד עוֹמֵד וְאֶחָד יוֹשֵׁב,	or that one should stand while the other sits,
לְפִי שֶׁכְּשֶׁרוֹאֶה זֶה	for when one sees
שֶׁהַדַּיָּן מְכַבֵּד אֶת חֲבֵרוֹ	that the judge honors his friend,
מִסְתַּתְּמִין טַעֲנוֹתָיו׃	his pleas become closed.
וְלֹא־תִקַּח שֹׁחַד.	**Neither shalt thou take a gift**
אֲפִילוּ לִשְׁפּוֹט צֶדֶק (סִפְרֵי)׃	Even to judge righteously (Siphre).
כִּי הַשֹּׁחַד יְעַוֵּר.	**For a gift doth blind**
מִשֶּׁקִּבֵּל שֹׁחַד מִמֶּנּוּ	After (the judge) has received a gift from him,
אִי אֶפְשָׁר שֶׁלֹּא יַטֶּה אֶת לִבּוֹ אֶצְלוֹ	it is impossible that it will not sway his heart for him (the litigant)
לַהֲפוֹךְ בִּזְכוּתוֹ׃	to seek his advantage.
דִּבְרֵי צַדִּיקִים.	**The words of the righteous**
דְּבָרִים הַמְּצֻדָּקִים,	(דברי צדיקים is to be interpreted as) righteous words,
—מִשְׁפְּטֵי אֱמֶת׃	judgments of truth.
20 צֶדֶק צֶדֶק תִּרְדֹּף.	**20. Justice, justice shalt thou follow**
הֵלֵךְ אַחַר בֵּית דִּין יָפֶה (סִפְרֵי, סַנְהֶ׳ ל״ב)׃	Seek after a proper court of law (Siphre; Sanh. 32).

לְמַעַן תִּחְיֶה	that thou mayest live,
וְיָרַשְׁתָּ אֶת־הָאָרֶץ	and inherit the land
אֲשֶׁר־יְהוָה אֱלֹהֶיךָ	which the Lord thy God
נֹתֵן לָךְ׃ ס	giveth thee.
21 לֹא־תִטַּע לְךָ	21. Thou shalt not plant thee
אֲשֵׁרָה	an Asherah
כָּל־עֵץ	of any kind of tree
אֵצֶל מִזְבַּח	beside the altar
יְהוָה אֱלֹהֶיךָ	of the Lord thy God,
אֲשֶׁר תַּעֲשֶׂה־לָּךְ׃	which thou shalt make thee.
22 וְלֹא־תָקִים לְךָ	22. Neither shalt thou set up
מַצֵּבָה	a pillar,
אֲשֶׁר שָׂנֵא יְהוָה אֱלֹהֶיךָ׃ ס	which the Lord thy God hateth.

Rashi — רש"י

לְמַעַן תִּחְיֶה וְיָרַשְׁתָּ.	**That thou mayest live, and inherit**
כְּדַאי הוּא מִנּוּי הַדַּיָּנִין הַכְּשֵׁרִים	The appointment of honorable judges is sufficient
לְהַחֲיוֹת אֶת יִשְׂרָאֵל	to keep Israel alive
וּלְהוֹשִׁיבָן עַל אַדְמָתָן (סִפְרֵי):	and to settle them upon their land (Siphre).
21 לֹא־תִטַּע לְךָ אֲשֵׁרָה.	**21. Thou shalt not plant thee an Asherah**
לְחַיְּבוֹ עָלֶיהָ מִשְּׁעַת נְטִיעָתָהּ,	(This comes) to make him punishable for it from the time of its planting,
וַאֲפִילוּ לֹא עֲבָדָהּ	and even if he did not worship it
עוֹבֵר בְּלֹא תַעֲשֶׂה עַל נְטִיעָתָהּ (שָׁם):	he transgresses a prohibitive command for having planted it (*ibid.*).
לֹא־תִטַּע לְךָ אֲשֵׁרָה כָּל־עֵץ. אֵצֶל מִזְבַּח ה' אֱלֹהֶיךָ.	**Thou shalt not plant thee an Asherah of any kind of tree beside the altar of The Lord thy God.**
אַזְהָרָה לְנוֹטֵעַ אִילָן	(This is) a forewarning against planting a tree
וּלְבוֹנֶה בַּיִת בְּהַר הַבַּיִת (שָׁם):	or building a house upon the Mount of the Temple (*ibid.*).
22 וְלֹא־תָקִים לְךָ מַצֵּבָה.	**22. Neither shalt thou set thee up a pillar**
מַצֶּבֶת אֶבֶן אַחַת	A pillar of a single stone,
לְהַקְרִיב עָלֶיהָ אֲפִילוּ לַשָּׁמַיִם:	to offer upon it even to Heaven
אֲשֶׁר שָׂנֵא.	**Which (He) hateth**
מִזְבַּח אֲבָנִים	An altar of stones
וּמִזְבַּח אֲדָמָה צִוָּה לַעֲשׂוֹת,	or an altar of earth He commanded to make;
וְאֶת זוּ שָׂנֵא,	but this He hates,
כִּי חֹק הָיְתָה לַכְּנַעֲנִים,	for it was a statute for the Canaanites.
וְאַף עַל פִּי שֶׁהָיְתָה אֲהוּבָה לוֹ	And although it was beloved by Him
בִּימֵי הָאָבוֹת,	during the days of the Patriarchs,
עַכְשָׁיו שְׂנֵאָהּ מֵאַחַר שֶׁעֲשָׂאוּהָ אֵלּוּ	now He hated it because these (Canaanites) had made it
חֹק לַעֲבוֹדָה זָרָה (עַי' שָׁם):	a statute (custom) for idolatry (cf. *ibid.*).

CHAPTER XVII — יז

1 לֹא־תִזְבַּח	1. Thou shalt not sacrifice
לַיהוָה אֱלֹהֶיךָ	unto the Lord thy God
שׁוֹר וָשֶׂה	an ox, or a sheep,
אֲשֶׁר יִהְיֶה בוֹ מוּם	wherein is a blemish,
כֹּל דָּבָר רָע	even any evil thing;
כִּי תוֹעֲבַת יְהוָה אֱלֹהֶיךָ הוּא׃ ס	for that is an abomination unto the Lord thy God.
2 כִּי־יִמָּצֵא	2. If there be found
בְקִרְבְּךָ	in the midst of thee,
בְּאַחַד שְׁעָרֶיךָ	within any of thy gates
אֲשֶׁר־יְהוָה אֱלֹהֶיךָ	which the Lord thy God
נֹתֵן לָךְ	giveth thee,
אִישׁ אוֹ־אִשָּׁה	man or woman,
אֲשֶׁר יַעֲשֶׂה	that doeth
אֶת־הָרַע	that which is evil
בְּעֵינֵי יְהוָה־אֱלֹהֶיךָ	in the sight of the Lord thy God,
לַעֲבֹר בְּרִיתוֹ׃	in transgressing His covenant,
3 וַיֵּלֶךְ	3. and hath gone
וַיַּעֲבֹד	and served
אֱלֹהִים אֲחֵרִים	other gods,
וַיִּשְׁתַּחוּ לָהֶם	and bowed down to them,
וְלַשֶּׁמֶשׁ ׀ אוֹ לַיָּרֵחַ	or the sun, or the moon,
אוֹ לְכָל־צְבָא הַשָּׁמַיִם	or any of the host of heaven,
אֲשֶׁר לֹא־צִוִּיתִי׃	which I have commanded not;
4 וְהֻגַּד־לְךָ	4. and it be told thee,
וְשָׁמָעְתָּ	and thou heard it,
וְדָרַשְׁתָּ הֵיטֵב	then shalt thou inquire diligently,
וְהִנֵּה אֱמֶת	and, behold, (if it be) true,
נָכוֹן הַדָּבָר	and the thing certain,
נֶעֶשְׂתָה הַתּוֹעֵבָה הַזֹּאת	that such abomination is wrought

Rashi — רש״י

17 1 לֹא־תִזְבַּח וְגוֹ׳. כֹּל דָּבָר רָע.	**17 1. Thou shalt not sacrifice etc. even any evil thing**
אַזְהָרָה לִמְפַגֵּל בְּקָדָשִׁים	(This is) a forewarning against making sacrifices rejectable
עַל יְדֵי דִּבּוּר רָע,	through evil utterance.
וְעוֹד נִדְרְשׁוּ בוֹ שְׁאָר דְּרָשׁוֹת	And there have been also other explanations regarding it,
בִּשְׁחִיטַת קָדָשִׁים (זְבָחִ׳ ל״ו)׃	in (the treatise dealing with) the slaughtering of the sacrifices (Zebaḥim fol. 36).
2 לַעֲבֹר בְּרִיתוֹ.	**2. In transgressing His covenant**
אֲשֶׁר כָּרַת ה׳ אִתְּכֶם	which God made with you,
שֶׁלֹּא לַעֲבוֹד עֲבוֹדָה זָרָה׃	not to worship idols.
3 אֲשֶׁר לֹא־צִוִּיתִי.	**3. Which I have commanded not**
לְעָבְדָם (מְגִ׳ ט)׃	to serve them (Meg. 9).
4 נָכוֹן.	**4. Certain**
מְכֻוָּן הָעֵדוּת׃	The testimony is certain.

בְּיִשְׂרָאֵל:	in Israel;
5 וְהוֹצֵאתָ	5. then thou shalt bring forth
אֶת־הָאִישׁ הַהוּא	that man
אוֹ אֶת־הָאִשָּׁה הַהִוא	or that woman,
אֲשֶׁר עָשׂוּ	who have done
אֶת־הַדָּבָר הָרָע הַזֶּה	this evil thing,
אֶל־שְׁעָרֶיךָ	unto thy gates,
אֶת־הָאִישׁ	(even) the man
אוֹ אֶת־הָאִשָּׁה	or the woman;
וּסְקַלְתָּם בָּאֲבָנִים	and thou shalt stone them with stones,
וָמֵתוּ:	that they die.
6 עַל־פִּי ׀ שְׁנַיִם עֵדִים	6. At the mouth of two witnesses,
אוֹ שְׁלֹשָׁה עֵדִים	or three witnesses,
יוּמַת הַמֵּת	shall he that is to die be put to death;
לֹא יוּמַת	he shall not be put to death
עַל־פִּי עֵד אֶחָד:	at the mouth of one witness.
7 יַד הָעֵדִים	7. The hand of the witnesses

Rashi — רש"י

5 וְהוֹצֵאתָ אֶת־הָאִישׁ הַהוּא וְגוֹ׳.	**5. Then shalt thou bring forth that man, etc.,**
אֶל־שְׁעָרֶיךָ וְגוֹ׳.	**unto thy gates, etc.**
הַמְתַרְגֵּם אֶל שְׁעָרֶיךָ	He who renders in the Targum אל שעריך (by)
לִתְרַע בֵּית דִּינָךְ טוֹעֶה,	"unto the door of thy court of law", errs,
שֶׁכֵּן שָׁנִינוּ אֶל שְׁעָרֶיךָ	for thus we have learned, that "unto thy gates"
זֶה שַׁעַר שֶׁעָבַד בּוֹ,	is the gate where he worshipped.
אוֹ אֵינוֹ אֶלָּא שַׁעַר שֶׁנִּדּוֹן בּוֹ,	Or (perhaps) it is not (so), but the gate where he was judged;
נֶאֱמַר שְׁעָרֶיךָ לְמַטָּה	it is stated "thy gates" below
וְנֶאֱמַר שְׁעָרֶיךָ לְמַעְלָה	and it is stated "thy gates" above (v. 2):
מַה שְּׁעָרֶיךָ הָאָמוּר לְמַעְלָה	just as "thy gates" which is mentioned above
שַׁעַר שֶׁעָבַד בּוֹ,	(refers to) the gate where he worshipped,
אַף שְׁעָרֶיךָ הָאָמוּר לְמַטָּה	so "thy gates" which is mentioned below
שַׁעַר שֶׁעָבַד בּוֹ,	(refers to) the gate where he worshipped,
וְתַרְגּוּמוֹ לְקִרְוָיךְ:	and its Aramaic rendering (should be) לְקִרְוָיךְ ("unto thy cities").
6 שְׁנַיִם עֵדִים אוֹ שְׁלֹשָׁה.	**6. Two witnesses, or three**
אִם מִתְקַיֶּמֶת עֵדוּת בִּשְׁנַיִם	If the evidence is sustained by two,
לָמָּה פֵּרַט לְךָ בִּשְׁלֹשָׁה?	why does it specify for you three?
לְהַקִּישׁ שְׁלֹשָׁה לִשְׁנַיִם,	To compare three to two:
מַה שְּׁנַיִם עֵדוּת אַחַת	just as two (constitute) one testimony,
אַף שְׁלֹשָׁה עֵדוּת אַחַת,	so do three (constitute) one testimony,
וְאֵין נַעֲשִׂין זוֹמְמִין	and they are not condemned as false witnesses
עַד שֶׁיָּזוֹמּוּ כֻלָּם (מַכּ׳ ה):	..nless all of them are proved false (Mak. 5).

תְּהְיֶה־בּוֹ בָרִאשֹׁנָה	shall be first upon him
לַהֲמִיתוֹ	to put him to death,
וְיַד כָּל־הָעָם	and the hand of all the people
בָּאַחֲרֹנָה	afterwards.
וּבִעַרְתָּ הָרָע	So thou shalt put away the evil
מִקִּרְבֶּךָ: פ	from the midst of thee.
8 כִּי יִפָּלֵא מִמְּךָ דָבָר	8. If there be a matter concealed from thee
לַמִּשְׁפָּט	in judgment,
בֵּין־דָּם ׀ לְדָם	between blood and blood,
בֵּין־דִּין לְדִין	between decision and decision,
וּבֵין נֶגַע לָנֶגַע	and between plague and plague,
דִּבְרֵי רִיבֹת	(even) matters of controversy
בִּשְׁעָרֶיךָ	within thy gates;
וְקַמְתָּ	then shalt thou arise,
וְעָלִיתָ אֶל־הַמָּקוֹם	and get thee up unto the place
אֲשֶׁר יִבְחַר יְהוָה אֱלֹהֶיךָ בּוֹ:	which the Lord thy God shall choose.
9 וּבָאתָ	9. And thou shalt come
אֶל־הַכֹּהֲנִים הַלְוִיִּם	unto the priests the Levites,
וְאֶל־הַשֹּׁפֵט	and unto the judge
אֲשֶׁר יִהְיֶה	that shall be
בַּיָּמִים הָהֵם	in those days;

Rashi — רש"י

8 כִּי יִפָּלֵא.	**8. If there be concealed**
כָּל הַפְלָאָה לָשׁוֹן הַבְדָּלָה וּפְרִישָׁה,	Every instance of (the root of) הפלאה denotes separation or removal,
שֶׁהַדָּבָר נִבְדָּל וּמְכֻסֶּה מִמְּךָ:	for the matter is separated and concealed from you.
בֵּין־דָּם לְדָם.	**Between blood and blood**
בֵּין דָּם טָמֵא לְדָם טָהוֹר (נִדָּה י"ט):	Between unclean blood and clean blood (Niddah 19).
בֵּין־דִּין לְדִין.	**Between decision and decision**
בֵּין דִּין זַכַּאי לְדִין חַיָּב:	Between a decision of acquittal and decision of guilt.
וּבֵין נֶגַע לָנֶגַע.	**And between plague and plague**
בֵּין נֶגַע טָמֵא לְנֶגַע טָהוֹר:	Between an unclean plague and a clean plague.
דִּבְרֵי רִיבוֹת.	**(Even) matters of controversy**
שֶׁיִּהְיוּ חַכְמֵי הָעִיר חוֹלְקִים בַּדָּבָר,	The judges of the city will be of divided opinion in the matter,
זֶה מְטַמֵּא וְזֶה מְטַהֵר,	one pronouncing it unclean, the other clean,
זֶה מְחַיֵּב וְזֶה מְזַכֶּה:	one deciding for guilt, the other for acquittal.
וְקַמְתָּ וְעָלִיתָ.	**Then shalt thou arise, and get thee up**
מְלַמֵּד שֶׁבֵּית הַמִּקְדָּשׁ גָּבוֹהַּ	(This) teaches that the Temple is higher
מִכָּל הַמְּקוֹמוֹת (סִפְרֵי, סַנְהֶ' פ"ז):	than all places (Siphre; Sanh. 87).
9 הַכֹּהֲנִים הַלְוִיִּם.	**9. The priests the Levites**
הַכֹּהֲנִים שֶׁיָּצְאוּ מִשֵּׁבֶט לֵוִי:	(I. e.,) the priests who issued from the tribe of Levi.
וְאֶל־הַשֹּׁפֵט אֲשֶׁר יִהְיֶה בַּיָּמִים הָהֵם.	**And unto the judge that shall be in those days**
וַאֲפִילוּ אֵינוֹ כִּשְׁאָר שׁוֹפְטִים	Even if he is not like the other judges

וְדָרַשְׁתָּ	and thou shalt inquire;
וְהִגִּידוּ לְךָ	and they shall declare unto thee
אֵת דְּבַר הַמִּשְׁפָּט:	the sentence of the judgment.
10 וְעָשִׂיתָ	10. And thou shalt do
עַל־פִּי הַדָּבָר	according to the tenor of the sentence,
אֲשֶׁר יַגִּידוּ לְךָ	which they shall declare unto thee
מִן־הַמָּקוֹם הַהוּא	from that place
אֲשֶׁר יִבְחַר יְהוָה	which the Lord shall choose;
וְשָׁמַרְתָּ לַעֲשׂוֹת	and thou shalt observe to do
כְּכֹל אֲשֶׁר יוֹרוּךָ:	according to all that they shall teach thee.
11 עַל־פִּי הַתּוֹרָה	11. According to the law
אֲשֶׁר יוֹרוּךָ	which they shall teach thee,
וְעַל־הַמִּשְׁפָּט	and according to the judgment
אֲשֶׁר־יֹאמְרוּ לְךָ	which they shall tell thee,
תַּעֲשֶׂה	thou shalt do;
לֹא תָסוּר מִן־הַדָּבָר	thou shalt not turn aside from the sentence
אֲשֶׁר־יַגִּידוּ לְךָ	which they shall declare unto thee
יָמִין וּשְׂמֹאל:	(to the) right (hand), nor (to the) left.
12 וְהָאִישׁ	12. And the man
אֲשֶׁר־יַעֲשֶׂה בְזָדוֹן	that doeth presumptuously,
לְבִלְתִּי שְׁמֹעַ	in not hearkening
אֶל־הַכֹּהֵן	unto the priest
הָעֹמֵד לְשָׁרֶת שָׁם	that standeth to minister there
אֶת־יְהוָה אֱלֹהֶיךָ	(before) the Lord thy God,
אוֹ אֶל־הַשֹּׁפֵט	or unto the judge,
וּמֵת הָאִישׁ הַהוּא	even that man shall die;
וּבִעַרְתָּ הָרָע	and thou shalt exterminate the evil
מִיִּשְׂרָאֵל:	from Israel.
13 וְכָל־הָעָם	13. And all the people
יִשְׁמְעוּ וְיִרָאוּ	shall hear, and fear,
וְלֹא יְזִידוּן עוֹד: ס	and do no more presumptuously.
שני	

Rashi — רש״י

שֶׁהָיוּ לְפָנָיו,	who were before him,
אַתָּה צָרִיךְ לִשְׁמוֹעַ לוֹ	you must listen to him;
—אֵין לְךָ אֶלָּא שׁוֹפֵט שֶׁבְּיָמֶיךָ (ר״ה כ״ה):	you have only the judge of your own time (R. H. 25).
11 יָמִין וּשְׂמֹאל.	**11. (To the) right (hand), nor (to the) left**
אֲפִילוּ אוֹמֵר לְךָ	Even if he tells you
עַל יָמִין שֶׁהוּא שְׂמֹאל	regarding the right that it is left,
וְעַל שְׂמֹאל שֶׁהוּא יָמִין	or regarding the left that it is right.
וְכָל שֶׁכֵּן שֶׁאוֹמֵר לְךָ	and certainly so if he tells you
עַל יָמִין יָמִין	regarding the right (that it is) right,
וְעַל שְׂמֹאל שְׂמֹאל (סִפְרֵי):	and regarding the left (that it is) left (Siphre).
13 וְכָל־הָעָם יִשְׁמְעוּ.	**13. And all the people shall hear**
מִכָּאן שֶׁמַּמְתִּינִין לוֹ עַד הָרֶגֶל	Hence (it is derived) that he is kept in guard until (one of) the Festivals,
וּמְמִיתִין אוֹתוֹ בָּרֶגֶל (סַנְהֶ׳ פ״ט):	and he is put to death on the Festival Sanh. 89).

14 כִּי־תָבֹא אֶל־הָאָרֶץ	14. When thou art come unto the land
אֲשֶׁר יְהוָה אֱלֹהֶיךָ	which the Lord thy God
נֹתֵן לָךְ	giveth thee,
וִירִשְׁתָּהּ	and shalt possess it,
וְיָשַׁבְתָּה בָּהּ	and shalt dwell therein;
וְאָמַרְתָּ	and shalt say:
אָשִׂימָה עָלַי מֶלֶךְ	'I will set a king over me,
כְּכָל־הַגּוֹיִם	like all the nations
אֲשֶׁר סְבִיבֹתָי׃	that are round about me';
15 שׂוֹם תָּשִׂים עָלֶיךָ	15. thou shalt in any wise set over thee
מֶלֶךְ	a king,
אֲשֶׁר יִבְחַר יְהוָה אֱלֹהֶיךָ בּוֹ	whom the Lord thy God shall choose;
מִקֶּרֶב אַחֶיךָ	one from among thy brethren
תָּשִׂים עָלֶיךָ מֶלֶךְ	shalt thou set a king over thee;
לֹא תוּכַל לָתֵת עָלֶיךָ	thou mayest not put over thee
אִישׁ נָכְרִי	a foreigner,
אֲשֶׁר לֹא־אָחִיךָ הוּא׃	who is not thy brother.
16 רַק	16. Only
לֹא־יַרְבֶּה־לּוֹ סוּסִים	he shall not multiply horses to himself,
וְלֹא־יָשִׁיב אֶת־הָעָם	nor cause the people to return
מִצְרַיְמָה	to Egypt,
לְמַעַן הַרְבּוֹת סוּס	to the end that he should multiply horses;
וַיהוָה אָמַר לָכֶם	forasmuch the Lord hath said unto you:
לֹא תֹסִפוּן לָשׁוּב	'Ye shall return no more
בַּדֶּרֶךְ הַזֶּה	that way
עוֹד׃	again.'
17 וְלֹא יַרְבֶּה־לּוֹ נָשִׁים	17. Neither shall he multiply to himself wives,

Rashi — רש״י

16 לֹא־יַרְבֶּה־לּוֹ סוּסִים.	**16. He shall not multiply horses to himself**
אֶלָּא כְּדֵי מֶרְכַּבְתּוֹ,	Only sufficient for his chariot,
שֶׁלֹּא יָשִׁיב אֶת הָעָם מִצְרַיְמָה	lest "he cause the people to return to Egypt,"
שֶׁהַסּוּסִים בָּאִים מִשָּׁם,	for horses come from there,
כְּמָה שֶׁנֶּאֱמַר בִּשְׁלֹמֹה (מ״א י׳):—	as it is stated in reference to Solomon (I Ki. 10.29),
וַתַּעֲלֶה וַתֵּצֵא מֶרְכָּבָה מִמִּצְרַיִם	"And a chariot came up and went out of Egypt
בְּשֵׁשׁ מֵאוֹת כֶּסֶף	for six hundred shekels of silver,
וְסוּס בַּחֲמִשִּׁים וּמֵאָה (סַנְהֶ׳ כ״א):	and a horse for a hundred and fifty" (Sanh. 21).
17 וְלֹא־יַרְבֶּה־לּוֹ נָשִׁים.	**17. Neither shall he multiply to himself wives**
אֶלָּא י״ח,	Only eighteen;
שֶׁמָּצִינוּ שֶׁהָיוּ לוֹ לְדָוִד	for we find that David had
שֵׁשׁ נָשִׁים	six wives,
וְנֶאֱמַר לוֹ (שְׁ״ב י״ח):—	and it was told to him (II Sam. 12.8),

וְלֹא יָסוּר לְבָבוֹ — that his heart turn not away;

וְכֶסֶף וְזָהָב — and silver and gold

לֹא יַרְבֶּה־לּוֹ מְאֹד׃ — shall he not greatly multiply to himself.

18 וְהָיָה — 18. And it shall be,

כְשִׁבְתּוֹ — when he sitteth

עַל כִּסֵּא מַמְלַכְתּוֹ — upon the throne of his kingdom,

וְכָתַב לוֹ — that he shall write him

אֶת־מִשְׁנֵה — a copy

הַתּוֹרָה הַזֹּאת — of this law

עַל־סֵפֶר — in a book,

מִלִּפְנֵי הַכֹּהֲנִים הַלְוִיִּם׃ — out of (that which is) before the priest the Levites.

19 וְהָיְתָה עִמּוֹ — 19. And it shall be with him,

וְקָרָא בוֹ — and he shall read therein

כָּל־יְמֵי חַיָּיו — all the days of his life;

לְמַעַן יִלְמַד — that he may learn

לְיִרְאָה — to fear

אֶת־יְהֹוָה אֱלֹהָיו — the Lord his God,

לִשְׁמֹר — to keep

אֶת־כָּל־דִּבְרֵי — all the words

הַתּוֹרָה הַזֹּאת — of this law

וְאֶת־הַחֻקִּים הָאֵלֶּה — and these statutes,

לַעֲשֹׂתָם׃ — to do them;

20 לְבִלְתִּי רוּם־לְבָבוֹ — 20. that his heart be not lifted up

מֵאֶחָיו — above his brethren,

Rashi — רש״י

וְאִם מְעַט וְאֹסִפָה לְּךָ — "and if that were too little, then I would add unto thee

כָּהֵנָּה וְכָהֵנָּה׃ — as these and as these" (i. e., twice as many).

וְכֶסֶף וְזָהָב לֹא יַרְבֶּה־לּוֹ מְאֹד. — **And silver and gold shall he not greatly multiply to himself**

אֶלָּא כְּדֵי לִתֵּן לַאֲכְסַנְיָה (סִפְרֵי, סַנְהֶ׳ כ״א)׃ — Only sufficient to give to his soldiers (Siphre; Sanh. 21).

18 וְהָיָה כְשִׁבְתּוֹ. — **18. And it shall be, when he sitteth**

אִם עָשָׂה כֵן — If he has done so,

כְּדַאי הוּא שֶׁתִּתְקַיֵּם מַלְכוּתוֹ (סִפְרֵי)׃ — he is worthy that his kingdom shall be established (Siphre).

אֶת־מִשְׁנֵה הַתּוֹרָה. — **A copy of (this) law**

שְׁתֵּי סִפְרֵי תוֹרָה, — (את משנה התורה is to be interpreted as) two scrolls of the Torah,

אַחַת שֶׁהִיא מֻנַּחַת בְּבֵית גְּנָזָיו, — one which lay in his private treasure,

וְאַחַת שֶׁנִּכְנֶסֶת וְיוֹצֵאת עִמּוֹ (סַנְהֶ׳ כ״א); — and one which came in and went out with him (Sanh. 21).

וְאוּנְקְלוֹס תִּרְגֵּם פַּתְשֶׁגֶן, — And Onkelos renders (מִשְׁנֵה) (by) פתשגן ("a copy,")

פָּתַר ,מִשְׁנֶה׳ לְשׁוֹן שִׁנּוּן וְדִבּוּר׃ — explaining (the term) משנה as denoting a repetition or a statement.

19 דִּבְרֵי הַתּוֹרָה. — **19. The words of (this) law**

כְּמַשְׁמָעוֹ׃ — (This is to be understood) according to its usual meaning.

וּלְבִלְתִּי סוּר	and that he turn not aside
מִן־הַמִּצְוָה	from the commandment,
יָמִין וּשְׂמֹאול	(to the) right (hand) or (to the) left;
לְמַעַן יַאֲרִיךְ יָמִים	to the end that he may prolong (his) days
עַל־מַמְלַכְתּוֹ	in his kingdom,
הוּא וּבָנָיו	he and his sons,
בְּקֶרֶב יִשְׂרָאֵל: ס	in the midst of Israel.

° מלא ו'.

שלישי

CHAPTER XVIII — יח

1 לֹא־יִהְיֶה לַכֹּהֲנִים הַלְוִיִּם	1. The priests the Levites shall not have,
כָּל־שֵׁבֶט לֵוִי	even all the tribe of Levi,
חֵלֶק וְנַחֲלָה	a portion or an inheritance
עִם־יִשְׂרָאֵל	with Israel;

Rashi — רש"י

20 וּלְבִלְתִּי סוּר מִן הַמִּצְוָה.	**20. And that he turn not aside from the commandment**
אֲפִילוּ מִצְוָה קַלָּה שֶׁל נָבִיא:	Even a commandment of minor importance of a prophet.
לְמַעַן יַאֲרִיךְ יָמִים.	**To the end that he may prolong (his) days**
מִכְּלָל הֵן אַתָּה שׁוֹמֵעַ לָאו;	From the positive you understand the negative (that if he does not fulfill the commandments, his kingdom will not endure).
וְכֵן מָצִינוּ בְשָׁאוּל (שְׁ"א י'):—	And thus we find in reference to Saul (I Sam. 10.8),
שֶׁאָמַר לוֹ שְׁמוּאֵל	to whom Samuel said,
שִׁבְעַת יָמִים תּוֹחֵל	"Seven days shalt thou tarry,
עַד בּוֹאִי אֵלֶיךָ,	till I come unto thee,"
לְהַעֲלוֹת עוֹלוֹת,	to offer burnt-offerings;
וּכְתִיב (שָׁם י"ג):—	and it written (*ibid.*, 13.8),
וַיּוֹחֶל שִׁבְעַת יָמִים,	"and he tarried seven days."
וְלֹא שָׁמַר הַבְטָחָתוֹ	But he (Saul) did not keep his promise
לִשְׁמוֹר כָּל הַיּוֹם,	to wait the entire day,
וְלֹא הִסְפִּיק	and he did not finish
לְהַעֲלוֹת הָעוֹלָה	offering the burnt-offering
עַד שֶׁבָּא שְׁמוּאֵל וְאָמַר לוֹ	before Samuel came and said to him (vv. 13–14),
נִסְכַּלְתָּ לֹא שָׁמַרְתָּ וְגוֹ'	"Thou hast done foolishly; thou hast not kept, etc.;
וְעַתָּה מַמְלַכְתְּךָ לֹא תָקוּם,	"But now thy kingdom shall not continue."
הָא לָמַדְתָּ	Hence you learn
שֶׁבִּשְׁבִיל מִצְוָה קַלָּה	that because of a command of minor importance
שֶׁל נָבִיא נֶעֱנַשׁ:	of a prophet, he was punished.
הוּא וּבָנָיו.	**He and his sons**
מַגִּיד שֶׁאִם בְּנוֹ הָגוּן לְמַלְכוּת	(This) informs (us) that if his son is fitted for kingship,
הוּא קוֹדֵם לְכָל אָדָם (הוֹרָ' י"א):	he is prior to any (other) person (Hor. 11).
18 1 כָּל־שֵׁבֶט לֵוִי.	**18 1. Even all the tribe of Levi**
בֵּין תְּמִימִין	Whether without blemish
בֵּין בַּעֲלֵי מוּמִין (סִפְרֵי):	or having a blemish (Siphre).
חֵלֶק.	**A portion**
בְּבִזָּה:	In spoil.
וְנַחֲלָה.	**Or an inheritance**
בָּאָרֶץ (שָׁם):	In the land (*ibid.*).

אִשֵּׁי יְהֹוָה וְנַחֲלָתוֹ	the offerings of the Lord made by fire, and His inheritance	2 וְנַחֲלָה לֹא־יִהְיֶה־לּוֹ	2. And he shall have no inheritance
יֹאכֵלוּן:	they shall eat.	בְּקֶרֶב אֶחָיו	among his brethren;

Rashi — רש"י

אִשֵּׁי ה'.	**The offerings of the Lord made by fire**
קָדְשֵׁי הַמִּקְדָּשׁ:	The consecrated things of the Sanctuary.
וְנַחֲלָתוֹ.	**And His inheritance**
אֵלּוּ קָדְשֵׁי הַגְּבוּל	These are sacred gifts (set apart and consumed) outside (of the Temple and Jerusalem),
–תְּרוּמוֹת וּמַעְשְׂרוֹת,	(such as) heave-offerings and tithes;
אֲבָל ,נַחֲלָה' גְמוּרָה	but a real "inheritance,"
לֹא־יִהְיֶה־לּוֹ בְּקֶרֶב אֶחָיו	"he shall not have among his brethren."
וּבְסִפְרֵי דָרְשׁוּ	And in the Siphre they interpreted
,וְנַחֲלָה לֹא יִהְיֶה לוֹ',	"and he shall have no inheritance":
זוּ נַחֲלַת שְׁאָר:	This (refers to) the inheritance of שאר (i. e. the land of the remaining clans).
2 בְּקֶרֶב אֶחָיו.	**2. Among his brethren**
זוּ נַחֲלַת חֲמִשָּׁה,	This (refers to) the inheritance of the five;
וְאֵינִי יוֹדֵעַ מַה הִיא,	and I do not know what it is.
וְנִרְאֶה לִי	But it seems to me (that the meaning is as follows):
שֶׁאֶרֶץ כְּנַעַן שֶׁמֵּעֵבֶר הַיַּרְדֵּן וָאֵילָךְ	the land of Canaan beyond the Jordan and further
נִקְרֵאת אֶרֶץ חֲמִשָּׁה עֲמָמִין	is called The Land of the Five Nations,
וְשֶׁל סִיחוֹן וְעוֹג שְׁנֵי עֲמָמִין	and that of Sihon and Og The Land of Two Nations,
אֱמוֹרִי וּכְנַעֲנִי,	(i. e.,) the Amorites and Canaanites,
וְנַחֲלַת שְׁאָר	and the inheritance of שאר (the land of the remaining clans)
לְרַבּוֹת קֵינִי וּקְנִזִּי וְקַדְמוֹנִי	includes the Kenites, and Kenizzites, and Kadmonites.
וְכֵן דּוֹרֵשׁ בְּפָרָשַׁת מַתָּנוֹת	And similarly it explains in the section treating of the gifts,
שֶׁנֶּאֶמְרוּ לְאַהֲרֹן (דְּבָ' י'):–	which are presented to Aaron (Deut. 10.9),
עַל כֵּן לֹא הָיָה לְלֵוִי, וְגוֹ'	"Wherefore Levi hath not," etc.,
לְהַזְהִיר עַל קֵינִי וּקְנִזִּי וְקַדְמוֹנִי.	to forewarn concerning the Kenites, and Kenizzites, and Kadmonites.
שׁוּב נִמְצָא בְּדִבְרֵי רַבִּי קָלוֹנִימוּס	Furthermore there is found in the words of Rabbi Kalonymos:
הָכִי גָּרְסִינָן בְּסִפְרֵי:–	Thus we should read in the Siphre:
,וְנַחֲלָה לֹא יִהְיֶה לוֹ',	"And he shall have no inheritance," —
אֵלּוּ נַחֲלַת חֲמִשָּׁה,	this (refers to) the inheritance of the five;
,בְּקֶרֶב אֶחָיו',	"among his brethren," —
אֵלּוּ נַחֲלַת שִׁבְעָה,	this (refers to) the inheritance of the seven;
נַחֲלַת חֲמִשָּׁה שְׁבָטִים	(i. e.,) the inheritance of five tribes
וְנַחֲלַת שִׁבְעָה שְׁבָטִים;	and the inheritance of seven tribes.
וּמִתּוֹךְ שֶׁמֹּשֶׁה וִיהוֹשֻׁעַ	And since Moses and Joshua
לֹא חָלְקוּ נַחֲלָה אֶלָּא	divided the inheritance only
לַחֲמִשָּׁה שְׁבָטִים בִּלְבָד,	to five tribes alone,—
שֶׁכֵּן מֹשֶׁה הִנְחִיל	for Moses assigned inheritance
לִרְאוּבֵן וְגָד וַחֲצִי שֵׁבֶט מְנַשֶּׁה,	to Reuben, and Gad, and half of the tribe of Manasseh,
וִיהוֹשֻׁעַ הִנְחִיל לִיהוּדָה וְאֶפְרַיִם	and Joshua assigned inheritance to Judah, and Ephraim,

יְהוָה הוּא נַחֲלָתוֹ	the Lord is his inheritance,
כַּאֲשֶׁר דִּבֶּר־לוֹ: ס	as He hath spoken unto him.
3 וְזֶה יִהְיֶה	3. And this shall be
מִשְׁפַּט הַכֹּהֲנִים	the priests' due
מֵאֵת הָעָם	from the people,
מֵאֵת זֹבְחֵי הַזֶּבַח	from them that offer a sacrifice,
אִם־שׁוֹר אִם־שֶׂה	whether it be ox or sheep,
וְנָתַן לַכֹּהֵן	that they shall give unto the priest
הַזְּרֹעַ וְהַלְּחָיַיִם	the shoulder, and the two cheeks,
וְהַקֵּבָה:	and the maw.
4 רֵאשִׁית דְּגָנְךָ	4. The first-fruits of thy corn,

Rashi — רש״י

וְלַחֲצִי שֵׁבֶט מְנַשֶּׁה,	and half of the tribe of Manasseh
וְשִׁבְעָה הָאֲחֵרִים	but the seven other (tribes)
נָטְלוּ מֵאֲלֵיהֶן	took (their inheritance) by themselves
אַחֲרֵי מוֹת יְהוֹשֻׁעַ,	after the death of Joshua.
מִתּוֹךְ כַּךְ הִזְכִּיר	Because of this it mentions
חֲמִשָּׁה לְבַד וְשִׁבְעָה לְבָד:	five separately, and seven separately.
כַּאֲשֶׁר דִּבֶּר־לוֹ.	**As He hath spoken unto him**
בְּאַרְצָם לֹא תִנְחָל,	"Thou shalt have no inheritance in their land . . .
אֲנִי חֶלְקְךָ (בַּמִּדְ׳ י״ח):	I am thy portion" (Num. 18.20).
3 מֵאֵת הָעָם.	**3. From the people**
וְלֹא מֵאֵת הַכֹּהֲנִים (סִפְרֵי, חוּלִּין קל״ב):	But not from the priests (Siphre; Ḥul. 132).
אִם־שׁוֹר אִם־שֶׂה.	**Whether it be ox or sheep**
פְּרָט לְחַיָּה:	Excluding beasts.
הַזְּרֹעַ.	**The shoulder**
מִן הַפֶּרֶק שֶׁל אַרְכֻּבָּה	From the joint of the knee
עַד כַּף שֶׁל יָד	to the sole of the forefoot,
שֶׁקּוֹרִין אשפלדו״ן (חוּלִּין קל״ד):	which is called *espalte* (in O. F.) (Ḥul. 134).
וְהַלְּחָיַיִם.	**And the two cheeks**
עִם הַלָּשׁוֹן.	together with the tongue.
דּוֹרְשֵׁי רְשׁוּמוֹת הָיוּ אוֹמְרִים:—	Those who interpret the Law symbolically say:
זְרוֹעַ תַּחַת יָד,	The shoulder (became the due of the priests as a reward) for the hand (זרוע is termed יד in later Hebrew which Phinehas raised against the wrongdoers)
שֶׁנֶּאֱמַר (בַּמִּדְ׳ כ״ה):—	as it is stated (Num. 25.7),
וַיִּקַּח רֹמַח בְּיָדוֹ,	"And he took a spear in his hand."
לְחָיַיִם תַּחַת תְּפִלָּה,	And the cheeks are (a reward) for the prayer (that Phinehas offered),
שֶׁנֶּאֱמַר (תְּהִ׳ ק״ו):—	as it is stated (Ps. 106.30),
וַיַּעֲמֹד פִּנְחָס וַיְפַלֵּל,	"Then stood up Phinehas and prayed."
וְהַקֵּבָה תַּחַת	And the maw is (a reward for his act in thrusting through)
הָאִשָּׁה אֶל קֳבָתָהּ׳ (בַּמִּדְ׳ כ״ה):	"the woman through her belly" (Num. 25.8).
4 רֵאשִׁית דְּגָנְךָ.	**4. The first-fruits of thy corn**
זוּ תְּרוּמָה,	This (refers to) Terumah (contribution set aside for priests);
וְלֹא פֵרַשׁ בָּהּ שִׁיעוּר,	and it does not specify any amount in reference to it.
אֲבָל רַבּוֹתֵינוּ נָתְנוּ בָהּ שִׁיעוּר	Our Rabbis, however, have stated an amount regarding it:

תִּירֹשְׁךָ וְיִצְהָרֶךָ	of thy wine, and of thine oil,
וְרֵאשִׁית גֵּז צֹאנְךָ	and the first of the fleece of thy sheep,
תִּתֶּן־לּוֹ׃	shalt thou give him.
5 כִּי בוֹ	5. For him
בָּחַר יְהוָה אֱלֹהֶיךָ	hath the Lord thy God chosen
מִכָּל־שְׁבָטֶיךָ	out of all thy tribes,
לַעֲמֹד	to stand
לְשָׁרֵת בְּשֵׁם־יְהוָה	to minister in the name of the Lord,
הוּא וּבָנָיו	him and his sons
כָּל־הַיָּמִים׃ ס	for ever.
רביעי	
6 וְכִי־יָבֹא הַלֵּוִי	6. And if a Levite come
מֵאַחַד שְׁעָרֶיךָ	from any of thy gates

Rashi — רש"י

—עַיִן יָפָה אֶחָד מֵאַרְבָּעִים,	a person of good will (lit., a benevolent eye) (gives) one fortieth,
עַיִן רָעָה אֶחָד מִשִּׁשִּׁים,	a person of ill will (gives) one sixtieth,
בֵּינוֹנִית אֶחָד מֵחֲמִשִּׁים,	an average person (in generosity gives) one fiftieth.
וְסָמְכוּ עַל הַמִּקְרָא	And they find support from Scripture
שֶׁלֹּא לִפְחוֹת מֵאֶחָד מִשִּׁשִּׁים	that one should not give less than one sixtieth
שֶׁנֶּאֱמַר (יְחֶזְ׳ מ״ה)׃—	for it is stated (Ezek. 45.13),
שִׁשִּׁית הָאֵיפָה מֵחֹמֶר הַחִטִּים,	"The sixth of an ephah out of a homer of wheat."
שִׁשִּׁית הָאֵיפָה חֲצִי סְאָה,	The sixth part of an ephah (is equivalent to) half a se'ah;
כְּשֶׁאַתָּה נוֹתֵן חֲצִי סְאָה לְכוֹר	if you divide half a se'ah into a kor,
הֲרֵי אֶחָד מִשִּׁשִּׁים,	it will equal one sixtieth,
שֶׁהַכּוֹר שְׁלֹשִׁים סְאִין (יְרוּשׁ׳ תְּרוּמוֹת פ׳ ד)׃	for a kor (equals) thirty se'ahs (Jer. Terumoth Chap. 4).
וְרֵאשִׁית גֵּז צֹאנְךָ.	**And the first of the fleece of thy sheep**
כְּשֶׁאַתָּה גוֹזֵז צֹאנְךָ	When you shear your sheep
בְּכָל שָׁנָה	each year,
תֵּן מִמֶּנָּה רֵאשִׁית לַכֹּהֵן,	give of it the first to the priest;
וְלֹא פֵּרֵשׁ בָּהּ שִׁיעוּר,	and it does not specify any amount in reference to it.
וְרַבּוֹתֵינוּ נָתְנוּ בָהּ שִׁיעוּר	Our Rabbis, however, have stated an amount regarding it:
אֶחָד מִשִּׁשִּׁים,	one sixtieth.
וְכַמָּה צֹאן חַיָּבוֹת בְּרֵאשִׁית הַגֵּז?	And of how many sheep must the first of the fleece be given?
חָמֵשׁ רְחֵלוֹת,	of five female lambs,
שֶׁנֶּאֱמַר (שׁ״א כ״ה)׃—	for it is stated (I Sam. 25.18),
וְחָמֵשׁ צֹאן עֲשׂוּיוֹת	"and five sheep ready dressed."
רַבִּי עֲקִיבָא אוֹמֵר׃—	Rabbi Akiba says:
רֵאשִׁית גֵּז שְׁתַּיִם,	"The first of the fleece" (intimates) two,
צֹאנְךָ אַרְבָּעָה,	"thy sheep" — four,
תִּתֶּן לוֹ הֲרֵי חֲמִשָּׁה (חוּלִּין קל״ה)׃	"thou shalt give him" — this totals five (Hul. 135).
5 **לַעֲמֹד לְשָׁרֵת.**	**5. To stand to minister**
מִכָּאן שֶׁאֵין שֵׁרוּת אֶלָּא	Hence (we derive) that ministering is (performed) only
מְעֻמָּד (סִפְרֵי סוֹטָה ל״ח)׃	when standing (Siphre; Sotah 38).
6 **וְכִי־יָבֹא הַלֵּוִי.**	**6. And if a Levite come**
יָכוֹל בְּבֶן לֵוִי וַדַּאי	I might think that regarding an actual (Levite not a כהן)

מִכָּל־יִשְׂרָאֵל	out of all Israel,
אֲשֶׁר־הוּא גָּר שָׁם	where he sojourneth,
וּבָא	and come
בְּכָל־אַוַּת נַפְשׁוֹ	with all the desire of his soul
אֶל־הַמָּקוֹם	unto the place
אֲשֶׁר־יִבְחַר יְהוָה:	which the Lord shall choose;
7 וְשֵׁרֵת	7. then he shall minister
בְּשֵׁם יְהוָה אֱלֹהָיו	in the name of the Lord his God,
כְּכָל־אֶחָיו הַלְוִיִּם	as all his brethren the Levites do,
הָעֹמְדִים שָׁם	who stand there
לִפְנֵי יְהוָה:	before the Lord.
8 חֵלֶק כְּחֵלֶק יֹאכֵלוּ	8. They shall have like portions to eat,
לְבַד מִמְכָּרָיו עַל־הָאָבוֹת: ס	besides the sale of his patrimony.

Rashi — רש"י

הַכָּתוּב מְדַבֵּר,	Scripture speaks,
תַּלְמוּד לוֹמַר ,וְשֵׁרֵת׳,	(therefore) Scripture states (v. 7), "then he shall minister";
יָצְאוּ לְוִיִּם שֶׁאֵין רְאוּיִין לְשֵׁירוּת (סִפְרֵי):	this excludes Levites who are not designated to minister (Siphre).
וּבָא בְּכָל־אַוַּת נַפְשׁוֹ וְגוֹ׳,	**And (he) come with all the desire of his soul, etc.**
7 וְשֵׁרֵת.	**7. Then he shall minister**
לִמֵּד עַל הַכֹּהֵן	(This) teaches regarding a priest
שֶׁבָּא וּמַקְרִיב	that he may come and offer
קָרְבְּנוֹת נִדְבָתוֹ אוֹ חוֹבָתוֹ	the sacrifices of his vows or of his obligations
וַאֲפִילוּ בְּמִשְׁמָר שֶׁאֵינוֹ שֶׁלּוֹ (בָּ"קָ ק"ט).	even during the division which is not his (B. K. 109).
דָּ"אַ עוֹד לִמֵּד עַל הַכֹּהֲנִים	Another interpretation: It also teaches concerning priests
הַבָּאִים לָרֶגֶל	who come for the Festivals
שֶׁמַּקְרִיבִין (בְּמִשְׁמָר)	that they may offer (during the division)
וְעוֹבְדִין בְּקָרְבָּנוֹת	and minister for the sacrifices
הַבָּאוֹת מֵחֲמַת הָרֶגֶל,	which are brought because of the Festival,
כְּגוֹן מוּסְפֵי הָרֶגֶל	such as the additional offerings of the Festival,
וְאַף עַל פִּי שֶׁאֵין הַמִּשְׁמָר שֶׁלָּהֶם (סִפְרֵי, סוּכָּה נ"ה):	even though it is not their division (Siphre; Suk. 55).
8 חֵלֶק כְּחֵלֶק יֹאכֵלוּ.	**8. They shall have like portions to eat**
מְלַמֵּד שֶׁחוֹלְקִין בָּעוֹרוֹת	(This) teaches that they receive a portion of the skins
וּבִבְשַׂר שְׂעִירֵי חַטָּאוֹת,	and of the flesh of the goats of the sin-offerings.
יָכוֹל אַף בִּדְבָרִים הַבָּאִים	I might think (that) this refers) also to the things which are offered
שֶׁלֹּא מֵחֲמַת הָרֶגֶל,	not because of the Festival,
כְּגוֹן תְּמִידִין	such as the continual daily offerings,
וּמוּסְפֵי שַׁבָּת	and the additional offerings of the Sabbath,
וּנְדָרִים וּנְדָבוֹת,	and vows and free-will offerings;
תַּלְמוּד לוֹמַר	(therefore) Scripture states,
,לְבַד מִמְכָּרָיו עַל־הָאָבוֹת׳,	"besides his sellings according to the fathers,"
חוּץ מִמַּה שֶּׁמָּכְרוּ הָאָבוֹת	(i. e.,) except what his fathers sold
בִּימֵי דָוִד וּשְׁמוּאֵל	in the days of David and Samuel,
שֶׁנִּקְבְּעוּ הַמִּשְׁמָרוֹת	when the divisions were established,
וּמָכְרוּ זֶה לָזֶה,	and they sold one to the other;

9 כִּֽי־אַתָּה֙ בָּ֣א	9. When thou art come
אֶל־הָאָ֔רֶץ	into the land
אֲשֶׁר־יְהוָ֥ה אֱלֹהֶ֖יךָ	which the Lord thy God
נֹתֵ֣ן לָ֑ךְ	giveth thee,
לֹֽא־תִלְמַ֣ד לַעֲשׂ֔וֹת	thou shalt not learn to do
כְּתוֹעֲבֹ֖ת הַגּוֹיִ֥ם הָהֵֽם׃	after the abominations of those nations.
10 לֹֽא־יִמָּצֵ֣א בְךָ֔	10. There shall not be found among you
מַעֲבִ֥יר בְּנֽוֹ־וּבִתּ֖וֹ בָּאֵ֑שׁ	any one that maketh his son or his daughter to pass through the fire,
קֹסֵ֣ם קְסָמִ֔ים	one that useth divination,
מְעוֹנֵ֥ן וּמְנַחֵ֖שׁ	a soothsayer, or an enchanter,
וּמְכַשֵּֽׁף׃	or a sorcerer,

Rashi — רש״י

טוֹל אַתָּה שַׁבָּתְּךָ	you take your week
וַאֲנִי אֶטּוֹל שַׁבַּתִּי (שָׁם):	and I shall take my week (*ibid.*).
9 **לֹא־תִלְמַד לַעֲשׂוֹת.**	**9. Thou shalt not learn to do**
אֲבָל אַתָּה לָמֵד	But you may learn
לְהָבִין וּלְהוֹרוֹת,	in order to understand and to teach,
כְּלוֹמַר לְהָבִין מַעֲשֵׂיהֶם	that is, to understand their doings,
כַּמָּה הֵם מְקֻלְקָלִים,	how corrupt they are,
וּלְהוֹרוֹת לְבָנֶיךָ	and to teach your children:
לֹא תַעֲשֶׂה כָּךְ וָכָךְ,	Do not do so and so;
שֶׁזֶּה הוּא חֹק הַגּוֹיִם (סַנְהֶ׳ ס״ח):	for this is a statute (custom) of heathens (Sanh. 68).
10 **מַעֲבִיר בְּנוֹ־וּבִתּוֹ בָּאֵשׁ.**	**10. Any one that maketh his son or his daughter to pass through the fire**
הִיא עֲבוֹדַת הַמּוֹלֶךְ,	This is the worship of Moloch.
עוֹשֶׂה מְדוּרוֹת אֵשׁ	One makes open fires
מִכָּאן וּמִכָּאן	on one side and on the other,
וּמַעֲבִירוֹ בֵּין שְׁתֵּיהֶם (עי׳ סַנְהֶ׳ ס״ד):	and makes it (the child) pass between the two of them (cf. Sanh. 64).
קֹסֵם קְסָמִים.	**One that useth divination**
אֵיזֶהוּ קוֹסֵם?	Who is a diviner?
הָאוֹחֵז אֶת מַקְלוֹ וְאוֹמֵר,	One who takes hold of his staff and says,
אִם אֵלֵךְ אִם לֹא אֵלֵךְ,	"Shall I go, or shall I not go."
וְכֵן הוּא אוֹמֵר (הוֹשֵׁעַ ד):—	And thus it states (Hos. 4.12),
עַמִּי בְּעֵצוֹ יִשְׁאָל	"My people ask counsel at their stock,
וּמַקְלוֹ יַגִּיד לוֹ (סִפְרֵי):	And their staff declareth unto them" (Siphre).
מְעוֹנֵן.	**A soothsayer**
רַבִּי עֲקִיבָא אוֹמֵר:—	Rabbi Akiba says:
אֵלּוּ נוֹתְנֵי עוֹנוֹת,	These are those who fix times,
שֶׁאוֹמְרִים עוֹנָה פְּלוֹנִית—	(i. e.,) they say: At a certain time
יָפָה לְהַתְחִיל,	it is good to begin.
וַחֲכָמִים אוֹמְרִים: אֵלּוּ אוֹחֲזֵי הָעֵינָיִם:	And the Sages say: These are they who capture the eyesight (i. e., deceive by optical illusions).
וּמְנַחֵשׁ.	**Or an enchanter**
פִּתּוֹ נָפְלָה מִפִּיו,	His bread fell from his mouth,
צְבִי הִפְסִיקוֹ בַּדֶּרֶךְ,	a deer crossed his path,
מַקְלוֹ נָפַל מִיָּדוֹ (סִפְרֵי, סַנְהֶ׳ ס״ה):	his staff fell from his hand (and he prognosticates from any of these occurrences) (Siphre; Sanh. 65).

11 וְחֹבֵר חָבֶר	11. or a charmer,
וְשֹׁאֵל אוֹב וְיִדְּעֹנִי	or one that consulteth a ghost or a familiar spirit,
וְדֹרֵשׁ אֶל־הַמֵּתִים׃	or a necromancer.
12 כִּי־תוֹעֲבַת יְהוָה	12. For an abomination to the Lord
כָּל־עֹשֵׂה אֵלֶּה	is whosoever doeth these things
וּבִגְלַל הַתּוֹעֵבֹת הָאֵלֶּה	and because of these abominations
יְהוָה אֱלֹהֶיךָ מוֹרִישׁ אוֹתָם	the Lord thy God is driving them out
מִפָּנֶיךָ׃	from before thee.
13 תָּמִים תִּהְיֶה	13. Thou shalt be whole-hearted
עִם יְהוָה אֱלֹהֶיךָ׃	with the Lord thy God.
חמישי	
14 כִּי | הַגּוֹיִם הָאֵלֶּה	14. For these nations,
אֲשֶׁר אַתָּה יוֹרֵשׁ אוֹתָם	which thou shalt possess,

Rashi — רש״י

11 וְחֹבֵר חָבֶר.	**11. Or a charmer**
שֶׁמְּצָרֵף נְחָשִׁים	One who joins serpents
אוֹ עַקְרַבִּים	or scorpions
אוֹ שְׁאָר חַיּוֹת לְמָקוֹם אֶחָד׃	or other animals to one place.
וְשֹׁאֵל אוֹב.	**Or one that consulteth a ghost**
זֶה מַכְשֵׁפוּת	This is a (type of) witchcraft
שֶׁשְּׁמוֹ פִּיתוֹם	which is called "pithom,"
וּמְדַבֵּר מִשֶּׁחְיוֹ	and he speaks from his armpit
וּמַעֲלֶה אֶת הַמֵּת	and brings up the dead
בְּבֵית הַשֶּׁחִי שֶׁלּוֹ׃	in his armpit.
וְיִדְּעֹנִי.	**Or a familiar spirit**
מַכְנִיס עֶצֶם חַיָּה שֶׁשְּׁמָהּ יַדּוּעַ	He places the bone of a beast whose name is Yiddo'a
לְתוֹךְ פִּיו	into his mouth,
וּמְדַבֵּר הָעֶצֶם	and the bone speaks
עַל יְדֵי מַכְשֵׁפוּת (שָׁם)׃	by means of magic (*ibid.*).
וְדֹרֵשׁ אֶל־הַמֵּתִים.	**Or a necromancer**
כְּגוֹן הַמַּעֲלֶה בִּזְכוּרוֹ	For example, one who brings up (the dead) upon his membrum,
וְהַנִּשְׁאָל בְּגֻלְגּוֹלֶת (שָׁם)׃	or one who inquires of a skull (*ibid.*).
12 כָּל־עֹשֵׂה אֵלֶּה.	**12. Is whosoever doeth these things**
עֹשֵׂה כָּל אֵלֶּה לֹא נֶאֱמַר,	"He who does all these things" is not stated,
אֶלָּא כָּל־עֹשֵׂה אֵלֶּה,	but "all who do these things,"
אֲפִילוּ אַחַת מֵהֶן (סִפְרֵי)׃	(i. e.,) even one of them (Siphre).
13 תָּמִים תִּהְיֶה עִם ה׳ אֱלֹהֶיךָ.	**13. Thou shalt be whole-hearted with the Lord thy God**
הִתְהַלֵּךְ עִמּוֹ בִּתְמִימוּת,	Walk with Him in whole-heartedness
וּתְצַפֶּה לוֹ,	and depend upon Him
וְלֹא תַחֲקוֹר אַחַר הָעֲתִידוֹת,	and do not seek into the future;
אֶלָּא כָּל מַה שֶּׁיָּבֹא עָלֶיךָ	but whatever befalls you,
קַבֵּל בִּתְמִימוּת	accept it with whole-heartedness,
וְאָז תִּהְיֶה עִמּוֹ וּלְחֶלְקוֹ׃	and then you will be with Him and His portion.

אֶל־מְעֹנְנִים	unto soothsayers
וְאֶל־קֹסְמִים	and unto diviners
יִשְׁמָעוּ	do hearken;
וְאַתָּה	but (as for) thee,
לֹא כֵן	not so (to do)
נָתַן לְךָ יְהוָה אֱלֹהֶיךָ׃	hath the Lord thy God suffered thee.
15 נָבִיא מִקִּרְבְּךָ	15. A prophet from the midst of thee,
מֵאַחֶיךָ	of thy brethren,
כָּמֹנִי	like unto me,
יָקִים לְךָ יְהוָה אֱלֹהֶיךָ	will the Lord thy God raise up for thee;
אֵלָיו תִּשְׁמָעוּן׃	unto him ye shall hearken;
16 כְּכֹל אֲשֶׁר־שָׁאַלְתָּ	16. according to all that thou didst desire
מֵעִם יְהוָה אֱלֹהֶיךָ	of the Lord thy God
בְּחֹרֵב	in Horeb
בְּיוֹם הַקָּהָל	in the day of the assembly,
לֵאמֹר	saying:
לֹא אֹסֵף לִשְׁמֹעַ	'Let me not hear again
אֶת־קוֹל יְהוָה אֱלֹהָי	the voice of the Lord my God,
וְאֶת־הָאֵשׁ הַגְּדֹלָה הַזֹּאת	and this great fire
לֹא־אֶרְאֶה עוֹד	let me not see any more,
וְלֹא אָמוּת׃	that I die not.'
17 וַיֹּאמֶר יְהוָה אֵלָי	17. And the Lord said unto me:
הֵיטִיבוּ אֲשֶׁר דִּבֵּרוּ׃	'They have well said that which they have spoken.
18 נָבִיא אָקִים לָהֶם	18. I will raise them up a prophet
מִקֶּרֶב אֲחֵיהֶם	from among their brethren,
כָּמוֹךָ	like unto thee;
וְנָתַתִּי דְבָרַי בְּפִיו	and I will put My words in his mouth,
וְדִבֶּר אֲלֵיהֶם	and he shall speak unto them
אֵת כָּל־אֲשֶׁר אֲצַוֶּנּוּ׃	all that I shall command him.

Rashi — רש"י

14 לֹא כֵן נָתַן לְךָ ה' אֱלֹהֶיךָ.	**14. Not so (to do) hath the Lord thy God suffered thee**
לִשְׁמוֹעַ אֶל מְעוֹנְנִים	(I. e.,) to hearken to soothsayers
וְאֶל קוֹסְמִים,	and to diviners,
שֶׁהֲרֵי הִשְׁרָה שְׁכִינָה	for He has caused the Divine Presence to rest
עַל הַנְּבִיאִים	upon the prophets,
וְאוּרִים וְתוּמִּים.	and the Urim and Thummim.
15 מִקִּרְבְּךָ מֵאַחֶיךָ כָּמֹנִי.	**15. From the midst of thee, of thy brethren, like unto me**
כְּמוֹ שֶׁאֲנִי מִקִּרְבְּךָ מֵאַחֶיךָ,	Just as I am "from the midst of thee, of thy brethren,"
"יָקִים לְךָ" תַּחְתַּי,	(so) "He will raise up unto thee" (a prophet) in my stead;
וְכֵן מִנָּבִיא לְנָבִיא:	and similarly from prophet to prophet.

19 וְהָיָה	19. And it shall come to pass,
הָאִישׁ אֲשֶׁר לֹא־יִשְׁמַע	that whosoever will not hearken
אֶל־דְּבָרַי	unto My words
אֲשֶׁר יְדַבֵּר בִּשְׁמִי	which he shall speak in My name,
אָנֹכִי אֶדְרֹשׁ מֵעִמּוֹ׃	I will require (it) of him.
20 אַךְ הַנָּבִיא	20. But the prophet,
אֲשֶׁר יָזִיד	that shall presumptuously
לְדַבֵּר דָּבָר בִּשְׁמִי	speak a word in My name,
אֵת אֲשֶׁר לֹא־צִוִּיתִיו	which I have not commanded him
לְדַבֵּר	to speak,
וַאֲשֶׁר יְדַבֵּר	or that shall speak
בְּשֵׁם אֱלֹהִים אֲחֵרִים	in the name of other gods,
וּמֵת הַנָּבִיא הַהוּא׃	that (same) prophet shall die.'
21 וְכִי תֹאמַר	21. And if thou say
בִּלְבָבֶךָ	in thy heart:
אֵיכָה נֵדַע	'How shall we know
אֶת־הַדָּבָר	the word
אֲשֶׁר לֹא־דִבְּרוֹ יְהוָה׃	which the Lord hath not spoken?'

Rashi — רש״י

20 אֲשֶׁר לֹא־צִוִּיתִיו לְדַבֵּר.	**20. Which I have not commanded him to speak**
אֲבָל צִוִּיתִיו לַחֲבֵרוֹ׃	But I may have commanded it to his fellowman (i. e., his fellow-prophet).
וַאֲשֶׁר יְדַבֵּר בְּשֵׁם אֱלֹהִים אֲחֵרִים.	**Or that shall speak in the name of other gods**
אֲפִילוּ כִּוֵּן אֶת הַהֲלָכָה	Even if he determined the law exactly,
לֶאֱסוֹר אֶת הָאָסוּר	forbidding that which is forbidden
וּלְהַתִּיר אֶת הַמּוּתָּר (סַנְהֶ׳ פ״ט)׃	and permitting what is permitted (Sanh. 89).
וּמֵת.	**(He) shall die**
בְּחֶנֶק,	By strangling.
ג׳ מִיתָתָן בִּידֵי אָדָם,	Three (kinds of false prophets) are put to death by the hand of man:
—הַמִּתְנַבֵּא מַה שֶּׁלֹּא שָׁמַע,	one who prophesies that which he did not hear;
וּמַה שֶּׁלֹּא נֶאֱמַר לוֹ	or that which was not told to him,
וְנֶאֱמַר לַחֲבֵרוֹ,	but was told to his fellowman;
וְהַמִּתְנַבֵּא בְּשֵׁם עֲ״ז,	and one who prophesies in the name of idols.
אֲבָל הַכּוֹבֵשׁ אֶת נְבוּאָתוֹ	But one who withholds his prophecy,
וְהָעוֹבֵר עַל דִּבְרֵי נָבִיא	or who transgresses the words of a prophet,
וְהָעוֹבֵר עַל דִּבְרֵי עַצְמוֹ	or who transgresses his own words (heard in prophecy),
מִיתָתָן בִּידֵי שָׁמַיִם,	their death is by the hand of Heaven,
שֶׁנֶּאֱמַר (פָּסוּק י״ט)׃—	as it is stated (v. 19),
אָנֹכִי אֶדְרֹשׁ מֵעִמּוֹ (סַנְהֶ׳ פ״ט)׃	"I will require it of him" (Sanh. 89).
21 וְכִי תֹאמַר בִּלְבָבְךָ.	**21. And if thou say in thy heart**
עֲתִידִין אַתֶּם לוֹמַר	You are destined to say
כְּשֶׁיָּבֹא חֲנַנְיָה בֶּן עַזּוּר וּמִתְנַבֵּא (יִרְמְ׳ כ״ז)׃—	when Hananiah the son of Azur will come and prophesy (Jer. 27.16),
הִנֵּה כְלֵי בֵית ה׳	"Behold, the vessels of the Lord's house

22 אֲשֶׁר יְדַבֵּר הַנָּבִיא — 22. When a prophet speaketh
בְּשֵׁם יְהוָֹה — in the name of the Lord,
וְלֹא־יִהְיֶה הַדָּבָר — if the thing follow not,
וְלֹא יָבֹא — nor come to pass,
הוּא הַדָּבָר — that is the thing
אֲשֶׁר לֹא־דִבְּרוֹ יְהוָֹה — which the Lord hath not spoken;
בְּזָדוֹן דִּבְּרוֹ הַנָּבִיא — presumptuously hath the prophet spoken it;
לֹא תָגוּר מִמֶּנּוּ׃ ס — thou shalt not be afraid of him.

Rashi — רש״י

מוֹשָׁבִים מִבָּבֶלָה עַתָּה מְהֵרָה, — shall now shortly be brought back from Babylon,"
וְיִרְמְיָהוּ עוֹמֵד וְצוֹוֵחַ — while Jeremiah stood and cried
עַל הָעַמֻּדִים וְעַל הַיָּם — regarding the pillars, and the laver,
וְעַל יֶתֶר הַכֵּלִים — and regarding the other vessels
שֶׁלֹּא גָלוּ עִם יְכָנְיָה, — which were not exiled with Jeconiah (27.22),
,בָּבֶלָה יוּבָאוּ׳ עִם גָּלוּת צִדְקִיָּהוּ (שָׁם): — "To Babylon they shall be carried" with the exile of Zedekiah (*ibid.*).

22 אֲשֶׁר יְדַבֵּר הַנָּבִיא. — **22. When a prophet speaketh**
וְיֹאמַר דָּבָר זֶה עָתִיד לָבוֹא עֲלֵיכֶם — And he will say: This thing is destined to happen to you;
וְתִרְאוּ שֶׁלֹּא יָבוֹא, — and you will see that it does not happen,
הוּא הַדָּבָר אֲשֶׁר לֹא־דִבְּרוֹ ה׳ — (then) "that is the thing which the Lord hath not spoken,"
וַהֲרוֹג אוֹתוֹ. — and you shall kill him.
וְאִם תֹּאמַר זוּ בְּמִתְנַבֵּא עַל הָעֲתִידוֹת, — And if you say: This (applies only) when he prophesies regarding the future;
הֲרֵי שֶׁבָּא וְאָמַר עֲשׂוּ כַּךְ וְכַךְ, — but if he comes and says: Do so and so,
וּמִפִּי הַקָּבָּ״ה אֲנִי אוֹמֵר? — and by the mouth of the Holy One Blessed Be He so I speak?
כְּבָר נִצְטַוּוּ — (Then I say:) They have already been commanded
שֶׁאִם בָּא לְהַדִּיחֲךָ — that if he comes to turn you away
מֵאַחַת מִכָּל הַמִּצְוֹת — from any one of all the commandments,
,לֹא תִשְׁמַע לוֹ׳ (דְּבָרִ׳ י״ג) — "Thou shalt not hearken" unto him (Deut. 13.4, 9),
אֶלָּא אִם כֵּן מוּמְחֶה הוּא לְךָ — unless it is certain to you
שֶׁהוּא צַדִּיק גָּמוּר, — that he is a perfectly righteous man,
כְּגוֹן אֵלִיָּהוּ בְּהַר הַכַּרְמֶל — like Elijah on mount Carmel,
שֶׁהִקְרִיב בְּבָמָה — who sacrificed on a temporary altar
בִּשְׁעַת אִסּוּר הַבָּמוֹת, — at the time of the prohibition against temporary altars
כְּדֵי לִגְדּוֹר אֶת יִשְׂרָאֵל, — in order to control the Israelites;
הַכֹּל לְפִי צוֹרֶךְ הַשָּׁעָה — all in accordance with the needs of the hour
וּסְיָג הַפִּרְצָה, — and the fencing in of breaches.
לְכָךְ נֶאֱמַר (פָּסוּק ט״ו):– — Therefore it is stated (v. 15)
אֵלָיו תִּשְׁמָעוּן (סִפְרֵי): — "Unto him ye shall hearken" (Siphre).

לֹא תָגוּר מִמֶּנּוּ. — **Thou shalt not be afraid of him**
לֹא תִמְנַע עַצְמְךָ — You shall not refrain yourself
מִלְּלַמֵּד עָלָיו חוֹבָה — from pleading against him,
וְלֹא תִירָא לֵעָנֵשׁ עָלָיו (שָׁם): — and you shall not fear that you will be punished through him (*ibid.*).

CHAPTER XIX — יט

1 כִּֽי־יַכְרִית יְהוָה אֱלֹהֶיךָ	1. When the Lord thy God shall cut off
אֶת־הַגּוֹיִם	the nations,
אֲשֶׁר יְהוָה אֱלֹהֶיךָ נֹתֵן לְךָ אֶת־אַרְצָם	whose land the Lord thy God giveth thee,
וִירִשְׁתָּם	and thou dost succeed them,
וְיָשַׁבְתָּ בְעָרֵיהֶם	and dwell in their cities,
וּבְבָתֵּיהֶם׃	and in their houses;
2 שָׁלוֹשׁ עָרִים תַּבְדִּיל לָךְ	2. thou shalt separate three cities for thee
בְּתוֹךְ אַרְצְךָ	in the midst of thy land,
אֲשֶׁר יְהוָה אֱלֹהֶיךָ	which the Lord thy God
נֹתֵן לְךָ לְרִשְׁתָּהּ׃	giveth thee to possess it.
3 תָּכִין לְךָ הַדֶּרֶךְ	3. Thou shalt prepare thee the way,
וְשִׁלַּשְׁתָּ	and divide into three parts
אֶת־גְּבוּל אַרְצְךָ	the border(s) of thy land,
אֲשֶׁר יַנְחִילְךָ יְהוָה אֱלֹהֶיךָ	which the Lord thy God causes thee to inherit,
וְהָיָה לָנוּס	that there may flee
שָׁמָּה	thither
כָּל־רֹצֵחַ׃	every manslayer.
4 וְזֶה דְּבַר הָרֹצֵחַ	4. And this is the case of the manslayer.
אֲשֶׁר־יָנוּס שָׁמָּה	that shall flee thither
וָחָי	and live:
אֲשֶׁר יַכֶּה אֶת־רֵעֵהוּ	whoso killeth his neighbor
בִּבְלִי־דַעַת	unawares,
וְהוּא לֹא־שֹׂנֵא לוֹ	and hated him not
מִתְּמֹל שִׁלְשֹׁם׃	in times past;
5 וַאֲשֶׁר יָבֹא	5. as when a man goeth
אֶת־רֵעֵהוּ	with his neighbor
בַיַּעַר	into the forest
לַחְטֹב עֵצִים	to hew wood,

Rashi — רש״י

19 3 תָּכִין לְךָ הַדֶּרֶךְ.	**19 3. Thou shalt prepare thee the way**
״מִקְלָט, מִקְלָט״	"Refuge, Refuge"
הָיָה כָתוּב עַל פָּרָשַׁת דְּרָכִים (מַכּוֹת י׳):	was written at the crossroads (Mak. 10).
וְשִׁלַּשְׁתָּ אֶת־גְּבוּל אַרְצְךָ.	**And (thou shalt) divide into three parts the border(s) of thy land**
שֶׁיְּהֵא מִתְּחִלַּת הַגְּבוּל	That there should be from the beginning of the border
עַד הָעִיר הָרִאשׁוֹנָה	until the first city
שֶׁל עָרֵי מִקְלָט	of the Cities of Refuge,
כְּשִׁיעוּר מַהֲלָךְ שֶׁיֵּשׁ מִמֶּנָּה	the same distance that there is from the latter
עַד הַשְּׁנִיָּה	to the second;
וְכֵן מִשְּׁנִיָּה לַשְּׁלִישִׁית	and likewise from the second to the third,
וְכֵן מִן הַשְּׁלִישִׁית	and likewise from the third
עַד הַגְּבוּל הַשֵּׁנִי שֶׁל אֶרֶץ יִשְׂרָאֵל (שָׁם ט):	to the second border of the Land of Israel (*ibid.*, 9).

וְנִדְּחָה יָדוֹ	and his hand fetcheth a stroke
בַגַּרְזֶן	with the axe
לִכְרֹת הָעֵץ	to cut down the tree,
וְנָשַׁל הַבַּרְזֶל	and the head slippeth
מִן־הָעֵץ	from the helve,
וּמָצָא אֶת־רֵעֵהוּ	and lighteth upon his neighbor,
וָמֵת	that he die;
הוּא יָנוּס	he shall flee
אֶל־אַחַת הֶעָרִים־הָאֵלֶּה	unto one of these cities
וָחָי׃	and live;
6 פֶּן־יִרְדֹּף גֹּאֵל הַדָּם	6. lest the avenger of the blood pursue
אַחֲרֵי הָרֹצֵחַ	the manslayer,
כִּי יֵחַם לְבָבוֹ	while his heart is hot,
וְהִשִּׂיגוֹ	and overtake him,
כִּי־יִרְבֶּה הַדֶּרֶךְ	because the way is long,
וְהִכָּהוּ נָפֶשׁ	and smite him mortally;
וְלוֹ אֵין מִשְׁפַּט־מָוֶת	whereas he was not deserving of death,
כִּי לֹא שֹׂנֵא הוּא לוֹ	inasmuch as he hated him not
מִתְּמוֹל שִׁלְשׁוֹם׃	in time past.
7 עַל־כֵּן אָנֹכִי מְצַוְּךָ	7. Wherefore I command thee,
לֵאמֹר	saying:
שָׁלֹשׁ עָרִים	'Three cities
תַּבְדִּיל לָךְ׃	thou shalt separate for thee.'

Rashi — רש"י

5 וְנִדְּחָה יָדוֹ.	**5. And his hand fetcheth a stroke**
כְּשֶׁבָּא לְהַפִּיל הַגַּרְזֶן עַל הָעֵץ,	(I. e.,) when he is about to let the axe fall against the tree.
וְתַרְגּוּמוֹ וְתִתְמְרֵיג יְדֵיהּ,	And the Targum renders it ותתמריג ידיה,
לְשׁוֹן וְנִשְׁמְטָה יָדוֹ	(which) denotes "and his hand slipped"
לְהַפִּיל מַכַּת הַגַּרְזֶן עַל הָעֵץ,	while bringing down the blow of the axe against the tree;
כִּי שָׁמְטוּ הַבָּקָר (שְׁמ"ב ו):—	(the expression שמטו in) כי שמטו הבקר (II Sam. 6.6),
תַּרְגֵּם יוֹנָתָן אֲרֵי מָרְגוּהִי תּוֹרַיָּא׃	Jonathan renders, "for the oxen had slipped". (מרגוהי).
וְנָשַׁל הַבַּרְזֶל מִן־הָעֵץ.	**And the head slippeth from the helve**
יֵשׁ מֵרַבּוֹתֵינוּ אוֹמְרִים	Some of our Rabbis say:
נִשְׁמַט הַבַּרְזֶל מִקַּתּוֹ	The axe-head slipped from its handle;
וְיֵשׁ מֵהֶם אוֹמְרִים	and others say
שֶׁיָּשַׁל הַבַּרְזֶל	that the iron chipped
חֲתִיכָה מִן הָעֵץ הַמִּתְבַּקֵּעַ	a piece off the wood which was to be split
וְהִיא נִתְּזָה וְהָרְגָה (מַכּוֹ' ז):	and it flew off and killed (him) (Mak. 7).
6 פֶּן־יִרְדֹּף גֹּאֵל הַדָּם.	**6. Lest the avenger of the blood pursue**
לְכָךְ אֲנִי אוֹמֵר	Therefore I say
לְהָכִין לְךָ דֶּרֶךְ	to prepare thee a way
וְעָרֵי מִקְלָט רַבִּים׃	and many cities of Refuge

8 וְאִם־יַרְחִיב יְהוָה אֱלֹהֶיךָ	8. And if the Lord thy God enlarge
אֶת־גְּבֻלְךָ	thy border,
כַּאֲשֶׁר נִשְׁבַּע לַאֲבֹתֶיךָ	as He hath sworn unto thy fathers,
וְנָתַן לְךָ	and give thee
אֶת־כָּל־הָאָרֶץ	all the land
אֲשֶׁר דִּבֶּר	which He promised
לָתֵת לַאֲבֹתֶיךָ׃	to give unto thy fathers —
9 כִּי־תִשְׁמֹר	9. if thou shalt keep
אֶת־כָּל־הַמִּצְוָה הַזֹּאת	all this commandment
לַעֲשֹׂתָהּ	to do it,
אֲשֶׁר אָנֹכִי מְצַוְּךָ הַיּוֹם	which I command thee this day,
לְאַהֲבָה	to love
אֶת־יְהוָה אֱלֹהֶיךָ	the Lord thy God,
וְלָלֶכֶת בִּדְרָכָיו	and to walk in His ways
כָּל־הַיָּמִים	always —
וְיָסַפְתָּ לְךָ	then shalt thou add for thee
עוֹד שָׁלֹשׁ עָרִים	three more cities,
עַל הַשָּׁלֹשׁ הָאֵלֶּה׃	besides these three;
10 וְלֹא יִשָּׁפֵךְ דָּם נָקִי	10. that innocent blood be not shed
בְּקֶרֶב אַרְצְךָ	in the midst of thy land,
אֲשֶׁר יְהוָה אֱלֹהֶיךָ	which the Lord thy God
נֹתֵן לְךָ נַחֲלָה	giveth thee for an inheritance,
וְהָיָה עָלֶיךָ דָּמִים׃ פ	and so blood be upon thee.
11 וְכִי־יִהְיֶה אִישׁ שֹׂנֵא	11. But if any man hate
לְרֵעֵהוּ	his neighbor,

Rashi — רש״י

8 וְאִם־יַרְחִיב וגו׳, כַּאֲשֶׁר נִשְׁבַּע.	**8. And if (He) enlarge, etc., as He hath sworn**
לָתֵת לְךָ אֶרֶץ קֵינִי	To give you the land of the Kenites,
וּקְנִזִּי וְקַדְמוֹנִי׃	and Kenizzites, and Kadmonites.
9 וְיָסַפְתָּ לְךָ עוֹד שָׁלֹשׁ.	**9. Then shalt thou add for thee three more (cities)**
הֲרֵי תֵּשַׁע,	Thus (there will be) nine:
שָׁלֹשׁ שֶׁבְּעֵבֶר הַיַּרְדֵּן	three which are beyond the Jordan,
וְשָׁלֹשׁ שֶׁבְּאֶרֶץ כְּנַעַן	and three which are in the land of Canaan,
וְשָׁלֹשׁ לֶעָתִיד לָבֹא (סִפְרֵי)׃	and three in time to come (Siphre).
11 וְכִי־יִהְיֶה אִישׁ שֹׂנֵא לְרֵעֵהוּ.	**11. But if any man hate his neighbor**
עַל יְדֵי שִׂנְאָתוֹ הוּא בָא	Through hating him he comes
לִידֵי „וְאָרַב לוֹ",	to "lie in wait for him."
מִכָּאן אָמְרוּ:—	Hence (our Rabbis) said:
עָבַר אָדָם עַל מִצְוָה קַלָּה,	If one transgresses a commandment of minor importance,

וְאָרַב לוֹ	and lie in wait for him,
וְקָם עָלָיו	and rise up against him,
וְהִכָּהוּ נֶפֶשׁ	and smite him mortally
וָמֵת	that he die;
וְנָס אֶל־אַחַת הֶעָרִים הָאֵל:	and he flee unto one of these cities;
12 וְשָׁלְחוּ זִקְנֵי עִירוֹ	12. then the elders of his city shall send
וְלָקְחוּ אֹתוֹ מִשָּׁם	and fetch him thence,
וְנָתְנוּ אֹתוֹ	and deliver him
בְּיַד גֹּאֵל הַדָּם	into the hand of the avenger of the blood,
וָמֵת:	that he may die.
13 לֹא־תָחוֹס עֵינְךָ עָלָיו	13. Thine eye shall not pity him,
וּבִעַרְתָּ דַם־הַנָּקִי	but thou shalt put away the blood of the innocent
מִיִּשְׂרָאֵל	from Israel,
וְטוֹב לָךְ: ס ששי	that it may go well with thee.
14 לֹא תַסִּיג	14. Thou shalt not remove
גְּבוּל רֵעֲךָ	thy neighbor's landmark,

Rashi — רש"י

סוֹפוֹ לַעֲבוֹר עַל מִצְוָה חֲמוּרָה,	eventually he will transgress commandment of major importance.
לְפִי שֶׁעָבַר עַל לֹא תִשְׂנָא (וַיִּקְ׳ י״ט)	Because he transgressed against "Thou shalt not hate" (Lev. 19.17),
סוֹפוֹ לָבֹא לִידֵי שְׁפִיכוּת דָּמִים,	he will eventually come to shed blood.
לְכָךְ נֶאֱמַר, וְכִי יִהְיֶה אִישׁ שֹׂנֵא לְרֵעֵהוּ וְגוֹ׳,	For that reason it is stated (apparently redundantly), "But if any man hate his neighbor (and lie in wait for him)," etc.;
שֶׁהָיָה לוֹ לִכְתּוֹב	since it should have written,
וְכִי יָקוּם אִישׁ וְאָרַב לְרֵעֵהוּ	"But if any man rise up and lie in wait for his neighbor
וְהִכָּהוּ נָפֶשׁ׳ (סִפְרֵי):	and smite him mortally" (Siphre).
13 לֹא־תָחוֹס עֵינְךָ.	**13. Thine eye shall not pity**
שֶׁלֹּא תֹאמַר הָרִאשׁוֹן כְּבָר נֶהֱרַג,	You shall not say: The first has already been killed;
לָמָּה אָנוּ הוֹרְגִים אֶת זֶה	why shall we kill the other one
וְנִמְצְאוּ שְׁנֵי יִשְׂרְאֵלִים הֲרוּגִים (שָׁם):	and then there will be two Israelites slain? (*ibid.*).
14 לֹא תַסִּיג גְּבוּל	**14. Thou shalt not remove the landmark**
לְשׁוֹן נָסֹגּוּ אָחוֹר (יְשַׁעְ׳ מ״ב),	(תסיג is used as in) the expression, "They moved (נסגו) backwards" (Isa. 42.17),
שֶׁמַּחֲזִיר סִימָן חֲלוּקַּת הַקַּרְקַע לְאָחוֹר	he moves the mark of the division of the land backwards
לְתוֹךְ שְׂדֵה חֲבֵרוֹ	into the field of his neighbor,
לְמַעַן הַרְחִיב אֶת שֶׁלּוֹ;	in order to enlarge his own (field).
וַהֲלֹא כְּבָר נֶאֱמַר (וַיִּקְ׳ י״ט)—	But has it not already been stated (Lev. 19.13),
לֹא תִגְזֹל	"Thou shalt not rob"?
מַה תַּלְמוּד לוֹמַר לֹא תַסִּיג?	What does Scripture (indicate) by stating, "Thou shalt not remove"?
לִמֵּד עַל הָעוֹקֵר תְּחוּם חֲבֵרוֹ	It teaches concerning one who removes the boundary of his neighbor
שֶׁעוֹבֵר בִּשְׁנֵי לָאוִין	that he transgresses two prohibitive commands.
יָכוֹל אַף בְּחוּצָה לָאָרֶץ	I might think that (this applies) also outside the Land (of Israel);

אֲשֶׁר גָּבְלוּ רִאשֹׁנִים	which they of old time have set,
בְּנַחֲלָתְךָ	in thine inheritance
אֲשֶׁר תִּנְחַל בָּאָרֶץ	which thou shalt inherit in the land
אֲשֶׁר יְהוָה אֱלֹהֶיךָ	that the Lord thy God
נֹתֵן לְךָ לְרִשְׁתָּהּ: ס	giveth thee to possess it.
15 לֹא־יָקוּם עֵד אֶחָד	15. One witness shall not rise up
בְּאִישׁ	against a man
לְכָל־עָוֹן	for any iniquity,
וּלְכָל־חַטָּאת	or for any sin,
בְּכָל־חֵטְא	in any sin
אֲשֶׁר יֶחֱטָא	that he sineth:
עַל־פִּי ׀ שְׁנֵי עֵדִים	at the mouth of two witnesses,
אוֹ עַל־פִּי	or at the mouth
שְׁלֹשָׁה־עֵדִים	of three witnesses,
יָקוּם דָּבָר:	shall a matter be established.
16 כִּי־יָקוּם עֵד־חָמָס	16. If an unrighteous witness rise up

Rashi — רש״י

תַּלְמוּד לוֹמַר בְּנַחֲלָתְךָ אֲשֶׁר, אֲשֶׁר תִּנְחַל וְגוֹ׳,	therefore Scripture states, "in thine inheritance which thou shalt inherit," etc.:
בְּאֶרֶץ יִשְׂרָאֵל עוֹבֵר בִּשְׁנֵי לָאוִין	in the land of Israel he transgresses two prohibitive commands,
וּבְחוּצָה לָאָרֶץ	and outside of the Land
אֵינוֹ עוֹבֵר אֶלָּא	he transgresses only
מִשּׁוּם לֹא תִגְזוֹל (סִפְרֵי):	the commandment, "Thou shalt not rob" (Siphre).
15 עֵד אֶחָד.	**15. One witness**
זֶה בָּנָה אָב	This forms a rule:
כָּל עֵד שֶׁבַּתּוֹרָה שְׁנַיִם	every instance of עד (sing., witness) in the Torah (indicates) two,
אֶלָּא אִם כֵּן פֵּרַט לְךָ בּוֹ אֶחָד (סַנְהֶ׳ ל):	unless it specifies regarding it one (Sanh. 30).
לְכָל־עָוֹן וּלְכָל־חַטָּאת.	**For any iniquity, or for any sin**
לִהְיוֹת חֲבֵרוֹ נֶעֱנָשׁ עַל עֵדוּתוֹ,	That his fellowman be punished through his testimony,
לֹא עוֹנֶשׁ גּוּף	neither corporal punishment
וְלֹא עוֹנֶשׁ מָמוֹן,	nor a punishment of money;
אֲבָל קָם הוּא לִשְׁבוּעָה;	but he may rise up for swearing.
אָמַר לַחֲבֵרוֹ תֵּן לִי מָנֶה שֶׁהִלְוִיתִיךָ,	If one says to another, "Give me the Maneh which I loaned you,"
אָמַר לוֹ אֵין לְךָ בְּיָדִי כְּלוּם	(and the latter) says to him, "You have nothing in my possession,"
וְעֵד אֶחָד מֵעִיד שֶׁיֵּשׁ לוֹ,	and one witness testifies that he does have,
חַיָּב לְהִשָּׁבַע לוֹ (שְׁבוּעוֹ׳ מ):	(then) he must swear to him (Shebu. 40).
עַל־פִּי שְׁנֵי עֵדִים.	**At the mouth of two witnesses**
וְלֹא שֶׁיִּכְתְּבוּ עֵדוּתָם בְּאִגֶּרֶת	But they may not write their testimony in a letter
וְיִשְׁלְחוּ לְבֵית דִּין,	and send it to the court of law,
וְלֹא שֶׁיַּעֲמוֹד תּוּרְגְּמָן	nor may there stand an interpreter
בֵּין הָעֵדִים וּבֵין הַדַּיָּנִים (סִפְרֵי):	between the witnesses and the judges (Siphre).

בָּאִ֑ישׁ	against any man
לַעֲנ֥וֹת בּ֖וֹ סָרָֽה׃	to bear perverted witness against him;
17 וְעָמְד֧וּ שְׁנֵֽי־הָאֲנָשִׁ֛ים	17. then both the men shall stand,
אֲשֶׁר־לָהֶ֥ם הָרִ֖יב	between whom the controversy is,
לִפְנֵ֣י יְהוָ֑ה	before the Lord,
לִפְנֵ֤י הַכֹּהֲנִים֙	before the priests
וְהַשֹּׁ֣פְטִ֔ים	and the judges
אֲשֶׁ֥ר יִהְי֖וּ בַּיָּמִ֥ים הָהֵֽם׃	that shall be in those days.
18 וְדָרְשׁ֥וּ הַשֹּׁפְטִ֖ים הֵיטֵ֑ב	18. And the judges shall inquire diligently;
וְהִנֵּ֤ה עֵֽד־שֶׁ֙קֶר֙ הָעֵ֔ד	and, behold, if the witness be a false witness,

Rashi — רש"י

16 לַעֲנוֹת בּוֹ סָרָה.	**16. To bear perverted witness against him**
דָּבָר שֶׁאֵינוֹ,	A thing which is not (so),
שֶׁהוּסַר הָעֵד הַזֶּה	for this witness was removed
מִכָּל הָעֵדוּת הַזֹּאת.	from all this testimony.
כֵּיצַד?	How is this?
שֶׁאָמְרוּ לָהֶם	They said to them,
וַהֲלֹא עִמָּנוּ הֱיִיתֶם	"Were you not with us
בְּאוֹתוֹ הַיּוֹם בְּמָקוֹם פְּלוֹנִי (מַכּוֹת ה):	on that day and in that place?" (Mak. 5).
17 וְעָמְדוּ שְׁנֵי הָאֲנָשִׁים.	**17. Then both the men shall stand**
בְּעֵדִים הַכָּתוּב מְדַבֵּר	Regarding witnesses Scripture speaks,
וְלִמֵּד שֶׁאֵין עֵדוּת בְּנָשִׁים,	and it teaches that there is no testimony through women,
וְלִמֵּד שֶׁצְּרִיכִין	and it teaches that they must
לְהָעִיד עֵדוּתָן מְעֻמָּד (שְׁבוּעֹ׳ ל):	present their testimony standing up (Shebu. 30).
אֲשֶׁר־לָהֶם הָרִיב.	**Between whom the controversey is**
אֵלּוּ בַּעֲלֵי הַדִּין:	These are the litigants.
לִפְנֵי ה׳.	**Before the Lord**
יְהֵי דוֹמֶה לָהֶם	It should seem to them
כְּאִלּוּ עוֹמְדִין לִפְנֵי הַמָּקוֹם,	as though they were standing before the Omnipresent,
שֶׁנֶּאֱמַר (תְּהִ׳ פ"ב):—	as it is stated (Ps. 82.1),
בְּקֶרֶב אֱלֹהִים יִשְׁפֹּט (סַנְהֶ׳ ו):	"In the midst of the judges He judgeth" (Sanh. 6).
אֲשֶׁר יִהְיוּ בַּיָּמִים הָהֵם.	**That shall be in those days**
יִפְתָּח בְּדוֹרוֹ כִּשְׁמוּאֵל בְּדוֹרוֹ,	Jephthah in his generation (was to be regarded) as Samuel in his generation;
צָרִיךְ אַתָּה לִנְהוֹג בּוֹ כָּבוֹד:	you must act towards him with respect.
18 וְדָרְשׁוּ הַשֹּׁפְטִים הֵיטֵב.	**18. And the judges shall inquire diligently**
עַל פִּי הַמְּזִימִין אוֹתָן,	of those that rebut them,
שֶׁבּוֹדְקִים וְחוֹקְרִים אֶת הַבָּאִים	(i. e.,) they investigate and cross-examine those who come
לַהֲזִימָם	to rebut them,
בִּדְרִישָׁה וַחֲקִירָה:	by investigation and examination.
וְהִנֵּה עֵד־שֶׁקֶר הָעֵד.	**And, behold, if the witness be a false witness**
כָּל מָקוֹם שֶׁנֶּאֱמַר עֵד	Wherever it is stated עד (sing., witness)
בִּשְׁנַיִם הַכָּתוּב מְדַבֵּר:	of two (witnesses) Scripture speaks.

שֶׁקֶר עָנָה בְאָחִיו׃	and hath testified falsely against his brother;
19 וַעֲשִׂיתֶם לוֹ	19. then shall ye do unto him,
כַּאֲשֶׁר זָמַם	as he had purposed
לַעֲשׂוֹת לְאָחִיו	to do unto his brother;
וּבִעַרְתָּ הָרָע	so thou shalt put away the evil
מִקִּרְבֶּךָ׃	from the midst of thee.
20 וְהַנִּשְׁאָרִים	20. And those which remain
יִשְׁמְעוּ וְיִרָאוּ	shall hear, and fear,
וְלֹא־יֹסִפוּ לַעֲשׂוֹת עוֹד	and shall henceforth commit no more
כַּדָּבָר הָרָע הַזֶּה	any such evil

Rashi — רש״י

19 **כַּאֲשֶׁר זָמַם.**	**19. As he had purposed (to do)**
וְלֹא כַּאֲשֶׁר עָשָׂה,	But not as he (actually) did.
מִכַּאן אָמְרוּ:—	Hence (our Rabbis) said:
הָרְגוּ אֵין נֶהֱרָגִין (מַכּוֹת ה׳):	If they put him (i. e., the defendant) to death, (the first witnesses) are not put to death (Mak. 5).
לַעֲשׂוֹת לְאָחִיו.	**To do unto his brother**
מַה תַּלְמוּד לוֹמַר ,לְאָחִיו׳?	What does Scripture teach (with the words) "unto his brother"?
לִמֵּד עַל זוֹמְמֵי בַּת כֹּהֵן נְשׂוּאָה	It teaches concerning witnesses who were proved false (in the case) of the married daughter of a priest
שֶׁאֵינָן בִּשְׂרֵפָה	that they are not (punished) by burning,
אֶלָּא כְּמִיתַת הַבּוֹעֵל	but like the death of the adulterer
שֶׁהוּא בְּחֶנֶק,	who is (punished) by strangulation,
שֶׁנֶּאֱמַר (וַיִּקְ׳ כ״א):—	as it is stated (Lev. 21.9),
בָּאֵשׁ תִּשָּׂרֵף,	"She shall be burnt with fire,"
—הִיא וְלֹא בוֹעֲלָהּ,	she, but not her adulterer;
לְכַךְ נֶאֱמַר כַּאן ,לְאָחִיו׳,	therefore it is stated here, "unto his brother":
כַּאֲשֶׁר זָמַם לַעֲשׂוֹת לְאָחִיו,	as he purposed to do unto his brother,
וְלֹא כַּאֲשֶׁר זָמַם לַעֲשׂוֹת לַאֲחוֹתוֹ,	but not as he purposed to do unto his sister.
אֲבָל בְּכָל שְׁאָר מִיתוֹת	But in reference to all other executions,
הִשְׁוָה הַכָּתוּב אִשָּׁה לְאִישׁ	Scripture makes woman the equal of man,
וְזוֹמְמֵי אִשָּׁה נֶהֱרָגִין	and false witnesses of a woman are put to death
כְּזוֹמְמֵי אִישׁ,	like false witnesses of a man.
כְּגוֹן שֶׁהֵעִידוּהָ שֶׁהָרְגָה אֶת הַנֶּפֶשׁ,	For example, if they testified that she killed someone,
שֶׁחִלְּלָה אֶת הַשַּׁבָּת,	(or) that she profaned the Sabbath,
נֶהֱרָגִין כְּמִיתָתָהּ,	they are put to death as she would have been,
שֶׁלֹּא מִעֵט כַּאן אֲחוֹתוֹ	for it does not exclude here his sister
אֶלָּא בְּמָקוֹם	except in the case
שֶׁיֵּשׁ לְקַיֵּם בָּהֶן הֲזָמָה	where it is possible to carry out the conviction of the false witnesses
בְּמִיתַת הַבּוֹעֵל (סִפְרֵי, בָּ״קַ צ):	by the death of the adulterer (Siphre; B. K. 90).
20 **יִשְׁמְעוּ וְיִרָאוּ.**	**20. (They) shall hear, and fear**
מִכַּאן שֶׁצְּרִיכִין הַכְרָזָה	Hence (we derive) that it is necessary to proclaim:
—אִישׁ פְּלוֹנִי וּפְלוֹנִי נֶהֱרָגִין	Such and such persons are being put to death
עַל שֶׁהוּזְמוּ בְּבֵית דִּין (סַנְהֶ׳ פ״ט):	because they have been proved false witnesses in the court of law (Sanh. 89).

in the midst of thee.	בְּקִרְבֶּךָ׃
21. And thine eye shall not pity:	21 וְלֹא תָחוֹס עֵינֶךָ
life for life,	נֶפֶשׁ בְּנֶפֶשׁ
eye for eye,	עַיִן בְּעַיִן
tooth for tooth,	שֵׁן בְּשֵׁן
hand for hand,	יָד בְּיָד
foot for foot.	רֶגֶל בְּרָגֶל׃ ס

CHAPTER XX — כ

1. When thou goest forth to battle	1 כִּי־תֵצֵא לַמִּלְחָמָה
against thine enemies,	עַל־אֹיְבֶךָ
and seest horse(s), and chariot(s),	וְרָאִיתָ סוּס וָרֶכֶב
(and) a people more than thou,	עַם רַב מִמְּךָ
thou shalt not be afraid of them;	לֹא תִירָא מֵהֶם
for the Lord is with thee,	כִּי־יְהוָה אֱלֹהֶיךָ עִמָּךְ

Rashi — רש״י

21. Eye for eye	**21 עַיִן בְּעַיִן.**
A monetary (compensation);	מָמוֹן,
and similarly tooth for tooth etc. (Siphre; B. K. 84).	וְכֵן שֵׁן בְּשֵׁן וְגוֹ׳ (סִפְרֵי, בָּ״ק פ״ד)׃
20 1. When thou goest forth to battle	**20 1 כִּי־תֵצֵא לַמִּלְחָמָה.**
Scripture adjoins the "going forth to battle" here	סָמַךְ הַכָּתוּב יְצִיאַת מִלְחָמָה לְכָאן,
to inform you	לוֹמַר לְךָ
that a person lacking a limb does not go forth to battle.	שֶׁאֵין מְחֻסַּר אֵבֶר יוֹצֵא לַמִּלְחָמָה
Another interpretation: It is to inform you (that)	דָּבָר אַחֵר לוֹמַר לְךָ
if you execute righteous judgment,	אִם עָשִׂיתָ מִשְׁפַּט צֶדֶק,
you are certain	אַתָּה מֻבְטָח
that if you go forth to battle	שֶׁאִם תֵּצֵא לַמִּלְחָמָה
you shall win.	אַתָּה נוֹצֵחַ,
And similarly David states (Ps. 119.121),	וְכֵן דָּוִד הוּא אוֹמֵר (תְּהִ׳ קי״ט)׃—
"I have done justice and righteousness;	עָשִׂיתִי מִשְׁפָּט וָצֶדֶק
Leave me not to Mine oppressors" (Tanhuma).	בַּל תַּנִּיחֵנִי לְעֹשְׁקָי (תַּנְח׳)׃
Against thine enemies	**עַל־אֹיְבֶךָ.**
Let them be in your eyes as enemies;	יִהְיוּ בְעֵינֶיךָ כְּאוֹיְבִים,
do not have mercy upon them,	אַל תְּרַחֵם עֲלֵיהֶם
for they will not have mercy upon you.	כִּי לֹא יְרַחֲמוּ עָלֶיךָ׃
Horse(s), and chariot(s)	**סוּס וָרֶכֶב.**
(Lit., horse and chariot) In Mine eyes they are all as one horse.	בְּעֵינַי כֻּלָּם כְּסוּס אֶחָד,
And similarly it states (Judg. 6.16),	וְכֵן הוּא אוֹמֵר (שׁוֹפְ׳ ו)׃—
"And thou shalt smite the Midianites as one man";	וְהִכִּיתָ אֶת מִדְיָן כְּאִישׁ אֶחָד,
and similarly it states (Ex. 15.19),	וְכֵן הוּא אוֹמֵר (שְׁמוֹת ט״ו)׃—
"For the horse(s) of Pharaoh went in" (cf. Siphre).	כִּי בָא סוּס פַּרְעֹה (עַיֵּ׳ סִפְרֵי)׃
(And) a people more than thou	**עַם רַב מִמְּךָ.**
In your eyes they are great (more)	בְּעֵינֶיךָ הוּא רַב,
but in Mine eyes they are not great (*ibid.*).	אֲבָל בְּעֵינַי אֵינוֹ רַב (שָׁם)׃

הַמַּעַלְךָ	who brought thee up
מֵאֶרֶץ מִצְרָיִם׃	out of the land of Egypt.
2 וְהָיָה	2. And it shall be,
כְּקָרָבְכֶם	when ye draw nigh
אֶל־הַמִּלְחָמָה	unto the battle,
וְנִגַּשׁ הַכֹּהֵן	that the priest shall approach
וְדִבֶּר אֶל־הָעָם׃	and speak unto the people,
3 וְאָמַר אֲלֵהֶם	3. and shall say unto them:
שְׁמַע יִשְׂרָאֵל	'Hear, O Israel,
אַתֶּם קְרֵבִים הַיּוֹם	ye draw nigh this day
לַמִּלְחָמָה	unto battle
עַל־אֹיְבֵיכֶם	against your enemies;

Rashi — רש"י

2 כְּקָרָבְכֶם אֶל־הַמִּלְחָמָה.	**2. When ye draw nigh unto the battle**
סָמוּךְ לְצֵאתְכֶם מִן הַסְּפָר —מִגְּבוּל אַרְצְכֶם׃	Close to your going out from (i. e., crossing) the boundary (i. e.,) from the border of your land.
וְנִגַּשׁ הַכֹּהֵן.	**That the priest shall approach**
הַמָּשׁוּחַ לְכָךְ,	who is anointed for this (purpose);
וְהוּא הַנִּקְרָא מְשׁוּחַ מִלְחָמָה׃	and he is the one called "Anointed for the war."
וְדִבֶּר אֶל־הָעָם.	**And (he shall) speak unto the people**
בִּלְשׁוֹן הַקּוֹדֶשׁ (סוֹטָה מ"ב)׃	In the sacred (i. e., Hebrew) tongue (Sotah 42).
3 שְׁמַע יִשְׂרָאֵל.	**3. Hear, O Israel**
אֲפִילוּ אֵין בָּכֶם זְכוּת אֶלָּא	Even if you have the merit only of
קְרִיאַת שְׁמַע בִּלְבָד,	(fulfilling the commandment of) the reading of the Shema alone,
כְּדַאי אַתֶּם	you are worthy
שֶׁיּוֹשִׁיעַ אֶתְכֶם׃	that He should deliver you.
עַל־אֹיְבֵיכֶם.	**Against your enemies**
אֵין אֵלּוּ אֲחֵיכֶם,	These are not your brethren,
שֶׁאִם תִּפְּלוּ בְּיָדָם	for if you will fall into their hands
אֵינָם מְרַחֲמִים עֲלֵיכֶם,	they will not have mercy upon you.
אֵין זוּ כְּמִלְחֶמֶת יְהוּדָה עִם יִשְׂרָאֵל	This is not like the war between Judah and Israel,
שֶׁנֶּאֱמַר (דְּהַ"יָ ב' כ"ח)׃—	as it is stated (II Chron. 28.15),
וַיָּקֻמוּ הָאֲנָשִׁים אֲשֶׁר נִקְּבוּ בְשֵׁמוֹת	"And the men that have been mentioned by name rose up,
וַיַּחֲזִיקוּ בַשִּׁבְיָה	and they took the captives,
וְכָל מַעֲרֻמֵּיהֶם הִלְבִּישׁוּ	and clothed all that were naked among them
מִן הַשָּׁלָל	with the spoil,
וַיַּלְבִּישׁוּם וַיַּנְעִילוּם	and they arrayed them, and shod them,
וַיַּאֲכִילוּם וַיַּשְׁקוּם	and gave them to eat and to drink,
וַיְסֻכוּם	and anointed them,
וַיְנַהֲלוּם בַּחֲמֹרִים לְכָל כּוֹשֵׁל,	and carried upon asses all that were feeble of them,
וַיְבִיאוּם יְרֵחוֹ עִיר הַתְּמָרִים	and brought them to Jericho, the city of palm-trees,
אֵצֶל אֲחֵיהֶם וַיָּשׁוּבוּ שֹׁמְרוֹן,	unto their brethren; then they returned to Samaria."
אֶלָּא עַל אוֹיְבֵיכֶם אַתֶּם הוֹלְכִים,	However, against your enemies you are going;
לְפִיכָךְ הִתְחַזְּקוּ לַמִּלְחָמָה (סִפְרֵי, סוֹטָה מ"ב)׃	therefore strengthen yourselves for battle (Siphre; Sotah 42).

אַל־יֵרַךְ לְבַבְכֶם	let not your heart faint;
אַל־תִּירְאוּ	fear not,
וְאַל־תַּחְפְּזוּ	nor be alarmed,
וְאַל־תַּעַרְצוּ	neither be ye affrighted
מִפְּנֵיהֶם׃	at them;
4 כִּי יְהוָה אֱלֹהֵיכֶם	4. for the Lord your God
הַהֹלֵךְ עִמָּכֶם	is He that goeth with you,
לְהִלָּחֵם לָכֶם	to fight for you
עִם־אֹיְבֵיכֶם	against your enemies,
לְהוֹשִׁיעַ אֶתְכֶם׃	to save you.'
5 וְדִבְּרוּ הַשֹּׁטְרִים	5. And the officers shall speak
אֶל־הָעָם	unto the people,
לֵאמֹר	saying:
מִי־הָאִישׁ	'What man (is there)
אֲשֶׁר בָּנָה בַיִת־חָדָשׁ	that hath built a new house,

Rashi — רש"י

אַל־יֵרַךְ לְבַבְכֶם.	**Let not your heart faint;**
אַל־תִּירְאוּ וְאַל־תַּחְפְּזוּ	**fear not, nor be alarmed,**
וְאַל־תַּעַרְצוּ.	**neither be ye affrighted**
אַרְבַּע אַזְהָרוֹת כְּנֶגֶד אַרְבָּעָה דְבָרִים	Four warnings corresponding to the four things
שֶׁמַּלְכֵי הָאֻמּוֹת עוֹשִׂים,	which the kings of the nations do:
מַגִּיפִין בִּתְרִיסֵיהֶם	they close their shields,
כְּדֵי לְהַקִּישָׁן זֶה לָזֶה	in order to strike them one against the other
כְּדֵי לְהַשְׁמִיעַ קוֹל	so as to cause a sound
שֶׁיַּחְפְּזוּ אֵלּוּ שֶׁכְּנֶגְדָּם וְיָנוּסוּ,	that those opposite them should become alarmed and flee;
וְרוֹמְסִים בְּסוּסֵיהֶם	they also stamp with their horses,
וּמְצַהֲלִין אוֹתָן	causing them to neigh
לְהַשְׁמִיעַ קוֹל שַׁעֲטַת פַּרְסוֹת סוּסֵיהֶם,	in order to sound the beating of the hoofs of their horses;
וְצוֹוְחִין בְּקוֹלָם,	and they shout loudly;
וְתוֹקְעִין בְּשׁוֹפָרוֹת	and they sound horns
וּמִינֵי מַשְׁמִיעֵי קוֹל.	and other kinds of instruments
„אַל־יֵרַךְ לְבַבְכֶם"	"Let not your heart faint" —
מִצַּהֲלַת סוּסִים,	from the neighing of the horses;
„אַל־תִּירְאוּ"	"fear not" —
מֵהֲגָפַת הַתְּרִיסִין,	from the striking of the shields;
„וְאַל תַּחְפְּזוּ"	"nor be alarmed" —
מִקּוֹל הַקְּרָנוֹת,	by the sound of the horns;
„וְאַל־תַּעַרְצוּ"	"neither be ye affrighted" —
מִקּוֹל הַצְּוָחָה (שָׁם):	from the sound of the shouting (*ibid*).
4 כִּי ה' אֱלֹהֵיכֶם וְגוֹ'.	**4. For the Lord your God, etc.**
הֵם בָּאִים בְּנִצְחוֹנוֹ שֶׁל בָּשָׂר וָדָם	They come with the might of flesh and blood;
וְאַתֶּם בָּאִים בְּנִצְחוֹנוֹ שֶׁל מָקוֹם,	but you come with the might of the Omnipresent.
פְּלִשְׁתִּים בָּאוּ בְנִצְחוֹנוֹ שֶׁל גָּלְיָת	The Philistines came with the might of Goliath;
מַה הָיָה סוֹפוֹ?	what was his end?
נָפַל וְנָפְלוּ עִמּוֹ:	He fell, and they fell with him.
הַהֹלֵךְ עִמָּכֶם.	**Is He that goeth with you**
זֶה מַחֲנֵה הָאָרוֹן (סוֹטָה מ"ב):	This (refers to) the camp of the Ark (Sotah 42).

וְלֹא חֲנָכוֹ	and hath not dedicated it?
יֵלֵךְ וְיָשֹׁב לְבֵיתוֹ	let him go and return to his house,
פֶּן־יָמוּת בַּמִּלְחָמָה	lest he die in the battle,
וְאִישׁ אַחֵר יַחְנְכֶנּוּ׃	and another man dedicate it.
6 וּמִי־הָאִישׁ	6. And what man is there
אֲשֶׁר נָטַע כֶּרֶם	that hath planted a vineyard,
וְלֹא חִלְּלוֹ	and hath not used the fruit thereof?
יֵלֵךְ וְיָשֹׁב לְבֵיתוֹ	let him go and return unto his house,
פֶּן־יָמוּת בַּמִּלְחָמָה	lest he die in the battle,
וְאִישׁ אַחֵר יְחַלְּלֶנּוּ׃	and another man use the fruit thereof.
7 וּמִי־הָאִישׁ	7. And what man is there
אֲשֶׁר אֵרַשׂ אִשָּׁה	that hath betrothed a wife,
וְלֹא לְקָחָהּ	and hath not taken her?
יֵלֵךְ וְיָשֹׁב לְבֵיתוֹ	let him go and return unto his house,
פֶּן־יָמוּת בַּמִּלְחָמָה	lest he die in the battle,
וְאִישׁ אַחֵר יִקָּחֶנָּה׃	and another man take her.'
8 וְיָסְפוּ הַשֹּׁטְרִים לְדַבֵּר	8. And the officers shall speak further

Rashi — רש״י

5 וְלֹא חֲנָכוֹ.	**5. And (he) hath not dedicated it**
לֹא דָר בּוֹ,	(חנכו is to be interpreted:) He did not (begin to) live in it;
חִנּוּךְ לְשׁוֹן הַתְחָלָה:	(the term) חנוך denotes "beginning."
וְאִישׁ אַחֵר יַחְנְכֶנּוּ.	**And another man dedicate it**
וְדָבָר שֶׁל עָגְמַת נֶפֶשׁ הוּא זֶה:	And this is a matter of anguish of the soul.
6 וְלֹא חִלְּלוֹ.	**6. And hath not used the fruit thereof**
לֹא פְדָאוֹ בַשָּׁנָה הָרְבִיעִית,	(ולא חללו denotes) he did not redeem it in the fourth year,
שֶׁהַפֵּירוֹת טְעוּנִין לֶאֱכְלָן בִּירוּשָׁלַיִם	for the fruits are required to be eaten in Jerusalem,
אוֹ לְחַלְּלָן בְּדָמִים	or that they be redeemed for money
וְלֶאֱכוֹל הַדָּמִים בִּירוּשָׁלַיִם:	and the money be used for food in Jerusalem.
7 פֶּן יָמוּת בַּמִּלְחָמָה.	**7. Lest he die in the battle**
יָשׁוּב פֶּן יָמוּת,	(The meaning is:) He should return lest he die,
שֶׁאִם לֹא יִשְׁמַע לְדִבְרֵי הַכֹּהֵן	for if he does not listen to the words of the priest,
כְּדַאי הוּא שֶׁיָּמוּת (סִפְרֵי):	he deserves to die (Siphre).
8 וְיָסְפוּ הַשֹּׁטְרִים.	**8. And the officers shall further (add)**
לָמָּה נֶאֱמַר כַּאן וְיָסְפוּ?,	Why is it stated here "and they shall add"?
מוֹסִיפִין זֶה עַל דִּבְרֵי הַכֹּהֵן,	They add this to the words of the priest;
שֶׁהַכֹּהֵן מְדַבֵּר וּמַשְׁמִיעַ	for the priest speaks and announces
מִן, שְׁמַע יִשְׂרָאֵל׳ עַד, לְהוֹשִׁיעַ אֶתְכֶם׳,	from "Hear, O Israel" until "to save you,"
וּמִי הָאִישׁ וְשֵׁנִי וּשְׁלִישִׁי כֹּהֵן מְדַבֵּר	and "What man" and the second and third (verses (vv. 6–7) commencing with "What man") the priest speaks quietly
וְשׁוֹטֵר מַשְׁמִיעַ,	and the officer announces,
וְזֶה שׁוֹטֵר מְדַבֵּר	but this (verse) the officer speaks
וְשׁוֹטֵר מַשְׁמִיעַ (סוֹטָה מ״ג):	and the officer announces (Sotah 43).

אֶל־הָעָם	unto the people,
וְאָמְרוּ	and they shall say:
מִי־הָאִישׁ	What man (is there)
הַיָּרֵא וְרַךְ הַלֵּבָב	that is fearful and faint-hearted?
יֵלֵךְ וְיָשֹׁב לְבֵיתוֹ	let him go and return unto his house,
וְלֹא יִמַּס אֶת־לְבַב אֶחָיו	lest his brethren's heart melt
כִּלְבָבוֹ׃	as his heart.'
9 וְהָיָה	9. And it shall be,
כְּכַלֹּת הַשֹּׁטְרִים	when the officers have made an end
לְדַבֵּר אֶל־הָעָם	of speaking unto the people,
וּפָקְדוּ שָׂרֵי צְבָאוֹת	that captains of hosts be appointed
בְּרֹאשׁ הָעָם׃ ס	at the head of the people.

שביעי

Rashi — רש״י

הַיָּרֵא וְרַךְ הַלֵּבָב.	**That is fearful and faint-hearted**
רַבִּי עֲקִיבָא אוֹמֵר:— כְּמַשְׁמָעוֹ,	Rabbi Akiba says: (This is to be understood) in its usual meaning,
שֶׁאֵינוֹ יָכוֹל לַעֲמוֹד בְּקִשְׁרֵי הַמִּלְחָמָה	(i. e.,) that he is not able to stand in the joined ranks in battle
וְלִרְאוֹת חֶרֶב שְׁלוּפָה;	nor to see an unsheathed sword.
רַבִּי יוֹסֵי הַגְּלִילִי אוֹמֵר:—	Rabbi Jose the Galilean says:
הַיָּרֵא מֵעֲבֵרוֹת שֶׁבְּיָדוֹ,	That is fearful of the transgressions in his hand.
וּלְכַךְ תָּלְתָה לוֹ תּוֹרָה	And for that reason the Torah gave him the opportunity that he
לַחֲזוֹר עַל בַּיִת וָכֶרֶם וְאִשָּׁה,	should (attribute his) return because of a house, or a vineyard, or a wife,
לְכַסּוֹת עַל הַחוֹזְרִים	in order to cover up for those who return
בִּשְׁבִיל עֲבֵרוֹת שֶׁבְּיָדָם	because of the transgressions which are in their hands,
שֶׁלֹּא יָבִינוּ שֶׁהֵם בַּעֲלֵי עֲבֵרָה,	so that people should not understand that they are transgressors,
וְהָרוֹאֵהוּ חוֹזֵר אוֹמֵר:—	and whoever sees him returning will say:
שֶׁמָּא בָּנָה בַיִת	Perhaps he has built a house,
אוֹ נָטַע כֶּרֶם	or has planted a vineyard,
אוֹ אֵרַשׂ אִשָּׁה (סוֹטָה מ״ד):	or has betrothed a wife (Sotah 44).
9 שָׂרֵי צְבָאוֹת.	**9. Captains of hosts**
שֶׁמַּעֲמִידִין זְקָפִין	That set up officers
מִלִּפְנֵיהֶם וּמִלְּאַחֲרֵיהֶם	in front of them and behind them
וְכַשִּׁילִין שֶׁל בַּרְזֶל בִּידֵיהֶם	with iron axes in their hands,
וְכָל מִי שֶׁרוֹצֶה לַחֲזוֹר	and whoever desired to return,
הָרְשׁוּת בְּיָדוֹ	(the officers) had permission
לְקַפֵּחַ אֶת שׁוֹקָיו;	to strike his thighs.
זְקָפִין — בְּנֵי אָדָם עוֹמְדִין	(The term) זקפין (denotes) men who stand
בִּקְצֵה הַמַּעֲרָכָה	at the end of the line of battle
לִזְקוֹף אֶת הַנּוֹפְלִים	to lift up (זקף) those who had fallen
וּלְחַזְּקָם בִּדְבָרִים	and to strengthen them with words:
שׁוּבוּ אֶל הַמִּלְחָמָה	Return to the battle
וְלֹא תָנוּסוּ	and do not flee,
שֶׁתְּחִלַּת נְפִילָה נִיסָה (סִפְרֵי, סוֹטָה מ״ד):	for the beginning of defeat is flight (Siphre; Sotah 44).

10 כִּי־תִקְרַב	10. When thou drawest nigh
אֶל־עִיר	unto a city
לְהִלָּחֵם עָלֶיהָ	to fight against it,
וְקָרָאתָ אֵלֶיהָ לְשָׁלוֹם׃	then proclaim peace unto it.
11 וְהָיָה	11. And it shall be,
אִם־שָׁלוֹם תַּעַנְךָ	if it make thee answer of peace,
וּפָתְחָה לָךְ	and open unto thee,
וְהָיָה	then it shall be,
כָּל־הָעָם	(that) all the people
הַנִּמְצָא־בָהּ	that are found therein
יִהְיוּ לְךָ לָמַס	shall become tributary unto thee,
וַעֲבָדוּךָ׃	and shall serve thee.
12 וְאִם־לֹא תַשְׁלִים עִמָּךְ	12. And if it make no peace with thee,
וְעָשְׂתָה עִמְּךָ מִלְחָמָה	but will make war against thee,
וְצַרְתָּ עָלֶיהָ׃	then thou shalt besiege it.
13 וּנְתָנָהּ יְהֹוָה אֱלֹהֶיךָ	13. And when the Lord thy God delivereth it
בְּיָדֶךָ	into thy hand,

Rashi — רש״י

10 כִּי־תִקְרַב אֶל־עִיר.	**10. When thou drawest nigh unto a city**
בְּמִלְחֶמֶת הָרְשׁוּת הַכָּתוּב מְדַבֵּר,	Concerning an optional war does Scripture speak,
כְּמוֹ שֶׁמְּפֹרָשׁ בָּעִנְיָן	as is explained in the context (v. 15),
כֵּן תַּעֲשֶׂה לְכָל הֶעָרִים הָרְחֹקֹת וְגוֹ׳ (סִפְרֵי):	"Thus shalt thou do unto all the cities which are far off," etc. (Siphre).
11 כָּל־הָעָם הַנִּמְצָא־בָהּ.	**11. (That) all the people that are found therein**
אֲפִילוּ אַתָּה מוֹצֵא בָהּ	Even if you find therein
מִשִּׁבְעָה אֻמּוֹת	(people) of the seven nations
שֶׁנִּצְטַוֵּיתָ לְהַחֲרִימָם,	whom you were commanded to destroy,
אַתָּה רַשַּׁאי לְקַיְּמָם (שָׁם):	you are permitted to let them live (*ibid.*).
לָמַס וַעֲבָדוּךָ.	**Tributary, and (they) shall serve thee**
עַד שֶׁיְּקַבְּלוּ עֲלֵיהֶם	Until they shall take upon themselves
מִסִּים וְשִׁעְבּוּד (שָׁם):	taxes and bondage (*ibid.*).
12 וְאִם־לֹא תַשְׁלִים עִמָּךְ.	**12. And if it make no peace with thee,**
וְעָשְׂתָה עִמְּךָ מִלְחָמָה.	**but will make war against thee**
הַכָּתוּב מְבַשֶּׂרְךָ	Scripture announces to you
שֶׁאִם לֹא תַשְׁלִים עִמָּךְ	that if it will make no peace with thee,
סוֹפָהּ לְהִלָּחֵם בָּךְ	eventually it will wage war with you
אִם תַּנִּיחֶנָּה וְתֵלֵךְ (שָׁם):	if you leave it and go away (*ibid.*).
וְצַרְתָּ עָלֶיהָ.	**Then thou shalt besiege it**
אַף לְהַרְעִיבָהּ וּלְהַצְמִיאָהּ	Even by starving it, and by causing it to perish from thirst,
וּלְהֲמִיתָהּ מִיתַת תַּחֲלוּאִים (שָׁם):	and killing it by a death through diseases (*ibid.*).
13 וּנְתָנָהּ ה׳ אֱלֹהֶיךָ בְּיָדֶךָ.	**13. And when the Lord thy God delivereth it into thy hand**
אִם עָשִׂיתָ כָּל הָאָמוּר בָּעִנְיָן,	If you have done all that is stated in the matter,

וְהִכִּיתָ	thou shalt smite
אֶת־כָּל־זְכוּרָהּ	every male thereof
לְפִי־חָרֶב׃	with the edge of the sword;
14 רַק הַנָּשִׁים וְהַטַּף	14. but the women, and the little ones,
וְהַבְּהֵמָה	and the cattle,
וְכֹל אֲשֶׁר יִהְיֶה בָעִיר	and all that is in the city,
כָּל־שְׁלָלָהּ	(even) all the spoil thereof,
תָּבֹז לָךְ	thou shalt take for a prey to thyself;
וְאָכַלְתָּ	and thou shalt eat
אֶת־שְׁלַל אֹיְבֶיךָ	the spoil of thine enemies,
אֲשֶׁר נָתַן יְהוָה אֱלֹהֶיךָ לָךְ׃	which the Lord thy God hath given thee.
15 כֵּן תַּעֲשֶׂה	15. Thus shalt thou do
לְכָל־הֶעָרִים	unto all the cities
הָרְחֹקֹת מִמְּךָ מְאֹד	which are very far off from thee,
אֲשֶׁר לֹא־מֵעָרֵי הַגּוֹיִם־הָאֵלֶּה הֵנָּה׃	which are not of the cities of these nations.
16 רַק	16. Howbeit
מֵעָרֵי הָעַמִּים הָאֵלֶּה	of the cities of these peoples,
אֲשֶׁר יְהוָה אֱלֹהֶיךָ	that the Lord thy God
נֹתֵן לְךָ נַחֲלָה	giveth thee for an inheritance,
לֹא תְחַיֶּה כָּל־נְשָׁמָה׃	thou shalt save nothing that breatheth,
17 כִּי־הַחֲרֵם תַּחֲרִימֵם	17. but thou shalt utterly destroy them:
הַחִתִּי וְהָאֱמֹרִי	the Hittite, and the Amorite,
הַכְּנַעֲנִי וְהַפְּרִזִּי	the Canaanite, and the Perizzite,
הַחִוִּי וְהַיְבוּסִי	the Hivite, and the Jebusite;
כַּאֲשֶׁר צִוְּךָ יְהוָה אֱלֹהֶיךָ׃	as the Lord thy God hath commanded thee;
18 לְמַעַן אֲשֶׁר לֹא־יְלַמְּדוּ אֶתְכֶם	18. that they teach you not
לַעֲשׂוֹת	to do
כְּכֹל תּוֹעֲבֹתָם	after all their abominations,
אֲשֶׁר עָשׂוּ לֵאלֹהֵיהֶם	which they have done unto their gods;
וַחֲטָאתֶם	and so ye sin

Rashi — רש״י

סוֹף שֶׁה׳ נוֹתְנָהּ בְּיָדְךָ (שָׁם)׃	eventually the Lord will deliver it into your hand (*ibid.*).
14 **וְהַטַּף.**	**14. And the little ones**
אַף טַף שֶׁל זְכָרִים,	Even the little ones of the males.
וּמָה אֲנִי מְקַיֵּם ,וְהִכִּיתָ אֶת כָּל זְכוּרָהּ?	How then shall I explain "Thou shalt smite every male thereof" (v. 13)?
בַּגְּדוֹלִים (שָׁם)׃	In reference to adults (*ibid.*).
17 **כַּאֲשֶׁר צִוְּךָ.**	**17. As (He) hath commanded thee**
לְרַבּוֹת אֶת הַגִּרְגָּשִׁי (שָׁם)׃	(This comes) to include the Girgashites (*ibid.*).
18 **לְמַעַן אֲשֶׁר לֹא־יְלַמְּדוּ.**	**18. That they teach you not**
הָא אִם עָשׂוּ תְשׁוּבָה	But if they repent

לַיהוָה אֱלֹהֵיכֶם: ס	against the Lord your God.
19 כִּי־תָצוּר אֶל־עִיר	19. When thou shalt besiege a city
יָמִים רַבִּים	(for) many days,
לְהִלָּחֵם עָלֶיהָ	in making war against it
לְתָפְשָׂהּ	to take it,
לֹא־תַשְׁחִית אֶת־עֵצָהּ	thou shalt not destroy the trees thereof
לִנְדֹּחַ עָלָיו גַּרְזֶן	by wielding an axe against them;
כִּי מִמֶּנּוּ תֹאכֵל	for thou mayest eat of them,
וְאֹתוֹ לֹא תִכְרֹת	but thou shalt not cut them down;
כִּי הָאָדָם עֵץ הַשָּׂדֶה	for is the tree of the field man,
לָבֹא מִפָּנֶיךָ בַּמָּצוֹר:	that it should be besieged of thee?
20 רַק עֵץ	20. Only the trees
אֲשֶׁר־תֵּדַע	(of) which thou knowest
כִּי לֹא־עֵץ מַאֲכָל הוּא	that they are not trees for food,
אֹתוֹ תַשְׁחִית וְכָרָתָּ	thou shalt destroy and cut down,
וּבָנִיתָ מָצוֹר	and thou mayest build bulwarks
עַל־הָעִיר	against the city
אֲשֶׁר־הִוא עֹשָׂה	which maketh
עִמְּךָ מִלְחָמָה	war with thee,
עַד רִדְתָּהּ: פ	until it fall.

Rashi — רש"י

וּמִתְגַּיְּרִין, אַתָּה רַשַּׁאי לְקַבְּלָם (שָׁם):	and embrace the Jewish faith, you are permitted to receive them (*ibid.*).
19 יָמִים.	**19. Days**
שְׁנַיִם:	Two (days are implied).
רַבִּים	**Many**
שְׁלֹשָׁה,	(I. e.,) three (days).
מִכַּאן אָמְרוּ:—	Hence they said:
אֵין צָרִין עַל עֲיָרוֹת שֶׁל גּוֹיִם	(The Israelites) should not besiege cities of the nations
פָּחוּת מִשְּׁלֹשָׁה יָמִים	less than three days
קוֹדֶם לַשַּׁבָּת,	prior to the Sabbath;
וְלִמֵּד שֶׁפּוֹתֵחַ בְּשָׁלוֹם	and it (also) teaches that they should offer peace
שְׁנַיִם אוֹ שְׁלֹשָׁה יָמִים	for two or three days.
וְכֵן הוּא אוֹמֵר (שְׁ"ב א):—	And similarly it states (II Sam. 1.1),
וַיֵּשֶׁב דָּוִד בְּצִקְלָג יָמִים שְׁנָיִם (סִפְרֵי);	"And David had abode in Ziklag two days" (Siphre).
וּבְמִלְחֶמֶת הָרְשׁוּת הַכָּתוּב מְדַבֵּר:	And regarding an optional war does Scripture speak.
כִּי הָאָדָם עֵץ הַשָּׂדֶה.	**For is the tree of the field man?**
הֲרֵי כִּי מְשַׁמֵּשׁ בִּלְשׁוֹן דִּילְמָא,	Here (the term) כי serves in the sense of "perhaps":
שֶׁמָּא הָאָדָם עֵץ הַשָּׂדֶה	Is the tree of the field perhaps a man,
לְהִכָּנֵס בְּתוֹךְ הַמָּצוֹר מִפָּנֶיךָ	that it should be besieged by you,
לְהִתְיַסֵּר בְּיִסּוּרֵי רָעָב וְצָמָא	(and) be punished with privations of hunger and thirst,
כְּאַנְשֵׁי הָעִיר?	like the people of the city?
לָמָּה תַשְׁחִיתֶנּוּ?:	Why should you destroy it?
20 עַד רִדְתָּהּ.	**20. Until it fall**
לְשׁוֹן רִדּוּי,	(The root of רדתה) denotes subjugation (רדוי),
שֶׁתְּהֵא כְּפוּפָה לָךְ:	that it should be bent in submission to you.

CHAPTER XXI — כא

1 כִּי־יִמָּצֵא חָלָל	1. If one be found slain
בָּאֲדָמָה	in the land
אֲשֶׁר יְהוָה אֱלֹהֶיךָ	which the Lord thy God
נֹתֵן לְךָ לְרִשְׁתָּהּ	giveth thee to possess it,
נֹפֵל בַּשָּׂדֶה	lying in the field,
לֹא נוֹדַע	(and) it be not known
מִי הִכָּהוּ׃	who hath smitten him;
2 וְיָצְאוּ זְקֵנֶיךָ	2. then thy elders shall come forth,
וְשֹׁפְטֶיךָ	and thy judges,
וּמָדְדוּ אֶל־הֶעָרִים	and they shall measure unto the cities
אֲשֶׁר סְבִיבֹת הֶחָלָל׃	which are round about him that is slain.
3 וְהָיָה	3. And it shall be,
הָעִיר	(that) the city
הַקְּרֹבָה אֶל־הֶחָלָל	which is nearest unto the slain person,
וְלָקְחוּ זִקְנֵי הָעִיר הַהִוא	(even) the elders of that city shall take
עֶגְלַת בָּקָר	a heifer of (the) herd,
אֲשֶׁר לֹא־עֻבַּד בָּהּ	which hath not been wrought with,
אֲשֶׁר לֹא־מָשְׁכָה בְּעֹל׃	and which hath not drawn in the yoke.
4 וְהוֹרִדוּ זִקְנֵי הָעִיר הַהִוא	4. And the elders of that city shall bring down
אֶת־הָעֶגְלָה	the heifer
אֶל־נַחַל אֵיתָן	unto a rough valley,
אֲשֶׁר לֹא־יֵעָבֵד בּוֹ	which may neither be plowed
וְלֹא יִזָּרֵעַ	nor sown,
וְעָרְפוּ־שָׁם אֶת־הָעֶגְלָה	and shall break the heifer's neck there
בַּנָּחַל׃	in the valley.

Rashi — רש"י

21 2 וְיָצְאוּ זְקֵנֶיךָ.	**21 2. Then thy elders shall come forth**
מְיֻחָדִים שֶׁבִּזְקֵנֶיךָ,	The distinguished among your elders,
אֵלּוּ סַנְהֶדְרֵי גְדוֹלָה (סוטה מ"ד):	that is the Great Sanhedrin (Sotah 44).
וּמָדְדוּ.	**And they shall measure**
מִמָּקוֹם שֶׁהֶחָלָל שׁוֹכֵב:	From the place where the slain man lay.
אֶל־הֶעָרִים אֲשֶׁר סְבִיבֹת־הֶחָלָל.	**Unto the cities which are round about him that is slain**
לְכָל צַד וָצַד	In each direction,
לֵידַע אֵי זוֹ קְרוֹבָה:	in order to ascertain which is nearest.
4 אֶל־נַחַל אֵיתָן.	**4. Unto a rough valley**
קָשֶׁה,	(The term איתן denotes) hard,
שֶׁלֹּא נֶעֱבַד:	which was not cultivated.
וְעָרְפוּ.	**And (they) shall break the neck**
קוֹצֵץ עָרְפָּהּ בְּקוֹפִיץ;	(וערפו denotes): He breaks its neck with a hatchet.
אָמַר הַקָּבָּ"ה:–	The Holy One Blessed Be He said:
תָּבֹא עֶגְלָה בַת שְׁנָתָהּ	Let there come a heifer one year old,
שֶׁלֹּא עָשְׂתָה פֵּירוֹת	which has never produced fruit (i. e., which has never been set to do any work),

5 וְנִגְּשׁוּ הַכֹּהֲנִים	5. And the priests shall come near,
בְּנֵי לֵוִי	the sons of Levi —
כִּי בָם בָּחַר יְהוָה אֱלֹהֶיךָ	for them the Lord thy God hath chosen
לְשָׁרְתוֹ	to minister unto Him,
וּלְבָרֵךְ בְּשֵׁם יְהוָה	and to bless in the name of the Lord;
וְעַל־פִּיהֶם יִהְיֶה	and according to their word shall be
כָּל־רִיב וְכָל־נָגַע׃	every controversy and every stroke
6 וְכֹל זִקְנֵי	6. And all the elders
הָעִיר הַהִוא	of that city,
הַקְּרֹבִים אֶל־הֶחָלָל	who are nearest unto the slain man,
יִרְחֲצוּ אֶת־יְדֵיהֶם	shall wash their hands
עַל־הָעֶגְלָה	over the heifer
הָעֲרוּפָה	whose neck was broken
בַנָּחַל׃ מפטיר	in the valley.
7 וְעָנוּ	7. And they shall speak
וְאָמְרוּ	and say:
יָדֵינוּ לֹא שָׁפְכָה°	'Our hands have not shed
אֶת־הַדָּם הַזֶּה	this blood,
וְעֵינֵינוּ לֹא רָאוּ׃	neither have our eyes seen (it).
8 כַּפֵּר לְעַמְּךָ יִשְׂרָאֵל	8. Forgive thy people Israel,
אֲשֶׁר־פָּדִיתָ יְהוָה	whom thou hast redeemed, O Lord,
וְאַל־תִּתֵּן דָּם נָקִי	and suffer not innocent blood
בְּקֶרֶב עַמְּךָ יִשְׂרָאֵל	to remain in the midst of Thy people Israel.'
וְנִכַּפֵּר לָהֶם הַדָּם׃	And the blood shall be forgiven them.

° שפכו קרי.

Rashi — רש"י

וְתֵעָרֵף בְּמָקוֹם	And let its neck be broken in a place
שֶׁאֵינוֹ עוֹשֶׂה פֵּירוֹת,	which does not produce fruit (i. e., a rough uncultivated ground),
לְכַפֵּר עַל הֲרִיגָתוֹ שֶׁל זֶה	to make atonement for the death of this man
שֶׁלֹּא הִנִּיחוּהוּ לַעֲשׂוֹת פֵּירוֹת (סוֹטָה מ"ו):	who was not permitted (further) to produce fruit (i. e. children) (Sotah 46).
7 יָדֵינוּ לֹא שָׁפְכָה.	**7. Our hands have not shed**
וְכִי עָלְתָה עַל לֵב	And would it enter one's heart (mind)
שֶׁזִּקְנֵי בֵית דִּין	that the elders of the court
שׁוֹפְכֵי דָמִים הֵם?	are shedders of blood?
אֶלָּא לֹא רְאִינוּהוּ	However, (they say by implication:) We have not seen him,
וּפְטַרְנוּהוּ בְּלֹא מְזוֹנוֹת	nor allowed him to depart without food
וּבְלֹא לְוָיָה (סוֹטָה מ"ה),	and without an escort (Sotah 45).
הַכֹּהֲנִים אוֹמְרִים:	The priests say:
8 כַּפֵּר לְעַמְּךָ יִשְׂרָאֵל וְגוֹ'	**8. Forgive Thy people Israel, etc.**
וְנִכַּפֵּר לָהֶם הַדָּם.	**And the blood shall be forgiven them**
הַכָּתוּב מְבַשְּׂרָם,	Scripture informs them
שֶׁמִּשֶּׁעָשׂוּ כֵן	that after they have done so,
יְכֻפַּר לָהֶם הֶעָוֹן (שָׁם):	the sin will be forgiven them (*ibid.*).

9 וְאַתָּה תְּבַעֵר	9. So shalt thou put away
הַדָּם הַנָּקִי	the innocent blood
מִקִּרְבֶּךָ	from the midst of thee,
כִּי־תַעֲשֶׂה הַיָּשָׁר	when thou shalt do that which is right
בְּעֵינֵי יְהוָה׃	in the eyes of the Lord.

ס ס ס

10 כִּי־תֵצֵא לַמִּלְחָמָה	10. When thou goest forth to battle
עַל־אֹיְבֶיךָ	against thine enemies,
וּנְתָנוֹ יְהוָה אֱלֹהֶיךָ	and the Lord thy God delivereth them
בְּיָדֶךָ	into thine hands,
וְשָׁבִיתָ שִׁבְיוֹ׃	and thou carriest them away captive,
11 וְרָאִיתָ בַּשִּׁבְיָה	11. and seest among the captives
אֵשֶׁת יְפַת־תֹּאַר	a woman of goodly form,
וְחָשַׁקְתָּ בָהּ	and thou hast a desire unto her,

Rashi — רש״י

9 וְאַתָּה תְּבַעֵר.	**9. So shalt thou put away**
מַגִּיד שֶׁאִם נִמְצָא הַהוֹרֵג	(This) tells that if the murderer was found
אַחַר שֶׁנִּתְעַרְפָה הָעֶגְלָה	after the heifer was killed,
הֲרֵי זֶה יֵהָרֵג,	then he must be put to death;
וְהוּא ,הַיָּשָׁר בְּעֵינֵי ה׳׳ (סוֹטָה מ״ז, כְּתוּ׳ ל״ז)׃	and that is "what is right in the eyes of the Lord" (Sotah 47; Ket. 37).
10 כִּי־תֵצֵא לַמִּלְחָמָה.	**10. When thou goest forth to battle**
בְּמִלְחֶמֶת הָרְשׁוּת הַכָּתוּב מְדַבֵּר,	Concerning an optional war does Scripture speak,
שֶׁבְּמִלְחֶמֶת אֶרֶץ יִשְׂרָאֵל	for regarding the war for the land of Israel
אֵין לוֹמַר וְשָׁבִיתָ שִׁבְיוֹ,	it cannot be said, "and thou carriest them away captive,"
שֶׁהֲרֵי כְּבָר נֶאֱמַר (דְּבָר׳ כ)׃—	for it has already been stated (Deut. 20.16):
לֹא תְחַיֶּה כָּל נְשָׁמָה׃	"Thou shalt save alive nothing that breatheth."
וְשָׁבִיתָ שִׁבְיוֹ.	**And thou carriest them away captive**
לְרַבּוֹת כְּנַעֲנִים שֶׁבְּתוֹכָהּ	(This comes) to include the Canaanites who are in it,
וְאַף עַל פִּי שֶׁהֵם מִשִּׁבְעָה אֻמּוֹת (סִפְרֵי, סוֹטָה ל״ה)׃	although they are of the Seven Nations (Siphre; Sotah 35).
11 אֵשֶׁת.	**11. A woman of**
אֲפִילוּ אֵשֶׁת אִישׁ׃	Even the wife of a man (i. e., a married woman).
וְלָקַחְתָּ לְךָ לְאִשָּׁה.	**And (thou) wouldest take her to thee to wife**
לֹא דִבְּרָה תוֹרָה אֶלָּא	The Torah speaks only
כְּנֶגֶד יֵצֶר הָרַע,	in opposition to the evil inclination,
שֶׁאִם אֵין הַקָּבָּ״ה מַתִּירָהּ	(i. e.,) for if the Holy One Blessed Be He does not make her permitted,
יִשָּׂאֶנָּה בְּאִסּוּר,	he will marry her illicitly;
אֲבָל אִם נְשָׂאָהּ	however, if he does marry her,
סוֹפוֹ לִהְיוֹת שׂוֹנְאָהּ,	eventually he will hate her,
שֶׁנֶּאֱמַר אַחֲרָיו׃—	for it is stated after this, (v. 15),
כִּי תִהְיֶיןָ לְאִישׁ וְגוֹ׳,	"If a man have," etc.,
וְסוֹפוֹ לְהוֹלִיד מִמֶּנָּה	and eventually he will beget from her

וְלָקַחְתָּ לְךָ לְאִשָּׁה׃	and wouldest take her to thee to wife;
12 וַהֲבֵאתָהּ	12. then thou shalt bring her
אֶל־תּוֹךְ בֵּיתֶךָ	to thy house;
וְגִלְּחָה אֶת־רֹאשָׁהּ	and she shall shave her head,
וְעָשְׂתָה אֶת־צִפָּרְנֶיהָ׃	and pare her nails;
13 וְהֵסִירָה	13. and she shall put off
אֶת־שִׂמְלַת שִׁבְיָהּ	the raiment of her captivity
מֵעָלֶיהָ	from her,
וְיָשְׁבָה בְּבֵיתֶךָ	and shall remain in thy house,
וּבָכְתָה	and bewail
אֶת־אָבִיהָ וְאֶת־אִמָּהּ	her father and her mother
יֶרַח יָמִים	a full month;
וְאַחַר כֵּן	and after that
תָּבוֹא אֵלֶיהָ	thou mayest go in unto her,
וּבְעַלְתָּהּ	and be her husband,
וְהָיְתָה לְךָ לְאִשָּׁה׃	and she shall be thy wife.
14 וְהָיָה	14. And it shall be,
אִם־לֹא חָפַצְתָּ בָּהּ	if thou have no delight in her,

Rashi — רש"י

בֵּן סוֹרֵר וּמוֹרֶה,	a stubborn and rebellious son (cf. v. 18).
לְכָךְ נִסְמְכוּ פָּרָשִׁיּוֹת הַלָּלוּ (תַּנְח׳)׃	Therefore these sections are adjoined (Tanḥuma).
12 וְעָשְׂתָה אֶת־צִפָּרְנֶיהָ	**12. And (she shall) pare her nails**
תְּגַדְּלֵם	(ועשתה is to be interpreted:) She must let them grow,
כְּדֵי שֶׁתִּתְנַוֵּל (סִפְרֵי, יְבָמ׳ מ"ח)׃	in order that she shall become unattractive (Siphre; Yebamot 48).
13 וְהֵסִירָה אֶת־שִׂמְלַת שִׁבְיָהּ.	**13. And she shall put off the raiment of her captivity**
לְפִי שֶׁהֵם נָאִים,	For they are beautiful,
שֶׁהַגּוֹיִם בְּנוֹתֵיהֶם	because the daughters of the nations
מִתְקַשְּׁטוֹת בַּמִּלְחָמָה	adorn themselves during (the time of) war
בִּשְׁבִיל לְהַזְנוֹת אֲחֵרִים עִמָּהֶם (סִפְרֵי)׃	in order to cause others to carry on whoredom with them (Siphre).
וְיָשְׁבָה בְּבֵיתֶךָ.	**And (she) shall remain in thy house**
בְּבַיִת שֶׁמִּשְׁתַּמֵּשׁ בּוֹ,	In a house of which he makes use.
נִכְנָס וְנִתְקָל בָּהּ,	When he enters, he will stumble against her;
יוֹצֵא וְנִתְקָל בָּהּ,	when he goes out, he will stumble against her;
רוֹאֶה בִּבְכִיָּתָהּ,	he will see her when she cries,
רוֹאֶה בְּנִוּוּלָהּ,	he will see her when she looks repulsive,
כְּדֵי שֶׁתִּתְגַּנֶּה עָלָיו (סִפְרֵי)׃	in order that she shall appear disgraceful to him (Siphre).
וּבָכְתָה אֶת־אָבִיהָ.	**And (she shall) bewail her father**
כָּל כַּךְ לָמָּה?	All this — why (is it necessary)?
כְּדֵי שֶׁתְּהֵא בַת יִשְׂרָאֵל שְׂמֵחָה	In order that the daughter of Israel shall rejoice,
וְזוּ עֲצֵבָה,	while she grieves;
בַּת יִשְׂרָאֵל מִתְקַשֶּׁטֶת,	the daughter of Israel shall adorn herself,
וְזוּ מִתְנַוֶּלֶת (שָׁם)׃	while she appears repulsive (*ibid.*).
14 וְהָיָה אִם־לֹא חָפַצְתָּ בָּהּ.	**14. And it shall be, if thou have no delight in her**
הַכָּתוּב מְבַשֶּׂרְךָ	Scripture informs you

וְשִׁלַּחְתָּהּ לְנַפְשָׁהּ	then thou shalt let her go whither she will;
וּמָכֹר לֹא־תִמְכְּרֶנָּה	but thou shalt not sell her at all
בַּכָּסֶף	for money,
לֹא־תִתְעַמֵּר בָּהּ	thou shalt not deal with her as a slave,
תַּחַת אֲשֶׁר עִנִּיתָהּ: ס	because thou hast humbled her.
15 כִּי־תִהְיֶיןָ לְאִישׁ	15. If a man have
שְׁתֵּי נָשִׁים	two wives,
הָאַחַת אֲהוּבָה	the one beloved,
וְהָאַחַת שְׂנוּאָה	and the other hated,
וְיָלְדוּ־לוֹ בָנִים	and they have borne him children,
הָאֲהוּבָה וְהַשְּׂנוּאָה	(both) the beloved and the hated;
וְהָיָה הַבֵּן הַבְּכֹר	and if the first-born son be hers
לַשְּׂנִיאָה:	that was hated;
16 וְהָיָה	16. then it shall be,
בְּיוֹם הַנְחִילוֹ אֶת־בָּנָיו	in the day that he causeth his sons to inherit
אֵת אֲשֶׁר־יִהְיֶה לוֹ	that which he hath,
לֹא יוּכַל לְבַכֵּר	that he may not make the first-born
אֶת־בֶּן־הָאֲהוּבָה	the son of the beloved
עַל־פְּנֵי בֶן־הַשְּׂנוּאָה הַבְּכֹר:	before the son of the hated, who is the first-born;
17 כִּי אֶת־הַבְּכֹר	17. but the first-born,
בֶּן־הַשְּׂנוּאָה	the son of the hated,
יַכִּיר	he shall acknowledge,
לָתֶת לוֹ פִּי שְׁנַיִם	by giving him a double portion
בְּכֹל אֲשֶׁר־יִמָּצֵא לוֹ	of all that he hath;
כִּי־הוּא רֵאשִׁית אֹנוֹ	for he is the first-fruits of his strength;
לוֹ מִשְׁפַּט הַבְּכֹרָה: ס	the right of first-born is his.
18 כִּי־יִהְיֶה לְאִישׁ	18. If a man hath

Rashi — רש"י

שֶׁסּוֹפְךָ לִשְׂנֹאתָהּ (שָׁם):	that eventually you will hate her (*ibid.*).
לֹא־תִתְעַמֵּר בָּהּ.	**Thou shalt not deal with her as a slave**
לֹא תִשְׁתַּמֵּשׁ בָּהּ,	(תתעמר is to be interpreted:) Thou shalt not make use of her.
בִּלְשׁוֹן פַּרְסִי קוֹרִין לַעַבְדוּת	In the Persian language they term slavery
וְשִׁמּוּשׁ עִימְרָאָה,	and service עימראה.
מִיסוֹדוֹ שֶׁל רַבִּי מֹשֶׁה הַדַּרְשָׁן לָמַדְתִּי כֵן:	From the work of Rabbi Moses Ha-Darshan have I learned this.
17 פִּי שְׁנַיִם.	**17. A double portion**
כְּנֶגֶד שְׁנֵי אַחִים:	Corresponding to (that received by) two brothers.
בְּכֹל אֲשֶׁר־יִמָּצֵא לוֹ.	**Of all that he hath**
מִכָּאן שֶׁאֵין הַבְּכוֹר	Hence (we derive) that the first-born does not
נוֹטֵל פִּי שְׁנַיִם	receive a double portion
בְּרָאוּי לָבֹא לְאַחַר מִיתַת הָאָב	of that which is destined to accrue after the death of the father
כְּבַמֻּחְזָק (סִפְרֵי, בְּכוֹ׳ נ״א):	as of what is held in possession (Siphre; Bekorot 51).

בֵּן סוֹרֵר וּמוֹרֶה	a stubborn and a rebellious son,
אֵינֶנּוּ שֹׁמֵעַ	that will not hearken
בְּקוֹל אָבִיו	the voice of his father
וּבְקוֹל אִמּוֹ	or the voice of his mother,
וְיִסְּרוּ אֹתוֹ	and though they chasten him
וְלֹא יִשְׁמַע אֲלֵיהֶם׃	will not hearken unto them;
19 וְתָפְשׂוּ בוֹ	19. then shall they lay hold on him,
אָבִיו וְאִמּוֹ	his father and his mother,
וְהוֹצִיאוּ אֹתוֹ	and bring him out
אֶל־זִקְנֵי עִירוֹ	unto the elders of his city,
וְאֶל־שַׁעַר מְקֹמוֹ׃	and unto the gate of his place;
20 וְאָמְרוּ	20. and they shall say
אֶל־זִקְנֵי עִירוֹ	unto the elders of his city,
בְּנֵנוּ זֶה	'This our son
סוֹרֵר וּמֹרֶה	is stubborn and rebellious,
אֵינֶנּוּ שֹׁמֵעַ בְּקֹלֵנוּ	he will not hearken to our voice;
זוֹלֵל וְסֹבֵא׃	(he is) a glutton, and a drunkard.'

Rashi — רש"י

18 סוֹרֵר.	18. **Stubborn**
סָר מִן הַדֶּרֶךְ׃	(סורר is to be interpreted:) He turns away (סר) from the (proper) way.
וּמוֹרֶה.	**And rebellious**
מְסָרֵב בְּדִבְרֵי אָבִיו,	He rebels against the words of his father.
לְשׁוֹן מַמְרִים (דְּבָרִ׳ ט)׃	(The term מורה) denotes "rebellious" (ממרים) (Deut. 9.7, 24).
וְיִסְּרוּ אֹתוֹ.	**And though they chasten him**
מַתְרִין בּוֹ בִּפְנֵי שְׁלֹשָׁה	They must warn him in the presence of three,
וּמַלְקִין אוֹתוֹ (סִפְרֵי, סַנְהֶ׳ ע״א)׃	and they punish him with lashes (Siphre; Sanhedrin 71).
בֵּן סוֹרֵר וּמוֹרֶה אֵינוֹ חַיָּב	A stubborn and rebellious son is not culpable
עַד שֶׁיִּגְנוֹב	until he has stolen
וְיֹאכַל תַּרְטֵימַר בָּשָׂר	and eaten half a manah of meat
וְיִשְׁתֶּה חֲצִי לוֹג יַיִן,	and has drunk half a log of wine,
שֶׁנֶּאֱמַר זוֹלֵל וְסֹבֵא,	for it is written (v. 20), "A glutton, and a drunkard,"
וְנֶאֱמַר (מִשְׁלֵי כ״ג)׃—	and it is stated (Prov. 23.20):
אַל תְּהִי בְסֹבְאֵי יָיִן	"Be not among winebibbers, (סבאי)
בְּזֹלְלֵי בָשָׂר לָמוֹ׃	among gluttonous eaters of flesh." (זוללי)
וּבֵן סוֹרֵר וּמוֹרֶה נֶהֱרָג	And a stubborn and rebellious son is put to death
עַל שֵׁם סוֹפוֹ,	because of (what he may become) in the end.
הִגִּיעָה תוֹרָה לְסוֹף דַּעְתּוֹ,	The Torah has arrived at his final intentions:
סוֹף שֶׁמְּכַלֶּה מְמוֹן אָבִיו	eventually he will consume the wealth of his father,
וּמְבַקֵּשׁ לְמוּדוֹ וְאֵינוֹ מוֹצֵא,	and will seek that to which he is accustomed, but will not find it,
וְעוֹמֵד בְּפָרָשַׁת דְּרָכִים	and he will stand at the crossroads
וּמְלַסְטֵם אֶת הַבְּרִיּוֹת,	and rob people.
אָמְרָה תוֹרָה יָמוּת זַכַּאי	The Torah has (consequently) said: Let him die innocent,
וְאַל יָמוּת חַיָּב (סִפְרֵי, סַנְהֶ׳ ע״א)׃	and let him not die guilty (Siphre; Sanhedrin 71).

21 וּרְגָמֻהוּ כָּל־אַנְשֵׁי עִירוֹ	21. And all the men of his city shall stone him
בָאֲבָנִים	with stones,
וָמֵת	that he die;
וּבִעַרְתָּ הָרָע	so shalt thou put away the evil
מִקִּרְבֶּךָ	from the midst of thee;
וְכָל־יִשְׂרָאֵל	and all Israel
יִשְׁמְעוּ וְיִרָאוּ׃ ס	shall hear, and fear.
שני	
22 וְכִי־יִהְיֶה בְאִישׁ	22. And if a man have committed
חֵטְא מִשְׁפַּט־מָוֶת	a sin worthy of death,
וְהוּמָת	and he be put to death,
וְתָלִיתָ אֹתוֹ עַל־עֵץ׃	and thou hang him on a tree;
23 לֹא־תָלִין נִבְלָתוֹ	23. his body shall not remain all night
עַל־הָעֵץ	upon the tree,
כִּי־קָבוֹר תִּקְבְּרֶנּוּ	but thou shalt surely bury him
בַּיּוֹם הַהוּא	the same day;
כִּי־קִלְלַת אֱלֹהִים	for a reproach unto God
תָּלוּי	is he that is hanged;
וְלֹא תְטַמֵּא	that thou defile not
אֶת־אַדְמָתְךָ	thy land

Rashi — רש"י

21 וְכָל־יִשְׂרָאֵל יִשְׁמְעוּ וְיִרָאוּ.	**21. And all Israel shall hear, and fear**
מִכָּאן שֶׁצָּרִיךְ הַכְרָזָה בְּבֵית דִּין:—	Hence (we derive) that the court must proclaim:
פְּלוֹנִי נִסְקַל	Such and such a person was stoned
עַל שֶׁהָיָה בֵן סוֹרֵר וּמוֹרֶה:	because he was a stubborn and rebellious son.
22 וְכִי־יִהְיֶה בְאִישׁ חֵטְא מִשְׁפַּט־מָוֶת.	**22. And if a man have committed a sin worthy of death**
סְמִיכוּת הַפָּרָשִׁיּוֹת מַגִּיד	The adjoining of these sections informs (us)
שֶׁאִם חָסִים עָלָיו אָבִיו וְאִמּוֹ,	that if his father and mother have pity on him,
סוֹף שֶׁיֵּצֵא לְתַרְבּוּת רָעָה	eventually he will lead a bad life,
וְיַעֲבוֹר עֲבֵרוֹת	and will commit transgressions,
וְיִתְחַיֵּב מִיתָה בְּבֵית דִּין (עַי׳ תַּנְח׳):	and will be condemned to death by the court (cf. Tanḥuma).
וְתָלִיתָ אֹתוֹ עַל־עֵץ.	**And thou hang him on a tree**
רַבּוֹתֵינוּ אָמְרוּ:—	Our Rabbis have said:
כָּל הַנִּסְקָלִין נִתְלִין	All who are stoned are (afterwards) hanged,
שֶׁנֶּאֱמַר כִּי קִלְלַת אֱלֹהִים תָּלוּי,	for it is stated, "for blaspheming of God ends in hanging",
וְהַמְבָרֵךְ ה׳ בִּסְקִילָה (סַנְהֶ׳ מ"ה):	and he that blasphemes the Lord is stoned (Sanhedrin 45).
23 כִּי־קִלְלַת אֱלֹהִים תָּלוּי.	**23. For a reproach unto God is he that is hanged**
זִלְזוּלוֹ שֶׁל מֶלֶךְ הוּא,	It is a slight to the King,
שֶׁאָדָם עָשׂוּי בִּדְמוּת דְּיוֹקְנוֹ,	because man is made in the likeness of His image
וְיִשְׂרָאֵל הֵם בָּנָיו;	and Israel are his children.
מָשָׁל לִשְׁנֵי אַחִים תְּאוֹמִים	This may be likened to two twin brothers

אֲשֶׁר יְהוָה אֱלֹהֶיךָ	which the Lord thy God
נֹתֵן לְךָ נַחֲלָה: ס	giveth thee for an inheritance.

CHAPTER XXII — כב

1 לֹא־תִרְאֶה	1. Thou shalt not see
אֶת־שׁוֹר אָחִיךָ	thy brother's ox
אוֹ אֶת־שֵׂיוֹ	or his sheep
נִדָּחִים	driven away,
וְהִתְעַלַּמְתָּ מֵהֶם	and hide thyself from them;
הָשֵׁב תְּשִׁיבֵם	thou shalt surely bring them back
לְאָחִיךָ:	unto thy brother.
2 וְאִם־לֹא קָרוֹב אָחִיךָ אֵלֶיךָ	2. And if thy brother be not nigh unto thee,
וְלֹא יְדַעְתּוֹ	and thou know him not,
וַאֲסַפְתּוֹ	then thou shalt gather it
אֶל־תּוֹךְ בֵּיתֶךָ	into thy house,
וְהָיָה עִמְּךָ	and it shall be with thee
עַד דְּרֹשׁ אָחִיךָ אֹתוֹ	until thy brother require it,
וַהֲשֵׁבֹתוֹ לוֹ:	and thou shalt restore it to him.

Rashi — רש״י

שֶׁהָיוּ דוֹמִים זֶה לָזֶה,	who resembled each other;
אֶחָד נַעֲשָׂה מֶלֶךְ	one became a king
וְאֶחָד נִתְפַּס לְלִסְטִיּוּת	while the other was seized as a criminal
וְנִתְלָה,	and was hanged.
כָּל הָרוֹאֶה אוֹתוֹ אוֹמֵר	Whoever saw him, exclaimed:
הַמֶּלֶךְ תָּלוּי,	The king is hanged.
כָּל קְלָלָה שֶׁבַּמִּקְרָא	(The term) קללה in Scripture always
לְשׁוֹן הָקֵל וְזִלְזוּל,	denotes treating lightly or slighting,
כְּמוֹ (מ״א ב):—	as (I Ki. 2.8):
וְהוּא קִלְלַנִי קְלָלָה נִמְרֶצֶת:	"and he slighted me grievously."
22 1 וְהִתְעַלַּמְתָּ.	**22 1. And hide thyself**
כּוֹבֵשׁ עַיִן כְּאִלּוּ אֵינוֹ רוֹאֵהוּ:	He hides (his) eye as though he does not see it.
לֹא תִרְאֶה . . . וְהִתְעַלַּמְתָּ.	**Thou shall not see . . . and hide thyself**
לֹא תִרְאֶה אוֹתוֹ	You shall not see it,
שֶׁתִּתְעַלֵּם מִמֶּנּוּ,	then hide yourself from it;
זֶהוּ פְּשׁוּטוֹ.	that is its plain meaning.
וְרַבּוֹתֵינוּ אָמְרוּ:—	And our Rabbis said:
פְּעָמִים שֶׁאַתָּה מִתְעַלֵּם וְכוּ׳ (סִפְרֵי, בָּ״מ ל):	There are times when you may hide yourself, etc. (Siphre; Baba Mesi'a 30).
2 עַד דְּרשׁ אָחִיךָ.	**2. Until thy brother require**
וְכִי תַעֲלֶה עַל דַּעְתְּךָ	And would it enter your mind
שֶׁיִּתְּנֶנּוּ לוֹ קוֹדֶם שֶׁיִּדְרְשֶׁהוּ?	that he would give it to him before he required it?
אֶלָּא דָּרְשֵׁהוּ שֶׁלֹּא יְהֵא רַמַּאי (בָּ״מ כ״ז):	However, investigate him whether he is not a liar (Baba Mesi'a 27).
וַהֲשֵׁבֹתוֹ לוֹ.	**And thou shalt restore it to him**
שֶׁתְּהֵא בוֹ הֲשָׁבָה,	There shall be a restoration of it,
שֶׁלֹּא יֹאכַל בְּבֵיתְךָ כְּדֵי דָמָיו	(i. e.,) it shall not consume (food) in your house equivalent to its value
וְתִתְבְּעֵם מִמֶּנּוּ,	and then you will claim it from him.
מִכָּאן אָמְרוּ:—	Hence (our Rabbis.) said:

3 וְכֵן תַּעֲשֶׂה לַחֲמֹרוֹ	3. And so shalt thou do with his ass;
וְכֵן תַּעֲשֶׂה לְשִׂמְלָתוֹ	and so shalt thou do with his garment;
וְכֵן תַּעֲשֶׂה	and so shalt thou do
לְכָל־אֲבֵדַת אָחִיךָ	with every lost thing of thy brother's,
אֲשֶׁר־תֹּאבַד מִמֶּנּוּ	which he hath lost,
וּמְצָאתָהּ	and thou hast found;
לֹא תוּכַל לְהִתְעַלֵּם׃ ס	thou mayest not hide thyself.
4 לֹא־תִרְאֶה	4. Thou shalt not see
אֶת־חֲמוֹר אָחִיךָ	thy brother's ass
אוֹ שׁוֹרוֹ	or his ox
נֹפְלִים בַּדֶּרֶךְ	fallen down by the way,
וְהִתְעַלַּמְתָּ מֵהֶם	and hide thyself from them;
הָקֵם תָּקִים עִמּוֹ׃ ס	thou shalt surely help him to lift (them) up again.
5 לֹא־יִהְיֶה כְלִי־גֶבֶר	5. That which pertaineth unto a man shall not be
עַל־אִשָּׁה	upon a woman,
וְלֹא־יִלְבַּשׁ גֶּבֶר	neither shall a man put on
שִׂמְלַת אִשָּׁה	a woman's garment;

Rashi — רש״י

כָּל דָּבָר שֶׁעוֹשֶׂה וְאוֹכֵל	Everything (i. e., an animal) which works and eats (and thereby earns its own food),
יַעֲשֶׂה וְיֹאכַל	let it work and eat;
וְשֶׁאֵינוֹ עוֹשֶׂה וְאוֹכֵל יִמָּכֵר (בָּ"מ כ"ח):	but if it does not work and eat, it shall be sold (B.M. 28).
3 **לֹא תוּכַל לְהִתְעַלֵּם.**	**3. Thou mayest not hide thyself**
לִכְבּוֹשׁ עֵינְךָ	By hiding your eye,
כְּאִלּוּ אֵינְךָ רוֹאֶה אוֹתוֹ:	as though you do not see it.
4 **הָקֵם תָּקִים.**	**4. Thou shall surely help to lift (them) up again**
זוּ טְעִינָה	This (refers to) loading (i. e., assistance rendered in loading up),
—לְהַטְעִין מַשּׂאוֹי שֶׁנָּפַל מֵעָלָיו (בָּ"מ ל"ב):	to load up a burden which fell down from upon it (Baba Mesi'a 32).
עִמּוֹ.	**(With) him**
עִם בְּעָלָיו,	With its owner.
אֲבָל אִם הָלַךְ וְיָשַׁב לוֹ	But if (the owner) went away and sat down,
וְאָמַר לוֹ	and said to him:
הוֹאִיל וְעָלֶיךָ מִצְוָה	Since it is commanded to you,
אִם רָצִיתָ לִטְעוֹן טְעוֹן,	if you wish to load up, load up,
פָּטוּר (שָׁם ל"ב):	he is exempt (*ibid.*, 32).
5 **לֹא־יִהְיֶה כְלִי־גֶבֶר עַל־אִשָּׁה.**	**5. That which pertaineth unto a man shall not be upon a woman**
שֶׁתְּהֵא דוֹמָה לְאִישׁ,	In order that she shall resemble a man,
כְּדֵי שֶׁתֵּלֵךְ בֵּין הָאֲנָשִׁים	in order that she should go among men;
שֶׁאֵין זוּ אֶלָּא	for this is only
לְשֵׁם נִאוּף (סִפְרֵי, נָזִיר נ"ט):	for the purpose of immorality (Siphre; Nazir 59).
וְלֹא־יִלְבַּשׁ גֶּבֶר שִׂמְלַת אִשָּׁה.	**Neither shall a man put on a woman's garment**
לֵילֵךְ לֵישֵׁב בֵּין הַנָּשִׁים.	In order to go and sit among women.

כִּי תוֹעֲבַת יְהוָה אֱלֹהֶיךָ	for an abomination unto the Lord thy God
כָּל־עֹשֵׂה אֵלֶּה: פ	is whosoever doeth these things.
6 כִּי יִקָּרֵא קַן־צִפּוֹר ׀	6. If a bird's nest chance to be
לְפָנֶיךָ	before thee
בַּדֶּרֶךְ	in the way,
בְּכָל־עֵץ ׀	in any tree
אוֹ עַל־הָאָרֶץ	or on the ground,
אֶפְרֹחִים אוֹ בֵיצִים	(with) young ones or eggs,
וְהָאֵם רֹבֶצֶת	and the dam sitting
עַל־הָאֶפְרֹחִים	upon the young,
אוֹ עַל־הַבֵּיצִים	or upon the eggs,
לֹא־תִקַּח הָאֵם	thou shalt not take the dam
עַל־הַבָּנִים:	with the young;
7 שַׁלֵּחַ תְּשַׁלַּח	7. thou shalt in any wise let go
אֶת־הָאֵם	the dam,
וְאֶת־הַבָּנִים תִּקַּח־לָךְ	but the young thou mayest take to thyself;
לְמַעַן יִיטַב לָךְ	that it may be well with thee,
וְהַאֲרַכְתָּ יָמִים: ס שלישי	and that thou mayest prolong (thy) days.
8 כִּי תִבְנֶה	8. When thou buildest
בַּיִת חָדָשׁ	a new house,

Rashi — רש"י

ד"א שֶׁלֹּא יַשִּׁיר	Another interpretation: He should not remove
שְׂעַר הָעֶרְוָה	the hair of the genital region
וּשְׂעַר שֶׁל בֵּית הַשֶּׁחִי (נָזִיר נ"ט):	nor the hair of the armpits (Naz. 59.
כִּי תוֹעֵבַת.	**For an abomination**
לֹא אָסְרָה תוֹרָה אֶלָּא	The Torah forbids only
לְבוּשׁ הַמֵּבִיא לִידֵי תוֹעֵבָה:	a garment which leads to abomination.
6 כִּי יִקָּרֵא.	**6. If (there) chance to be**
פְּרָט לִמְזֻמָּן (חולין קל"ט):	(This) excludes that which is prepared (Hullin 139).
לֹא־תִקַּח הָאֵם.	**Thou shalt not take the dam**
בְּעוֹדָהּ עַל בָּנֶיהָ (חולין ק"מ):	as long as she is with her young (Hullin 140).
7 לְמַעַן יִיטַב לָךְ וְגוֹ'.	**7. That it may be well with thee, etc.**
אִם מִצְוָה קַלָּה	If (as a reward for the observance of) an easy commandment
שֶׁאֵין בָּהּ חֶסְרוֹן כִּיס	connected with which there is no monetary loss
אָמְרָה תוֹרָה לְמַעַן יִיטַב לָךְ	the Torah has said, "That it may be well with thee,
וְהַאֲרַכְתָּ יָמִים,	and that thou mayest prolong thy days" —
קַל וָחוֹמֶר לְמַתַּן שְׂכָרָן	how much greater will be the reward
שֶׁל מִצְוֹת חֲמוּרוֹת (שָׁם קמ"ב):	(for the observance) of commandments which are more difficult (*ibid.*; 142).
8 כִּי תִבְנֶה בַּיִת חָדָשׁ.	**8. When thou buildest a new house**
אִם קִיַּמְתָּ מִצְוַת שִׁלּוּחַ הַקֵּן,	If you fulfill the commandment of letting go (the mother bird) (when) a nest (is taken out),
סוֹפְךָ לִבְנוֹת בַּיִת חָדָשׁ,	in the end you will build a new house,

וְעָשִׂיתָ מַעֲקֶה לְגַגֶּךָ	then thou shalt make a parapet for thy roof,
וְלֹא־תָשִׂים דָּמִים	that thou bring not blood
בְּבֵיתֶךָ	upon thy house,
כִּי־יִפֹּל הַנֹּפֵל מִמֶּנּוּ׃	if any man fall from thence.
9 לֹא־תִזְרַע כַּרְמְךָ	9. Thou shalt not sow thy vineyard
כִּלְאָיִם	(with) mixed seeds;
פֶּן־תִּקְדַּשׁ הַמְלֵאָה הַזֶּרַע	lest the fulness of the seed be forfeited,
אֲשֶׁר תִּזְרָע	which thou hast sown,
וּתְבוּאַת הַכָּרֶם׃ ס	together with the increase of the vineyard.
10 לֹא־תַחֲרֹשׁ	10. Thou shalt not plow
בְשׁוֹר־וּבַחֲמֹר יַחְדָּו׃	with an ox and an ass together.

Rashi — רש״י

וּתְקַיֵּם מִצְוַת מַעֲקֶה,	and you will fulfill the commandment of a parapet,
שֶׁמִּצְוָה גוֹרֶרֶת מִצְוָה,	for (the observance of one) commandment draws after it another,
וְתַגִּיעַ לְכֶרֶם וְשָׂדֶה	and you will attain a vineyard and a field
וְלִבְגָדִים נָאִים,	and beautiful garments.
לְכָךְ נִסְמְכוּ פָּרָשִׁיּוֹת הַלָּלוּ (תַּנְח׳)׃	For that reason are these sections adjoined (Tanḥuma).
מַעֲקֶה.	**A parapet**
גָּדֵר סָבִיב לַגַּג,	A fence round about the roof.
וְאוּנְקְלוֹס תִּרְגֵּם תְּיָקָה,	And Onkelos renders it תיקה (a railing),
כְּגוֹן תִּיק	like תיק (casing),
שֶׁמְּשַׁמֵּר מַה שֶּׁבְּתוֹכוֹ׃	which protects what is in it.
כִּי־יִפֹּל הַנֹּפֵל.	**If any man fall**
רָאוּי זֶה לִפּוֹל,	This man deserved to fall,
וְאַף עַל פִּי כֵן	and nevertheless
לֹא תִתְגַּלְגֵּל מִיתָתוֹ	let not his death be brought about
עַל יָדֶךָ,	through you,
שֶׁמְּגַלְגְּלִין זְכוּת	for good things are brought about
עַל יְדֵי זַכַּאי	through the agency of a good man,
וְחוֹבָה עַל יְדֵי חַיָּב (סִפְרֵי)׃	and bad things through the agency of a bad man (Siphre).
9 **כִּלְאָיִם.**	**9. Mixed seeds**
חִטָּה וּשְׂעוֹרָה וְחַרְצָן	A wheat grain, and a barley grain, and a kernel of grape
בְּמַפּוֹלֶת יָד (קִדּ׳ ל״ט, חוּלִּין פ״ב)׃	with a (single) throw of the hand (Kid. 39; Hul. 82).
פֶּן־תִּקְדַּשׁ.	**Lest (it) be forfeited**
כְּתַרְגּוּמוֹ תִּסְתָּאַב,	(Understand פן תקדש) as the Targum renders it: (lest) it become unfit.
כָּל דָּבָר הַנִּתְעָב עַל הָאָדָם,	Anything which is repugnant to man,
בֵּין לְשֶׁבַח כְּגוֹן הֶקְדֵּשׁ,	whether for praise, e. g., consecrated things,
בֵּין לִגְנַאי כְּגוֹן אִסּוּר,	or for reproach, e. g., forbidden things,
נוֹפֵל בּוֹ לְשׁוֹן קִדּוּשׁ,	there applies to it the term קדוש (consecrated),
כְּמוֹ (יְשַׁע׳ ס״ה)׃—	as (Isa. 65.5):
אַל תִּגַּשׁ בִּי כִּי קְדַשְׁתִּיךָ׃	"Come not near to me, for I am holier than thou" (קדשתיך).
הַמְלֵאָה.	**The fulness**
זֶה מִלּוּי וְתוֹסֶפֶת	This is the fulness and the increase
שֶׁהַזֶּרַע מוֹסִיף׃	which the seed increases.
10 **לֹא־תַחֲרֹשׁ בְּשׁוֹר־וּבַחֲמוֹר.**	**10. Thou shalt not plow w th an ox and an ass**
הוּא הַדִּין לְכָל שְׁנֵי מִינִים	This is the law for any two species (of animals)

11 לֹא תִלְבַּשׁ שַׁעַטְנֵז	11. Thou shalt not wear a mingled stuff,
צֶמֶר וּפִשְׁתִּים יַחְדָּו׃ ס	wool and linen together.
12 גְּדִלִים תַּעֲשֶׂה־לָּךְ	12. Thou shalt make thee twisted cords
עַל־אַרְבַּע כַּנְפוֹת	upon the four corners
כְּסוּתְךָ	of thy covering
אֲשֶׁר תְּכַסֶּה־בָּהּ׃ ס	wherewith thou coverest thyself.
13 כִּי־יִקַּח אִישׁ אִשָּׁה	13. If any man take a wife,
וּבָא אֵלֶיהָ	and go in unto her,
וּשְׂנֵאָהּ׃	and hate her,
14 וְשָׂם לָהּ עֲלִילֹת דְּבָרִים	14. and lay wanton charges against her,
וְהוֹצִא עָלֶיהָ	and bring up upon her
שֵׁם רָע	an evil name,
וְאָמַר	and say:
אֶת־הָאִשָּׁה הַזֹּאת לָקַחְתִּי	I took this woman,
וָאֶקְרַב אֵלֶיהָ	and (when) I came nigh to her,
וְלֹא־מָצָאתִי לָהּ	I found not in her
בְּתוּלִים׃	the tokens of virginity;

Rashi — רש"י

שֶׁבָּעוֹלָם (ב"ק נ"ד)	in the world (Baba Kamma 54).
הוּא הַדִּין לְהַנְהִיגָם יַחַד	The same law applies for (merely) driving them together
קְשׁוּרִים זוּגִים	bound as a pair,
בְּהוֹלָכַת שׁוּם מַשָּׂא׃	in the carrying of any burden.
11 שַׁעַטְנֵז.	**11. A mingled stuff**
לְשׁוֹן עֵרוּב,	(The term שעטנז) denotes a mixture.
וְרַבּוֹתֵינוּ פֵּרְשׁוּ	And our Rabbis have explained it:
שׁוּעַ טָווּי וְנוּז׃	fulled (שׁוּע), spun (טוּוי), and woven (נוֹז).
12 גְּדִלִים תַּעֲשֶׂה־לָּךְ.	**12. Thou shalt make thee twisted cords**
אַף מִן הַכִּלְאַיִם,	Even from mingled stuff.
לְכָךְ סְמָכָן הַכָּתוּב (יְבָמ' ד)׃	For this reason Scrip-adjoins them (Yeb. 4).
13 וּבָא אֵלֶיהָ וּשְׂנֵאָהּ.	**13. And (he) go in unto her, and hate her**
סוֹפוֹ וְשָׂם לָהּ עֲלִילֹת דְּבָרִים	In the end "he will lay wanton charges against her" —
—עֲבֵרָה גוֹרֶרֶת עֲבֵרָה,	(one) transgression draws after it (another) transtression.
עָבַר עַל לֹא תִשְׂנָא (וַיִּקְ' י"ט),	If he transgresses against "Thou shalt not hate" (Lev. 19.17),
סוֹפוֹ לָבֹא לִידֵי לְשׁוֹן הָרָע׃	in the end he comes to evil talk.
14 אֶת־הָאִשָּׁה הַזֹּאת.	**14. This woman**
מִכָּאן שֶׁאֵין אוֹמֵר דָּבָר	Hence (it is derived) that one may not say anything
אֶלָּא בִּפְנֵי בַעַל דִּין (סִפְרֵי)׃	save in the presence of his opponent (Siphre).

15 וְלָקַח אֲבִי הַנַּעֲרְ° וְאִמָּהּ	15. then shall take the father of the damsel, and her mother,
וְהוֹצִיאוּ אֶת־בְּתוּלֵי הַנַּעֲרְ°	and bring forth the token of the damsel's virginity
אֶל־זִקְנֵי הָעִיר	unto the elders of the city.
הַשָּׁעְרָה׃	in the gate.
16 וְאָמַר אֲבִי הַנַּעֲרְ°	16. And the damsel's father shall say
אֶל־הַזְּקֵנִים	unto the elders:
אֶת־בִּתִּי נָתַתִּי	I gave my daughter
לָאִישׁ הַזֶּה לְאִשָּׁה	unto this man to wife,
וַיִּשְׂנָאֶהָ׃	and he hateth her;
17 וְהִנֵּה־הוּא שָׂם עֲלִילֹת דְּבָרִים	17. and lo, he hath laid wanton charges,
לֵאמֹר	saying:
לֹא־מָצָאתִי לְבִתְּךָ	I found not in thy daughter
בְּתוּלִים	the tokens of virginity;
וְאֵלֶּה	and (yet) these are
בְּתוּלֵי בִתִּי	the tokens of my daughter's virginity.
וּפָרְשׂוּ הַשִּׂמְלָה	And they shall spread the garment
לִפְנֵי זִקְנֵי הָעִיר׃	before the elders of the city.
18 וְלָקְחוּ זִקְנֵי הָעִיר־הַהִוא	18. And the elders of that city shall take
אֶת־הָאִישׁ	the man
וְיִסְּרוּ אֹתוֹ׃	and chastise him.
19 וְעָנְשׁוּ אֹתוֹ	19. And they shall fine him
מֵאָה כֶסֶף	a hundred (shekels) of silver,
וְנָתְנוּ	and give (them)
לַאֲבִי הַנַּעֲרָה	unto the father of the damsel,
כִּי הוֹצִיא	because he hath brought up
שֵׁם רָע	an evil name
עַל בְּתוּלַת יִשְׂרָאֵל	upon a virgin of Israel;
וְלוֹ־תִהְיֶה	and to him she shall be

° הנערה קרי. ° הנערה קרי. ° הנערה קרי.

Rashi — רש״י

15 **אֲבִי הַנַּעֲרָה וְאִמָּהּ.**	**15. The father of the damsel, and her mother**
מִי שֶׁגִּדְּלוּ גִּדּוּלִים הָרָעִים	Those who reared bad offspring
יִתְבַּזּוּ עָלֶיהָ (עי׳ שָׁם):	shall be put to shame because of her (cf. *ibid.*).
16 **וְאָמַר אֲבִי הַנַּעֲרָה.**	**16. And the damsel's father shall say**
מְלַמֵּד שֶׁאֵין רְשׁוּת לָאִשָּׁה	(This) teaches that a woman has no permission
לְדַבֵּר בִּפְנֵי הָאִישׁ (שָׁם):	to speak in the presence of her husband (*ibid.*).
17 **וּפָרְשׂוּ הַשִּׂמְלָה.**	**17. And they shall spread the garment**
הֲרֵי זֶה מָשָׁל,	This is a metaphorical expression;
מְחַוְּרִין הַדְּבָרִים כְּשִׂמְלָה (שָׁם, כְּתוּ׳ מ״ו):	They must make the matter as clear (white) as a garment (that is white) (*ibid.*; Ketubot 46).
18 **וְיִסְּרוּ אֹתוֹ.**	**18. And (they shall) chastise him**
מַלְקוּת (שָׁם):	(This refers to) stripes (*ibid.*).

לְאִשָּׁה	for a wife;
לֹא־יוּכַל לְשַׁלְּחָהּ	he may not send her away
כָּל־יָמָיו: ס	all his days.
20 וְאִם־אֱמֶת הָיָה הַדָּבָר הַזֶּה	20. But if this thing be true,
לֹא־נִמְצְאוּ	that there were not found
בְתוּלִים	the tokens of virginity
לַנַּעֲרָ°:	in the damsel;
21 וְהוֹצִיאוּ אֶת־הַנַּעֲרָ°	21. then they shall bring out the damsel
אֶל־פֶּתַח בֵּית־אָבִיהָ	to the door of her father's house,
וּסְקָלוּהָ	and they shall stone her
אַנְשֵׁי עִירָהּ בָּאֲבָנִים	the men of her city with stones
וָמֵתָה	that she die;
כִּי־עָשְׂתָה נְבָלָה	because she hath wrought a wanton deed
בְּיִשְׂרָאֵל	in Israel,
לִזְנוֹת בֵּית אָבִיהָ	to play the harlot in the house of her father;
וּבִעַרְתָּ הָרָע	so shalt thou put away the evil
מִקִּרְבֶּךָ: ס	from the midst of thee.
22 כִּי־יִמָּצֵא אִישׁ	22. If a man be found
שֹׁכֵב ׀ עִם־אִשָּׁה	lying with a woman
בְעֻלַת־בַּעַל	married to a husband,
וּמֵתוּ גַּם־שְׁנֵיהֶם	then they shall die (also) both of them,
הָאִישׁ הַשֹּׁכֵב עִם־הָאִשָּׁה	the man that lay with the woman

° לנערה קרי. ° הנערה קרי.

Rashi — רש"י

20 וְאִם אֱמֶת הָיָה הַדָּבָר.	**20. But if this thing be true**
בְּעֵדִים וְהַתְרָאָה,	With witnesses and a warning,
שֶׁזָּנְתָה לְאַחַר אֵרוּסִין (כְּתוּ׳ מ"ד):	that she committed adultery after (her) betrothal Ket. 44).
21 אֶל־פֶּתַח בֵּית־אָבִיהָ.	**21. To the door of her father's house**
רְאוּ גִּדּוּלִים שֶׁגִּדַּלְתֶּם (שָׁם מ"ה):	Behold the children that you have reared (*ibid.*, 45).
אַנְשֵׁי עִירָהּ.	**The men of her city**
בְּמַעֲמַד כָּל אַנְשֵׁי עִירָהּ (סִפְרֵי):	In the presence of all the men of her city (Siphre).
לִזְנוֹת בֵּית אָבִיהָ.	**To play the harlot in the house of her father**
כְּמוֹ בְּבֵית:	(The expression בית here) is the same as בבית (in the house of).
22 וּמֵתוּ גַּם־שְׁנֵיהֶם.	**22. Then they shall die both of them**
לְהוֹצִיא מַעֲשֵׂה חִדּוּדִים	(גם שניהם comes) to exclude unnatural gratification,
שֶׁאֵין הָאִשָּׁה נֶהֱנֵת מֵהֶם (סִפְרֵי, סַנְהֶ׳ ס"ו):	from which the woman derives no pleasure (Siphre; Sanh. 66).
גַּם	**Also (both)**
לְרַבּוֹת הַבָּאִים מֵאַחֲרֵיהֶם (סִפְרֵי);	(This comes) to include those persons who commit adultery (with one of this pair) after them (i. e., after this pair had been found guilty) (Siphre).
דָּבָר אַחֵר, גַּם שְׁנֵיהֶם׳	Another explanation of "also both of them":

וְהָאִשָּׁה	and the woman;
וּבִעַרְתָּ הָרָע	so shalt thou put away the evil
מִיִּשְׂרָאֵל: ס	from Israel.
23 כִּי יִהְיֶה נַעֲרָ° בְתוּלָה	23. If there be a damsel (that is) a virgin
מְאֹרָשָׂה לְאִישׁ	betrothed unto a man,
וּמְצָאָהּ אִישׁ בָּעִיר	and a man find her in the city,
וְשָׁכַב עִמָּהּ:	and lie with her,
24 וְהוֹצֵאתֶם אֶת־שְׁנֵיהֶם	24. then ye shall bring them both out
אֶל־שַׁעַר ׀ הָעִיר הַהִוא	unto the gate of that city,
וּסְקַלְתֶּם אֹתָם בָּאֲבָנִים	and ye shall stone them with stones
וָמֵתוּ	that they die;
אֶת־הַנַּעֲרָ°	the damsel,
עַל־דְּבַר אֲשֶׁר לֹא־צָעֲקָה	because she cried not,
בָעִיר	(being) in the city;
וְאֶת־הָאִישׁ	and the man;
עַל־דְּבַר אֲשֶׁר־עִנָּה	because he hath humbled
אֶת־אֵשֶׁת רֵעֵהוּ	the wife of his neighbor;
וּבִעַרְתָּ הָרָע	so thou shalt put away the evil
מִקִּרְבֶּךָ: ס	from the midst of thee.
25 וְאִם־בַּשָּׂדֶה	25. But if in the field
יִמְצָא הָאִישׁ	the man find
אֶת־הַנַּעֲרָ° הַמְאֹרָשָׂה	the damsel that is betrothed,
וְהֶחֱזִיק־בָּהּ הָאִישׁ	and the man take hold of her,
וְשָׁכַב עִמָּהּ	and lie with her;
וּמֵת הָאִישׁ אֲשֶׁר־שָׁכַב עִמָּהּ	then the man that lay with her shall die,
לְבַדּוֹ:	alone.
26 וְלַנַּעֲרָ°	26. But unto the damsel
לֹא־תַעֲשֶׂה דָבָר	thou shalt do nothing;
אֵין לַנַּעֲרָ°	there is not in the damsel
חֵטְא מָוֶת	a sin worthy of death;

° נערה קרי. ° הנערה קרי. ° הנערה קרי. ° ולנערה קרי. ° לנערה קרי.

Rashi — רש"י

לְרַבּוֹת אֶת הַוָּלָד	To include the embryo,
שֶׁאִם הָיְתָה מְעֻבֶּרֶת	(i. e.,) if she was pregnant
אֵין מַמְתִּינִין לָהּ עַד שֶׁתֵּלֵד (עֲרָכ׳ ז):	they do not postpone her (execution) until she gives birth ('Arakin 7).
23 וּמְצָאָהּ אִישׁ בָּעִיר.	**23. And a man find her in the city**
לְפִיכָךְ שָׁכַב עִמָּהּ	As a result of this he lay with her;
פִּרְצָה קוֹרְאָה לַגַּנָּב,	a breach (occasion) invites the thief.
הָא אִלּוּ יָשְׁבָה בְּבֵיתָהּ,	But if she had remained at home,
לֹא אֵרַע לָהּ (סִפְרֵי):	this would not have befallen her (Siphre).

for as when a man riseth	כִּי כַּאֲשֶׁר יָקוּם אִישׁ
against his neighbor,	עַל־רֵעֵהוּ
and slayeth him,	וּרְצָחוֹ נֶפֶשׁ
even so is this matter.	כֵּן הַדָּבָר הַזֶּה׃
27. For in the field he found her,	27 כִּי בַשָּׂדֶה מְצָאָהּ
the betrothed damsel cried,	צָעֲקָה הַנַּעֲרָ° הַמְאֹרָשָׂה
and (there was) none to save her.	וְאֵין מוֹשִׁיעַ לָהּ׃ ס
28. If a man find	28 כִּי־יִמְצָא אִישׁ
a damsel that is a virgin,	נַעֲרָ° בְתוּלָה
that is not betrothed,	אֲשֶׁר לֹא־אֹרָשָׂה
and lay hold on her,	וּתְפָשָׂהּ
and lie with her,	וְשָׁכַב עִמָּהּ
and they be found;	וְנִמְצָאוּ׃

° הנערה קרי. ° נערה קרי.

29. then there shall give	29 וְנָתַן
the man that lay with her	הָאִישׁ הַשֹּׁכֵב עִמָּהּ
unto the damsel's father	לַאֲבִי הַנַּעֲרָ°
fifty (shekels) of silver,	חֲמִשִּׁים כָּסֶף
and to him she shall be	וְלוֹ־תִהְיֶה
for a wife,	לְאִשָּׁה
because he hath humbled her;	תַּחַת אֲשֶׁר עִנָּהּ
he may not send her away	לֹא־יוּכַל שַׁלְּחָהּ
all his days.	כָּל־יָמָיו׃ ס

CHAPTER XXIII — כג

1. A man shall not take	1 לֹא־יִקַּח אִישׁ
his father's wife,	אֶת־אֵשֶׁת אָבִיו
and shall not uncover	וְלֹא יְגַלֶּה
his father's skirt.	כְּנַף אָבִיו׃ ס

° הנערה קרי.

Rashi — רש״י

26. For as when (there) riseth, etc.	**26 כִּי כַּאֲשֶׁר יָקוּם וְגוֹ׳.**
According to its plain meaning, this is its explanation:	לְפִי פְּשׁוּטוֹ זֶהוּ מַשְׁמָעוּת:—
For she was outraged,	כִּי אֲנוּסָה הִיא
and witn force he rose up against her,	וּבְחָזְקָה עָמַד עָלֶיהָ,
as one who rises up against his neighbor to slay him.	כְּאָדָם הָעוֹמֵד עַל חֲבֵרוֹ לְהָרְגוֹ.
And our Rabbis explained regarding this (verse):	וְרַבּוֹתֵינוּ דָּרְשׁוּ בוֹ
This comes as a teacher (to elucidate) and is found to be a learner (is itself elucidated) etc. (Sanh. 73).	הֲרֵי זֶה בָא לְלַמֵּד וְנִמְצָא לָמֵד וְכוּ׳ (סַנְהֶ׳ ע״ג):

23 1. (He) shall not take	**23 1 לֹא־יִקַּח.**
He cannot legally marry her,	אֵין לוֹ בָּהּ לִקּוּחִין
and betrothal takes no effect in her case (Kid. 67).	וְאֵין קִדּוּשִׁין תּוֹפְסִין בָּהּ (קִדֻּ׳ ס״ז):
And (he) shall not uncover his father's skirt	**וְלֹא יְגַלֶּה כְּנַף אָבִיו.**
(This refers to the widow) waiting for his father who is the *yabam* (to marry or reject her),	שׁוֹמֶרֶת יָבָם שֶׁל אָבִיו
who is intended for his father.	הָרְאוּיָה לְאָבִיו,
But he has already been forwarned regarding her (Lev. 18.14),	וַהֲרֵי כְּבָר הֻזְהַר עָלֶיהָ (וַיִּקְ׳ י״ח):—

2 לֹא־יָבֹא	2. There shall not enter
פְּצוּעַ־דַּכָּה	he that is crushed
וּכְרוּת שָׁפְכָה	or maimed in his privy parts
בִּקְהַל יְהוָה: ס	into the assembly of the Lord.
3 לֹא־יָבֹא מַמְזֵר	3. A bastard shall not enter
בִּקְהַל יְהוָה	into the assembly of the Lord;
גַּם דּוֹר עֲשִׂירִי	even (to) the tenth generation
לֹא־יָבֹא לוֹ	shall none of his enter
בִּקְהַל יְהוָה: ס	into the assembly of the Lord.

4 לֹא־יָבֹא עַמּוֹנִי וּמוֹאָבִי	4. An Ammonite or a Moabite shall not enter
בִּקְהַל יְהוָה	into the assembly of the Lord;
גַּם דּוֹר עֲשִׂירִי	even to the tenth generation
לֹא־יָבֹא לָהֶם	shall none of them enter
בִּקְהַל יְהוָה	into the assembly of the Lord
עַד־עוֹלָם:	for ever;
5 עַל־דְּבַר אֲשֶׁר לֹא־קִדְּמוּ אֶתְכֶם	5. because they met you not
בַּלֶּחֶם וּבַמַּיִם	with bread and with water

Rashi — רש״י

מִשּׁוּם עֶרְוַת אֲחִי אָבִיךָ,	because of "the nakedness of thy father's brother";
אֶלָּא לַעֲבוֹר עַל זוּ	however (it comes) to make the transgressor answerable in reference to her
בִּשְׁנֵי לָאוִין,	for two prohibitive commands,
וְלִסְמוֹךְ לָהּ ,לֹא יָבֹא מַמְזֵר׳,	and to adjoin to it (v. 3) "A bastard shall not enter,"
לְלַמֵּד שֶׁאֵין מַמְזֵר אֶלָּא	in order to teach that a bastard is only
מֵחַיָּבֵי כְרִיתוֹת,	(the issue of a connection forbidden) under the penalty of excision,
וְקַל וָחוֹמֶר מֵחַיָּבֵי מִיתוֹת בֵּית דִּין	and therefore certainly under the penalty of death by the court;
שֶׁאֵין בַּעֲרָיוֹת מִיתַת בֵּית דִּין	for in reference to incest there is no death penalty by the court
שֶׁאֵין בָּהּ כָּרֵת (יְבָ׳ ד):	with which there is not connected the penalty of excision (Yeb. 4).
2 **פְּצוּעַ־דַּכָּא.**	**2. He that is crushed in his privy parts**
שֶׁנִּפְצְעוּ אוֹ נִדְכְּאוּ בֵּיצִים שֶׁלּוֹ:	(פצוע דכא denotes) one whose testicles are mutilated or crushed.
וּכְרוּת שָׁפְכָה.	**Or maimed**
שֶׁנִּכְרַת הַגִּיד	(I. e.,) the membrum is cut,
וְשׁוּב אֵינוֹ יוֹרֶה קִלּוּחַ זֶרַע	and he can no longer cause an uninterrupted flow of semen,
אֶלָּא שׁוֹפֵךְ וְשׁוֹתֵת	but (his flow) drips and trickles
וְאֵינוֹ מוֹלִיד (סִפְרֵי, יְבָמ׳ ע):	and he cannot beget offspring (Siphre; Yeb. 70).
3 **לֹא־יָבֹא מַמְזֵר בִּקְהַל ה׳.**	**3. A bastard shall not enter into the assembly of the Lord**
לֹא יִשָּׂא יִשְׂרְאֵלִית:	(I. e.,) he shall not marry an Israelite woman.
4 **לֹא־יָבֹא עַמּוֹנִי.**	**4. An Ammonite shall not enter**
לֹא יִשָּׂא יִשְׂרְאֵלִית:	(I. e.,) he shall not marry an Israelite woman.
5 **עַל־דְּבַר.**	**5. Because**
עַל הָעֵצָה שֶׁיָּעֲצוּ אֶתְכֶם	Because of the counsel which they gave you
לְהַחֲטִיאֲכֶם:	in order to cause you to sin.

בַּדֶּרֶךְ	in the way,
בְּצֵאתְכֶם מִמִּצְרָיִם	when ye came forth out of Egypt;
וַאֲשֶׁר שָׂכַר עָלֶיךָ	and because they hired against thee
אֶת־בִּלְעָם בֶּן־בְּעוֹר	Balaam the son of Beor,
מִפְּתוֹר אֲרַם נַהֲרַיִם	from Pethor of Aram-naharaim,
לְקַלְלֶךָּ׃	to curse thee.
6 וְלֹא־אָבָה יְהוָה אֱלֹהֶיךָ	6. Nevertheless the Lord thy God would not
לִשְׁמֹעַ אֶל־בִּלְעָם	hearken unto Balaam;
וַיַּהֲפֹךְ יְהוָה אֱלֹהֶיךָ	but the Lord thy God turned
לְּךָ	unto thee
אֶת־הַקְּלָלָה לִבְרָכָה	the curse into a blessing,
כִּי אֲהֵבְךָ יְהוָה אֱלֹהֶיךָ׃	because the Lord thy God loved thee.
7 לֹא־תִדְרֹשׁ	7. Thou shalt not seek
שְׁלֹמָם וְטֹבָתָם	their peace nor their prosperity
כָּל־יָמֶיךָ	all thy days
לְעוֹלָם׃ ס רביעי	for ever.
8 לֹא־תְתַעֵב אֲדֹמִי	8. Thou shalt not abhor an Edomite,
כִּי אָחִיךָ הוּא	for he is thy brother;
לֹא־תְתַעֵב מִצְרִי	thou shalt not abhor an Egyptian;
כִּי־גֵר הָיִיתָ בְאַרְצוֹ׃	because thou wast a stranger in his land.

Rashi — רש"י

בַּדֶּרֶךְ.	**In the way**
כְּשֶׁהֱיִיתֶם בְּטֵרוּף (סִפְרֵי):	When you were in (a state of) exhaustion (Siphre).
7 לֹא־תִדְרֹשׁ שְׁלוֹמָם.	**7. Thou shalt not seek their peace**
מִכְּלָל שֶׁנֶּאֱמַר	From the fact that it is stated (v. 17),
'עִמְּךָ יֵשֵׁב בְּקִרְבְּךָ',	"He shall dwell with thee, in the midst of thee,"
יָכוֹל אַף זֶה כֵּן,	I might infere that the same also (applies to) him;
תַּלְמוּד לוֹמַר ,לֹא־ תִדְרֹשׁ שְׁלֹמָם' (שָׁם):	therefore Scripture states, "Thou shalt not seek their peace" (*ibid.*).
8 לֹא־תְתַעֵב אֲדֹמִי.	**8. Thou shalt not abhor an Edomite**
לְגַמְרֵי,	completely;
וְאַף עַל פִּי שֶׁרָאוּי לְךָ לְתַעֲבוֹ	even though it is proper that you should abhor him,
שֶׁיָּצָא בַּחֶרֶב לִקְרָאתְךָ:	since he went forth with the sword against you.
לֹא־תְתַעֵב מִצְרִי.	**Thou shalt not abhor an Egyptian**
מִכָּל וָכֹל,	at all;
אַף עַל פִּי שֶׁזָּרְקוּ	even though they cast
זְכוּרֵיכֶם לַיְאוֹר,	your male infants into the Nile.
מַה טַּעַם?	What is the reason?
שֶׁהָיוּ לָכֶם אַכְסַנְיָא	For they were your hosts
בִּשְׁעַת הַדְּחָק, לְפִיכָךְ:	in a time of need. Consequently,

9 בָּנִים	9. (The) children
אֲשֶׁר־יִוָּלְדוּ לָהֶם	that are born unto them
דּוֹר שְׁלִישִׁי	of the third generation
יָבֹא לָהֶם	may enter
בִּקְהַל יְהוָה: ס	into the assembly of the Lord
10 כִּי־תֵצֵא מַחֲנֶה	10. When thou goest forth (in) camp
עַל־אֹיְבֶיךָ	against thine enemies,
וְנִשְׁמַרְתָּ	then thou shalt keep thee
מִכֹּל דָּבָר רָע:	from every evil thing.
11 כִּי־יִהְיֶה בְךָ אִישׁ	11. If there be among you any man,
אֲשֶׁר לֹא־יִהְיֶה טָהוֹר	that is not clean
מִקְּרֵה־לָיְלָה	(by reason of) that which chanceth (him by) night,
וְיָצָא	then shall he go abroad
אֶל־מִחוּץ לַמַּחֲנֶה	out of the camp,
לֹא יָבֹא	he shall not come
אֶל־תּוֹךְ הַמַּחֲנֶה:	within the camp.

Rashi — רש"י

9 בָּנִים אֲשֶׁר־יִוָּלְדוּ לָהֶם	**9. (The) children that are born unto them**
דּוֹר שְׁלִישִׁי וְגוֹ׳.	**of the third generation, etc.**
וּשְׁאָר אֻמּוֹת מוּתָּרִים מִיָּד,	Other nations, however, are permitted immediately.
הָא לָמַדְתָּ	Hence you learn
שֶׁהַמַּחֲטִיא לְאָדָם	that one who causes a person to commit a sin,
קָשֶׁה לוֹ מִן הַהוֹרְגוֹ,	it is worse for him than if he kills him;
שֶׁהַהוֹרְגוֹ הוֹרְגוֹ בָּעוֹלָם הַזֶּה	for if he kills him, he kills him in this world,
וְהַמַּחֲטִיא מוֹצִיאוֹ מִן הָעוֹלָם הַזֶּה	but if he causes him to commit a sin, he removes him from this world
וּמִן הָעוֹלָם הַבָּא,	and from the world to come.
לְפִיכָךְ אֱדוֹם שֶׁקִּדְּמָם בַּחֶרֶב	Consequently, the Edomites who met them with the sword,
לֹא נִתְעַב,	were not abhorred;
וְכֵן מִצְרִים שֶׁטִּבְּעוּם,	and similarly the Egyptians who drowned them (their infants);
וְאֵלּוּ שֶׁהֶחֱטִיאוּם נִתְעָבוּ (סִפְרֵי):	but those who caused them to sin, were abhorred (Siphre).
10 כִּי־תֵצֵא וְגוֹ׳ וְנִשְׁמַרְתָּ.	**10. When thou goest forth etc. then thou shalt keep thee**
שֶׁהַשָּׂטָן מְקַטְרֵג בִּשְׁעַת הַסַּכָּנָה:	For Satan brings charges in the hour of danger.
11 מִקְּרֵה־לָיְלָה.	**11. (By reason of) that which chanceth (him by) night**
דִּבֵּר הַכָּתוּב בְּהוֹוֶה (סִפְרֵי):	Scripture speaks of that which is (customary) (but the same law applies if the uncleanness happens at day time) (Siphre).
וְיָצָא אֶל־מִחוּץ לַמַּחֲנֶה.	**Then shall he go abroad out of the camp**
זוּ מִצְוַת עֲשֵׂה:	This is a positive commandment.
לֹא יָבֹא אֶל־תּוֹךְ הַמַּחֲנֶה.	**He shall not come within the camp**
זוּ מִצְוַת לֹא תַעֲשֶׂה (שָׁם),	This is a prohibitive command (*ibid.*).

12 וְהָיָה	12. But it shall be,
לִפְנוֹת־עֶרֶב	when evening cometh on,
יִרְחַץ בַּמָּיִם	he shall bathe himself in water;
וּכְבֹא הַשֶּׁמֶשׁ	and when the sun is down,
יָבֹא	he may come
אֶל־תּוֹךְ הַמַּחֲנֶה׃	within the camp.
13 וְיָד תִּהְיֶה לְךָ	13. And a place shalt thou have
מִחוּץ לַמַּחֲנֶה	without the camp,
וְיָצָאתָ שָּׁמָּה חוּץ׃	whither thou shalt go forth abroad.
14 וְיָתֵד תִּהְיֶה לְךָ	14. And a paddle shalt thou have
עַל־אֲזֵנֶךָ	among thy weapons;
וְהָיָה	and it shall be,
בְּשִׁבְתְּךָ חוּץ	when thou sittest down abroad,
וְחָפַרְתָּה בָהּ	thou shalt dig therewith,
וְשַׁבְתָּ	and shalt turn back
וְכִסִּיתָ אֶת־צֵאָתֶךָ׃	and cover that which cometh from thee.
15 כִּי יְהוָה אֱלֹהֶיךָ	15. For the Lord thy God
מִתְהַלֵּךְ ׀	walketh
בְּקֶרֶב מַחֲנֶךָ	in the midst of thy camp,
לְהַצִּילְךָ	to deliver thee,
וְלָתֵת אֹיְבֶיךָ	(and) to give up thine enemies
לְפָנֶיךָ	before thee;
וְהָיָה מַחֲנֶיךָ קָדוֹשׁ	(therefore) shall thy camp be holy;
וְלֹא־יִרְאֶה בְךָ	that He shall not see in thee

Rashi — רש״י

וְאָסוּר לִכָּנֵס לְמַחֲנֵה לְוִיָּה	And he is forbidden to enter the Levite camp,
וְכָל שֶׁכֵּן לְמַחֲנֵה שְׁכִינָה (פְּסָ׳ ס״ח):	and certainly the camp of the Divine Presence (Pes. 68).
12 וְהָיָה לִפְנוֹת־עֶרֶב.	**12. But it shall be, when evening cometh on**
סָמוּךְ לְהַעֲרֵב שִׁמְשׁוֹ יִטְבּוֹל	Close to the setting of the sun he shall immerse himself,
שֶׁאֵינוֹ טָהוֹר	for he is not clean
בְּלֹא הֶעֱרֵב הַשֶּׁמֶשׁ (סִפְרִי):	without the setting of the sun (Siphre).
13 וְיָד תִּהְיֶה לְךָ.	**13. And a place shalt thou have**
כְּתַרְגּוּמוֹ,	(Understand יד) as the Targum renders it (viz., אֲתַר מְתַקַּן, "a prepared place"),
כְּמוֹ (בְּמִדְ׳ ב):-	as (Num. 2.17):
אִישׁ עַל יָדוֹ:	"Every man in his place" (ידו).
מִחוּץ לַמַּחֲנֶה.	**Without the camp**
חוּץ לֶעָנָן:	(I. e.,) without the cloud (which surrounded the camp).
14 עַל־אֲזֵנֶךָ.	**14. Among thy weapons**
לְבַד מִשְּׁאָר כְּלֵי תַשְׁמִישְׁךָ:	Besides your other utensils.
אֲזֵנֶךָ.	**Thy weapons**
כְּמוֹ כְּלֵי זַיִן:	Such as weapons of war (זין).
15 וְלֹא־יִרְאֶה בְךָ.	**15. That He shall not see in thee**
הַקָּבָּ״ה „עֶרְוַת דָּבָר":	(That) the Holy One Blessed Be He (shall see no) "unseemly thing."

עֶרְוַת דָּבָר — any unseemly thing;

וְשָׁב מֵאַחֲרֶיךָ: ס — and turn away from thee.

16 לֹא־תַסְגִּיר — 16. Thou shalt not deliver a bondman unto his master
עֶבֶד אֶל־אֲדֹנָיו

אֲשֶׁר־יִנָּצֵל אֵלֶיךָ — that is escaped unto thee

מֵעִם אֲדֹנָיו: — from his master;

17 עִמְּךָ יֵשֵׁב — 17. he shall dwell with thee,

בְּקִרְבְּךָ — in the midst of thee,

בַּמָּקוֹם אֲשֶׁר־יִבְחַר — in the place which he shall choose

בְּאַחַד שְׁעָרֶיךָ — within one of thy gates,

בַּטּוֹב לוֹ — where it liketh him best;

לֹא תּוֹנֶנּוּ: ס — thou shalt not wrong him.

18 לֹא־תִהְיֶה קְדֵשָׁה — 18. There shall be no harlot

מִבְּנוֹת יִשְׂרָאֵל — of the daughters of Israel,

וְלֹא־יִהְיֶה קָדֵשׁ — neither shall there be a sodomite

מִבְּנֵי יִשְׂרָאֵל: — of the sons of Israel.

19 לֹא־תָבִיא — 19. Thou shalt not bring

אֶתְנַן זוֹנָה — the hire of a harlot,

Rashi — רש"י

16 **לֹא־תַסְגִּיר עֶבֶד.** — **16. Thou shalt not deliver a bondman**

כְּתַרְגּוּמוֹ. — (Understand this) as the Targum renders it (viz., עֶבֶד עַמְמִין "the servant of the heathens).

ד"א אֲפִילוּ עֶבֶד כְּנַעֲנִי שֶׁל יִשְׂרָאֵל — Another interpretation: Even the Canaanite bondman of an Israelite

שֶׁבָּרַח מִחוּצָה לָאָרֶץ לְאֶרֶץ יִשְׂרָאֵל (גִּיטִּין מ"ה): — that fled from outside the land (of Israel) to the land of Israel (Git. 45).

18 **לֹא־תִהְיֶה קְדֵשָׁה.** — **18. There shall be no harlot**

מְפֻקֶּרֶת מְקֻדֶּשֶׁת — One who acts licentiously, dedicates herself

וּמְזֻמֶּנֶת לִזְנוּת: — and is ready to play the harlot.

וְלֹא־יִהְיֶה קָדֵשׁ. — **Neither shall there be a sodomite**

מְזֻמָּן לְמִשְׁכַּב זָכוּר. — One who is ready for pederasty.

וְאוּנְקְלוֹס תִּרְגֵּם — Onkelos however renders (this verse):

לָא תְהֵא אִתְּתָא מִבְּנַת יִשְׂרָאֵל — A woman of the daughters of Israel shall not become

לִגְבַר עֲבַד — (the wife) of a slave,

שֶׁאַף זוֹ מְפֻקֶּרֶת לִבְעִילַת זְנוּת הִיא — for she is also free (in indulging) in intercourse for prostitution,

מֵאַחַר שֶׁאֵין קִדּוּשִׁין תּוֹפְסִין לוֹ בָּהּ, — since legal marriage does not take effect in her case;

שֶׁהֲרֵי הוּקְשׁוּ לַחֲמוֹר, — for they have been likened to an ass,

שֶׁנֶּאֱמַר: שְׁבוּ לָכֶם פֹּה עִם הַחֲמוֹר, — as it is stated, Gen. 22.5): "Abide ye here with (עִם) the ass" —

—עַם הַדּוֹמֶה לַחֲמוֹר, — a nation (עַם) that is likened to an ass.

וְלָא יִסַּב גַּבְרָא מִבְּנֵי יִשְׂרָאֵל — Neither shall a man of the children of Israel wed

אִתְּתָא אָמָה, — a bondwoman,

שֶׁאַף הוּא נַעֲשֶׂה קָדֵשׁ עַל יָדָהּ, — for he too becomes a prostitute through her,

שֶׁכָּל בְּעִילוֹתָיו — since all his sexual intercourse (is)

בְּעִילוֹת זְנוּת, — intercourse of prostitution,

שֶׁאֵין קִדּוּשִׁין תּוֹפְסִין לוֹ בָהּ (עַיֵּ' קִידּ' ס"ח): — for legal marriage does not take effect in her case (cf. Ḳid. 68).

19 **אֶתְנַן זוֹנָה.** — **19. The hire of a harlot**

נָתַן לָהּ טָלֶה בְּאֶתְנַנָּהּ — If he gave her a lamb as her hire,

פָּסוּל לְהַקְרָבָה: — it becomes unfit to be offered.

וּמְחִיר כֶּלֶב	or the price of a dog,
בֵּית יְהוָה אֱלֹהֶיךָ	into the house of the Lord thy God
לְכָל־נֶדֶר	for any vow;
כִּי תוֹעֲבַת יְהוָה אֱלֹהֶיךָ	for an abomination unto the Lord thy God,
גַּם־שְׁנֵיהֶם׃ ס	(are) both these.
20 לֹא־תַשִּׁיךְ לְאָחִיךָ	20. Thou shalt not lend upon interest to thy brother:
נֶשֶׁךְ כֶּסֶף	interest of money,
נֶשֶׁךְ אֹכֶל	interest of victuals,
נֶשֶׁךְ כָּל־דָּבָר	interest of any thing
אֲשֶׁר יִשָּׁךְ׃	that is lent upon interest.
21 לַנָּכְרִי תַשִּׁיךְ	21. Unto a foreigner thou mayest lend upon interest;
וּלְאָחִיךָ לֹא תַשִּׁיךְ	but unto thy brother thou shalt not lend upon interest;
לְמַעַן יְבָרֶכְךָ יְהוָה אֱלֹהֶיךָ	that the Lord thy God may bless thee
בְּכֹל מִשְׁלַח יָדֶךָ	in all that thou puttest thine hand unto,
עַל־הָאָרֶץ	in the land
אֲשֶׁר־אַתָּה בָא־שָׁמָּה	whither thou goest in
לְרִשְׁתָּהּ׃ ס	to possess it.
22 כִּי־תִדֹּר נֶדֶר	22. When thou shalt vow a vow
לַיהוָה אֱלֹהֶיךָ	unto the Lord thy God,
לֹא תְאַחֵר לְשַׁלְּמוֹ	thou shalt not be slack to pay it;
כִּי־דָרֹשׁ יִדְרְשֶׁנּוּ יְהוָה אֱלֹהֶיךָ	for the Lord thy God will surely require it

Rashi — רש״י

וּמְחִיר כֶּלֶב.	**Or the price of a dog**
הֶחֱלִיף שֶׂה בְּכֶלֶב:	If he exchanged a lamb for a dog.
גַּם־שְׁנֵיהֶם.	**(Are) both these**
לְרַבּוֹת שִׁנּוּיֵיהֶם,	(This comes) to include their changed forms,
כְּגוֹן חִטִּים וַעֲשָׂאָן סֹלֶת (בָּ״ק ס״ה):	e. g., wheat which he made into flour (B. K. 65).
20 לֹא־תַשִּׁיךְ.	**20. Thou shalt not lend upon interest**
אַזְהָרָה לַלֹּוֶה	(This is) a forewarning to the borrower,
שֶׁלֹּא יִתֵּן רִבִּית לַמַּלְוֶה,	that he should not give interest to the lender.
וְאַחַר כָּךְ אַזְהָרָה לַמַּלְוֶה	And afterwards it forewarns the lender.
אֶת כַּסְפְּךָ לֹא תִתֵּן לוֹ בְּנֶשֶׁךְ (וַיִּק׳ כ״ה):	"Thou shalt not give him thy money upon interest" Lev. 25.37).
21 לַנָּכְרִי תַשִּׁיךְ.	**21. Unto a foreigner thou mayest lend upon interest**
וְלֹא לְאָחִיךָ,	But not to your brother.
לָאו הַבָּא מִכְּלַל עֲשֵׂה עֲשֵׂה,	A prohibition derived (by implication) from a positive command (is treated like) a positive command,
לַעֲבוֹר עָלָיו בִּשְׁנֵי לָאוִין וַעֲשֵׂה:	making the transgressor answerable for two prohibitions and a positive command.
22 לֹא תְאַחֵר לְשַׁלְּמוֹ.	**22. Thou shalt not be slack to pay it**
שְׁלֹשָׁה רְגָלִים,	for three festivals.
וּלְמָדוּהוּ רַבּוֹתֵינוּ מִן הַמִּקְרָא (ר״הַ ד):	And our Rabbis derived this from a Scriptural verse (R. H. 4).

מֵעִמָּךְ	of thee;
וְהָיָה בְךָ חֵטְא:	and it will be sin in thee.
23 וְכִי תֶחְדַּל לִנְדֹּר	23. But if thou shalt forbear to vow,
לֹא־יִהְיֶה בְךָ חֵטְא:	it shall be no sin in thee.
24 מוֹצָא שְׂפָתֶיךָ	24. That which is gone out of thy lips
תִּשְׁמֹר	thou shalt observe
וְעָשִׂיתָ	and do;
כַּאֲשֶׁר נָדַרְתָּ	according as thou hast vowed
לַיהוָה אֱלֹהֶיךָ	unto the Lord thy God
נְדָבָה	freely,
אֲשֶׁר דִּבַּרְתָּ בְּפִיךָ: ס חמישי	even that which thou hast promised with thy mouth.
25 כִּי תָבֹא	25. When thou comest
בְּכֶרֶם רֵעֶךָ	into thy neighbor's vineyard,
וְאָכַלְתָּ עֲנָבִים	then thou mayest eat grapes
כְּנַפְשְׁךָ שָׂבְעֶךָ	at thine own pleasure until thou be satisfied;
וְאֶל־כֶּלְיְךָ לֹא־ תִתֵּן: ס	but thou shalt not put any in thy vessel.
26 כִּי תָבֹא	26. When thou comest
בְּקָמַת רֵעֶךָ	into thy neighbor's standing corn,
וְקָטַפְתָּ מְלִילֹת	then thou mayest pluck ears
בְּיָדֶךָ	with thy hand;
וְחֶרְמֵשׁ לֹא תָנִיף	but thou shalt not move a sickle
עַל קָמַת רֵעֶךָ: ס	unto thy neighbor's standing corn.

Rashi — רש"י

24 מוֹצָא שְׂפָתֶיךָ תִּשְׁמֹר.	**24. That which is gone out of thy lips thou shalt observe**
לִיתֵּן עֲשֵׂה עַל לֹא תַעֲשֶׂה (שָׁם):	(This comes) to add a positive command to the prohibitive command (*ibid.*, 6).
25 כִּי תָבֹא בְּכֶרֶם רֵעֶךָ.	**25. When thou comest into thy neighbor's vineyard**
בְּפוֹעֵל הַכָּתוּב מְדַבֵּר:	Regarding a worker does Scripture speak.
כְּנַפְשְׁךָ.	**At thine own pleasure**
כַּמָּה שֶׁתִּרְצֶה:	As much as you desire.
שָׂבְעֶךָ.	**Until thou be satisfied**
וְלֹא אֲכִילָה גַסָּה (בָּ"מ פ"ו):	But not an excessive meal (B. M. 86).
וְאֶל־כֶּלְיְךָ לֹא תִתֵּן.	**But thou shalt not put any in thy vessel**
מִכָּאן שֶׁלֹּא דִבְּרָה תוֹרָה אֶלָּא	Hence (we derive) that the Torah speaks only
בִּשְׁעַת הַבָּצִיר,	of the time of gathering,
בִּזְמַן שֶׁאַתָּה נוֹתֵן	at the time when you put (the grapes)
לְכֵלָיו שֶׁל בַּעַל הַבַּיִת (סִפְרֵי, בָּ"מ פ"ט),	in the vessel of the owner (Siphre; B. M. 89).
אֲבָל אִם בָּא לַעֲדוֹר	But if he came to hoe
וּלְקַשְׁקֵשׁ אֵינוֹ אוֹכֵל (שָׁם פ"ז):	or to crush the earth (under the olive tree), he may not eat (*ibid.*, 87).
26 כִּי תָבֹא בְּקָמַת רֵעֶךָ.	**26 When thou comest into thy neighbor's standing corn**
אַף זוּ בְּפוֹעֵל הַכָּתוּב מְדַבֵּר:	Here too regarding a worker does Scripture speak.

CHAPTER XXIV — כד

1 כִּי־יִקַּח אִישׁ אִשָּׁה	1. When a man taketh a wife,
וּבְעָלָהּ	and marrieth her,
וְהָיָה	then it cometh to pass,
אִם־לֹא תִמְצָא־חֵן	if she find no favor
בְּעֵינָיו	in his eyes,
כִּי־מָצָא בָהּ	because he hath found in her
עֶרְוַת דָּבָר	some unseemly thing,
וְכָתַב לָהּ	that he writeth her
סֵפֶר כְּרִיתֻת	a bill of divorcement,
וְנָתַן בְּיָדָהּ	and giveth (it) in her hand,
וְשִׁלְּחָהּ מִבֵּיתוֹ:	and sendeth her out of his house,
2 וְיָצְאָה מִבֵּיתוֹ	2. and she departeth out of his house,
וְהָלְכָה	and goeth
וְהָיְתָה לְאִישׁ־אַחֵר:	and becometh (a wife) to another man,
3 וּשְׂנֵאָהּ הָאִישׁ הָאַחֲרוֹן	3. and the latter husband hateth her,
וְכָתַב לָהּ	and he writeth her
סֵפֶר כְּרִיתֻת	a bill of divorcement,
וְנָתַן בְּיָדָהּ	and giveth (it) in her hand,
וְשִׁלְּחָהּ מִבֵּיתוֹ	and sendeth her out of his house;
אוֹ כִי יָמוּת הָאִישׁ הָאַחֲרוֹן	or if the latter husband die,
אֲשֶׁר־לְקָחָהּ לוֹ לְאִשָּׁה:	who took her to be his wife;
4 לֹא־יוּכַל	he may not,
בַּעְלָהּ הָרִאשׁוֹן	her former husband
אֲשֶׁר־שִׁלְּחָהּ	who sent her away,
לָשׁוּב לְקַחְתָּהּ	(he may not) take her again
לִהְיוֹת לוֹ לְאִשָּׁה	to be his wife,

Rashi — רש״י

24 1 כִּי־מָצָא בָהּ עֶרְוַת דָּבָר.	24 1. **Because he hath found in her some unseemly thing**
מִצְוָה עָלָיו לְגָרְשָׁהּ,	It is mandatory upon him to divorce her,
שֶׁלֹּא תִמְצָא חֵן בְּעֵינָיו	lest she find favor in his eyes.
(ס״א מִצְוָה	((Another text: it is mandatory
שֶׁלֹּא תִמְצָא חֵן בְּעֵינָיו):	that she do not find favor in his eyes.)
2 לְאִישׁ־אַחֵר.	**2. (A wife) to another man**
אֵין זֶה בֶּן זוּגוֹ שֶׁל רִאשׁוֹן,	This (second husband) is not one of a pair (he is "another" — different) with the first (is morally inferior);
הוּא הוֹצִיא רְשָׁעָה מִתּוֹךְ בֵּיתוֹ	the latter removed a wicked woman from his house,
וְזֶה הִכְנִיסָהּ (שָׁם):	whereas the former took her in (*ibid.*).
3 וּשְׂנֵאָהּ הָאִישׁ הָאַחֲרוֹן.	**3. And the latter husband hateth her**
הַכָּתוּב מְבַשְּׂרוֹ	Scripture informs him
שֶׁסּוֹפוֹ לִשְׂנֹאתָהּ,	that in the end he will hate her,
וְאִם לָאו קוֹבַרְתּוֹ,	and if not, she will bury him,
שֶׁנֶּאֱמַר ,אוֹ כִּי יָמוּת' (סִפְרֵי):	as it is stated, "or if he die" (Siphre).

אַחֲרֵי אֲשֶׁר הֻטַּמָּאָה	after that she is defiled;
כִּי־תוֹעֵבָה הִוא	for that is abomination
לִפְנֵי יְהוָה	before the Lord;
וְלֹא תַחֲטִיא אֶת־הָאָרֶץ	and thou shalt not cause the land to sin,
אֲשֶׁר יְהוָה אֱלֹהֶיךָ	which the Lord thy God
נֹתֵן לְךָ נַחֲלָה: ס	giveth thee for an inheritance.
ששי	
5 כִּי־יִקַּח אִישׁ	5. When a man taketh
אִשָּׁה חֲדָשָׁה	a new wife,
לֹא יֵצֵא בַּצָּבָא	he shall not go out in the host,
וְלֹא־יַעֲבֹר עָלָיו לְכָל־דָּבָר	neither shall he be charged with any thing;
נָקִי יִהְיֶה לְבֵיתוֹ	he shall be free for his house
שָׁנָה אֶחָת	one year,
וְשִׂמַּח אֶת־אִשְׁתּוֹ	and shall cheer his wife
אֲשֶׁר־לָקָח:	whom he hath taken.

Rashi — רש״י

4 אַחֲרֵי אֲשֶׁר הֻטַּמָּאָה.	**4. After that she is defiled**
לְרַבּוֹת סוֹטָה שֶׁנִּסְתְּרָה (יְבָמ׳ י״א):	(This comes) to include a Soṭah (a woman suspected of faithlessness) who retired (with a man under suspicious circumstances) (Yeb. 11).
5 אִשָּׁה חֲדָשָׁה.	**5. A new wife**
שֶׁהִיא חֲדָשָׁה לוֹ	(I. e.,) who is new to him,
וַאֲפִילוּ אַלְמָנָה,	even though (she be) a widow.
פְּרַט לְמַחֲזִיר גְּרוּשָׁתוֹ (סִפְרֵי, סוֹטָה מ״ד):	This excludes one who remarries the wife he divorced (Siphre; Soṭah 44).
וְלֹא־יַעֲבֹר עָלָיו.	**Neither shall he be charged**
דְּבַר הַצָּבָא:	with any responsibility of the host.
לְכָל־דָּבָר.	**With any thing**
שֶׁהוּא צוֹרֶךְ הַצָּבָא,	which is necessary for the host,
לֹא לְסַפֵּק מַיִם וּמָזוֹן	(e. g.,) neither to provide water and food
וְלֹא לְתַקֵּן הַדְּרָכִים	nor to repair roads.
אֲבָל הַחוֹזְרִים מֵעוֹרְכֵי הַמִּלְחָמָה	But those who return from the line of battle
עַל פִּי כֹהֵן,	at the command of the priest,
כְּגוֹן בָּנָה בַיִת וְלֹא חֲנָכוֹ,	e. g., one who built a house and did not dedicate it,
אוֹ אֵרַשׂ אִשָּׁה וְלֹא לְקָחָהּ,	or one who betrothed a wife and did not take her,
מְסַפְּקִין מַיִם וּמָזוֹן	they do provide water and food
וּמְתַקְּנִין אֶת הַדְּרָכִים (שָׁם):	and repair the roads (*ibid.*).
יִהְיֶה לְבֵיתוֹ.	**He shall be (free) for his house**
אַף בִּשְׁבִיל בֵּיתוֹ,	Even because of his house:
אִם בָּנָה בַיִת וַחֲנָכוֹ	if he built a house and dedicated it,
וְאִם נָטַע כֶּרֶם וְחִלְּלוֹ	or if he planted a vineyard and (has only just begun to) eat of its fruit,
אֵינוֹ זָז מִבֵּיתוֹ	he need not leave his house
בִּשְׁבִיל צָרְכֵי הַמִּלְחָמָה,	because of the needs of war;
„יִהְיֶה" לְרַבּוֹת אֶת כַּרְמוֹ,	"he shall be" (comes) to include his vineyards,
„לְבֵיתוֹ" זֶה בֵּיתוֹ:	לביתו denotes his house proper.
וְשִׂמַּח.	**And (he) shall cheer**
יְשַׂמַּח אֶת אִשְׁתּוֹ,	He shall make his wife to rejoice.

6. One shall not take to pledge	6 לֹא־יַחֲבֹל
the mill or the upper millstone;	רֵחַיִם וָרָכֶב
for a (man's) life he taketh to pledge.	כִּי־נֶפֶשׁ הוּא חֹבֵל׃ ס
7. If a man be found	7 כִּי־יִמָּצֵא אִישׁ
stealing any of his brethren	גֹּנֵב נֶפֶשׁ מֵאֶחָיו
of the children of Israel,	מִבְּנֵי יִשְׂרָאֵל
and he deal with him as a slave,	וְהִתְעַמֶּר־בּוֹ
and sell him;	וּמְכָרוֹ
then that thief shall die;	וּמֵת הַגַּנָּב הַהוּא
so shalt thou put away the evil	וּבִעַרְתָּ הָרָע
from the midst of thee.	מִקִּרְבֶּךָ׃ ס
8. Take heed	8 הִשָּׁמֶר
in the plague of leprosy,	בְּנֶגַע־הַצָּרַעַת
that thou observe diligently,	לִשְׁמֹר מְאֹד
and do	וְלַעֲשׂוֹת
according to all	כְּכֹל
that the priests the Levites shall teach you,	אֲשֶׁר־יוֹרוּ אֶתְכֶם הַכֹּהֲנִים הַלְוִיִּם

Rashi — רש"י

Its (correct) Targum rendering (therefore) is: "and shall make his wife to rejoice;"	וְתַרְגּוּמוֹ וְיַחְדֵּי יָת אִתְּתֵהּ,
but whoever renders it "and he shall rejoice with (עם) his wife,"	וְהַמְתַרְגֵּם וְיֶחְדֵּי עִם אִתְּתֵהּ
he errs,	טוֹעֶה הוּא,
for the latter is not the translation of וְשִׂמַּח (i. e., the pi'el, "he shall make to rejoice")	שֶׁאֵין זֶה תַּרְגּוּם שֶׁל וְשִׂמַּח
but of וְשָׂמַח (i. e., the kal, "he shall rejoice").	אֶלָּא שֶׁל וְשָׂמַח׃
6. One shall not take to pledge	6 לֹא־יַחֲבֹל.
If he comes to make him give a pledge for his debt in court,	אִם בָּא לְמַשְׁכְּנוֹ עַל חוֹבוֹ בְּבֵית דִּין
he shall not make him give a pledge of the things	לֹא יְמַשְׁכְּנֶנּוּ בִּדְבָרִים
with which food is prepared (B. M. 113).	שֶׁעוֹשִׂים בָּהֶן אוֹכֶל נֶפֶשׁ (בָּ"מְ קי"ג)׃
The mill	רֵחַיִם.
This is the lower (stone).	הִיא הַתַּחְתּוֹנָה׃
Or the upper millstone	וָרָכֶב.
This is the upper (stone).	הִיא הָעֶלְיוֹנָה׃
7. If (a man) be found	7 כִּי־יִמָּצֵא.
Through witnesses and a warning;	בְּעֵדִים וְהַתְרָאָה,
and the same (applies) to every instance of "he be found" in the Torah (Siphre).	וְכֵן כָּל 'יִמָּצֵא' שֶׁבַּתּוֹרָה (סִפְרֵי)׃
And he deal with him as a slave	וְהִתְעַמֶּר־בּוֹ.
He is not culpable unless he makes use of him.	אֵינוֹ חַיָּב עַד שֶׁיִּשְׁתַּמֵּשׁ בּוֹ׃
8. Take heed in the plague of leprosy	8 הִשָּׁמֶר בְּנֶגַע־הַצָּרַעַת.
You shall not remove the signs of impurity,	שֶׁלֹּא תִתְלוֹשׁ סִימָנֵי טֻמְאָה
nor cut out the bright spot (Makkot 22).	וְלֹא תָקוּץ אֶת הַבַּהֶרֶת (מַכּ' כ"ב)׃
According to all that (they) shall teach you	כְּכֹל אֲשֶׁר־יוֹרוּ אֶתְכֶם.
Whether to lock up (the leper in quarantine),	אִם לְהַסְגִּיר
or to declare him definitely (leprous),	אִם לְהַחְלִיט
or to pronounce (him) clean.	אִם לְטַהֵר׃

כַּאֲשֶׁר צִוִּיתִם	as I commanded them,
תִּשְׁמְרוּ לַעֲשׂוֹת׃	so shall ye observe to do.
9 זָכוֹר	9. Remember
אֵת אֲשֶׁר־עָשָׂה יְהוָה אֱלֹהֶיךָ	what the Lord thy God did
לְמִרְיָם	unto Miriam,
בַּדֶּרֶךְ	by the way
בְּצֵאתְכֶם מִמִּצְרָיִם׃ ס	as ye came forth out of Egypt.
10 כִּי־תַשֶּׁה בְרֵעֲךָ	10. When thou dost lend thy neighbor
מַשַּׁאת מְאוּמָה	any manner of loan,
לֹא־תָבֹא אֶל־בֵּיתוֹ	thou shalt not go into his house
לַעֲבֹט עֲבֹטוֹ׃	to fetch his pledge.
11 בַּחוּץ תַּעֲמֹד	11. Thou shalt stand without,
וְהָאִישׁ	and the man
אֲשֶׁר אַתָּה נֹשֶׁה בוֹ	to whom thou dost lend
יוֹצִיא אֵלֶיךָ	shall bring forth unto thee
אֶת־הַעֲבוֹט	the pledge
הַחוּצָה׃	without.
12 וְאִם־אִישׁ עָנִי הוּא	12. And if he be a poor man,
לֹא תִשְׁכַּב בַּעֲבֹטוֹ׃	thou shalt not sleep with his pledge;
13 הָשֵׁב תָּשִׁיב לוֹ	13. thou shalt surely restore to him
אֶת־הַעֲבוֹט	the pledge
כְּבוֹא הַשֶּׁמֶשׁ	when the sun goeth down,

Rashi — רש״י

9 זָכוֹר אֵת אֲשֶׁר עָשָׂה ה' אֱלֹהֶיךָ לְמִרְיָם.	**9. Remember what the Lord thy God did unto Miriam**
אִם בָּאתָ לְהִזָּהֵר	If you desire to guard yourself
שֶׁלֹּא תִלָּקֶה בְּצָרַעַת	against being smitten with leprosy,
אַל תְּסַפֵּר לָשׁוֹן הָרָע,	do not relate evil talk.
זָכוֹר הֶעָשׂוּי לְמִרְיָם	Remember what was done to Miriam,
שֶׁדִּבְּרָה בְאָחִיהָ	who spoke against her brother
וְלָקְתָה בִנְגָעִים (סִפְרֵי)׃	and was smitten with plagues (Siphre).
10 כִּי־תַשֶּׁה בְרֵעֲךָ.	**10. When thou dost lend thy neighbor**
תָּחוֹב בַּחֲבֵרְךָ׃	(תשה denotes) "thou dost lend" thy neighbor.
מַשַּׁאת מְאוּמָה.	**Any manner of loan**
חוֹב שֶׁל כְּלוּם׃	(משאת מאומה denotes) "any manner of loan."
12 לֹא תִשְׁכַּב בַּעֲבֹטוֹ.	**12. Thou shalt not sleep with his pledge**
לֹא תִשְׁכַּב וַעֲבוֹטוֹ אֶצְלְךָ (בָּ"מ קי"ד)׃	(I. e.,) you shall not lie down to sleep with his pledge in your possession (B. M. 114).
13 כְּבוֹא הַשֶּׁמֶשׁ.	**13. When the sun goeth down**
אִם כְּסוּת לַיְלָה הוּא,	if it is a covering (used at) night;
וְאִם כְּסוּת יוֹם	and if it is a covering (used) during the day,
הַחֲזִירֵהוּ בַבֹּקֶר,	return it to him in the morning.
וּכְבָר כָּתוּב בְּ,וְאֵלֶּה הַמִּשְׁפָּטִים' (שְׁמ' כ"ב)	And it has already been written in (the weekly portion) ואלה המשפטים (Ex. 22.25),
עַד בּוֹא הַשֶּׁמֶשׁ תְּשִׁיבֶנּוּ לוֹ,	"By the going down of the sun thou shalt restore it to him,"

וְשָׁכַב בְּשַׂלְמָתוֹ	that he may sleep in his garment,
וּבֵרְכֶךָּ	and bless thee;
וּלְךָ תִּהְיֶה צְדָקָה	and unto thee it shall be righteousness
לִפְנֵי יְהֹוָה אֱלֹהֶיךָ׃ ס שביעי	before the Lord thy God.
14 לֹא־תַעֲשֹׁק שָׂכִיר	14. Thou shalt not oppress a hired servant
עָנִי וְאֶבְיוֹן	(that is) poor and needy,
מֵאַחֶיךָ	(whether he be) of thy brethren,
אוֹ מִגֵּרְךָ	or of thy strangers
אֲשֶׁר בְּאַרְצְךָ	that are in thy land
בִּשְׁעָרֶיךָ׃	within thy gates:
15 בְּיוֹמוֹ תִתֵּן שְׂכָרוֹ	15. In the same day thou shalt give him his hire,
וְלֹא־תָבוֹא עָלָיו הַשֶּׁמֶשׁ	neither shall the sun go down upon it;
כִּי עָנִי הוּא	for he is poor,
וְאֵלָיו הוּא נֹשֵׂא אֶת־נַפְשׁוֹ	and for it he risketh his life;

Rashi — רש״י

כָּל הַיּוֹם תְּשִׁיבֶנּוּ לוֹ,—	(i. e.,) for the entire day you shall restore it to him,
וּכְבֹא הַשֶּׁמֶשׁ תִּקָּחֶנּוּ:	and when the sun goes down you may take it.
וּבֵרְכֶךָּ.	**And (that he may) bless thee**
וְאִם אֵינוֹ מְבָרֶכְךָ,	And if he does not bless you,
מִכָּל מָקוֹם „וּלְךָ תִּהְיֶה צְדָקָה" (סִפְרֵי):	in any case "It shall be righteousness unto thee" (Siphre).
14 לֹא־תַעֲשֹׁק שָׂכִיר.	**14. Thou shalt not oppress a hired servant**
וַהֲלֹא כְּבָר כָּתוּב?	But has this not already been written?
אֶלָּא לַעֲבוֹר עַל הָאֶבְיוֹן	However (it comes) to make (the transgressor) answerable in the case of a needy man
בִּשְׁנֵי לָאוִין,	for two prohibitive commands:
לֹא תַעֲשֹׁק שְׂכַר שָׂכִיר	you shall not withhold the wages of a hired servant
שֶׁהוּא עָנִי וְאֶבְיוֹן,	who is poor and needy;
וְעַל הֶעָשִׁיר כְּבָר הֻזְהַר (וַיִּקְ׳ י״ט):—	and in reference to a rich man, he has already been forewarned (Lev. 19.13),
לֹא תַעֲשֹׁק אֶת רֵעֲךָ (בָּ״מְ ס״א):	"Thou shalt not oppress thy neighbor" (B. M. 61).
אֶבְיוֹן.	**Needy**
הַתָּאֵב לְכָל דָּבָר:	One who longs (תאב—אביון) for everything.
מִגֵּרְךָ.	**Of thy strangers**
זֶה גֵּר צֶדֶק:	This (refers to) a true proselyte.
בִּשְׁעָרֶיךָ.	**Within thy gates**
זֶה גֵּר תּוֹשָׁב	This (refers to) a stranger that renounces idolatry (a partial citizen),
הָאוֹכֵל נְבֵלוֹת:	(but) who eats *nebelah* (the flesh of animals not slaughtered according to ritual rules).
אֲשֶׁר בְּאַרְצְךָ.	**That are in thy land**
לְרַבּוֹת שְׂכַר בְּהֵמָה וְכֵלִים (בָּ״מְ קי״א):	(This comes) to include the hire of animals and utensils (B. M. 111).
15 וְאֵלָיו הוּא נֹשֵׂא אֶת־נַפְשׁוֹ.	**15. And for it he risketh his life**
אֶל הַשָּׂכָר הַזֶּה	For this hire
הוּא נוֹשֵׂא אֶת נַפְשׁוֹ לָמוּת,	he risks his life to die;
עָלָה בַכֶּבֶשׁ	he climbs a (high) ascent,
וְנִתְלָה בָאִילָן (בָּ״מְ קי״ב):	and swings on a tree (B. M. 112).

וְלֹֽא־יִקְרָא עָלֶיךָ	lest he cry against thee
אֶל־יְהוָה	unto the Lord,
וְהָיָה בְךָ חֵטְא׃ ס	and it be sin in thee. ס
16 לֹא־יוּמְתוּ אָבוֹת	16. The fathers shall not be put to death
עַל־בָּנִים	for the children,
וּבָנִים לֹא־יוּמְתוּ	neither shall the children be put to death
עַל־אָבוֹת	for the fathers;
אִישׁ בְּחֶטְאוֹ יוּמָתוּ׃ ס	every man shall be put to death for his own sin.
17 לֹא תַטֶּה	17. Thou shalt not pervert
מִשְׁפַּט גֵּר יָתוֹם	the justice due to the stranger, (or) to the fatherless,
וְלֹא תַחֲבֹל	nor take to pledge
בֶּגֶד אַלְמָנָה׃	the raiment of a widow.
18 וְזָכַרְתָּ	18. But thou shalt remember

Rashi — רש"י

וְהָיָה בְךָ חֵטְא.	**And it be sin in thee**
מִכָּל מָקוֹם,	In any case (i. e., whether he cry or not);
אֶלָּא שֶׁמְּמַהֲרִין לִפָּרַע עַל יְדֵי הַקּוֹרֵא (סִפְרֵי):	however they hasten to punish through one who cries (Siphre).
16 לֹא־יוּמְתוּ אָבוֹת עַל־בָּנִים.	**16. The fathers shall not be put to death by the children**
בְּעֵדוּת בָּנִים,	(I. e.,) by the testimony of the children.
וְאִם תֹּאמַר בַּעֲוֹן בָּנִים,	And if you say by the iniquity of the children,
כְּבָר נֶאֱמַר, אִישׁ בְּחֶטְאוֹ יוּמָתוּ׳ (סִפְרֵי, סַנְהֶ׳ כ"ז):	then it has already been stated, "Every man shall be put to death for his own sin." (Siphre; Sanh. 27)
אִישׁ בְּחֶטְאוֹ יוּמָתוּ.	**Every man shall be put to death for his own sin**
אֲבָל מִי שֶׁאֵינוֹ אִישׁ	But one who is not yet a man
מֵת בַּעֲוֹן אָבִיו,	dies for the iniquity of his father,
וְהַקְּטַנִּים מֵתִים בַּעֲוֹן אֲבוֹתָם	and minors die for the iniquity of their parents
בִּידֵי שָׁמַיִם (סִפְרֵי):	at the hand of Heaven (Siphre).
17 לֹא תַטֶּה מִשְׁפַּט גֵּר יָתוֹם.	**17. Thou shalt not pervert the justice due to the stranger, (or) to the fatherless**
וְעַל הֶעָשִׁיר כְּבָר הִזְהִר (דְּבָרִ׳ ט"ז): —	Regarding the rich it has already forwarned (Deut. 16. 19):
לֹא תַטֶּה מִשְׁפָּט,	"Thou shalt not pervert justice."
וְשָׁנָה בֶּעָנִי לַעֲבוֹר עָלָיו בִּשְׁנֵי לָאוִין	And it repeats it concerning the poor to make the transgressor answerable for two prohibitive commands
לְפִי שֶׁנָּקֵל לְהַטּוֹת מִשְׁפַּט עָנִי	because it is easier to pervert the justice due to the poor
יוֹתֵר מִשֶּׁל עָשִׁיר,	than that due to the rich.
לְכָךְ הִזְהִיר וְשָׁנָה עָלָיו (סִפְרֵי):	Consequently, it forwarns and repeats it (Siphre).
וְלֹא תַחֲבֹל.	**Nor take to pledge**
שֶׁלֹּא בִשְׁעַת הַלְוָאָה (עַיֵּ׳ בָּ"מ קט"ו):	Not at the time of the loan (but if taken at the time of the loan, the expression חבלה — "a pledge," is not appropriate for it, since the borrower gives it of his own free will) (cf. Baba Meṣi'a 115).
18 וְזָכַרְתָּ.	**18. But thou shalt remember**
עַל מְנָת כֵּן פְּדִיתִיךָ	On this condition have I redeemed you,

כִּי עֶבֶד הָיִיתָ — that thou wast a bondman

בְּמִצְרַיִם — in Egypt,

וַיִּפְדְּךָ יְהוָה אֱלֹהֶיךָ — and the Lord thy God redeemed thee

מִשָּׁם — thence;

עַל־כֵּן אָנֹכִי מְצַוְּךָ — therefore I command thee

לַעֲשׂוֹת — to do

אֶת־הַדָּבָר הַזֶּה׃ ס — this thing.

19 כִּי תִקְצֹר קְצִירְךָ — 19. When thou reapest thy harvest

בְשָׂדֶךָ — in thy field,

וְשָׁכַחְתָּ עֹמֶר — and hast forgot a sheaf

בַּשָּׂדֶה — in the field,

לֹא־תָשׁוּב לְקַחְתּוֹ — thou shalt not go back to fetch it;

לַגֵּר — for the stranger,

לַיָּתוֹם וְלָאַלְמָנָה — for the fatherless, and for the widow

יִהְיֶה — it shall be;

לְמַעַן יְבָרֶכְךָ יְהוָה אֱלֹהֶיךָ — that the Lord thy God may bless thee

בְּכֹל מַעֲשֵׂה יָדֶיךָ׃ ס — in all the work of thy hands.

20 כִּי תַחְבֹּט זֵיתְךָ — 20. When thou beatest thine olive-tree,

Rashi — רש״י

לִשְׁמוֹר חֻקּוֹתַי, — that you keep my statutes

אֲפִילּוּ יֵשׁ חֶסְרוֹן כִּיס בַּדָּבָר: — even if there be a loss of money in the matter.

19 **וְשָׁכַחְתָּ עֹמֶר.** — **19. And (thou) hast forgot a sheaf**

וְלֹא גָדִישׁ, — But not a stock.

מִכָּאן אָמְרוּ:— — Hence (our Rabbis) said:

עוֹמֶר שֶׁיֵּשׁ בּוֹ סָאתַיִם וּשְׁכָחוֹ אֵינוֹ שִׁכְחָה (פֵּאָה ו מ׳ ב): — A sheaf which contains two s'ahs and which he forgot, does not come under the laws concerning a forgotten sheaf (Peah 6 Mishnah 2).

בַּשָּׂדֶה. — **In the field**

לְרַבּוֹת שִׁכְחַת קָמָה — (This comes) to include the forgetting of standing corn,

שֶׁשָּׁכַח מִקְצָתָהּ מִלִּקְצוֹר: — part of which he forgot to reap.

לֹא תָשׁוּב לְקַחְתּוֹ. — **Thou shalt not go back to fetch it**

מִכָּאן אָמְרוּ: שֶׁלְּאַחֲרָיו שִׁכְחָה, — Hence (our Rabbis) said: (A sheaf) left behind him is שכחה, (belongs to the poor);

שֶׁלְּפָנָיו אֵינוֹ שִׁכְחָה — one in front of him, is not שכחה (does not belong to the poor),

שֶׁאֵינוֹ בְּבַל תָּשׁוּב (פֵּאָה ד מ׳ ד, בָּ״מ י״א): — for it does not come under the law of "Thou shalt not go back" (Peah 4 Mishnah 4, B. M. 11).

לְמַעַן יְבָרֶכְךָ. — **That (He) may bless thee**

וְאַף עַל פִּי שֶׁבָּאת לְיָדוֹ — even though it came to the (poor man's) hand

שֶׁלֹּא בְמִתְכַּוֵּן, — without the intention (of the owner);

קַל וָחוֹמֶר לָעוֹשֶׂה בְמִתְכַּוֵּן, — how much more so, if one does this intentionally.

אֱמוֹר מֵעַתָּה נָפְלָה סֶלַע מִיָּדוֹ — You may then say that if a sela fell from one's hand

וּמְצָאָהּ עָנִי — and a poor man found it

וְנִתְפַּרְנֵס בָּהּ — and supported himself with it,

הֲרֵי הוּא מִתְבָּרֵךְ עָלֶיהָ (סִפְרֵי): — then the former is blessed through it (Siphre).

לֹא תְפַאֵר אַחֲרֶיךָ	thou shalt not go over the boughs after thee;
לַגֵּר	for the stranger,
לַיָּתוֹם וְלָאַלְמָנָה	for the fatherless, and for the widow
יִהְיֶה׃	it shall be.
21 כִּי תִבְצֹר כַּרְמְךָ	21. When thou gatherest the grapes of thy vineyard,
לֹא תְעוֹלֵל אַחֲרֶיךָ	thou shalt not glean (it) after thee;
לַגֵּר	for the stranger,
לַיָּתוֹם וְלָאַלְמָנָה	for the fatherless, and for the widow
יִהְיֶה׃	it shall be.
22 וְזָכַרְתָּ	20. And thou shalt remember
כִּי־עֶבֶד הָיִיתָ	that thou wast a bondman
בְּאֶרֶץ מִצְרָיִם	in the land of Egypt;
עַל־כֵּן אָנֹכִי מְצַוְּךָ לַעֲשׂוֹת	therefore I command thee to do
אֶת־הַדָּבָר הַזֶּה׃ ס	this thing.

CHAPTER XXV — כה

1 כִּי־יִהְיֶה רִיב	1. If there be a controversy
בֵּין אֲנָשִׁים	between men,

Rashi — רש״י

20 לֹא תְפַאֵר.	**20. Thou shalt not go over (the boughs)**
לֹא תִטּוֹל תִּפְאַרְתּוֹ מִמֶּנּוּ (חולין קל״א),	(תפאר is to be interpreted:) Do not (entirely) remove its beauty (תפארתו) from it (Ḥul. 131).
מִכָּאן שֶׁמַּנִּיחִין פֵּאָה לָאִילָן׃	Hence (we derive) that one must leave פאה (some quantity of fruit) of trees.
אַחֲרֶיךָ.	**After thee**
זוּ שִׁכְחָה׃	This (refers to the law concerning) forgotten fruit.
21 לֹא תְעוֹלֵל.	**21. Thou shalt not glean**
אִם מָצָאתָ בּוֹ עוֹלֵלוֹת	If you find gleanings in it,
לֹא תִקָּחֶנָּה (פֵּאָה ז),	do not take it (Peah 7).
וְאֵי זוּ הִיא עוֹלֵלוֹת?	And what is the gleaning (belong- to the poor)?
כָּל שֶׁאֵין לָהּ לֹא כָתֵף	All (the grapes remaining on a stalk) which have no arm
וְלֹא נָטֵף,	and no trunk.
יֵשׁ לָהּ אֶחָד מֵהֶם	If it has one of these,
הֲרֵי הִיא לְבַעַל הַבַּיִת.	then it belongs to the owner.
וְרָאִיתִי בְּתַלְמוּד יְרוּשַׁלְמִי	And I have seen in a Jerusalem Talmud:
אֵי זוּ הִיא כָתֵף?	What is (the meaning of) כתף?
פְּסִיגִין זֶה עַל גַּב זֶה,	Sprigs one above the other.
נָטֵף אֵלּוּ הַתְּלוּיוֹת בְּשִׁדְרָה	נטף (denotes) those (grapes) which hang upon the trunk
וְיוֹרְדוֹת׃	and hang downward.
25 1 כִּי־יִהְיֶה רִיב.	**25 1. If there be a controversy**
סוֹפָם לִהְיוֹת נִגָּשִׁים אֶל הַמִּשְׁפָּט,	In the end they will come to judgment.
אֱמוֹר מֵעַתָּה	You may then say (that)
אֵין שָׁלוֹם יוֹצֵא מִתּוֹךְ מְרִיבָה,	no peace results from controversy.
מִי גָרַם לְלוֹט	What caused Lot
לִפְרוֹשׁ מִן הַצַּדִּיק?	to separate himself from the righteous one (viz., Abraham)?
הֱוֵי אוֹמֵר זוּ מְרִיבָה׃	I would say, it was (merely a) controversy.

וְנִגְּשׁוּ אֶל־הַמִּשְׁפָּט	and they come unto judgment
וּשְׁפָטוּם	and (the judges) judge them,
וְהִצְדִּיקוּ אֶת־הַצַּדִּיק	by justifying the righteous,
וְהִרְשִׁיעוּ	and condemning
אֶת־הָרָשָׁע׃	the wicked,
2 וְהָיָה	2. then it shall be,
אִם־בִּן הַכּוֹת הָרָשָׁע	if the wicked man deserve to be beaten,
וְהִפִּילוֹ הַשֹּׁפֵט	that the judge shall cause him to lie down,
וְהִכָּהוּ לְפָנָיו	and to be beaten before his face,
כְּדֵי רִשְׁעָתוֹ	according to the measure of his wickedness,
בְּמִסְפָּר׃	by number.
3 אַרְבָּעִים יַכֶּנּוּ	3. Forty stripes he may give him,

Rashi — רש״י

וְהִרְשִׁיעוּ אֶת־הָרָשָׁע.	**And condemning the wicked**
יָכוֹל כָּל הַמִּתְחַיְּבִין בַּדִּין לוֹקִין,	I might think that all who are condemned by the court shall be punished with stripes;
תַּלְמוּד לוֹמַר:	Therefore Scripture states:
2 וְהָיָה אִם־בִּן הַכּוֹת הָרָשָׁע.	**2. Then it shall be, if the wicked man deserve to be beaten**
פְּעָמִים לוֹקֶה	(There are) times when he is beaten,
וּפְעָמִים אֵינוֹ לוֹקֶה,	and times when he is not beaten.
וּמִי הַלּוֹקֶה לָמוּד מִן הָעִנְיָן,	Who is beaten is derived from the context,
לֹא תַחְסֹם שׁוֹר בְּדִישׁוֹ	(viz.) "Thou shalt not muzzle the ox when he treadeth out the corn" v. 4):
—לָאו שֶׁלֹּא נִתַּק לַעֲשֵׂה (מַכּוֹת י״ג):	(If he transgresses) a prohibition which cannot be transformed into a command (Mak. 13).
וְהִפִּילוֹ הַשֹּׁפֵט.	**Then the judge shall cause him to lie down**
מְלַמֵּד שֶׁאֵין מַלְקִין אוֹתוֹ	(This) teaches that they do not beat him
לֹא עוֹמֵד וְלֹא יוֹשֵׁב	either standing up or sitting down,
אֶלָּא מֻטֶּה (מַכּוֹת כ״ב):	but bent over (Mak. 22).
לְפָנָיו כְּדֵי רִשְׁעָתוֹ.	**Before his face, according to the measure of his wickedness**
וּלְאַחֲרָיו כְּדֵי שְׁתַּיִם,	(I. e. one part of his wickedness; רשעתו being sing.) And behind him, corresponding to two parts.
מִכָּאן אָמְרוּ:—	Hence (our Rabbis) said:
מַלְקִין אוֹתוֹ שְׁתֵּי יָדוֹת מִלְּאַחֲרָיו	They inflict two-thirds of the stripes upon him upon his back,
וּשְׁלִישׁ מִלְּפָנָיו (מַכּוֹת כ״ב):	and one-third upon his chest (Mak. 22).
בְּמִסְפָּר.	**By number**
וְאֵינוֹ נָקוּד בַּמִּסְפָּר,	(בְּמִסְפָּר) is not vocalized בַּמִּסְפָּר (by the number),
לִמֵּד שֶׁהִיא דְבוּקָה,	(thus) teaching that it is in the construct state,
לוֹמַר בְּמִסְפַּר אַרְבָּעִים	and to be read with the number forty;
וְלֹא אַרְבָּעִים שְׁלֵמִים,	and not the whole number forty,
אֶלָּא מִנְיָן שֶׁהוּא סוֹכֵם	but the number which faces (is matched in counting with)
וּמַשְׁלִים לְאַרְבָּעִים	and completes to forty,
וְהֵן אַרְבָּעִים חָסֵר אַחַת (שָׁם):	i. e., forty less one (thirty-nine) (*ibid.*).

לֹ֣א יֹסִ֑יף	he shall not exceed;
פֶּן־יֹסִ֨יף לְהַכֹּת֤וֹ	lest, if he should exceed, and beat him
עַל־אֵ֙לֶּה֙	above these
מַכָּ֣ה רַבָּ֔ה	(with) many stripes,
וְנִקְלָ֥ה אָחִ֖יךָ	then thy brother be dishonored
לְעֵינֶֽיךָ׃	before thine eyes.
4 לֹא־תַחְסֹ֥ם שׁ֖וֹר	4. Thou shalt not muzzle the ox
בְּדִישֽׁוֹ׃ ס	when he treadeth out (the corn).

Rashi — רש״י

3 **לֹא יֹסִיף.**	**3. He shall not exceed**
מִכָּאן אַזְהָרָה לְמַכֶּה אֶת חֲבֵרוֹ (עַיֵּ׳ כְּתוּ׳ ל״ג):	Hence (is derived) the forewarning against striking one's neighbor (cf. Ket. 33).
וְנִקְלָה אָחִיךָ.	**Then thy brother be dishonored**
כָּל הַיּוֹם קוֹרְאוֹ רָשָׁע	Throughout (lit., all the day) it terms him a "wicked man,"
וּמִשֶּׁלָּקָה קְרָאוֹ אָחִיךָ:	but after he has been beaten, he is designated "thy brother."
4 **לֹא־תַחְסֹם שׁוֹר.**	**4. Thou shalt not muzzle the ox**
דִּבֵּר הַכָּתוּב בַּהוֹוֶה,	Scripture speaks of what is (common),
וְהוּא הַדִּין לְכָל בְּהֵמָה	but the same law applies to any animal,
חַיָּה וָעוֹף	beast, or fowl,
הָעוֹשִׂים בִּמְלָאכָה	that does work
שֶׁהִיא בְּדָבָר מַאֲכָל;	which is in connection with food.
אִם כֵּן לָמָּה נֶאֱמַר שׁוֹר?	If so, why does it specify the ox?
לְהוֹצִיא אֶת הָאָדָם (בָּ״קַ נ״ד):	To exclude man (B. K. 54).
בְּדִישׁוֹ.	**When he treadeth out (the corn)**
יָכוֹל יַחְסְמֶנּוּ מִבַּחוּץ	I might infer that he may muzzle it outside (when not treading);
תַּלְמוּד לוֹמַר לֹא תַחְסֹם שׁוֹר	(therefore) Scripture states, "Thou shalt not muzzle the ox"
מִכָּל מָקוֹם;	in any case.
וְלָמָּה נֶאֱמַר דַּיִשׁ?	Why then does it specify "treading out the corn?"
לוֹמַר לְךָ מַה דַּיִשׁ מְיֻחָד	To inform you (that) just as treading corn is singled out
דָּבָר שֶׁלֹּא נִגְמְרָה מְלַאכְתּוֹ	(in that it refers to) a thing the work of which is not completed
(לְמַעֲשֵׂר וּלְחַלָּה)	(with reference) to the tithe and *ḥallah* (the priest's share)
וְגִדּוּלוֹ מִן הָאָרֶץ,	and which grows from the earth,
אַף כָּל כַּיּוֹצֵא בוֹ,	so does (the same apply to) everything similar to it;
יָצָא הַחוֹלֵב וְהַמְגַבֵּן	(this) excludes one that milks, and one that forms cheese,
וְהַמְחַבֵּץ	and one who beats milk into a pulp,
שֶׁאֵין גִּדּוּלוֹ מִן הָאָרֶץ,	for (these) do not grow from the earth;
יָצָא הַלָּשׁ וְהַמְקַטֵּף	(and this) excludes one that kneads or forms dough,
שֶׁנִּגְמְרָה מְלַאכְתּוֹ לְחַלָּה,	for the work of these is completed for *ḥallah*;
יָצָא הַבּוֹדֵל בִּתְמָרִים	(and this) excludes one that separates dates
וּבִגְרוֹגְרוֹת	or figs,
שֶׁנִּגְמְרָה מְלַאכְתָּן לְמַעֲשֵׂר (בָּ״מְ פ״ט):	for their work is completed for giving tithes (B. M. 89).

5 כִּי־יֵשְׁבוּ אַחִים יַחְדָּו — 5. If brethren dwell together,
וּמֵת אַחַד מֵהֶם — and one of them die,
וּבֵן אֵין־לוֹ — and have no child,
לֹא־תִהְיֶה אֵשֶׁת־הַמֵּת — the wife of the dead shall not be married
הַחוּצָה — abroad
לְאִישׁ זָר — unto one not of his kin;
יְבָמָהּ יָבֹא עָלֶיהָ — her husband's brother shall go in unto her,
וּלְקָחָהּ לוֹ לְאִשָּׁה — and take her to him to wife,
וְיִבְּמָהּ: — and perform the duty of a husband's brother unto her.

6 וְהָיָה — 6. And it shall be,
הַבְּכוֹר אֲשֶׁר תֵּלֵד — that the first-born that she beareth
יָקוּם — shall succeed
עַל־שֵׁם אָחִיו הַמֵּת — in the name of his brother that is dead,
וְלֹא־יִמָּחֶה שְׁמוֹ — that his name be not blotted out
מִיִּשְׂרָאֵל: — of Israel.

Rashi — רש״י

5 **כִּי־יֵשְׁבוּ אַחִים יַחְדָּו.** — **5. If brethren dwell together**
שֶׁהָיְתָה לָהֶם יְשִׁיבָה אַחַת בָּעוֹלָם, — (I. e.,) they dwelt at the same time in the world;
פְּרַט לְאֵשֶׁת אָחִיו — (this) excludes the wife of his brother,
שֶׁלֹּא הָיָה בְּעוֹלָמוֹ (סִפְרֵי, יְבָמ׳ י״ז): — who was not in the world (simultaneously) with him (Siphre; Yeb. 17).

יַחְדָּו. — **Together**
הַמְיֻחָדִים בְּנַחֲלָה, — Together (i. e., equal) in respect of inheritance;
פְּרַט לְאָחִיו מִן הָאֵם (שָׁם): — (this) excludes his brother from his mother('s side) (*ibid.*).

וּבֵן אֵין־לוֹ. — **And (he) have no child**
עַיֵּן עָלָיו, — Investigate his case (whether he has really no issue):
בֵּן אוֹ בַת — A son or a daughter,
אוֹ בֶן הַבֵּן — or the son of his son,
אוֹ בַת הַבֵּן — or the daughter of his son,
אוֹ בֶן הַבַּת — or the son of his daughter,
אוֹ בַת הַבַּת (עַיֵּ׳ יְבָמ׳ כ״ב): — or the daughter of his daughter (cf. Yebamot 22).

6 **וְהָיָה הַבְּכוֹר.** — **6. And it shall be that the first-born**
גָּדוֹל הָאַחִים הוּא מְיַבֵּם אוֹתָהּ (יְבָמ׳ כ״ד): — The oldest brother shall marry her (the deceased's widow) (Yeb. 24).

אֲשֶׁר תֵּלֵד. — **That she beareth**
פְּרַט לְאַיְלוֹנִית שֶׁאֵינָהּ יוֹלֶדֶת: — Excluding a barren woman who cannot bear children.

יָקוּם עַל־שֵׁם אָחִיו. — **(He) shall succeed in the name of his brother**
זֶה שֶׁיִּבֵּם אֶת אִשְׁתּוֹ — He who married his (deceased brother's) wife
יִטּוֹל נַחֲלַת הַמֵּת — shall receive the inheritance of the deceased
בְּנִכְסֵי אָבִיו: — from the possessions of his father.

וְלֹא־יִמָּחֶה שְׁמוֹ. — **That his name be not blotted out**
פְּרַט לְאֵשֶׁת סָרִיס — Excluding the wife of an impotent man
שֶׁשְּׁמוֹ מָחוּי (יְבָמ׳ כ״ד): — whose name is blotted out (Yeb. 24).

7 וְאִם־לֹא יַחְפֹּץ הָאִישׁ	7. And if the man like not
לָקַחַת אֶת־יְבִמְתּוֹ	to take his brother's wife,
וְעָלְתָה יְבִמְתּוֹ הַשַּׁעְרָה	then his brother's wife shall go up to the gate
אֶל־הַזְּקֵנִים	unto the elders,
וְאָמְרָה	and say:
מֵאֵן יְבָמִי	'My husband's brother refuseth
לְהָקִים לְאָחִיו	to raise up unto his brother
שֵׁם בְּיִשְׂרָאֵל	a name in Israel;
לֹא אָבָה יַבְּמִי:	he will not perform the duty of husband's brother unto me.'
8 וְקָרְאוּ־לוֹ זִקְנֵי־עִירוֹ	8. Then the elders of his city, shall call him,
וְדִבְּרוּ אֵלָיו	and speak unto him;
וְעָמַד	and he shall stand,
וְאָמַר	and say:
לֹא חָפַצְתִּי לְקַחְתָּהּ:	'I like not to take her;'
9 וְנִגְּשָׁה יְבִמְתּוֹ	9. then shall his brother's wife draw nigh
אֵלָיו	unto him
לְעֵינֵי הַזְּקֵנִים	in the presence of the elders,
וְחָלְצָה נַעֲלוֹ	and loose his shoe
מֵעַל רַגְלוֹ	from off his foot,
וְיָרְקָה בְּפָנָיו	and spit before him;
וְעָנְתָה	and she shall answer
וְאָמְרָה	and say:
כָּכָה יֵעָשֶׂה לָאִישׁ	'So shall it be done unto the man
אֲשֶׁר לֹא־יִבְנֶה	that will not build up
אֶת־בֵּית אָחִיו:	his brother's house.'

Rashi — רש"י

7 הַשַּׁעְרָה.	**7. To the gate**
כְּתַרְגּוּמוֹ: לִתְרַע בֵּית דִּינָא:	(Understand this) as the Targum renders it: to the door of the court of law.
8 וְעָמַד.	**8. And he shall stand**
בַּעֲמִידָה (סִפְרֵי):	(To be interpreted: He must say this) while he stands up. (Siphre).
וְאָמַר.	**And (he shall) say**
בִּלְשׁוֹן הַקֹּדֶשׁ,	In the sacred tongue (Hebrew);
וְאַף הִיא דְּבָרֶיהָ בִּלְשׁוֹן הַקֹּדֶשׁ (סוֹטָה ל"ב):	and she too (shall make) her statements in the sacred tongue (Soṭah 32).
9 וְיָרְקָה בְּפָנָיו.	**9. And (she shall) spit before him**
עַל גַּבֵּי קַרְקַע (יְבָמ׳ ק"ו):	On the ground (Yeb. 106).
אֲשֶׁר לֹא־יִבְנֶה.	**That will not build up**
מִכָּאן לְמִי שֶׁחָלַץ	Hence (we derive) that one who has performed the act of taking off the Yabam's shoe
שֶׁלֹּא יַחֲזוֹר וִייַבֵּם,	shall not afterwards marry (his deceased brother's wife),
דְּלָא כְתִיב אֲשֶׁר לֹא בָנָה,	for it is not written "that hath not build up"
אֶלָּא אֲשֶׁר לֹא יִבְנֶה,	but "that will not build up;"

10 וְנִקְרָא שְׁמוֹ	10. And his name shall be called
בְּיִשְׂרָאֵל	in Israel
בֵּית חֲלוּץ הַנָּעַל: ס	the house of him that had his shoe loosed.
11 כִּי־יִנָּצוּ אֲנָשִׁים יַחְדָּו	11. When men strive together
אִישׁ וְאָחִיו	one with another,
וְקָרְבָה אֵשֶׁת הָאֶחָד	and the wife of the one draweth near
לְהַצִּיל אֶת־אִישָׁהּ	to deliver her husband
מִיַּד	out of the hand
מַכֵּהוּ	of him that smiteth him,
וְשָׁלְחָה יָדָהּ	and putteth forth her hand,
וְהֶחֱזִיקָה בִּמְבֻשָׁיו:	and taketh him by the secrets;
12 וְקַצֹּתָה אֶת־כַּפָּהּ	12. then thou shalt cut off her hand,
לֹא תָחוֹס עֵינֶךָ: ס	thine eye shall have no pity.
13 לֹא־יִהְיֶה לְךָ	13. Thou shalt not have
בְּכִיסְךָ	in thy bag
אֶבֶן וָאָבֶן	diverse stones,
גְּדוֹלָה וּקְטַנָּה:	a great and a small.

Rashi — רש"י

כֵּיוָן שֶׁלֹּא בָנָה	since he did not build up,
שׁוּב לֹא יִבְנֶה (יְבָמ׳ י׳):	he may never again build up (Yeb. 10).
10 וְנִקְרָא שְׁמוֹ וְגוֹ׳.	**10. And his name shall be called, etc.**
מִצְוָה עַל כָּל הָעוֹמְדִים שָׁם	It is mandatory upon all those who stand there
לוֹמַר „חֲלוּץ הַנַּעַל" (סִפְרֵי, יְבָמ׳ ק"ו):	to say "O, you whose shoe hath been loosed" (as a term of contempt) (Siphre; Yeb. 106).
11 כִּי־יִנָּצוּ אֲנָשִׁים.	**11. When men strive**
סוֹפָן לָבֹא לִידֵי מַכּוֹת,	In the end they will come to blows,
כְּמוֹ שֶׁנֶּאֱמַר „מִיַּד מַכֵּהוּ",	as it is stated, "out of the hand of him that smiteth him."
אֵין שָׁלוֹם יוֹצֵא	Peace cannot issue
מִתּוֹךְ יְדֵי מַצּוּת (סִפְרֵי):	from controversy (Siphre).
12 וְקַצֹּתָה אֶת־כַּפָּהּ.	**12. Then thou shalt cut off her hand**
מָמוֹן דְּמֵי בָשְׁתּוֹ,	(I. e.,) a fine in money equivalent to his disgrace,
הַכֹּל לְפִי הַמְבַיֵּשׁ וְהַמִּתְבַּיֵּשׁ;	in accordance with (the status of) the insulter and the insulted.
אוֹ אֵינוֹ אֶלָּא יָדָהּ מַמָּשׁ?	Or (perhaps) it is not (so), but (denotes) literally her hand?
נֶאֱמַר כָּאן לֹא תָחוֹס,	It is stated here, "Let it have no pity"
וְנֶאֱמַר לְהַלָּן	and it is stated above
בְּעֵדִים זוֹמְמִים (דְּבָר׳ י"ט):—	in reference to witnesses who are proved false (Deut. 19.13):
לֹא תָחוֹס,	"Let it have no pity:"
מָה לְהַלָּן מָמוֹן	just as above (it) refers to) a fine in money,
אַף כָּאן מָמוֹן:	so here (it refers to) a fine in money.
13 אֶבֶן וָאָבֶן.	**13. Diverse stones**
מִשְׁקָלוֹת:	(I. e.,) weights.
גְּדוֹלָה וּקְטַנָּה.	**A great and a small**
גְּדוֹלָה שֶׁמַּכְחֶשֶׁת אֶת הַקְּטַנָּה,	A large (weight) that contradicts the smaller one,

14 לֹא־יִהְיֶה לְךָ	14. Thou shalt not have
בְּבֵיתְךָ	in thy house
אֵיפָה וְאֵיפָה	diverse measures,
גְּדוֹלָה וּקְטַנָּה׃	a great and a small.
15 אֶבֶן שְׁלֵמָה וָצֶדֶק	15. A perfect and a just weight
יִהְיֶה־לָּךְ	shalt thou have;
אֵיפָה שְׁלֵמָה וָצֶדֶק	a perfect and just measure
יִהְיֶה־לָּךְ	shalt thou have:
לְמַעַן יַאֲרִיכוּ יָמֶיךָ	that thy days may be long
עַל הָאֲדָמָה	upon the land
אֲשֶׁר־יְהוָה אֱלֹהֶיךָ	which the Lord thy God
נֹתֵן לָךְ׃	giveth thee.
16 כִּי תוֹעֲבַת	16. For an abomination
יְהוָה אֱלֹהֶיךָ	to the Lord thy God
כָּל־עֹשֵׂה אֵלֶּה	are all that doeth such things,
כֹּל עֹשֵׂה עָוֶל׃ פ	even all that doeth unrighteously.
מפטיר	
17 זָכוֹר אֵת אֲשֶׁר־עָשָׂה לְךָ עֲמָלֵק	17. Remember what Amalek did unto thee
בַּדֶּרֶךְ	by the way
בְּצֵאתְכֶם מִמִּצְרָיִם׃	as ye came forth out of Egypt;
18 אֲשֶׁר קָרְךָ בַּדֶּרֶךְ	18. how he met thee by the way,

Rashi — רש"י

שֶׁלֹּא יְהֵי נוֹטֵל בִּגְדוֹלָה	(i. e.) he should not buy with a large (weight),
וּמַחֲזִיר בִּקְטַנָּה (סִפְרִי)׃	and sell with a small (weight) (Siphre).
לֹא־יִהְיֶה לְךָ.	**Thou shalt not have**
אִם עָשִׂיתָ כֵּן	If you do so,
לֹא יִהְיֶה לְךָ כְּלוּם (עַיֵּ׳ שָׁם)׃	you will not have (לא יהיה לך) anything at all (cf. *ibid.*).
15 אֶבֶן שְׁלֵמָה וָצֶדֶק יִהְיֶה־לָּךְ.	**15. A perfect and just weight shalt thou have**
אִם עָשִׂיתָ כֵּן,	If you do so,
יִהְיֶה לְּךָ הַרְבֵּה׃	you will have (יהיה לך) much.
17 זָכוֹר אֵת אֲשֶׁר־עָשָׂה לְךָ.	**17. Remember what (he) did unto thee**
אִם שִׁקַּרְתָּ בְּמִדּוֹת וּבְמִשְׁקָלוֹת	If you deal falsely in measures and weights,
הֱוֵי דוֹאֵג מִגֵּרוּי הָאוֹיֵב	you must worry over the provocation of the enemy,
שֶׁנֶּאֱמַר (מִשְׁלֵי י״א)׃—	as it is stated (Prov. 11.1):
מֹאזְנֵי מִרְמָה תּוֹעֲבַת ה׳,	"A false balance is an abomination to the Lord,"
וּכְתִיב בַּתְרֵיהּ בָּא זָדוֹן	and it is written after this (v. 2), "When pride cometh,
וַיָּבֹא קָלוֹן (תַּנְח׳)׃	then cometh shame" (Tanḥuma).
18 אֲשֶׁר קָרְךָ בַּדֶּרֶךְ.	**18. How he met thee by the way**
לְשׁוֹן מִקְרֶה,	(The term קרך) denotes by chance (מקרה).
דָּבָר אַחֵר לְשׁוֹן קֶרִי וְטֻמְאָה	Another interpretation: it denotes pollution (קרי) and defilement,
שֶׁהָיָה מְטַמְּאָן	for they defiled them
בְּמִשְׁכַּב זָכוּר.	by pederasty.
ד״א לְשׁוֹן קוֹר וָחוֹם,	Another interpretation: it denotes cold (קור) and heat:

וַיְזַנֵּב בְּךָ	and he cut off thy extremities,
כָּל־הַנֶּחֱשָׁלִים	all that were enfeebled
אַחֲרֶיךָ	in thy rear,
וְאַתָּה עָיֵף וְיָגֵעַ	when thou wast faint and weary;
וְלֹא יָרֵא אֱלֹהִים׃	and he feared not God.
19 וְהָיָה	19. Therefore it shall be,
בְּהָנִיחַ יְהוָה אֱלֹהֶיךָ ׀ לְךָ	when the Lord thy God hath given thee rest
מִכָּל־אֹיְבֶיךָ	from all thine enemies
מִסָּבִיב	round about,
בָּאָרֶץ	in the land
אֲשֶׁר יְהוָה אֱלֹהֶיךָ	which the Lord thy God
נֹתֵן לְךָ נַחֲלָה	giveth thee for an inheritance
לְרִשְׁתָּהּ	to possess it,
תִּמְחֶה	(that) thou shalt blot out
אֶת־זֵכֶר עֲמָלֵק	the remembrance of Amalek

Rashi — רש״י

צִנֶּנְךָ וְהִפְשִׁירְךָ מֵרְתִיחָתְךָ,	(Amalek) cooled you off and made you lukewarm after your boiling heat,
שֶׁהָיוּ כָּל הָאֻמּוֹת יְרֵאִים	for all the nations feared
לְהִלָּחֵם בָּכֶם	to engage in battle with you,
וּבָא זֶה וְהִתְחִיל	but he came and made a start
וְהֶרְאָה מָקוֹם לַאֲחֵרִים	and (thereby) showed the way to others.
מָשָׁל לְאַמְבַּטִי רוֹתַחַת	It may be likened to a boiling bath
שֶׁאֵין כָּל בְּרִיָּה יְכוֹלָה לֵירֵד בְּתוֹכָהּ,	into which no creature is able to descend,
בָּא בֶן בְּלִיַּעַל אֶחָד	(and) there came an irresponsible person
קָפַץ וְיָרַד לְתוֹכָהּ,	who sprang and descended into it;
אַף עַל פִּי שֶׁנִּכְוָה	even though he was burned,
הֵקֵרָה אוֹתָהּ בִּפְנֵי אֲחֵרִים (תַּנְח׳)׃	he cooled it off for others (Tanḥuma).
וַיְזַנֵּב בְּךָ.	**And he cut off thy extremities**
מַכַּת זָנָב,	A smiting of the extremity.
חוֹתֵךְ מִילוֹת	He cut off membra,
וְזוֹרֵק כְּלַפֵּי מַעְלָה (תַּנְח׳)׃	and cast them heavenward (Tanhuma).
כָּל־הַנֶּחֱשָׁלִים אַחֲרֶיךָ.	**All that were enfeebled in thy rear**
חַסְרֵי כֹחַ מֵחֲמַת חֶטְאָם,	Those who were enfeebled because of their sins,
שֶׁהָיָה הֶעָנָן פּוֹלְטָן (תַּנְח׳)׃	whom the Cloud expelled (Tanḥuma).
וְאַתָּה עָיֵף וְיָגֵעַ.	**When thou wast faint and weary**
עָיֵף בַּצָּמָא	Faint from thirst,
דִּכְתִיב (שְׁמוֹת י״ז)׃—	as it is written (Ex. 17.11):
וַיִּצְמָא שָׁם הָעָם לַמַּיִם,	"And the people thirsted there for water,"
וּכְתִיב אַחֲרָיו וַיָּבֹא עֲמָלֵק׃	and it is written after this (v. 8), "Then came Amalek."
וְיָגֵעַ.	**And weary**
בַּדֶּרֶךְ׃	from the way.
וְלֹא יָרֵא.	**And he feared not**
עֲמָלֵק „אֱלֹהִים"	Amalek (feared not) "God"
מִלְּהָרַע לָךְ׃	(that he should refrain) from doing evil to you.
19 **תִּמְחֶה אֶת־זֵכֶר עֲמָלֵק.**	**19. (That) thou shalt blot out the remembrance of Amalek**
מֵאִישׁ עַד אִשָּׁה	"Both man and woman,

מִתַּחַת הַשָּׁמָיִם	from under heaven;
לֹא תִּשְׁכָּח:	thou shalt not forget.

פ פ פ

CHAPTER XXVI — כו

1 וְהָיָה	1. And it shall be,
כִּי־תָבוֹא אֶל־הָאָרֶץ	when thou art come in unto the land
אֲשֶׁר יְהוָה אֱלֹהֶיךָ	which the Lord thy God
נֹתֵן לְךָ נַחֲלָה	giveth thee for an inheritance,
וִירִשְׁתָּהּ	and dost possess it,
וְיָשַׁבְתָּ בָּהּ:	and dwell therein;
2 וְלָקַחְתָּ	2. that thou shalt take
מֵרֵאשִׁית | כָּל־פְּרִי הָאֲדָמָה	of the first of all the fruit of the ground,

Rashi — רש״י

מֵעוֹלֵל וְעַד יוֹנֵק	infant and suckling,
מִשּׁוֹר וְעַד שֶׂה (שְׁ״א ט״ו),	ox and sheep" (I Sam. 15.3);
שֶׁלֹּא יְהֵא שֵׁם עֲמָלֵק נִזְכָּר	that the name of Amalek shall not be mentioned
אֲפִילוּ עַל הַבְּהֵמָה,	even in connection with an animal,
לוֹמַר בְּהֵמָה זוּ	saying, this animal
מִשֶּׁל עֲמָלֵק הָיְתָה (פְּסִיקְ׳ זוּטְ׳):	was of Amalek (Pesiktha Zuṭa).
26 1 וְהָיָה כִּי־תָבוֹא. וִירִשְׁתָּהּ וְיָשַׁבְתָּ בָּהּ.	**26 1. And it shall be, when thou art come in . . . and dost possess it, and dwell therein**
מַגִּיד שֶׁלֹּא נִתְחַיְּבוּ בְּבִכּוּרִים	This tells that they do not become bound to (bring) the first-fruits
עַד שֶׁכָּבְשׁוּ אֶת הָאָרֶץ וְחִלְּקוּהָ (עַיֵּ׳ קִידּ׳ ל״ד):	until they will have conquered the land and divided it (cf. Ḳid. 34).
2 מֵרֵאשִׁית.	**2. Of the first**
וְלֹא כָל רֵאשִׁית,	But not "all" the first,
שֶׁאֵין כָּל הַפֵּירוֹת	for not all fruits
חַיָּבִים בְּבִכּוּרִים	come under the law pertaining to first-fruits,
אֶלָּא שִׁבְעַת הַמִּינִין בִּלְבָד,	only the seven kinds alone.
נֶאֱמַר כַּאן אֶרֶץ	It is stated here "land"
וְנֶאֱמַר לְהַלָּן (דְּבָרִ׳ ח):—	and it is stated above (Deut. 8.8):
אֶרֶץ חִטָּה וּשְׂעֹרָה וְגוֹ׳,	"A land of wheat and barley," etc.:
מַה לְהַלָּן מִשִּׁבְעַת הַמִּינִים	As above (it is) of the seven kinds
שֶׁנִּשְׁתַּבְּחָה בָּהֶן אֶרֶץ יִשְׂרָאֵל,	by which the land of Israel is praised,
אַף כַּאן שֶׁבַח אֶרֶץ יִשְׂרָאֵל	so here (it refers to) the praise of the land of Israel,
שֶׁהֵם מִשִּׁבְעָה מִינִין (סִפְרֵי, מְנָ׳ פ״ד):	i. e., the seven kinds (only) (Siphre; Menaḥot 84).
זֵית שֶׁמֶן.	Olive-trees (in 8.8, means):
זֵית אֲגוּרִי,	Olives of good quality (אגורי),
שֶׁשַּׁמְנוֹ אָגוּר בְּתוֹכוֹ (סִפְרֵי בְּרָ׳ ל״ט):	for its oil remains stored up (אגור) within it (Siphre; Ber. 39).
וּדְבָשׁ.	And honey (in 8.8, means):
הוּא דְּבַשׁ תְּמָרִים (סִפְרֵי):	This is honey of figs (Siphre).
מֵרֵאשִׁית.	**Of the first**
אָדָם יוֹרֵד לְתוֹךְ שָׂדֵהוּ	A person goes down into his field

אֲשֶׁר תָּבִיא מֵאַרְצְךָ — which thou shalt bring in from thy land
אֲשֶׁר יְהוָה אֱלֹהֶיךָ נֹתֵן לָךְ — which the Lord thy God giveth thee;
וְשַׂמְתָּ בַטֶּנֶא — and thou shalt put (it) in a basket,
וְהָלַכְתָּ אֶל־הַמָּקוֹם — and shalt go unto the place
אֲשֶׁר יִבְחַר יְהוָה אֱלֹהֶיךָ — which the Lord thy God shall choose,
לְשַׁכֵּן שְׁמוֹ שָׁם׃ — to cause His name to dwell there.
3 וּבָאתָ אֶל־הַכֹּהֵן — 3. And thou shalt come unto the priest
אֲשֶׁר יִהְיֶה — that shall be
בַּיָּמִים הָהֵם — in those days,
וְאָמַרְתָּ אֵלָיו — and say unto him:
הִגַּדְתִּי הַיּוֹם — 'I profess this day
לַיהוָה אֱלֹהֶיךָ — unto the Lord thy God,
כִּי־בָאתִי אֶל־הָאָרֶץ — that I am come unto the land
אֲשֶׁר נִשְׁבַּע יְהוָה — which the Lord swore
לַאֲבֹתֵינוּ — unto our fathers
לָתֶת לָנוּ׃ — to give us.'
4 וְלָקַח הַכֹּהֵן — 4. And the priest shall take
הַטֶּנֶא — the basket
מִיָּדֶךָ — out of thy hand,
וְהִנִּיחוֹ — and set it down
לִפְנֵי מִזְבַּח יְהוָה אֱלֹהֶיךָ׃ — before the altar of the Lord thy God.
5 וְעָנִיתָ וְאָמַרְתָּ — 5. And thou shalt speak-up and say

Rashi — רש"י

וְרוֹאֶה תְּאֵנָה שֶׁבִּכְּרָה — and sees a fig that has ripened,
כּוֹרֵךְ עָלֶיהָ גְּמִי לְסִימָן — he binds around it a blade of grass for a sign,
וְאוֹמֵר הֲרֵי זוֹ בִכּוּרִים (סִפְרֵי, בִּכּוּרִים ג): — and says: Behold this is a first-fruit (Siphre; Bikkurim 3).

3 אֲשֶׁר יִהְיֶה בַּיָּמִים הָהֵם. — **3. That shall be in those days**
אֵין לְךָ אֶלָּא כֹּהֵן שֶׁבְּיָמֶיךָ כְּמוֹ שֶׁהוּא (ר"הַ כ"ה): — You have only the priest that is in your days as he is (R. H. 25).
וְאָמַרְתָּ אֵלָיו. — **And (thou shalt) say unto him**
שֶׁאֵינְךָ כְּפוּי טוֹבָה: — that you are not ungrateful.
הִגַּדְתִּי הַיּוֹם. — **I profess this day** (I. e. this day only:)
פַּעַם אַחַת בַּשָּׁנָה — Once during the year,
וְלֹא שְׁתֵּי פְּעָמִים (סִפְרֵי): — and not two times (Siphre).

4 וְלָקַח הַכֹּהֵן הַטֶּנֶא מִיָּדֶךָ. — **4. And the priest shall take the basket out of thy hand**
לְהָנִיף אוֹתוֹ, — to lift it up;
כֹּהֵן מֵנִיחַ יָדוֹ — the priest places his hand
תַּחַת יַד הַבְּעָלִים וּמֵנִיף (סִפְרֵי, סוּכָּה מ"ז): — beneath the hand of the owner, and lifts it up (Siphre; Sukkah 47).

5 וְעָנִיתָ. — **5. And thou shalt speak-up**
לְשׁוֹן הֲרָמַת קוֹל (סוֹטָה ל"ב): — (The term וענית) denotes raising the voice (Soṭah 32).

לִפְנֵי יְהוָה אֱלֹהֶיךָ	before the Lord thy God:
אֲרַמִּי אֹבֵד אָבִי	'An Aramean destroyed my father,
וַיֵּרֶד מִצְרַיְמָה	and he went down into Egypt,
וַיָּגָר שָׁם	and sojourned there,
בִּמְתֵי מְעָט	few in number;
וַיְהִי־שָׁם	and he became there
לְגוֹי גָּדוֹל	a nation great,
עָצוּם וָרָב׃	mighty, and populous.
6 וַיָּרֵעוּ אֹתָנוּ הַמִּצְרִים	6. And the Egyptians dealt ill with us,
וַיְעַנּוּנוּ	and afflicted us,
וַיִּתְּנוּ עָלֵינוּ	and laid upon us
עֲבֹדָה קָשָׁה׃	hard bondage.
7 וַנִּצְעַק אֶל־יְהוָה	7. And we cried unto the Lord,
אֱלֹהֵי אֲבֹתֵינוּ	the God of our fathers,
וַיִּשְׁמַע יְהוָה	and the Lord heard
אֶת־קֹלֵנוּ	our voice,
וַיַּרְא אֶת־עָנְיֵנוּ	and saw our affliction,
וְאֶת־עֲמָלֵנוּ	and our toil,
וְאֶת־לַחֲצֵנוּ׃	and our oppression.
8 וַיּוֹצִאֵנוּ יְהוָה מִמִּצְרַיִם	8. And the Lord brought us forth out of Egypt
בְּיָד חֲזָקָה	with a mighty hand,
וּבִזְרֹעַ נְטוּיָה	and with an outstretched arm,
וּבְמֹרָא גָּדֹל	and with great terribleness,
וּבְאֹתוֹת וּבְמֹפְתִים׃	and with signs, and with wonders.
9 וַיְבִאֵנוּ	9. And He hath brought us
אֶל־הַמָּקוֹם הַזֶּה	into this place,

Rashi — רש"י

אֲרַמִּי אֹבֵד אָבִי.	**An Aramean destroyed my father**
מַזְכִּיר חַסְדֵי הַמָּקוֹם,	He recalls the kindness of the Omnipresent:
אֲרַמִּי אֹבֵד אָבִי	"An Aramean destroyed my father,"
—לָבָן בִּקֵּשׁ לַעֲקוֹר אֶת הַכֹּל	(i. e.,) Laban sought to uproot all
כְּשֶׁרָדַף אַחַר יַעֲקֹב,	when he pursued after Jacob.
(וּבִשְׁבִיל שֶׁחָשַׁב לַעֲשׂוֹת	(And because he contemplated doing (so),
חָשַׁב לוֹ הַמָּקוֹם	the Omnipresent charges him
כְּאִלּוּ עָשָׂה,	as though he had done (it);
שֶׁאֻמּוֹת הָעוֹלָם	for (as regards) the heathen peoples,
חוֹשֵׁב לָהֶם הַקָּבָּ"ה	the Holy One Blessed Be He considers regarding them
מַחֲשָׁבָה כְּמַעֲשֶׂה):	a thought the equivalent to a deed.).
וַיֵּרֶד מִצְרַיְמָה.	**And he went down into Egypt**
וְעוֹד אֲחֵרִים בָּאוּ עָלֵינוּ לְכַלּוֹתֵינוּ,	And still others came against us to destroy us,
שֶׁאַחֲרֵי זֹאת יָרַד יַעֲקֹב לְמִצְרַיִם:	for after this Jacob went down into Egypt.
בִּמְתֵי מְעָט.	**Few in number**
בְּשִׁבְעִים נֶפֶשׁ (סִפְרֵי):	With seventy souls (Siphre).
9 אֶל־הַמָּקוֹם הַזֶּה.	**9. Into this place**
זֶה בֵּית הַמִּקְדָּשׁ:	This (refers to) the Temple.

וַיִּתֶּן־לָנוּ	and hath given us
אֶת־הָאָרֶץ הַזֹּאת	this land,
אֶרֶץ	a land
זָבַת חָלָב וּדְבָשׁ׃	flowing (with) milk and honey.
10 וְעַתָּה	10. And now,
הִנֵּה הֵבֵאתִי	behold, I have brought
אֶת־רֵאשִׁית	the first
פְּרִי הָאֲדָמָה	of the fruit of the land
אֲשֶׁר־נָתַתָּה לִּי יְהוָה	which Thou, hast given to me, O Lord.'
וְהִנַּחְתּוֹ	And thou shalt set it down
לִפְנֵי יְהוָה אֱלֹהֶיךָ	before the Lord thy God,
וְהִשְׁתַּחֲוִיתָ	and worship
לִפְנֵי יְהוָה אֱלֹהֶיךָ׃	before the Lord thy God.
11 וְשָׂמַחְתָּ	11. And thou shalt rejoice
בְכָל־הַטּוֹב	in all the good
אֲשֶׁר נָתַן־לְךָ יְהוָה אֱלֹהֶיךָ	which the Lord thy God hath given unto thee,
וּלְבֵיתֶךָ	and unto thy house,
אַתָּה וְהַלֵּוִי	thou, and the Levite.
וְהַגֵּר אֲשֶׁר בְּקִרְבֶּךָ׃ ס שני	and the stranger that is in the midst of thee.

Rashi — רש"י

וַיִּתֶּן־לָנוּ אֶת־הָאָרֶץ.	**And (He) hath given us (this) land**
כְּמַשְׁמָעוֹ׃	(To be understood) in its usual meaning.
10 וְהִנַּחְתּוֹ.	**10. And thou shalt set it down**
מַגִּיד שֶׁנּוֹטְלוֹ	(This) informs (us) that he takes it
אַחַר הֲנָפַת (ס"א הֲנָחַת) הַכֹּהֵן	after the lifting ((another text: the setting down) by the priest,
וְאוֹחֲזוֹ בְיָדוֹ כְּשֶׁהוּא קוֹרֵא	and holds it in his hand while he recites,
וְחוֹזֵר וּמֵנִיף (סִפְרֵי, בִּכּוּרִים פ' ה)׃	then he again lifts it up (Siphre; Bikkurim chap. 5).
11 וְשָׂמַחְתָּ בְכָל־הַטּוֹב.	**11. And thou shalt rejoice in all the good**
מִכָּאן אָמְרוּ׃—	Hence (our Rabbis) said:
אֵין קוֹרִין מִקְרָא בִּכּוּרִים	(We) do not recite the verses of the first-fruit
אֶלָּא בִּזְמַן שִׂמְחָה,	except during the time of rejoicing,
מֵעֲצֶרֶת וְעַד הֶחָג,	(i. e.,) from Pentecost until Tabernacles,
שֶׁאָדָם מְלַקֵּט תְּבוּאָתוֹ וּפֵירוֹתָיו	when one gathers in his grain and his fruits,
וְיֵינוֹ וְשַׁמְנוֹ,	and his wine, and his oil;
אֲבָל מֵהֶחָג וְאֵילָךְ	but from Tabernacles onward
מֵבִיא וְאֵינוֹ קוֹרֵא (בִּכּוּרִים פ' ג)׃	he may bring but not recite (Bikkurim chap. 3).
אַתָּה וְהַלֵּוִי.	**Thou, and the Levite**
אַף הַלֵּוִי חַיָּב בְּבִכּוּרִים	The Levite too is obliged to bring first-fruits
אִם נָטְעוּ בְּתוֹךְ עָרֵיהֶם׃	if they planted within their cities.
וְהַגֵּר אֲשֶׁר בְּקִרְבֶּךָ.	**And the stranger that is in the midst of thee**
מֵבִיא וְאֵינוֹ קוֹרֵא,	He brings but does not recite,
שֶׁאֵינוֹ יָכוֹל לוֹמַר לַאֲבוֹתֵינוּ (שָׁם, מַכּוֹת י"ט)׃	for he is not able to say "unto our fathers" (*ibid.*; Mak. 19).

12 כִּי תְכַלֶּה לַעְשֵׂר	12. When thou hast made an end of tithing
אֶת־כָּל־מַעְשַׂר	all the tithe
תְּבוּאָתְךָ	of thine increase
בַּשָּׁנָה הַשְּׁלִישִׁת	in the third year,
שְׁנַת הַמַּעֲשֵׂר	(which is) the year of tithing,
וְנָתַתָּה לַלֵּוִי	and hast given (it) unto the Levite,
לַגֵּר	to the stranger,
לַיָּתוֹם וְלָאַלְמָנָה	to the fatherless, and to the widow,

Rashi — רש"י

12 כִּי תְכַלֶּה לַעְשֵׂר אֶת־כָּל־מַעְשַׂר תְּבוּאָתְךָ בַּשָּׁנָה הַשְּׁלִישִׁת.	**12. When thou hast made an end of tithing all the tithe of thine increase in the third year**
כְּשֶׁתִּגְמוֹר לְהַפְרִישׁ מַעְשְׂרוֹת	When you will conclude setting apart the tithes
שֶׁל שָׁנָה הַשְּׁלִישִׁית;	of the third year.
קָבַע זְמַן הַבִּיעוּר וְהַוִּדּוּי	It fixes the time of putting away (removing) and confession
בְּעֶרֶב הַפֶּסַח	on the eve of Passover
שֶׁל שָׁנָה הָרְבִיעִית,	of the fourth year,
שֶׁנֶּאֱמַר (דְּבָר' י"ד):—	as it is stated (Deut. 14.28):
מִקְצֵה שָׁלֹשׁ שָׁנִים תּוֹצִיא וְגוֹ',	"at the end of every three years shalt thou bring forth," etc.
נֶאֱמַר כָּאן מִקֵּץ	It is stated here "at the end"
וְנֶאֱמַר לְהַלָּן (דְּבָר' ל"א):—	and it is stated below (Deut. 31.10):
מִקֵּץ שֶׁבַע שָׁנִים לְעִנְיַן הַקְהֵל	"at the end of seven years" in reference to "assemble (the people)" (31.12):
מַה לְהַלָּן רֶגֶל	just as there (it refers to) the festival,
אַף כָּאן רֶגֶל,	so here (it refers to) a festival;
אִי מַה לְהַלָּן חַג הַסֻּכּוֹת	if (so), as there (it is) the festival of Succoth,
אַף כָּאן חַג הַסֻּכּוֹת,	so here (it is) the festival of Succoth.
תַּלְמוּד לוֹמַר ,כִּי תְכַלֶּה לַעְשֵׂר'	(Therefore) Scripture states "When thou hast made an end of tithing"
מַעְשְׂרוֹת שֶׁל שָׁנָה הַשְּׁלִישִׁית,	the tithes of the third year,
רֶגֶל שֶׁהַמַּעְשְׂרוֹת כָּלִין בּוֹ	(i. e.,) the festival in which the tithes terminate,
וְזֶהוּ פֶּסַח,	and that is Passover,
שֶׁהַרְבֵּה אִילָנוֹת יֵשׁ	for there are many trees
שֶׁנִּלְקָטִין אַחַר הַסֻּכּוֹת;	which are picked after Succoth.
נִמְצְאוּ מַעְשְׂרוֹת שֶׁל שְׁלִישִׁית	Consequently the tithes of the third (year)
כָּלִין בְּפֶסַח שֶׁל רְבִיעִית,	terminate on the Passover of the fourth year,
וְכָל מִי שֶׁשָּׁהָה מַעְשְׂרוֹתָיו	and whoever retains his tithes,
הִצְרִיכוֹ הַכָּתוּב	Scripture requires him
לְבַעֲרוֹ מִן הַבַּיִת:	to remove it from the house.
שְׁנַת הַמַּעֲשֵׂר.	**(Which is) the year of tithing**
שָׁנָה שֶׁאֵין נוֹהֵג בָּהּ אֶלָּא	(I. e.,) the year in which there was applied only
מַעֲשֵׂר אֶחָד	one tithe
מִשְּׁנֵי מַעְשְׂרוֹת	of the two tithes
שֶׁנָּהֲגוּ בִּשְׁתֵּי שָׁנִים שֶׁלְּפָנֶיהָ,	which apply during the two years preceding it,
שֶׁשָּׁנָה רִאשׁוֹנָה שֶׁל שְׁמִטָּה	for the first year of the seven years terminating with the Sabbatical year

וְאָכְלוּ בִשְׁעָרֶיךָ — that they may eat within thy gates,

וְשָׂבֵעוּ׃ — and be satisfied,

13 וְאָמַרְתָּ — 13. then thou shalt say

לִפְנֵי יְהוָה אֱלֹהֶיךָ — before the Lord thy God:

בִּעַרְתִּי הַקֹּדֶשׁ — 'I have put away the hallowed things

מִן־הַבַּיִת — out of my house,

Rashi — רש״י

נוֹהֵג בָּהּ מַעֲשֵׂר רִאשׁוֹן, — there applies during it the first tithe,

כְּמוֹ שֶׁנֶּאֱמַר (בַּמִּדְ׳ י״ח):— — as it is stated (Num. 18.26):

כִּי תִקְחוּ מֵאֵת בְּנֵי יִשְׂרָאֵל אֶת הַמַּעֲשֵׂר, — "When ye take of the children of Israel the tithe,"

וּמַעֲשֵׂר שֵׁנִי, — and the second tithe,

שֶׁנֶּאֱמַר (דְּבָרִ׳ י״ד):— — as it is stated (Deut. 14.23):

וְאָכַלְתָּ לִפְנֵי ה׳ אֱלֹהֶיךָ — "And thou shalt eat before the Lord thy God . . .

מַעְשַׂר דְּגָנְךָ תִּירֹשְׁךָ וְיִצְהָרֶךָ, — the tithe of thy corn, of thy wine, and of thine oil."

הֲרֵי שְׁנֵי מַעַשְׂרוֹת, — Thus there are two tithes.

וּבָא וְלִמֶּדְךָ כָּאן בַּשָּׁנָה הַשְּׁלִישִׁית — And it comes and teaches you here concerning the third year

שֶׁאֵין נוֹהֵג מֵאוֹתָן שְׁנֵי מַעַשְׂרוֹת — that there applies of those two tithes

אֶלָּא הָאֶחָד, — only one.

וְאֵי זֶה זֶה מַעֲשֵׂר רִאשׁוֹן, — And which is that? That is the first tithe.

וְתַחַת מַעֲשֵׂר שֵׁנִי — And instead of the second tithe

יִתֵּן מַעְשַׂר עָנִי, — he shall give the tithe of the poor,

שֶׁנֶּאֱמַר כָּאן ,וְנָתַתָּה לַלֵּוִי׳ — as it is stated here, "And thou shalt give unto the Levite"

אֶת אֲשֶׁר לוֹ הֲרֵי מַעֲשֵׂר רִאשׁוֹן, — what is due him, that is the first tithe;

,לַגֵּר לַיָּתוֹם וְלָאַלְמָנָה׳ — "to the stranger, to the fatherless, and to the widow,"

זֶה מַעְשַׂר עָנִי: — this (refers to) the tithe of the poor.

וְאָכְלוּ בִשְׁעָרֶיךָ וְשָׂבֵעוּ. — **That they may eat within thy gates, and be satisfied**

תֵּן לָהֶם כְּדֵי שָׂבְעָן, — Give them sufficient to satisfy them.

מִכַּאן אָמְרוּ:— — Hence (our Rabbis) said:

אֵין פּוֹחֲתִין לֶעָנִי בַּגֹּרֶן — One must not give less to a poor man on the threshing floor

פָּחוּת מֵחֲצִי קַב חִטִּים וְכוּ׳ (סִפְרִי, יְרוּשַׁ׳ פֵּאָה פ״ח ה״ה): — than half a kab of wheat, etc. (Siphre; Jerusalem Peah Chap. VIII, Halachah 5).

13 וְאָמַרְתָּ לִפְנֵי ה׳ אֱלֹהֶיךָ. — **13. Then thou shalt say before the Lord thy God**

הִתְוַדֵּה שֶׁנָּתַתָּ מַעַשְׂרוֹתֶיךָ: — State that you have given your tithes.

בִּעַרְתִּי הַקֹּדֶשׁ מִדְהַבַּיִת. — **I have put away the hallowed things out of my house**

זֶה מַעֲשֵׂר שֵׁנִי — This is the second tithe

וְנֶטַע רְבָעִי (סִפְרִי); — and the fourth year's fruit of a young tree (siphre).

וְלִמֶּדְךָ — And it teaches you

שֶׁאִם שִׁהָה מַעַשְׂרוֹתָיו — that if he detained his tithes

שֶׁל שְׁתֵּי שָׁנִים — of two years,

וְלֹא הֶעֱלָם לִירוּשָׁלַיִם — and did not bring them up to Jerusalem,

שֶׁצָּרִיךְ לְהַעֲלוֹתָם עַכְשָׁיו: — that he must bring them up now.

וְגַם נְתַתִּיו	and have also given it
לַלֵּוִי וְלַגֵּר	unto the Levite, and unto the stranger,
לַיָּתוֹם וְלָאַלְמָנָה	to the fatherless, and to the widow,
כְּכָל־מִצְוָתְךָ	according to all Thy commandment
אֲשֶׁר צִוִּיתָנִי	which Thou hast commanded me;
לֹא־עָבַרְתִּי מִמִּצְוֺתֶיךָ	I have not transgressed any of Thy commandments,
וְלֹא שָׁכָחְתִּי׃	neither have I forgotten (them).
14 לֹא־אָכַלְתִּי בְאֹנִי מִמֶּנּוּ	14. I have not eaten thereof in my mourning;
וְלֹא־בִעַרְתִּי מִמֶּנּוּ	neither have I put away thereof,
בְּטָמֵא	being unclean,

Rashi — רש"י

וְגַם נְתַתִּיו לַלֵּוִי.	**And (I) have also given it unto the Levite**
מַעֲשֵׂר רִאשׁוֹן׃	(I. e.,) the first tithe.
וְגַם.	**And also**
לְרַבּוֹת תְּרוּמָה וּבִכּוּרִים׃	(This comes) to include Terumah and first-fruits.
וְלַגֵּר לַיָּתוֹם וְלָאַלְמָנָה.	**And unto the stranger, to the fatherless, and to the widow**
זֶה מַעֲשֵׂר עָנִי׃	This (refers to) the tithe of the poor.
כְּכָל־מִצְוָתְךָ.	**According to all Thy commandment**
נְתַתִּים כְּסִדְרָם,	I have given them in their order:
לֹא הִקְדַּמְתִּי תְרוּמָה לְבִכּוּרִים	I have not given Terumah before first-fruits,
וְלֹא מַעֲשֵׂר לִתְרוּמָה	nor tithes before Terumah,
וְלֹא שֵׁנִי לְרִאשׁוֹן,	nor second (tithe) before the first;
שֶׁהַתְּרוּמָה קְרוּיָה רֵאשִׁית,	for Terumah is termed first,
שֶׁהִיא רִאשׁוֹנָה מִשֶּׁנַּעֲשָׂה דָגָן,	ince it is first after it has become corn;
וּכְתִיב (שְׁמוֹת כ"ב):—	and it is written (Ex. 22.28):
מְלֵאָתְךָ וְדִמְעֲךָ לֹא תְאַחֵר	"Thy first-fruits and thy Terumah thou shalt not delay;"
—לֹא תְשַׁנֶּה אֶת הַסֵּדֶר׃	you shall not change their order.
לֹא־עָבַרְתִּי מִמִּצְוֺתֶיךָ.	**I have not transgressed any of Thy commandments**
לֹא הִפְרַשְׁתִּי מִמִּין	I have not set apart from (one) kind
עַל שֶׁאֵינוֹ מִינוֹ	for another kind,
וּמִן הֶחָדָשׁ עַל הַיָּשָׁן	or from the new for the old.
(וְלֹא מִן הַתָּלוּשׁ עַל הַמְחוּבָּר	(Nor from the detached for the attached,
וְלֹא מִן הַמְחוּבָּר עַל הַתָּלוּשׁ)׃	nor from the attached for the detached.)
וְלֹא שָׁכָחְתִּי.	**Neither have I forgotten (them)**
מִלְּבָרֶכְךָ עַל הַפְרָשַׁת מַעַשְׂרוֹת (בְּרָ' מ)׃	to bless Thee during the setting apart of tithes (Ber. 40).
14 לֹא־אָכַלְתִּי בְאֹנִי מִמֶּנּוּ.	**14. I have not eaten thereof in my mourning**
מִכָּאן שֶׁאָסוּר לְאוֹנֵן׃	Hence (we derive) that it is forbidden to a mourner (i.e., to an Onan).
וְלֹא־בִעַרְתִּי מִמֶּנּוּ בְּטָמֵא.	**Neither have I put away thereof, being unclean**
בֵּין שֶׁאֲנִי טָמֵא וְהוּא טָהוֹר,	Whether I was unclean and it was clean,
בֵּין שֶׁאֲנִי טָהוֹר וְהוּא טָמֵא;	or I was clean and it was unclean.

וְלֹא־נָתַתִּי מִמֶּנּוּ	nor given thereof
לְמֵת	for the dead;
שָׁמַעְתִּי	I have hearkened
בְּקוֹל יְהוָה אֱלֹהָי	to the voice of the Lord my God,
עָשִׂיתִי	I have done
כְּכֹל אֲשֶׁר צִוִּיתָנִי׃	according to all that Thou hast commanded me.
15 הַשְׁקִיפָה	15. Look forth
מִמְּעוֹן קָדְשְׁךָ	from Thy holy habitation,
מִן־הַשָּׁמַיִם	from heaven,
וּבָרֵךְ אֶת־עַמְּךָ	and bless Thy people
אֶת־יִשְׂרָאֵל	Israel,
וְאֵת הָאֲדָמָה	and the land
אֲשֶׁר נָתַתָּה לָנוּ	which Thou hast given us,
כַּאֲשֶׁר נִשְׁבַּעְתָּ לַאֲבֹתֵינוּ	as Thou didst swear unto our fathers,

Rashi — רש״י

וְהֵיכָן הֻזְהַר עַל כָּךְ?	And where is he forewarned regarding this (that he must declare that he has not infringed the command)?
לֹא תוּכַל לֶאֱכֹל בִּשְׁעָרֶיךָ (דְּבָרִ׳ י״ב),	"Thou mayest not eat within thy gates" (Deut. 12.17).
זוּ אֲכִילַת טֻמְאָה,	This (implies) eating (while in a state of) uncleanness,
כְּמוֹ שֶׁנֶּאֱמַר בִּפְסוּלֵי הַמֻּקְדָּשִׁים (שָׁם ט״ו):—	as it is stated in reference to dedicated animals which became unfit (*ibid.*, 15.22),
בִּשְׁעָרֶיךָ תֹּאכְלֶנּוּ הַטָּמֵא וְהַטָּהוֹר וְגוֹ׳,	"Within thy gates thou shalt eat it, the unclean and the clean," etc.
אֲבָל זֶה לֹא תוּכַל לֶאֱכוֹל	But this you may not eat
דֶּרֶךְ אֲכִילַת שְׁעָרֶיךָ	in the manner of eating (within) your gates
הָאָמוּר בְּמָקוֹם אַחֵר (יְבָמ׳ ע״ג):	which is mentioned in another passage (Yeb. 73).
וְלֹא־נָתַתִּי מִמֶּנּוּ לְמֵת.	**Nor (have I) given thereof for the dead**
לַעֲשׂוֹת לוֹ אָרוֹן וְתַכְרִיכִין:	To make for him (the deceased) a coffin or shrouds.
שָׁמַעְתִּי בְּקוֹל ה׳ אֱלֹהָי.	**I have hearkened to the voice of the Lord my God**
הֲבִיאוֹתִיו לְבֵית הַבְּחִירָה:	(I. e.,) I have brought it to the Temple.
עָשִׂיתִי כְּכֹל אֲשֶׁר צִוִּיתָנִי.	**I have done according to all that Thou hast commanded me**
שָׂמַחְתִּי וְשִׂמַּחְתִּי בּוֹ:	I have rejoiced and caused others to rejoice with it.
15 הַשְׁקִיפָה מִמְּעוֹן קָדְשְׁךָ.	**15. Look forth from Thy holy habitation**
עָשִׂינוּ מַה שֶּׁגָּזַרְתָּ עָלֵינוּ,	We have done what Thou hast decreed upon us;
עֲשֵׂה אַתָּה מַה שֶּׁעָלֶיךָ לַעֲשׂוֹת	do Thou what Thou hast to do,
שֶׁאָמַרְתָּ (וַיִּקְ׳ כ״ו):—	for Thou hast said (Lev. 26. 3—4):
אִם בְּחֻקֹּתַי תֵּלֵכוּ...	"If ye walk in My statutes . . .
וְנָתַתִּי גִשְׁמֵיכֶם בְּעִתָּם (סִפְרֵי):	then I will give your rains in their season" (Siphre).
אֲשֶׁר נָתַתָּה לָנוּ כַּאֲשֶׁר נִשְׁבַּעְתָּ לַאֲבֹתֵינוּ.	**Which Thou hast given us, as Thou didst swear unto our fathers**
לָתֵת לָנוּ	To give unto us,

אֶרֶץ — a land
זָבַת חָלָב וּדְבָשׁ: ס שלישי — flowing (with) milk and honey.'
16 הַיּוֹם הַזֶּה — 16. This day
יְהוָה אֱלֹהֶיךָ מְצַוְּךָ — the Lord thy God commandeth thee
לַעֲשׂוֹת — to do
אֶת־הַחֻקִּים הָאֵלֶּה — these statutes
וְאֶת־הַמִּשְׁפָּטִים — and ordinances;
וְשָׁמַרְתָּ — thou shalt therefore observe
וְעָשִׂיתָ אוֹתָם — and do them
בְּכָל־לְבָבְךָ — with all thy heart,
וּבְכָל־נַפְשֶׁךָ: — and with all thy soul.
17 אֶת־יְהוָה הֶאֱמַרְתָּ הַיּוֹם — 17. Thou hast set apart the Lord this day
לִהְיוֹת לְךָ לֵאלֹהִים — to be thy God,
וְלָלֶכֶת בִּדְרָכָיו — and that thou wouldest walk in His ways,
וְלִשְׁמֹר חֻקָּיו — and keep His statutes,
וּמִצְוֹתָיו וּמִשְׁפָּטָיו — and His commandments, and His ordinances,
וְלִשְׁמֹעַ בְּקֹלוֹ: — and hearken unto His voice.
18 וַיהוָה — 18. And the Lord
הֶאֱמִירְךָ הַיּוֹם — hath set thee apart this day

Rashi — רש"י

וְקִיַּמְתָּ "אֶרֶץ זָבַת חָלָב וּדְבָשׁ": — and Thou didst fulfill "a land flowing with milk and honey."
16 **הַיּוֹם הַזֶּה ה' אֱלֹהֶיךָ מְצַוְּךָ.** — **16. This day the Lord thy God commandeth thee**
בְּכָל יוֹם יִהְיוּ בְעֵינֶיךָ חֲדָשִׁים — Every day they should seem new in your eyes,
כְּאִילוּ בוֹ בַיּוֹם נִצְטַוֵּיתָ עֲלֵיהֶם (תַּנְח'): — as though on that very day you were commanded regarding them (Tahḥuma).
וְשָׁמַרְתָּ וְעָשִׂיתָ אוֹתָם. — **Thou shalt therefore observe and do them**
בַּת קוֹל מְבָרַכְתּוֹ — A divine voice blesses him:
—הֵבֵאתָ בִכּוּרִים הַיּוֹם — "You have brought first-fruits today;
תִּזְכֶּה לְשָׁנָה הַבָּאָה (שָׁם): — you will be found worthy (to bring them again) in the coming year" (*ibid.*).
17–18 **הֶאֱמַרְתָּ... הֶאֱמִירְךָ.** — **17-18. Thou hast set apart... (He) hath set thee apart**
אֵין לָהֶם עֵד מוֹכִיחַ בַּמִּקְרָא. — (These words) have no evidence to prove (their meaning) in the Bible.
וְלִי נִרְאֶה — But it seems to me
שֶׁהוּא לְשׁוֹן הַפְרָשָׁה וְהַבְדָּלָה — that it (the term האמרת) denotes setting apart or separating:
—הִבְדַּלְתָּ לְךָ מֵאֱלֹהֵי הַנֵּכָר — you have separated for yourself from the strange gods
לִהְיוֹת לְךָ לֵאלֹהִים, — (that He) should be your God,
וְהוּא הִפְרִישְׁךָ אֵלָיו — and He has set you apart unto Him
מֵעַמֵּי הָאָרֶץ — from among the nations of the earth
לִהְיוֹת לוֹ לְעַם סְגֻלָּה — to be His treasured nation.
(וּמָצָאתִי לָהֶם עֵד — (And I found evidence for their (meaning),
וְהוּא לְשׁוֹן תִּפְאֶרֶת — and it is the term "praise,"
כְּמוֹ (תְּהִ' צ"ד):— — as (Psa. 94.4):
יִתְאַמְּרוּ כָּל פֹּעֲלֵי אָוֶן): — "All the workers of iniquity praise themselves" (יתאמרו).)

לִהְי֥וֹת לוֹ֙ לְעַ֣ם סְגֻלָּ֔ה	to be a people of His own treasure,
כַּאֲשֶׁ֖ר דִּבֶּר־לָ֑ךְ	as He hath promised thee,
וְלִשְׁמֹ֖ר כָּל־מִצְוֺתָֽיו׃	and that thou shouldest keep all His commandments;
19 וּֽלְתִתְּךָ֣ עֶלְי֗וֹן	19. and to make thee high
עַ֤ל כָּל־הַגּוֹיִם֙	above all nations
אֲשֶׁ֣ר עָשָׂ֔ה	that He hath made,
לִתְהִלָּ֖ה	in praise,
וּלְשֵׁ֣ם וּלְתִפְאָ֑רֶת	and in name, and in glory;
וְלִֽהְיֹתְךָ֧ עַם־קָדֹ֛שׁ	and that thou mayest be a holy people
לַיהוָ֥ה אֱלֹהֶ֖יךָ	to the Lord thy God,
כַּאֲשֶׁ֥ר דִּבֵּֽר׃	as He hath spoken.

רביעי

CHAPTER XXVII — כז

1 וַיְצַ֤ו מֹשֶׁה֙ וְזִקְנֵ֣י יִשְׂרָאֵ֔ל	1. And Moses and the elders of Israel commanded
אֶת־הָעָ֖ם	the people,
לֵאמֹ֑ר	saying:
שָׁמֹר֙	'Keep
אֶת־כָּל־הַמִּצְוָ֔ה	all the commandment
אֲשֶׁ֧ר אָנֹכִ֛י מְצַוֶּ֥ה אֶתְכֶ֖ם הַיּֽוֹם׃	which I command you this day.
2 וְהָיָ֗ה	2. And it shall be
בַּיּוֹם֮ אֲשֶׁ֣ר תַּעַבְר֣וּ אֶת־הַיַּרְדֵּן֒	on the day when ye shall pass over the Jordan
אֶל־הָאָ֕רֶץ	unto the land
אֲשֶׁר־יְהוָ֥ה אֱלֹהֶ֖יךָ	which the Lord thy God
נֹתֵ֣ן לָ֑ךְ	giveth thee,
וַהֲקֵמֹתָ֤ לְךָ֙	that thou shalt set thee up

Rashi — רש״י

18 כַּאֲשֶׁר דִּבֶּר־לָךְ.	**18. As He hath promised thee**
וִהְיִיתֶם לִי סְגֻלָּה (שְׁמ׳ י״ט):	"Then ye shall be Mine own treasure" (Ex. 19.5).
19 וְלִהְיֹתְךָ עַם־קָדוֹשׁ ... כַּאֲשֶׁר דִּבֵּר.	**19. And that thou mayest be a holy people . . . as He hath spoken**
וִהְיִיתֶם לִי קְדֹשִׁים (וַיִּקְ׳ כ):	"And ye shall be holy unto Me" (Lev. 20.26).
27 1 שָׁמֹר אֶת־כָּל־הַמִּצְוָה.	**27 1. Keep all the commandment**
לְשׁוֹן הֹוֶה,	(The form שָׁמֹר) indicates continuous action (rather than the imperative)·
גרד״נט בְּלַעַ״ז:	*gardant* in O. F.
2 וַהֲקֵמֹתָ לְךָ.	**2. That thou shalt set thee up (great stones)**
בַּיַּרְדֵּן,	in the Jordan,
וְאַחַ״כּ תּוֹצִיא מִשָּׁם אֲחֵרוֹת	and afterwards you shall take out from there others,
וְתִבְנֶה מֵהֶן מִזְבֵּחַ בְּהַר עֵיבָל,	and build from them an altar on Mt. Ebal.
נִמְצֵאת אַתָּה אוֹמֵר	Consequently you may say (that)
שְׁלֹשָׁה מִינֵי אֲבָנִים הָיוּ,	there were three groups of stones:

אֲבָנִים גְּדֹלוֹת	great stones,
וְשַׂדְתָּ אֹתָם בַּשִּׂיד׃	and plaster them with plaster.
3 וְכָתַבְתָּ עֲלֵיהֶן	3. And thou shalt write upon them
אֶת־כָּל־דִּבְרֵי	all the words
הַתּוֹרָה הַזֹּאת	of this law,
בְּעָבְרֶךָ	when thou art passed over;
לְמַעַן אֲשֶׁר תָּבֹא	that thou mayest go in
אֶל־הָאָרֶץ	unto the land
אֲשֶׁר־יְהוָה אֱלֹהֶיךָ נֹתֵן לָךְ	which the Lord thy God giveth thee,
אֶרֶץ	a land
זָבַת חָלָב וּדְבַשׁ	flowing (with) milk and honey,
כַּאֲשֶׁר דִּבֶּר יְהוָה אֱלֹהֵי־אֲבֹתֶיךָ	as the Lord, the God of thy fathers, hath promised
לָךְ׃	thee.
4 וְהָיָה	4. And it shall be,
בְּעָבְרְכֶם אֶת־הַיַּרְדֵּן	when ye are passed over the Jordan,
תָּקִימוּ	that ye shall set up
אֶת־הָאֲבָנִים הָאֵלֶּה	these stones,
אֲשֶׁר אָנֹכִי מְצַוֶּה אֶתְכֶם הַיּוֹם	which I command you this day,
בְּהַר עֵיבָל	in mount Ebal,
וְשַׂדְתָּ אוֹתָם בַּשִּׂיד׃	and thou shalt plaster them with plaster.
5 וּבָנִיתָ שָּׁם מִזְבֵּחַ	5. And thou shalt build there an altar
לַיהוָה אֱלֹהֶיךָ	to the Lord thy God,
מִזְבַּח אֲבָנִים	an altar of stones;
לֹא־תָנִיף עֲלֵיהֶם	thou shalt not lift up upon them
בַּרְזֶל׃	an iron (tool).
6 אֲבָנִים שְׁלֵמוֹת	6. (Of) unhewn stones
תִּבְנֶה	thou shalt build
אֶת־מִזְבַּח	the altar
יְהוָה אֱלֹהֶיךָ	of the Lord thy God;
וְהַעֲלִיתָ עָלָיו עוֹלֹת	and thou shalt offer burnt-offerings thereon
לַיהוָה אֱלֹהֶיךָ׃	unto the Lord thy God.
7 וְזָבַחְתָּ שְׁלָמִים	7. And thou shalt sacrifice peace-offerings,
וְאָכַלְתָּ שָּׁם	and shalt eat there;
וְשָׂמַחְתָּ	and thou shalt rejoice
לִפְנֵי יְהוָה אֱלֹהֶיךָ׃	before the Lord thy God.

Rashi — רש״י

שְׁתֵּים עֶשְׂרֵה בַּיַּרְדֵּן	twelve in the Jordan,
וּכְנֶגְדָּן בַּגִּלְגָּל	and a corresponding number in Gilgal.
וּכְנֶגְדָּן בְּהַר עֵיבָל,	and the same number on Mt. Ebal;
כִּדְאִיתָא בְּמַסֶּ׳ סוֹטָה (דַּ׳ ל״ה)׃	as it is (stated) in the treatise Soṭah (fol. 35).

8 וְכָתַבְתָּ	8. And thou shalt write
עַל־הָאֲבָנִים	upon the stones
אֶת־כָּל־דִּבְרֵי	all the words
הַתּוֹרָה הַזֹּאת	of this law
בַּאֵר הֵיטֵב׃ ס	very plainly.'
9 וַיְדַבֵּר מֹשֶׁה וְהַכֹּהֲנִים הַלְוִיִּם	9. And Moses and the priests the Levites spoke,
אֶל־כָּל יִשְׂרָאֵל	unto all Israel,
לֵאמֹר	saying:
הַסְכֵּת ׀	'Take heed,
וּשְׁמַע יִשְׂרָאֵל	and hear, O Israel;
הַיּוֹם הַזֶּה	this day
נִהְיֵיתָ לְעָם	thou art become a people
לַיהוָה אֱלֹהֶיךָ׃	unto the Lord thy God.
10 וְשָׁמַעְתָּ	10. Thou shalt therefore hearken
בְּקוֹל יְהוָה אֱלֹהֶיךָ	to the voice of the Lord thy God,
וְעָשִׂיתָ אֶת־מִצְוֹתָו	and do His commandments
וְאֶת־חֻקָּיו	and His statutes,
אֲשֶׁר אָנֹכִי מְצַוְּךָ הַיּוֹם׃ ס חמישי	which I command thee this day.'
11 וַיְצַו מֹשֶׁה אֶת־הָעָם	11. And Moses charged the people
בַּיּוֹם הַהוּא	the same day,
לֵאמֹר׃	saying:
12 אֵלֶּה יַעַמְדוּ	12. 'These shall stand,
לְבָרֵךְ אֶת־הָעָם	to bless the people,

Rashi — רש״י

8 בַּאֵר הֵיטֵב.	**8. Very plainly**
בְּשִׁבְעִים לָשׁוֹן (שָׁם ל״ב):	(I. e.,) in seventy languages (*ibid.*, 32).
9 הַסְכֵּת.	**9. Take heed**
כְּתַרְגּוּמוֹ:	(Understand הסכת) as the Targum renders it (viz., "listen").
הַיּוֹם הַזֶּה נִהְיֵיתָ לְעָם.	**This day thou art become a people**
בְּכָל יוֹם יִהְיוּ בְעֵינֶיךָ	Every day it should appear in your eyes
כְּאִילוּ הַיּוֹם בָּאתָ עִמּוֹ בַּבְּרִית (בְּרָכ׳ ס״ג):	as though today you entered into a covenant with Him (Ber. 63).
12 לְבָרֵךְ אֶת־הָעָם.	**12. To bless the people**
כִּדְאִיתָא בְּמַסֶּ׳ סוֹטָה (דַּ׳ ל״ב)	As it is stated in the treatise Soṭah (fol. 32):
שִׁשָּׁה שְׁבָטִים עָלוּ לְרֹאשׁ הַר גְּרִזִּים	Six tribes ascended to the summit of Mt. Gerizim,
וְשִׁשָּׁה לְרֹאשׁ הַר עֵיבָל	and six to the summit of Mt. Ebal,
וְהַכֹּהֲנִים וְהַלְוִיִּם וְהָאָרוֹן	while the priests and Levites and the Ark
לְמַטָּה בָּאֶמְצַע,	(stood) below in the center.
הָפְכוּ לְוִיִּם פְּנֵיהֶם	The Levites turned their faces
כְּלַפֵּי הַר גְּרִזִּים	toward Mt. Gerizim,
וּפָתְחוּ בִּבְרָכָה,	and began with the blessing,
בָּרוּךְ הָאִישׁ	"Blessed be the man
אֲשֶׁר לֹא יַעֲשֶׂה פֶסֶל וּמַסֵּכָה וְגוֹ׳,	that maketh not a graven or molten image," etc.,
וְאֵלּוּ וְאֵלּוּ עוֹנִין אָמֵן,	and these and those (both groups) answered, "Amen."

עַל־הַר גְּרִזִּים	upon mount Gerizim,
בְּעָבְרְכֶם אֶת־הַיַּרְדֵּן	when ye are passed over the Jordan:
שִׁמְעוֹן וְלֵוִי וִיהוּדָה	Simeon, and Levi, and Judah,
וְיִשָּׂשכָר	and Issachar,
וְיוֹסֵף וּבִנְיָמִן׃	and Joseph, and Benjamin;
13 וְאֵלֶּה יַעַמְדוּ	13. and these shall stand,
עַל־הַקְּלָלָה	for the curse,
בְּהַר עֵיבָל	upon mount Ebal:
רְאוּבֵן גָּד וְאָשֵׁר	Reuben, Gad, and Asher,
וּזְבוּלֻן דָּן וְנַפְתָּלִי׃	and Zebulun, Dan, and Naphtali.
14 וְעָנוּ הַלְוִיִּם	14. And the Levites shall speak,
וְאָמְרוּ	and say
אֶל־כָּל־אִישׁ יִשְׂרָאֵל	unto all the men of Israel
קוֹל רָם׃ ס	(with) a loud voice:
15 אָרוּר הָאִישׁ	15. Cursed be the man
אֲשֶׁר יַעֲשֶׂה	that maketh
פֶסֶל וּמַסֵּכָה	a graven or molten image,
תּוֹעֲבַת יְהוָה	an abomination unto the Lord,
מַעֲשֵׂה יְדֵי חָרָשׁ	the work of the hands of the craftsman,
וְשָׂם בַּסָּתֶר	and setteth (it) up in secret.
וְעָנוּ כָל־הָעָם	And all the people shall answer
וְאָמְרוּ אָמֵן׃ ס	and say: Amen.
16 אָרוּר	16. Cursed (be he)
מַקְלֶה אָבִיו וְאִמּוֹ	that dishonoreth his father or his mother.
וְאָמַר כָּל־הָעָם אָמֵן׃ ס	And all the people shall say: Amen.
17 אָרוּר	17. Cursed (be he)
מַסִּיג גְּבוּל רֵעֵהוּ	that removeth his neighbor's land-mark.

Rashi — רש״י

חָזְרוּ וְהָפְכוּ פְּנֵיהֶם	Then they turned their faces
כְּלַפֵּי הַר עֵיבָל	toward Mt. Ebal,
וּפָתְחוּ בִקְלָלָה וְאוֹמְרִים:—	and began with the curse saying,
אָרוּר הָאִישׁ אֲשֶׁר יַעֲשֶׂה פֶסֶל וְגוֹ׳,	"Cursed be the man that maketh a graven image," etc.
וְכֵן כֻּלָּם,	And similarly for all of them,
עַד אָרוּר אֲשֶׁר לֹא יָקִים:	until (v. 26), "cursed be he that confirmeth not."
16 מַקְלֶה אָבִיו.	**16. (He) that dishonoreth his father**
מְזַלְזֵל,	(מקלה is to be interpreted) dishonors,
לְשׁוֹן וְנִקְלָה אָחִיךָ (דְּבָ׳ כ״ה:)	as in the expression, "And thy brother be dishonored" (ונקלה) (Deut. 25. 3).
17 מַסִּיג גְּבוּל.	**17. (He) that removeth the landmark**
מַחֲזִירוֹ לַאֲחוֹרָיו	He moves it back
וְגוֹנֵב אֶת הַקַּרְקַע,	and steals the ground
לְשׁוֹן וְהֻסַּג אָחוֹר (יְשַׁע׳ נ״ט:)	(as in) the expression," And it is turned away backward" (וְהֻסַּג) (Isa. 59.14).

וְאָמַר כָּל־הָעָם אָמֵן: ס	And all the people shall say: Amen.
18 אָרוּר	18. Cursed (be he)
מַשְׁגֶּה עִוֵּר בַּדָּרֶךְ	that causeth the blind to go astray in the way.
וְאָמַר כָּל־הָעָם אָמֵן: ס	And all the people shall say: Amen.
19 אָרוּר	19. Cursed (be he)
מַטֶּה מִשְׁפַּט	that perverteth the justice
גֵּר־יָתוֹם וְאַלְמָנָה	of the stranger, fatherless, and widow.
וְאָמַר כָּל־הָעָם אָמֵן:	And all the people shall say: Amen.
20 אָרוּר	20. Cursed (be he)
שֹׁכֵב עִם־אֵשֶׁת אָבִיו	that lieth with his father's wife;
כִּי גִלָּה	because he hath uncovered
כְּנַף אָבִיו	his father's skirt.
וְאָמַר כָּל־הָעָם	And all the people shall say:
אָמֵן: ס	Amen.
21 אָרוּר	21. Cursed (be he)
שֹׁכֵב עִם־כָּל־בְּהֵמָה	that lieth with any manner of beast.
וְאָמַר כָּל־הָעָם	And all the people shall say:
אָמֵן: ס	Amen.
22 אָרוּר	22. Cursed (be he)
שֹׁכֵב עִם־אֲחֹתוֹ	that lieth with his sister,
בַּת־אָבִיו	the daughter of his father,
אוֹ בַת־אִמּוֹ	or the daughter of his mother.
וְאָמַר כָּל־הָעָם	And all the people shall say:
אָמֵן: ס	Amen.
23 אָרוּר	23. Cursed (be he)
שֹׁכֵב עִם־חֹתַנְתּוֹ	that lieth with his mother-in-law.
וְאָמַר כָּל־הָעָם	And all the people shall say:
אָמֵן: ס	Amen.
24 אָרוּר	24. Cursed (be he)
מַכֵּה רֵעֵהוּ בַּסָּתֶר	that smiteth his neighbor in secret.

Rashi — רש"י

18 מַשְׁגֶּה עִוֵּר.	**18. That causeth the blind to go astray**
הַסּוּמָא בַדָּבָר	(I. e.,) one who is blind regarding a matter,
וּמַשִּׂיאוֹ עֵצָה רָעָה:	and he gives him bad counsel.
24 מַכֵּה רֵעֵהוּ בַּסָּתֶר.	**24. That smiteth his neighbor in secret**
עַל לָשׁוֹן הָרָע הוּא אוֹמֵר.	Concerning evil talk (calumny) it speaks.
רָאִיתִי בִּיסוֹדוֹ שֶׁל רַבִּי מֹשֶׁה הַדַּרְשָׁן	I have seen (this) in the *Yesod* of Rabbi Moses HaDarshan.
י״א אֲרוּרִים יֵשׁ כַּאן	There are eleven curses here,
כְּנֶגֶד י״א שְׁבָטִים,	corresponding to the eleven tribes.
וּכְנֶגֶד שִׁמְעוֹן לֹא כָתַב אָרוּר,	And against Simeon a curse is not written,
לְפִי שֶׁלֹּא הָיָה בְלִבּוֹ לְבָרְכוֹ	because he did not intend to bless him

וְאָמַר כָּל־הָעָם אָמֵן׃ ס	And all the people shall say: Amen.
25 אָרוּר	25. Cursed (be he)
לֹקֵחַ שֹׁחַד	that taketh a bribe
לְהַכּוֹת נֶפֶשׁ דַּם נָקִי	to slay an innocent person.
וְאָמַר כָּל־הָעָם אָמֵן׃ ס	And all the people shall say: Amen.
26 אָרוּר	26. Cursed (be he)
אֲשֶׁר לֹא־יָקִים	that confirmeth not
אֶת־דִּבְרֵי הַתּוֹרָה־הַזֹּאת	the words of this law
לַעֲשׂוֹת אוֹתָם	to do them.
וְאָמַר כָּל־הָעָם אָמֵן׃ פ	And all the people shall say: Amen.'

CHAPTER XXVIII — כח

1 וְהָיָה	1. And it shall come to pass,
אִם־שָׁמוֹעַ תִּשְׁמַע	if thou shalt hearken diligently
בְּקוֹל יְהוָה אֱלֹהֶיךָ	unto the voice of the Lord thy God,
לִשְׁמֹר לַעֲשׂוֹת	to observe to do
אֶת־כָּל־מִצְוֹתָיו	all His commandments
אֲשֶׁר אָנֹכִי מְצַוְּךָ הַיּוֹם	which I command thee this day,
וּנְתָנְךָ יְהוָה אֱלֹהֶיךָ	that the Lord thy God will set thee
עֶלְיוֹן	on high
עַל כָּל־גּוֹיֵי הָאָרֶץ׃	above all the nations of the earth.
2 וּבָאוּ עָלֶיךָ	2. And (there) shall come upon thee
כָּל־הַבְּרָכוֹת הָאֵלֶּה	all these blessings,
וְהִשִּׂיגֻךָ	and overtake thee,
כִּי תִשְׁמַע	if thou shalt hearken
בְּקוֹל יְהוָה אֱלֹהֶיךָ׃	unto the voice of the Lord thy God.
3 בָּרוּךְ אַתָּה בָּעִיר	3. Blessed shalt thou be in the city,
וּבָרוּךְ אַתָּה בַּשָּׂדֶה׃	and blessed shalt thou be in the field.
4 בָּרוּךְ פְּרִי־בִטְנְךָ	4. Blessed shall be the fruit of thy body,
וּפְרִי אַדְמָתְךָ	and the fruit of thy land,
וּפְרִי בְהֶמְתֶּךָ	and the fruit of thy cattle,

Rashi — רש"י

לִפְנֵי מוֹתוֹ	before his death,
כְּשֶׁבֵּרַךְ שְׁאָר הַשְּׁבָטִים,	when he blessed the other tribes;
לְכָךְ לֹא רָצָה לְקַלְּלוֹ׃	therefore he did not desire to curse him.
26 אֲשֶׁר לֹא־יָקִים.	**26. That confirmeth not**
כָּאן כָּלַל אֶת כָּל הַתּוֹרָה כֻּלָּהּ	Here (in these words) he included the entire Torah,
וְקִבְּלוּהָ עֲלֵיהֶם בְּאָלָה וּבִשְׁבוּעָה׃	and they accepted it upon themselves with a curse and with an oath.

שְׁגַר אֲלָפֶיךָ — the young of thy kine,
וְעַשְׁתְּרוֹת צֹאנֶךָ׃ — and the flocks of thy sheep.
5 בָּרוּךְ טַנְאֲךָ — 5. Blessed shall be thy basket
וּמִשְׁאַרְתֶּךָ׃ — and thy kneading-trough.
6 בָּרוּךְ אַתָּה בְּבֹאֶךָ — 6. Blessed shalt thou be when thou comest in,
וּבָרוּךְ אַתָּה בְּצֵאתֶךָ׃ ששי — and blessed shalt thou be when thou goest out.
7 יִתֵּן יְהוָה — 7. The Lord will cause
אֶת־אֹיְבֶיךָ — thine enemies
הַקָּמִים עָלֶיךָ — that rise up against thee
נִגָּפִים לְפָנֶיךָ — to be smitten before thee;
בְּדֶרֶךְ אֶחָד — one way
יֵצְאוּ אֵלֶיךָ — they shall come out against thee,
וּבְשִׁבְעָה דְרָכִים — and seven ways
יָנוּסוּ לְפָנֶיךָ׃ — they shall flee before thee.
8 יְצַו יְהוָה — 8. The Lord will command
אִתְּךָ אֶת־הַבְּרָכָה — the blessing with thee
בַּאֲסָמֶיךָ — in thy barns,

Rashi — רש"י

28 4 **שְׁגַר אֲלָפֶיךָ.** — **28 4. The young of thy kine**
וַלְדוֹת בְּקָרְךָ, — (שגר אלפיך denotes) the young of thy herd,
שֶׁהַבְּהֵמָה מְשַׁגֶּרֶת מִמֵּעֶיהָ׃ — which the animal casts out (משגרת) from its inwards.
וְעַשְׁתְּרוֹת צֹאנֶךָ. — **And the flocks of thy sheep**
כְּתַרְגּוּמוֹ; — (Understand עשתרות) as the Targum renders it (viz., "and the flocks").
וְרַבּוֹתֵינוּ אָמְרוּ:— — And our Rabbis have said:
לָמָּה נִקְרָא שְׁמָם עַשְׁתָּרוֹת? — Why are they called עשתרות?
שֶׁמְּעַשְּׁרוֹת אֶת בַּעֲלֵיהֶן — Because they make wealthy (מעשירות) their owners,
וּמַחֲזִיקוֹת אוֹתָם כְּעַשְׁתָּרוֹת הַלָּלוּ, — and maintain them just like these עשתרות
שֶׁהֵן סְלָעִים חֲזָקִים׃ — which are mighty rocks.
5 **בָּרוּךְ טַנְאֲךָ.** — **5. Blessed shall be thy basket**
פֵּירוֹתֶיךָ. — (I. e.,) your fruits.
ד"א, טַנְאֲךָ׳ — Another interpretation of טנאך:
דָּבָר לַח — something moist
שֶׁאַתָּה מְסַנֵּן בְּסַלִּים׃ — which you filter through baskets.
וּמִשְׁאַרְתֶּךָ. — **And thy kneading-trough**
דָּבָר יָבֵשׁ — (ומשארתך denotes) something dry
שֶׁנִּשְׁאַר בִּכְלִי וְאֵינוֹ זָב׃ — which remains (נשאר) in the vessel and does not flow.
6 **בָּרוּךְ אַתָּה בְּבֹאֶךָ.** — **6. Blessed shalt thou be when thou comest in,**
וּבָרוּךְ אַתָּה בְּצֵאתֶךָ. — **and blessed shalt thou be when thou goest out**
שֶׁתְּהֵי יְצִיאָתְךָ מִן הָעוֹלָם — (I. e.,) your departure from the world shall be
בְּלֹא חֵטְא — without sin,
כְּבִיאָתְךָ לָעוֹלָם (ב"מ ק"ז): — just as your coming into the world (B. M. 107).
7 **וּבְשִׁבְעָה דְרָכִים יָנוּסוּ לְפָנֶיךָ.** — **7. And seven ways they shall flee before thee**
כֵּן דֶּרֶךְ הַנִּבְהָלִים לִבְרוֹחַ, — This is the manner (in which) the confounded flee,
מִתְפַּזְּרִין לְכָל צַד׃ — they disperse in every direction.

וּבְכֹל מִשְׁלַח יָדֶךָ	and in all that thou puttest thy hand unto;
וּבֵרַכְךָ בָּאָרֶץ	and He will bless thee in the land
אֲשֶׁר־יְהוָה אֱלֹהֶיךָ נֹתֵן לָךְ׃	which the Lord thy God giveth thee.
9 יְקִימְךָ יְהוָה לוֹ	9. The Lord will establish thee unto Himself
לְעַם קָדוֹשׁ	for a holy people,
כַּאֲשֶׁר נִשְׁבַּע־לָךְ	as He hath sworn unto thee;
כִּי תִשְׁמֹר	if thou shalt keep
אֶת־מִצְוֹת יְהוָה אֱלֹהֶיךָ	the commandments of the Lord thy God,
וְהָלַכְתָּ בִּדְרָכָיו׃	and walk in His ways.
10 וְרָאוּ כָּל־עַמֵּי הָאָרֶץ	10. And all the peoples of the earth shall see
כִּי שֵׁם יְהוָה	that the name of the Lord
נִקְרָא עָלֶיךָ	is called upon thee;
וְיָרְאוּ מִמֶּךָּ׃	and they shall be afraid of thee.
11 וְהוֹתִרְךָ יְהוָה	11. And the Lord will make thee overabundant
לְטוֹבָה	for good,
בִּפְרִי בִטְנְךָ	in the fruit of thy body,
וּבִפְרִי בְהֶמְתְּךָ	and in the fruit of thy cattle,
וּבִפְרִי אַדְמָתֶךָ	and in the fruit of thy land,
עַל הָאֲדָמָה	in the land
אֲשֶׁר נִשְׁבַּע יְהוָה לַאֲבֹתֶיךָ	which the Lord swore unto thy fathers
לָתֶת לָךְ׃	to give thee.
12 יִפְתַּח יְהוָה ׀ לְךָ	12. The Lord will open unto thee
אֶת־אוֹצָרוֹ הַטּוֹב	His good treasure
אֶת־הַשָּׁמַיִם	the heaven,
לָתֵת מְטַר־אַרְצְךָ	to give the rain of thy land
בְּעִתּוֹ	in its season,
וּלְבָרֵךְ	and to bless
אֵת כָּל־מַעֲשֵׂה יָדֶךָ	all the work of thy hand;
וְהִלְוִיתָ גּוֹיִם רַבִּים	and thou shalt lend unto many nations,
וְאַתָּה לֹא תִלְוֶה׃	but thou shalt not borrow.
13 וּנְתָנְךָ יְהוָה לְרֹאשׁ	13. And the Lord will make thee the head,
וְלֹא לְזָנָב	and not the tail;
וְהָיִיתָ רַק לְמַעְלָה	and thou shalt be above only,
וְלֹא תִהְיֶה לְמָטָּה	and thou shalt not be beneath;
כִּי־תִשְׁמַע	if thou shalt hearken
אֶל־מִצְוֹת ׀ יְהוָה אֱלֹהֶיךָ	unto the commandments of the Lord thy God,
אֲשֶׁר אָנֹכִי מְצַוְּךָ הַיּוֹם	which I command thee this day,
לִשְׁמֹר וְלַעֲשׂוֹת׃	to observe and to do (them);
14 וְלֹא תָסוּר	14. and shalt not turn aside
מִכָּל־הַדְּבָרִים	from any of the words
אֲשֶׁר אָנֹכִי מְצַוֶּה אֶתְכֶם הַיּוֹם	which I command you this day,

(to the) right (hand), or (to the) left,	יָמִין וּשְׂמֹאול
to go	לָלֶכֶת
after other gods	אַחֲרֵי אֱלֹהִים אֲחֵרִים
to serve them.	לְעָבְדָם: פ
15. But it shall come to pass,	15 וְהָיָה
if thou wilt not hearken	אִם־לֹא תִשְׁמַע
unto the voice of the Lord thy God,	בְּקוֹל יְהוָה אֱלֹהֶיךָ
to observe to do	לִשְׁמֹר לַעֲשׂוֹת
all His commandments	אֶת־כָּל־מִצְוֹתָיו
and His statutes	וְחֻקֹּתָיו
which I command thee this day;	אֲשֶׁר אָנֹכִי מְצַוְּךָ הַיּוֹם
that all these curses shall come upon thee,	וּבָאוּ עָלֶיךָ כָּל־הַקְּלָלוֹת הָאֵלֶּה
and overtake thee.	וְהִשִּׂיגוּךָ:
16. Cursed shalt thou be in the city,	16 אָרוּר אַתָּה בָּעִיר
and cursed shalt thou be in the field.	וְאָרוּר אַתָּה בַּשָּׂדֶה:
17. Cursed shall be thy basket	18 אָרוּר טַנְאֲךָ
and thy kneading-trough.	וּמִשְׁאַרְתֶּךָ:
18. Cursed shall be the fruit of thy body,	18 אָרוּר פְּרִי־בִטְנְךָ
and the fruit of thy land,	וּפְרִי אַדְמָתֶךָ
the increase of thy kine,	שְׁגַר אֲלָפֶיךָ
and the young of thy flock.	וְעַשְׁתְּרֹת צֹאנֶךָ:
19. Cursed shalt thou be when thou comest in,	19 אָרוּר אַתָּה בְּבֹאֶךָ
and cursed shalt thou be when thou goest out.	וְאָרוּר אַתָּה בְּצֵאתֶךָ:
20. The Lord will send upon thee	20 יְשַׁלַּח יְהוָה ׀ בְּךָ
the cursing,	אֶת־הַמְּאֵרָה
the discomfiture,	אֶת־הַמְּהוּמָה
and the rebuke,	וְאֶת־הַמִּגְעֶרֶת
in all that thou puttest thy hand unto	בְּכָל־מִשְׁלַח יָדְךָ
to do,	אֲשֶׁר תַּעֲשֶׂה
until thou be destroyed,	עַד הִשָּׁמֶדְךָ
and until thou perish quickly;	וְעַד־אֲבָדְךָ מַהֵר
because of the evil of thy doings,	מִפְּנֵי רֹעַ מַעֲלָלֶיךָ
whereby thou hast forsaken Me.	אֲשֶׁר עֲזַבְתָּנִי:
21. The Lord will make the pestilence cleave unto thee,	21 יַדְבֵּק יְהוָה בְּךָ אֶת־הַדָּבֶר

Rashi — רש"י

20. The cursing	20 הַמְּאֵרָה.
(מארה is to be interpreted:) a loss,	חִסָּרוֹן,
as (Lev. 13.51): "Leprosy causing a loss" (ממארת).	כְּמוֹ (ויק' י"ג):— צָרַעַת מַמְאֶרֶת:
The discomfiture	הַמְּהוּמָה.
(מהומה is to be interpreted:) perplexity, a sound of confusion.	שִׁגּוּשׁ, קוֹל בֶּהָלוֹת:

עַד כַּלֹּתוֹ אֹתְךָ	until He have consumed thee
מֵעַל הָאֲדָמָה	from off the land,
אֲשֶׁר־אַתָּה בָא־שָׁמָּה	whither thou goest in
לְרִשְׁתָּהּ:	to possess it.
22 יַכְּכָה יְהוָה	22. The Lord shall smite thee
בַּשַּׁחֶפֶת וּבַקַּדַּחַת	with the consumption, and with the fever,
וּבַדַּלֶּקֶת	and with the inflammation,
וּבַחַרְחֻר וּבַחֶרֶב	and with the fiery heat, and with the sword,
וּבַשִּׁדָּפוֹן וּבַיֵּרָקוֹן	and with the blasting, and with the mildew;
וּרְדָפוּךָ	and they shall pursue thee
עַד אָבְדֶךָ:	until thou perish.

Rashi — רש"י

22 **בַּשַּׁחֶפֶת.**	**22. With the consumption**
שֶׁבְּשָׂרוֹ נִשְׁחָף וְנָפוּחַ:	His flesh wastes away (נשחף) and becomes swollen.
וּבַקַּדַּחַת.	**And with the fever**
לְשׁוֹן כִּי אֵשׁ קָדְחָה בְאַפִּי (דְּבָר' ל"ב),	(As in) the expression, "For a fire is kindled (קדחה) in My nostril" (Deut. 32.22).
וְהוּא אֵשׁ שֶׁל חוֹלִי	And this is the heat of disease,
מלו"וי בְּלַעַ"ז,	*mal du feu* in O. F.,
שֶׁהִיא חַמָּה מְאֹד:	which is very hot.
וּבַדַּלֶּקֶת.	**And with the inflammation**
חַמָּה יוֹתֵר מִקַּדַּחַת,	A heat more intense than fever;
וּמִינֵי חֳלָאִים הֵם:	and these are (different) kinds of diseases.
וּבַחַרְחֻר.	**And with the fiery heat**
חוֹלִי הַמְחַמְּמוֹ תּוֹךְ הַגּוּף	A disease which causes heat within the body
וְצָמֵא תָּמִיד לַמַּיִם,	and he is continually thirsting for water,
וּבְלַעַ"ז אישטרד"מנט,	in O. F. *astrandement*,
לְשׁוֹן וְעַצְמִי חָרָה מִנִּי חֹרֶב (אִיּוֹב ל),	(as in) the expression, "And my bones are burned (חרה) with heat" Job 30.30);
נָחַר מַפֻּחַ אֵשׁ (יִרְמְ' ו):	"The bellows are scorched (נחר) of fire" (Jer. 6.29).
וּבַחֶרֶב.	**And with the sword**
יָבִיא עָלֶיךָ גַּיָּסוֹת:	He will bring against you armies.
וּבַשִּׁדָּפוֹן וּבַיֵּרָקוֹן.	**And with the blasting, and with the mildew**
מַכַּת תְּבוּאָה שֶׁבַּשָּׂדוֹת:	A plague on the crop of the fields.
שִׁדָּפוֹן.	**Blasting**
רוּחַ קָדִים,	An east wind;
אשלי"רה בְּלַעַ"ז:	*hale* in O. F.
יֵרָקוֹן.	**Mildew**
יוֹבֶשׁ,	A dryness;
וּפְנֵי הַתְּבוּאָה מַכְסִיפִין	the surface of the wheat withers
וְנֶהְפָּכִין לְיֵרָקוֹן,	and turns to mildew;
קמ"א בְּלַעַ"ז:	*chaume* in O. F.
עַד אָבְדֶךָ.	**Until thou perish**
תַּרְגּוּם עַד דְּתֵיבַד,	The Targum renders עד דתיבד,
כְּלוֹמַר עַד אֲבוֹד אוֹתְךָ	that is, until the destruction of thee,
שֶׁתִּכְלֶה מֵאֵלֶיךָ:	(i. e.,) you will perish by yourself.

23 וְהָיוּ שָׁמֶיךָ אֲשֶׁר עַל־רֹאשְׁךָ — 23. And thy heaven that is over thy head shall be

נְחֹשֶׁת — brass,

וְהָאָרֶץ אֲשֶׁר־תַּחְתֶּיךָ — and the earth that is under thee

בַּרְזֶל׃ — (shall be) iron.

Rashi — רש"י

23 **וְהָיוּ שָׁמֶיךָ אֲשֶׁר עַל־רֹאשְׁךָ נְחֹשֶׁת.** — **23. And thy heaven that is over thy head shall be brass**

קְלָלוֹת הַלָּלוּ — These curses

מֹשֶׁה מִפִּי עַצְמוֹ אֲמָרָן, — Moses expressed them (as though they came) from his own mouth,

וְשֶׁבְּהַר סִינַי מִפִּי הַקָּבָּ"ה אֲמָרָן, — but those of mount Sinai (as though) from the mouth of the Holy One Blessed be He he said them,

כְּמַשְׁמָעָן, — as (the texts) indicate.

וְכֵן נֶאֱמַר (וַיִּקְ׳ כ"ו):— — Thus it is stated (there) (Lev. 26. 14):

וְאִם לֹא תִשְׁמְעוּ לִי, — "But if ye will not hearken unto Me,"

וְאִם תֵּלְכוּ עִמִּי קֶרִי, — "And if ye walk contrary unto Me" (v. 21);

וְכָאן הוּא אוֹמֵר:— — but here it states (Deut. 28.15):

בְּקוֹל ה׳ אֱלֹהֶיךָ, — "Unto the voice of the Lord thy God,"

יַדְבֵּק ה׳ בְּךָ — "The Lord will make cleave unto thee (v. 21),

יַכְּכָה ה׳, — "The Lord will smite thee" (v. 27).

הֵקֵל מֹשֶׁה בְּקִלְלוֹתָיו לְאָמְרָן — Moses was more lenient in his curses by stating them

בִּלְשׁוֹן יָחִיד, — in the singular,

וְגַם כֵּן בִּקְלָלָה זוּ הֵקֵל, — and also in this (particular) curse he was more lenient;

שֶׁבָּרִאשׁוֹנוֹת הוּא אוֹמֵר:— — for in the first it states (Lev. 26. 19):

אֶת שְׁמֵיכֶם כַּבַּרְזֶל — "your (plural) heaven as iron,

וְאֶת אַרְצְכֶם כַּנְּחֻשָׁה — and your (plural) earth as brass,"

שֶׁלֹּא יִהְיוּ הַשָּׁמַיִם מְזִיעִין — (i. e.,) the heavens shall not perspire (viz., vapors, rain)

כְּדֶרֶךְ שֶׁאֵין הַבַּרְזֶל מֵזִיעַ — in the way that iron does not perspire, —

וּמִתּוֹךְ כַּךְ יְהִי חֹרֶב בָּעוֹלָם — and because of this there will be drought in the world, —

וְהָאָרֶץ תְּהִי מְזַעַת — and the earth will sweat

כְּדֶרֶךְ שֶׁהַנְּחֹשֶׁת מֵזִיעַ — in the way that brass sweats,

וְהִיא מְרַקֶּבֶת פֵּירוֹתֶיהָ, — and will make rotten its fruits.

וְכָאן הוּא אוֹמֵר:— — But here he says:

שָׁמֶיךָ נְחֹשֶׁת וְאַרְצְךָ בַּרְזֶל — Thy heaven brass and thy earth iron,

—שֶׁיִּהְיוּ שָׁמַיִם מְזִיעִין, — (i. e.,) that the heavens will perspire

אַף עַל פִּי שֶׁלֹּא יָרִיקוּ מָטָר, — even though they will not pour down rain;

מִכָּל מָקוֹם לֹא יְהְיֶה חֹרֶב שֶׁל אֲבַדּוֹן בָּעוֹלָם, — nevertheless there will not be a drought of destruction in the world,

וְהָאָרֶץ לֹא תִהְיֶה מְזִיעָה, — and the earth will not sweat,

כְּדֶרֶךְ שֶׁאֵין הַבַּרְזֶל מֵזִיעַ, — just as iron does not sweat;

וְאֵין הַפֵּירוֹת מַרְקִיבִין, — and the fruits will not rot.

וּמִכָּל מָקוֹם קְלָלָה הִיא, — Nevertheless it is a curse:

בֵּין שֶׁהִיא כַּנְּחֹשֶׁת — whether it is like brass,

בֵּין שֶׁהִיא כַּבַּרְזֶל — or it is like iron,

לֹא תוֹצִיא פֵּירוֹת, — it will not bring forth fruits.

וְכֵן הַשָּׁמַיִם לֹא יָרִיקוּ מָטָר׃ — And similarly the heavens will not pour out rain.

24 יִתֵּן יְהוָה — 24. The Lord will make
אֶת־מְטַר אַרְצְךָ — the rain of thy land
אָבָק וְעָפָר — powder and dust;
מִן־הַשָּׁמַיִם — from heaven
יֵרֵד עָלֶיךָ — shall it come down upon thee,
עַד הִשָּׁמְדָךְ׃ — until thou be destroyed.
25 יִתֶּנְךָ יְהוָה ׀ — 25. The Lord will cause thee
נִגָּף לִפְנֵי אֹיְבֶיךָ — to be smitten before thine enemies;
בְּדֶרֶךְ אֶחָד — one way
תֵּצֵא אֵלָיו — shalt thou go out against them,
וּבְשִׁבְעָה דְרָכִים — and seven ways
תָּנוּס לְפָנָיו — thou shalt flee before them;
וְהָיִיתָ לְזַעֲוָה — and thou shalt be a horror
לְכֹל מַמְלְכוֹת הָאָרֶץ׃ — unto all the kingdoms of the earth.
26 וְהָיְתָה נִבְלָתְךָ — 26. And thy carcasses shall be
לְמַאֲכָל — food
לְכָל־עוֹף הַשָּׁמַיִם — unto all fowls of the air,
וּלְבֶהֱמַת הָאָרֶץ — and unto the beasts of the earth,
וְאֵין מַחֲרִיד׃ — and there shall be none to frighten (them) away.
27 יַכְּכָה יְהוָה — 27. The Lord will smite thee
בִּשְׁחִין מִצְרַיִם — with the boil of Egypt,
וּבַעְפֹלִים° — and with the emerods,

° ובטחורים קרי.

Rashi — רש״י

24 מְטַר אַרְצְךָ אָבָק וְעָפָר. — **24. The rain of thy land powder and dust**
זִיקָא דְבָתַר מִטְרָא, — A blast of wind following upon rain.
מָטָר יוֹרֵד וְלֹא כָל צָרְכּוֹ, — Rain falls, but not all that is necessary;
וְאֵין בּוֹ כְּדֵי לְהַרְבִּיץ אֶת הֶעָפָר, — and there is not sufficient (rain) to cause the dust to remain on the ground;
וְהָרוּחַ בָּאָה — and then a wind comes
וּמַעֲלָה אֶת הָאָבָק — and raises the dust,
וּמְכַסֶּה אֶת עֵשֶׂב הַזְּרָעִים — and covers the stalks of the seeds
שֶׁהֵם לַחִים מִן הַמַּיִם — which are moist from the water,
וְנִדְבָּק בָּהֶם, — and it cleaves to them,
וְנַעֲשֶׂה טִיט — forming mud,
וּמִתְיַבֵּשׁ וּמַרְקִיבִין (תַּעֲנ׳ ג)׃ — and it becomes dry and causes rotting (Ta'an. 3).

25 לְזַעֲוָה. — **25. (For) a horror**
לְאֵימָה וּלְזִיעַ, — A dread and a shuddering,
שֶׁיָּזוּעוּ כָּל שׁוֹמְעֵי מַכּוֹתֶיךָ מִמְּךָ — so that all those who hear of your plagues will shudder because of you,
וְיֹאמְרוּ׃— — and they will say:
אוֹי לָנוּ שֶׁלֹּא יָבֹא עָלֵינוּ — Woe to us, let there not befall us
כְּדֶרֶךְ שֶׁבָּא עַל אֵלּוּ׃ — as it has befallen them.

27 בִּשְׁחִין מִצְרַיִם. — **27. With the boil of Egypt**
רַע הָיָה מְאֹד, — This was very evil,
לַח מִבִּפְנִים — moist within
וְיָבֵשׁ מִבַּחוּץ, — and dry without,

וּבַגָּרָב וּבֶחָרֶס	and with the scab, and with the itch,
אֲשֶׁר לֹא־תוּכַל לְהֵרָפֵא׃	whereof thou canst not be healed.
28 יַכְּכָה יְהוָה	28. The Lord will smite thee
בְּשִׁגָּעוֹן וּבְעִוָּרוֹן	with madness, and with blindness,
וּבְתִמְהוֹן לֵבָב׃	and with astonishment of heart.
29 וְהָיִיתָ מְמַשֵּׁשׁ	29. And thou shalt grope
בַּצָּהֳרַיִם	at noonday,
כַּאֲשֶׁר יְמַשֵּׁשׁ הָעִוֵּר	as the blind gropeth
בָּאֲפֵלָה	in the darkness,
וְלֹא תַצְלִיחַ	and thou shalt not make prosperous
אֶת־דְּרָכֶיךָ	thy ways;
וְהָיִיתָ	and thou shalt be
אַךְ עָשׁוּק וְגָזוּל	only oppressed and robbed
כָּל־הַיָּמִים	all the days,
וְאֵין מוֹשִׁיעַ׃	and there shall be none to save (thee).
30 אִשָּׁה תְאָרֵשׂ	30. Thou shalt betroth a wife,
וְאִישׁ אַחֵר יִשְׁגָּלֶנָּה°	and another man shall lie with her;
בַּיִת תִּבְנֶה	thou shalt build a house,
וְלֹא־תֵשֵׁב בּוֹ	and thou shalt not dwell therein;
כֶּרֶם תִּטַּע	thou shalt plant a vineyard,
וְלֹא תְחַלְּלֶנּוּ׃	and thou shalt not make it profane.
31 שׁוֹרְךָ	31. Thine ox
טָבוּחַ לְעֵינֶיךָ	shall be slain before thine eyes,
וְלֹא תֹאכַל מִמֶּנּוּ	and thou shalt not eat thereof;

° ישכבנה קרי.

Rashi — רש״י

כִּדְאִיתָא בִּבְכוֹרוֹת (ד׳ מ״א):	as it is (stated) in Bekorot (fol. 41).
גָּרָב.	**Scab**
שְׁחִין לַח:	(To be interpreted:) a festering boil.
חֶרֶס.	**Itch**
שְׁחִין יָבֵשׁ כַּחֶרֶס:	(To be interpreted:) a boil (which is) dry like a potsherd (חרס).
28 וּבְתִמְהוֹן לֵבָב.	**28. And with astonishment of heart**
אוֹטֶם הַלֵּב	(To be interpreted:) obstruction (אטם) of the heart;
אשטור״דישון בְּלַעַ״ז:	*etourdison* in O. F.
29 עָשׁוּק.	**29. Oppressed**
בְּכָל מַעֲשֶׂיךָ יִהְיֶה עִרְעוּר:	In all your doings there will be controversy.
30 יִשְׁגָּלֶנָּה.	**30. (He) shall lie with her (kere יִשְׁכָּבֶנָּה).**
לְשׁוֹן שֵׁגָל, פִּלֶגֶשׁ	(ישגלנה is of the same meaning as) the term שגל (a mistress), a concubine (פלגש);
וְהַכָּתוּב כִּנָּהוּ לְשֶׁבַח יִשְׁכָּבֶנָּה (מְגִילָּה כ״ה)	and Scripture paraphrases it for a more esthetic expression, "he shall lie with her" (Meg. 25).
וְתִקּוּן סוֹפְרִים הוּא זֶה:	And this is an emendation such as writers make (to avoid an indecent expression).
תְּחַלְּלֶנּוּ.	**Thou shalt (not) make it profane**
בַּשָּׁנָה הָרְבִיעִית לֶאֱכוֹל פִּרְיוֹ:	in the fourth year, (so as to be able) to eat its fruit.

חֲמֹרְךָ גָּזוּל מִלְּפָנֶיךָ	thine ass shall be violently taken away from before thy face,
וְלֹא יָשׁוּב לָךְ	and shall not be restored to thee;
צֹאנְךָ	thy sheep
נְתֻנוֹת לְאֹיְבֶיךָ	(shall be) given unto thine enemies;
וְאֵין לְךָ מוֹשִׁיעַ׃	and thou shalt have none to save thee.
32 בָּנֶיךָ וּבְנֹתֶיךָ	32. Thy sons and thy daughters
נְתֻנִים לְעַם אַחֵר	(shall be) given unto another people,
וְעֵינֶיךָ רֹאוֹת	and thine eyes shall look,
וְכָלוֹת אֲלֵיהֶם	and fail with longing for them
כָּל־הַיּוֹם	all the day;
וְאֵין לְאֵל יָדֶךָ׃	and (there) shall be nought in the power of thy hand.
33 פְּרִי אַדְמָתְךָ	33. The fruit of thy land,
וְכָל־יְגִיעֲךָ	and all thy labors,
יֹאכַל עַם	shall a nation eat up,
אֲשֶׁר לֹא־יָדָעְתָּ	which thou knowest not;
וְהָיִיתָ רַק עָשׁוּק וְרָצוּץ	and thou shalt be only oppressed and crushed
כָּל־הַיָּמִים׃	all the days;
34 וְהָיִיתָ מְשֻׁגָּע	34. so that thou shalt be mad
מִמַּרְאֵה עֵינֶיךָ	for the sight of thine eyes
אֲשֶׁר תִּרְאֶה׃	which thou shalt see.
35 יַכְּכָה יְהֹוָה	35. The Lord will smite thee
בִּשְׁחִין רָע	with a sore boil
עַל־הַבִּרְכַּיִם	in the knees,
וְעַל־הַשֹּׁקַיִם	and in the legs,
אֲשֶׁר לֹא־תוּכַל לְהֵרָפֵא	whereof thou canst not be healed,
מִכַּף רַגְלְךָ	from the sole of thy foot
וְעַד קָדְקֳדֶךָ׃	unto the crown of thy head.
36 יוֹלֵךְ יְהֹוָה אֹתְךָ	36. The Lord will bring thee,
וְאֶת־מַלְכְּךָ	and thy king
אֲשֶׁר תָּקִים עָלֶיךָ	whom thou wilt set over thee,
אֶל־גּוֹי	unto a nation
אֲשֶׁר לֹא־יָדַעְתָּ	that thou hast not known,
אַתָּה וַאֲבֹתֶיךָ	thou nor thy fathers;
וְעָבַדְתָּ שָּׁם	and there thou shalt serve
אֱלֹהִים אֲחֵרִים	other gods,
עֵץ וָאָבֶן׃	wood and stone.

Rashi — רש״י

32 וְכָלוֹת אֲלֵיהֶם.	**32. And (they shall) fail with longing for them**
מְצַפּוֹת אֲלֵיהֶם שֶׁיָּשׁוּבוּ	They look anxiously for them to return,
וְאֵינָם שָׁבִים.	but they do not return;
כָּל תּוֹחֶלֶת שֶׁאֵינָהּ בָּאָה	any hope which is not realized
קְרוּיָה כִּלְיוֹן עֵינַיִם׃	is termed "failing of the eyes."

37 וְהָיִיתָ לְשַׁמָּה — 37. And thou shalt become an astonishment,

לְמָשָׁל וְלִשְׁנִינָה — a proverb, and a byword,

בְּכֹל הָעַמִּים — among all the peoples

אֲשֶׁר־יְנַהֶגְךָ יְהֹוָה שָׁמָּה׃ — whither the Lord shall lead thee away.

38 זֶרַע רַב תּוֹצִיא הַשָּׂדֶה — 38. Thou shalt carry much seed out (into) the field,

וּמְעַט תֶּאֱסֹף — and shalt gather little in;

כִּי יַחְסְלֶנּוּ הָאַרְבֶּה׃ — for the locust shall consume it.

39 כְּרָמִים תִּטַּע — 39. Thou shalt plant vineyards,

וְעָבָדְתָּ — and dress (them),

וְיַיִן לֹא־תִשְׁתֶּה — but thou shalt neither drink of the wine,

וְלֹא תֶאֱגֹר — nor gather (the grapes);

כִּי תֹאכְלֶנּוּ הַתֹּלָעַת׃ — for the worm shall eat them.

40 זֵיתִים יִהְיוּ לְךָ — 40. Thou shalt have olive-trees

בְּכָל־גְּבוּלֶךָ — throughout all thy borders,

וְשֶׁמֶן לֹא תָסוּךְ — but thou shalt not anoint thyself (with the) oil;

כִּי יִשַּׁל זֵיתֶךָ׃ — for thine olives shall drop off.

41 בָּנִים וּבָנוֹת תּוֹלִיד — 41. Thou shalt beget sons and daughters,

וְלֹא־יִהְיוּ לָךְ — but they shall not be thine;

כִּי יֵלְכוּ בַּשֶּׁבִי׃ — for they shall go into captivity.

42 כָּל־עֵצְךָ — 42. All thy trees

וּפְרִי אַדְמָתֶךָ — and the fruit of thy land

Rashi — רש"י

37 לְשַׁמָּה. — **37. (For) an astonishment**

כְּמוֹ תִּמָּהוֹן, — (לשמה has the same meaning) as תמהון (astonishment);

אש"ו אשטורדי"שון, — *etourdison* (in O. F.).

כָּל הָרוֹאֶה אוֹתְךָ — Whoever will see you

יָשׁוֹם עָלֶיךָ: — will be astonished at you.

לְמָשָׁל. — **(For) a proverb**

כְּשֶׁתָּבֹא מַכָּה רָעָה עַל אָדָם — When an evil plague will come upon a person,

יֹאמְרוּ זוּ דוֹמָה לְמַכַּת פְּלוֹנִי: — people will say: This resembles the plague of such and such a person.

וְלִשְׁנִינָה. — **And (for) a byword**

לְשׁוֹן וְשִׁנַּנְתָּם (דְּבָר' ו), — (Understand שנינה as in) the term," and thou shalt repeat them" (ושננתם) (Deut. 6.7);

יְדַבְּרוּ בְךָ, — people will speak about you.

וְכֵן תַּרְגּוּמוֹ וּלְשׁוּעֵי, — And similarly the Targum renders it ולשועי,

לְשׁוֹן סִפּוּר וְאִשְׁתָּעֵי: — which denotes "telling" or "speaking."

38 יַחְסְלֶנּוּ. — **38. (It) shall consume it**

יְכַלֶּנּוּ, — (יחסלנו denotes) it will consume it;

וְעַל שֵׁם כַּךְ נִקְרָא חָסִיל — for this reason it is called חסיל,

שֶׁמְּכַלֶּה אֶת הַכֹּל: — (viz.,) because it consumes every thing.

40 יִשַּׁל. — **40. Shall drop off**

יַשִּׁיר פֵּירוֹתָיו, — It shall drop its fruit,

לְשׁוֹן וְנָשַׁל הַבַּרְזֶל (דְּבָר' י"ט): — (as in) the expression, "and the iron will drop off" (ונשל) (Deut. 19. 5).

יְיָרֵשׁ הַצְּלָצַל׃	shall the locust make poor.
43 הַגֵּר	43. The stranger
אֲשֶׁר בְּקִרְבְּךָ	that is in the midst of thee
יַעֲלֶה עָלֶיךָ	shall mount up above thee
מַעְלָה מָּעְלָה	higher (and) higher;
וְאַתָּה תֵרֵד	and thou shalt come down
מַטָּה מָּטָּה׃	lower (and) lower.
44 הוּא יַלְוְךָ	44. He shall lend to thee,
וְאַתָּה לֹא תַלְוֶנּוּ	and thou shalt not lend to him;
הוּא יִהְיֶה לְרֹאשׁ	he shall be the head,
וְאַתָּה תִּהְיֶה לְזָנָב׃	and thou shalt be the tail.
45 וּבָאוּ עָלֶיךָ כָּל־הַקְּלָלוֹת הָאֵלֶּה	45. And all these curses shall come upon thee,
וּרְדָפוּךָ	and shall pursue thee,
וְהִשִּׂיגוּךָ	and overtake thee,
עַד הִשָּׁמְדָךְ	till thou be destroyed;
כִּי־לֹא שָׁמַעְתָּ	because thou didst not hearken
בְּקוֹל יְהוָה אֱלֹהֶיךָ	unto the voice of the Lord thy God,
לִשְׁמֹר	to keep
מִצְוֹתָיו וְחֻקֹּתָיו	His commandments and His statutes
אֲשֶׁר צִוָּךְ׃	which He commanded thee.
46 וְהָיוּ בְךָ	46. And they shall be upon thee
לְאוֹת וּלְמוֹפֵת	for a sign and for a wonder,
וּבְזַרְעֲךָ עַד־עוֹלָם׃	and upon thy seed for ever;
47 תַּחַת אֲשֶׁר לֹא־עָבַדְתָּ	47. because thou didst not serve
אֶת־יְהוָה אֱלֹהֶיךָ	the Lord thy God
בְּשִׂמְחָה וּבְטוּב לֵבָב	with joyfulness and with gladness of heart,
מֵרֹב כֹּל׃	by reason of the abundance of all (things);

Rashi — רש״י

42 יְיָרֵשׁ הַצְּלָצַל.	**42. Shall the locust make poor**
יְעַשְּׁנוּ הָאַרְבֶּה רָשׁ מִן הַפְּרִי׃	The locust will make it poor, without fruit.
יְיָרֵשׁ.	**Shall make poor**
יְעַנִּי׃	(יירש denotes) it will make poor.
צְלָצַל.	**Locust**
מִין אַרְבֶּה	(צלצל is) a species of locust.
וְאִי אֶפְשָׁר לְפָרֵשׁ ״יְיָרֵשׁ״,	And it is impossible to explain יירש
לְשׁוֹן יְרֻשָּׁה,	as denoting inheritance (possession),
שֶׁאִם כֵּן הָיָה לוֹ לִכְתּוֹב יִירַשׁ,	for if so, it should have been written יירש (it will possess);
וְלֹא לְשׁוֹן הוֹרָשָׁה וְגֵרוּשִׁין,	and it is not a term denoting dispossessing and driving out,
שֶׁאִם כֵּן הָיָה לוֹ לִכְתּוֹב יוֹרִישׁ׃	for if so, it should have been written יוריש (it will dispossess).
47 מֵרֹב כֹּל.	**47. By reason of the abundance of all (things)**
בְּעוֹד שֶׁהָיָה לְךָ כָּל טוּב׃	While you still had all good things.

48 וְעָבַדְתָּ	48. therefore shalt thou serve
אֶת־אֹיְבֶיךָ	thine enemy
אֲשֶׁר יְשַׁלְּחֶנּוּ יְהוָה בָּךְ	whom the Lord thy God shall send against thee,
בְּרָעָב וּבְצָמָא	in hunger, and in thirst,
וּבְעֵירֹם	and in nakedness,
וּבְחֹסֶר כֹּל	and in want of all things;
וְנָתַן עֹל בַּרְזֶל	and he shall put a yoke of iron
עַל־צַוָּארֶךָ	upon thy neck,
עַד הִשְׁמִידוֹ אֹתָךְ׃	until he have destroyed thee.
49 יִשָּׂא יְהוָה עָלֶיךָ	49. The Lord will bring against thee
גּוֹי מֵרָחֹק	a nation from far,
מִקְצֵה הָאָרֶץ	from the end of the earth,
כַּאֲשֶׁר יִדְאֶה הַנָּשֶׁר	as the vulture swoopeth down;
גּוֹי	a nation
אֲשֶׁר לֹא־תִשְׁמַע לְשֹׁנוֹ׃	whose tongue thou shalt not understand;
50 גּוֹי עַז פָּנִים	50. a nation of fierce countenance,
אֲשֶׁר לֹא־יִשָּׂא פָנִים לְזָקֵן	that shall not regard the person of the old,
וְנַעַר לֹא יָחֹן׃	nor show favor to the young.
51 וְאָכַל	51. And he shall eat
פְּרִי בְהֶמְתְּךָ	the fruit of thy cattle,
וּפְרִי־אַדְמָתְךָ	and the fruit of thy ground,
עַד הִשָּׁמְדָךְ	until thou be destroyed;
אֲשֶׁר לֹא־יַשְׁאִיר לְךָ	that (also) shall not leave thee
דָּגָן תִּירוֹשׁ וְיִצְהָר	corn, wine, or oil,
שְׁגַר אֲלָפֶיךָ	the increase of thy kine,
וְעַשְׁתְּרֹת צֹאנֶךָ	or the young of thy flock,
עַד הַאֲבִידוֹ אֹתָךְ׃	until he have caused thee to perish.
52 וְהֵצַר לְךָ	52. And he shall besiege thee
בְּכָל־שְׁעָרֶיךָ	in all thy gates,
עַד רֶדֶת חֹמֹתֶיךָ הַגְּבֹהֹת וְהַבְּצֻרוֹת	until thy high and fortified walls come down,

Rashi — רש״י

49 כַּאֲשֶׁר יִדְאֶה הַנֶּשֶׁר.	**49. As the vulture swoopeth down**
פִּתְאוֹם וְדֶרֶךְ מַצְלַחַת	suddenly, and successfully
וְיֵקַלּוּ סוּסָיו:	and his horses will be swift.
לֹא־תִשְׁמַע לְשֹׁנוֹ.	**Whose tongue thou shalt not understand**
לֹא תַכִּיר לְשׁוֹנוֹ,	(תשמע denotes:) Thou shalt not "understand" his tongue.
וְכֵן (בְּרֵא׳ מ״א)׃—	And similarly (Gen. 15):
תִּשְׁמַע חֲלוֹם לִפְתֹּר אֹתוֹ,	"Thou understandest (תשמע) a dream and canst interpret it;"
וְכֵן (שָׁם מ״ב)׃—	and similarly (*ibid.*, 42.43),
כִּי שֹׁמֵעַ יוֹסֵף,	"That Joseph understood" (שֹׁמֵעַ)
אינטינד״רי:	*entendre* (in O. F.).
52 עַד רֶדֶת חֹמֹתֶיךָ.	**52. Until thy walls come down**
לְשׁוֹן רִדּוּי וְכִבּוּשׁ:	(רדת) denotes dominion and conquest.

אֲשֶׁר אַתָּה בֹּטֵחַ בָּהֵן	wherein thou didst trust,
בְּכָל־אַרְצֶךָ	throughout all thy land;
וְהֵצַר לְךָ	and he shall besiege thee
בְּכָל־שְׁעָרֶיךָ	in all thy gates
בְּכָל־אַרְצְךָ	throughout all thy land,
אֲשֶׁר נָתַן יְהוָה אֱלֹהֶיךָ לָךְ׃	which the Lord thy God hath given thee.
53 וְאָכַלְתָּ	53. And thou shalt eat
פְרִי־בִטְנְךָ	the fruit of thine own body,
בְּשַׂר בָּנֶיךָ וּבְנֹתֶיךָ	the flesh of thy sons and of thy daughters
אֲשֶׁר נָתַן־לְךָ יְהוָה אֱלֹהֶיךָ	whom the Lord thy God hath given thee;
בְּמָצוֹר וּבְמָצוֹק	in the siege and in the straitness,
אֲשֶׁר־יָצִיק לְךָ אֹיְבֶךָ׃	wherewith thy enemies shall straiten thee.
54 הָאִישׁ הָרַךְ בְּךָ	54. The man that is tender among you,
וְהֶעָנֹג מְאֹד	and very delicate,
תֵּרַע עֵינוֹ בְאָחִיו	his eye shall be evil against his brother,
וּבְאֵשֶׁת חֵיקוֹ	and against the wife of his bosom,

Rashi — רש"י

53 וְאָכַלְתָּ . . . בְּשַׂר בָּנֶיךָ . . . בְּמָצוֹר.	**53. And thou shalt eat . . . the flesh of thy sons . . . in the siege**
מֵחֲמַת שֶׁיִּהְיוּ צָרִים עַל הָעִיר	Because they will besiege the city,
וִיהֵא שָׁם מָצוֹק,	and straitness will be there,
עָקַת רְעָבוֹן:	the distress of hunger.
54 הָרַךְ בְּךָ וְהֶעָנֹג.	**54. That is tender among you, and very delicate**
הוּא הָרַךְ הוּא הֶעָנוֹג,	The tender and the very delicate are the same,
לְשׁוֹן פִּנּוּק,	denoting delicately reared;
וּמֵהִתְעַנֵּג וּמֵרֹךְ	and (the expression) "for delicateness and tenderness" (v. 56)
מוֹכִיחַ עֲלֵיהֶם שֶׁשְּׁנֵיהֶם אֶחָד;	proves regarding them that both of them are one.
אַף עַל פִּי שֶׁהוּא מְפֻנָּק	Even though he is delicately reared,
וְדַעְתּוֹ קָצָה בְּדָבָר מָאוּס,	and he loathes anything repulsive,
יִמְתַּק לוֹ לִרְעָבוֹנוֹ	there will appear sweet to him because of his hunger
בְּשַׂר בָּנָיו וּבְנוֹתָיו,	the flesh of his sons and of his daughters,
עַד כִּי ‚תֵּרַע עֵינוֹ׳	until his "eye shall be evil"
בְּבָנָיו הַנּוֹתָרִים	against his remaining children,
‚מִתֵּת לְאַחַד מֵהֶם מִבְּשַׂר בָּנָיו׳	"so that he will not give to any of them of the flesh of his children"
אֲחֵיהֶם ‚אֲשֶׁר יֹאכֵל׳.	their brethren "whom he shall eat."
ד״א ‚הָרַךְ בְּךָ׳	Another interpretation of "he that is tender among you."
הָרַחֲמָנִי וְרַךְ הַלֵּבָב	He that is merciful and tender-hearted,
מֵרוֹב רְעָבוֹנוּת יִתְאַכְזְרוּ	because of great hunger, will become cruel,
וְלֹא יִתְּנוּ מִבְּשַׂר בְּנֵיהֶם הַשְּׁחוּטִים	and they will not give of the flesh of their slaughtered children
לִבְנֵיהֶם הַנּוֹתָרִים:	to their remaining children.

וּבְיֶתֶר בָּנָיו	and against the remnant of his children
אֲשֶׁר יוֹתִיר׃	whom he hath remaining;
55 מִתֵּת ׀ לְאַחַד מֵהֶם	55. so that he will not give to any of them
מִבְּשַׂר בָּנָיו	of the flesh of his children
אֲשֶׁר יֹאכֵל	whom he shall eat,
מִבְּלִי הִשְׁאִיר־לוֹ כֹּל	because he has nothing left him;
בְּמָצוֹר וּבְמָצוֹק	in the siege and in the straitness,
אֲשֶׁר יָצִיק לְךָ אֹיִבְךָ	wherewith thine enemy shall straiten thee
בְּכָל־שְׁעָרֶיךָ׃	in all thy gates.
56 הָרַכָּה בְךָ וְהָעֲנֻגָּה	56. The tender and delicate woman among you,
אֲשֶׁר לֹא־נִסְּתָה	who would not adventure
כַף־רַגְלָהּ הַצֵּג עַל־הָאָרֶץ	to set the sole of her foot upon the ground
מֵהִתְעַנֵּג וּמֵרֹךְ	for delicateness and for tenderness,
תֵּרַע עֵינָהּ	her eye shall be evil
בְּאִישׁ חֵיקָהּ	against the husband of her bosom,
וּבִבְנָהּ וּבְבִתָּהּ׃	and against her son, and against her daughter;
57 וּבְשִׁלְיָתָהּ	57. and against her afterbirth
הַיּוֹצֵת ׀°	that cometh out
מִבֵּין רַגְלֶיהָ	from between her feet,
וּבְבָנֶיהָ אֲשֶׁר תֵּלֵד	and against her children whom she shall bear;
כִּי־תֹאכְלֵם	for she shall eat them
בְּחֹסֶר־כֹּל	for want of all things
בַּסָּתֶר	secretly;
בְּמָצוֹר וּבְמָצוֹק	in the siege and in the straitness,
אֲשֶׁר יָצִיק לְךָ אֹיִבְךָ	wherewith thine enemy shall straiten thee
בִּשְׁעָרֶיךָ׃	in thy gates.
58 אִם־לֹא תִשְׁמֹר	58. If thou wilt not observe
לַעֲשׂוֹת	to do
אֶת־כָּל־דִּבְרֵי הַתּוֹרָה הַזֹּאת	all the words of this law
הַכְּתֻבִים בַּסֵּפֶר הַזֶּה	that are written in this book,
לְיִרְאָה	that thou mayest fear

° היוצאת קרי.

Rashi — רש״י

56 תֵּרַע עֵינָהּ בְּאִישׁ חֵיקָהּ וּבִבְנָהּ וּבְבִתָּהּ.	**56. Her eye shall be evil against the husband of her bosom, and against her son, and against her daughter**
הַגְּדוֹלִים:	The older ones.
57 וּבְשִׁלְיָתָהּ.	**And against her afterbirth**
בָּנִים הַקְּטַנִּים,	(בשליתה denotes) (her) little ones;
בְּכֻלָּן תְּהֵא עֵינָהּ צָרָה	against all of them will her eye be evil,
כְּשֶׁתֹּאכַל אֶת הָאֶחָד	when she will eat one of them,
מִלִּתֵּן לַאֲשֶׁר אֶצְלָהּ מִן הַבָּשָׂר:	so that she will not give of the flesh to another who is near her.

אֶת־הַשֵּׁם הַנִּכְבָּד וְהַנּוֹרָא הַזֶּה	this glorious and awful Name,
אֵת יְהוָה אֱלֹהֶיךָ׃	The Lord thy God;
59 וְהִפְלָא יְהוָה	59. then the Lord will make wonderful
אֶת־מַכֹּתְךָ	thy plagues,
וְאֵת מַכּוֹת זַרְעֶךָ	and the plagues of thy seed,
מַכּוֹת גְּדֹלֹת וְנֶאֱמָנוֹת	even great plagues, and faithful (ones),
וָחֳלָיִם רָעִים וְנֶאֱמָנִים׃	and sore sicknesses, and of long continuance.
60 וְהֵשִׁיב בְּךָ	60. And He will bring back upon thee
אֵת כָּל־מַדְוֵה מִצְרַיִם	all the diseases of Egypt,

אֲשֶׁר יָגֹרְתָּ מִפְּנֵיהֶם	which thou wast in dread of;
וְדָבְקוּ בָּךְ׃	and they shall cleave unto thee.
61 גַּם כָּל־חֳלִי	61. Also every sickness,
וְכָל־מַכָּה	and every plague,
אֲשֶׁר לֹא כָתוּב	which is not written
בְּסֵפֶר הַתּוֹרָה הַזֹּאת	in the book of this law,
יַעְלֵם יְהוָה עָלֶיךָ	them will the Lord bring up upon thee,
עַד הִשָּׁמְדָךְ׃	until thou be destroyed.
62 וְנִשְׁאַרְתֶּם	62. And ye shall be left
בִּמְתֵי מְעָט	few in number,
תַּחַת אֲשֶׁר הֱיִיתֶם	whereas ye were

Rashi — רש״י

59 וְהִפְלָא ה׳ אֶת־מַכֹּתְךָ.	**59. Then the Lord will make wonderful thy plagues**
מֻפְלָאוֹת וּמֻבְדָּלוֹת	Extraordinary and different
מִשְּׁאָר מַכּוֹת:	from other plagues.
וְנֶאֱמָנוֹת.	**And faithful (ones)**
לְיַסֶּרְךָ,	To punish you,
לְקַיֵּם שְׁלִיחוּתָן:	to fulfill their mission.
60 אֲשֶׁר יָגֹרְתָּ מִפְּנֵיהֶם.	**60. Which thou wast in dread of**
מִפְּנֵי הַמַּכּוֹת,	(I. e.,) of the plagues.
כְּשֶׁהָיוּ יִשְׂרָאֵל רוֹאִין מַכּוֹת מְשֻׁנּוֹת	When the Israelites saw the strange plagues
הַבָּאוֹת עַל מִצְרַיִם	which befell the Egyptians,
הָיוּ יְרֵאִים מֵהֶם	they were afraid of them
שֶׁלֹּא יָבֹאוּ גַּם עֲלֵיהֶם,	lest they befall also them.
תֵּדַע שֶׁכֵּן כָּתוּב (שְׁמוֹת ט״ו):—	As proof it is written (Ex. 15.26):

אִם שָׁמוֹעַ תִּשְׁמַע וְגוֹ׳	"If thou wilt diligently hearken," etc.,
כָּל הַמַּחֲלָה אֲשֶׁר שַׂמְתִּי בְמִצְרַיִם	"any disease which I have put upon the Egyptians
לֹא אָשִׂים עָלֶיךָ	I will not put upon thee."
—אֵין מְיָרְאִין אֶת הָאָדָם אֶלָּא בְּדָבָר שֶׁהוּא יָגוֹר מִמֶּנּוּ:	One threatens a person only with a thing of which he is afraid.
61 יַעְלֵם.	**61. Them will (He) bring up**
לְשׁוֹן עֲלִיָּה:	(יעלם is of the same meaning as) the term עליה (going up).
62 וְנִשְׁאַרְתֶּם בִּמְתֵי מְעַט תַּחַת וְגוֹ׳.	**62. And ye shall be left few in number, whereas, etc.**
מוּעָטִין חֵלֶף מְרֻבִּים:	Few instead of numerous.

כְּכוֹכְבֵי הַשָּׁמַיִם	as the stars of heaven
לָרֹב	for multitude;
כִּי־לֹא שָׁמַעְתָּ	because thou didst not hearken
בְּקוֹל יְהוָה אֱלֹהֶיךָ׃	unto the voice of the Lord thy God.
63 וְהָיָה	63. And it shall come to pass,
כַּאֲשֶׁר־שָׂשׂ יְהוָה עֲלֵיכֶם	(that) as the Lord rejoiced over you
לְהֵיטִיב אֶתְכֶם	to do you good,
וּלְהַרְבּוֹת אֶתְכֶם	and to multiply you;
כֵּן יָשִׂישׂ יְהוָה עֲלֵיכֶם	so the Lord will cause to rejoice over you
לְהַאֲבִיד אֶתְכֶם	to cause you to perish,
וּלְהַשְׁמִיד אֶתְכֶם	and to destroy you;
וְנִסַּחְתֶּם	and ye shall be plucked
מֵעַל הָאֲדָמָה	from off the land
אֲשֶׁר־אַתָּה בָא־שָׁמָּה	whither thou goest in
לְרִשְׁתָּהּ׃	to possess it.
64 וֶהֱפִיצְךָ יְהוָה	64. And the Lord shall scatter thee
בְּכָל־הָעַמִּים	among all peoples.
מִקְצֵה הָאָרֶץ	from the one end of the earth
וְעַד־קְצֵה הָאָרֶץ	even unto the (other) end of the earth;
וְעָבַדְתָּ שָּׁם	and there thou shalt serve
אֱלֹהִים אֲחֵרִים	other gods,
אֲשֶׁר לֹא־יָדַעְתָּ	which thou hast not known,
אַתָּה וַאֲבֹתֶיךָ	thou nor thy fathers,
עֵץ וָאָבֶן׃	(even) wood and stone.
65 וּבַגּוֹיִם הָהֵם	65. And among these nations
לֹא תַרְגִּיעַ	thou shalt have no repose,

Rashi — רש"י

63 כֵּן יָשִׂישׂ ה'.	**63. So the Lord will cause to rejoice**
אֶת אוֹיְבֵיכֶם „עֲלֵיכֶם לְהַאֲבִיד וְגוֹ' ": (מְגִילָּה י)	your enemies "over you to destroy," etc. (Meg. 10).
וְנִסַּחְתֶּם.	**And ye shall be plucked**
לְשׁוֹן עֲקִירָה	(The term ונסחתם) denotes uprooting.
וְכֵן (מִשְׁלֵי ט"ו):—	And similarly (Prov. 15.25):
בֵּית גֵּאִים יִסַּח ה':	"The Lord will pluck up (uproot יסח) the house of the proud."
64 וְעָבַדְתָּ שָׁם אֱלֹהִים אֲחֵרִים.	**64. And there thou shalt serve other gods**
כְּתַרְגּוּמוֹ,	(Understand this) as the Targum renders it: (you will serve the peoples that worship idols):
לֹא עֲבוֹדַת אֱלוֹהוֹת מַמָּשׁ	not actual idolatry,
אֶלָּא מַעֲלִים מַס	but you will pay tribute
וְגֻלְגָּלִיּוֹת לְכוּמְרֵי עַ"ז:	and poll-tax to the heathen priests.
65 לֹא תַרְגִּיעַ.	**65. Thou shalt have no repose**
לֹא תָנוּחַ,	(לא תרגיע denotes) "Thou shalt not rest,"
כְּמוֹ (יְשַׁעְ' כ"ח):—	as (Isa. 28.2):
וְזֹאת הַמַּרְגֵּעָה:	"This is the rest" (המרגעה).

וְלֹא־יִהְיֶה מָנוֹחַ	and there shall be no rest
לְכַף־רַגְלֶךָ	for the sole of thy foot;
וְנָתַן יְהוָה לְךָ שָׁם	but the Lord shall give thee there
לֵב רַגָּז	a trembling heart,
וְכִלְיוֹן עֵינַיִם	and failing of eyes,
וְדַאֲבוֹן נָפֶשׁ׃	and languishing of soul.
66 וְהָיוּ חַיֶּיךָ תְּלֻאִים לְךָ מִנֶּגֶד	66. And thy life shall hang in doubt before thee;
וּפָחַדְתָּ לַיְלָה וְיוֹמָם	and thou shalt fear night and day,
וְלֹא תַאֲמִין בְּחַיֶּיךָ׃	and shalt have no assurance of thy life.
67 בַּבֹּקֶר תֹּאמַר	67. In the morning thou shalt say:
מִי־יִתֵּן עֶרֶב	'Would it were even!'
וּבָעֶרֶב תֹּאמַר	and at even thou shalt say:
מִי־יִתֵּן בֹּקֶר	'Would it were morning!'
מִפַּחַד לְבָבְךָ	for the fear of thy heart
אֲשֶׁר תִּפְחָד	which thou shalt fear,
וּמִמַּרְאֵה עֵינֶיךָ	and for the sight of thine eyes
אֲשֶׁר תִּרְאֶה׃	which thou shalt see.

Rashi — רש״י

לֵב רַגָּז.	**A trembling heart**
לֵב חָרֵד,	רגז denotes a trembling heart,
כְּתַרְגּוּמוֹ דָּחִיל,	as the Targum translates, דָּחִיל "trembling,"
כְּמוֹ (יְשַׁעְ׳ י״ד):—	as (Isa. 14.4):
שְׁאוֹל מִתַּחַת רָגְזָה לְךָ,	"The nether-world from beneath trembled (רגזה) for thee;"
שָׁמְעוּ עַמִּים יִרְגָּזוּן (שְׁמוֹת ט״ו),	"The peoples have heard, they tremble" (ירגזון) (Ex. 15.14);
מוֹסְדוֹת הַשָּׁמַיִם יִרְגָּזוּ (שְׁ״ב כ״ב):	"The foundations of heaven did tremble" (ירגזו) (II Sam. 22.8).
וְכִלְיוֹן עֵינַיִם.	**And failing of eyes**
מְצַפֶּה לִישׁוּעָה	(You will) hope for deliverance,
וְלֹא תָבֹא:	but it will not come.
66 חַיֶּיךָ תְּלֻאִים לְךָ.	**66. Thy life shall hang before thee**
עַל הַסָּפֵק,	Because of doubt.
כָּל סָפֵק קָרוּי תָּלוּי	Every doubt is termed תלוי (suspended, undecided):
שֶׁמָּא אָמוּת הַיּוֹם	Perhaps I shall die today
בַּחֶרֶב הַבָּאָה עָלֵינוּ,	by the sword which will come upon us.
וְרַבּוֹתֵינוּ דָרְשׁוּ	And our Rabbis have interpreted:
זֶה הַלּוֹקֵחַ תְּבוּאָה מִן הַשּׁוּק (מְנָח׳ ק״ג):	This refers to one who buys wheat from the market (and does not possess any of his own) (Men. 103).
וְלֹא תַאֲמִין בְּחַיֶּיךָ.	**And (thou) shalt have no assurance of thy life**
זֶה הַסּוֹמֵךְ עַל הַפַּלְטָר:	This (refers to) one who depends upon the baker.
67 בַּבֹּקֶר תֹּאמַר מִי־יִתֵּן עֶרֶב.	**67. In the morning thou shalt say: Would it were even**
וִיהֵא הָעֶרֶב שֶׁל אֶמֶשׁ (סוֹטָה מ״ט):	Would that it were the evening of yesterday (Sotah 49).
וּבָעֶרֶב תֹּאמַר מִי־יִתֵּן בֹּקֶר.	**And at even thou shalt say: Would it were morning**
שֶׁל שַׁחֲרִית,	of this day (not the following morning);
שֶׁהַצָּרוֹת מִתְחַזְּקוֹת תָּמִיד	for the afflictions become continually more acute,

68 וְהֱשִׁיבְךָ יְהוָה	68. And the Lord shall bring thee back
מִצְרַיִם	(into) Egypt
בָּאֳנִיּוֹת	in ships,
בַּדֶּרֶךְ	by the way
אֲשֶׁר אָמַרְתִּי לְךָ	whereof I said unto thee:
לֹא־תֹסִיף עוֹד לִרְאֹתָהּ	'Thou shalt see it no more again';
וְהִתְמַכַּרְתֶּם שָׁם	and there ye shall (seek to) sell yourselves
לְאֹיְבֶיךָ	unto your enemies
לַעֲבָדִים וְלִשְׁפָחוֹת	for bondmen and for bondwomen,
וְאֵין קֹנֶה: ס	but none shall buy.
69 אֵלֶּה	69. These (are)
דִבְרֵי הַבְּרִית	the words of the covenant
אֲשֶׁר־צִוָּה יְהוָה אֶת־מֹשֶׁה	which the Lord commanded Moses,
לִכְרֹת	to make
אֶת־בְּנֵי יִשְׂרָאֵל	with the children of Israel
בְּאֶרֶץ מוֹאָב	in the land of Moab,
מִלְּבַד הַבְּרִית	beside the covenant
אֲשֶׁר־כָּרַת אִתָּם	which He made with them
בְּחֹרֵב: פ	in Horeb.

שביעי

Rashi — רש״י

וְכָל שָׁעָה מְרֻבָּה קִלְלָתָהּ	and every hour its curse is worse
מִשֶּׁלְּפָנֶיהָ (עי׳ סוטה מ״ט):	than that preceding it (cf. Sotah 49).
68 בָּאֳנִיּוֹת.	**68. In ships**
בִּספינות – בִּשְׁבִיָּה:	(I. e.,) in ships, in captivity.
וְהִתְמַכַּרְתֶּם שָׁם לְאֹיְבֶיךָ.	**And there ye shall sell yourselves unto your enemies**
אַתֶּם מְבַקְּשִׁים	You yourselves will seek
לִהְיוֹת נִמְכָּרִים לָהֶם	to be sold to them
לַעֲבָדִים וְלִשְׁפָחוֹת:	as slaves and maid-servants.
וְאֵין קֹנֶה.	**But none shall buy**
כִּי יִגְזְרוּ עָלֶיךָ	For they will decree upon you
הֶרֶג וְכִלָּיוֹן:	death and destruction.
וְהִתְמַכַּרְתֶּם.	**And ye shall (seek to) sell yourselves**
בְּלַעַ״ז איפורוונדרי״ץ וו״ש,	In O. F. *et pour vendrez vous.*
וְלֹא יִתָּכֵן לְפָרֵשׁ 'וְהִתְמַכַּרְתֶּם',	It is not correct to explain (the term) והתמכרתם
בִּלְשׁוֹן וְנִמְכַּרְתֶּם	as denoting "and ye will be sold"
עַל יְדֵי מוֹכְרִים אֲחֵרִים	through other sellers,
מִפְּנֵי שֶׁנֶּאֱמַר אַחֲרָיו	because it is stated after it,
וְאֵין קוֹנֶה:	"but none shall buy."
69 לִכְרֹת אֶת־בְּנֵי יִשְׂרָאֵל.	**69. To make with the children of Israel**
שֶׁיְּקַבְּלוּ עֲלֵיהֶם אֶת הַתּוֹרָה	That they should accept upon themselves the Torah
בְּאָלָה וּבִשְׁבוּעָה:	with a curse and with an oath.
מִלְּבַד הַבְּרִית.	**Beside the covenant**
קְלָלוֹת שֶׁבְּתוֹרַת כֹּהֲנִים	The curses in the Law of the Priests (i. e., Leviticus)
שֶׁנֶּאֶמְרוּ בְּסִינַי:	which were stated at Sinai.

CHAPTER XXIX — כט

1. And Moses called	1 וַיִּקְרָא מֹשֶׁה
unto all Israel,	אֶל־כָּל־יִשְׂרָאֵל
and he said unto them:	וַיֹּאמֶר אֲלֵהֶם
Ye have seen	אַתֶּם רְאִיתֶם
all that the Lord did	אֵת כָּל־אֲשֶׁר עָשָׂה יְהוָה
before your eyes	לְעֵינֵיכֶם
in the land of Egypt	בְּאֶרֶץ מִצְרַיִם
unto Pharaoh, and to all his servants,	לְפַרְעֹה וּלְכָל־עֲבָדָיו
and unto all his land;	וּלְכָל־אַרְצוֹ׃
2. the great trials	2 הַמַּסּוֹת הַגְּדֹלֹת
which thine eyes saw,	אֲשֶׁר רָאוּ עֵינֶיךָ
the signs and those great wonders;	הָאֹתֹת וְהַמֹּפְתִים הַגְּדֹלִים הָהֵם׃
3. but the Lord hath not given you	3 וְלֹא־נָתַן יְהוָה לָכֶם
a heart to know,	לֵב לָדַעַת
and eyes to see,	וְעֵינַיִם לִרְאוֹת
and ears to hear,	וְאָזְנַיִם לִשְׁמֹעַ
unto this day.	עַד הַיּוֹם הַזֶּה׃

Rashi — רש"י

29 3. But the Lord hath not given you a heart to know	**29 3 וְלֹא־נָתַן ה' לָכֶם לֵב לָדַעַת.**
(I. e.,) to understand the kindness of the Holy One Blessed Be He	לְהַכִּיר אֶת חַסְדֵי הַקָּבָּ"ה
and to cleave to Him.	וְלִדָּבֵק בּוֹ׃
Unto this day	**עַד הַיּוֹם הַזֶּה.**
I have heard that on that day	שָׁמַעְתִּי שֶׁאוֹתוֹ הַיּוֹם
when Moses gave the Scroll of the Torah to the sons of Levi	שֶׁנָּתַן מֹשֶׁה סֵפֶר הַתּוֹרָה לִבְנֵי לֵוִי,
as it is written (Deut. 31.9):	כְּמוֹ שֶׁכָּתוּב (דְּבָר' ל"א)׃—
"And he delivered it unto the priests the sons of Levi,"	וַיִּתְּנָהּ אֶל הַכֹּהֲנִים בְּנֵי לֵוִי,
all of Israel came before Moses	בָּאוּ כָל יִשְׂרָאֵל לִפְנֵי מֹשֶׁה
and they said to him: Moses our teacher,	וְאָמְרוּ לוֹ׃ מֹשֶׁה רַבֵּינוּ,
we too stood at Sinai	אַף אָנוּ עָמַדְנוּ בְסִינַי
and received the Torah,	וְקִבַּלְנוּ אֶת הַתּוֹרָה
and it was given to us.	וְנִתְּנָה לָנוּ,
Why then do you give dominion	וּמָה אַתָּה מַשְׁלִיט
to the people of your own tribe over it?	אֶת בְּנֵי שִׁבְטְךָ עָלֶיהָ
And they will say to us one future day:	וְיֹאמְרוּ לָנוּ יוֹם מָחָר
Not to you was it given;	לֹא לָכֶם נִתְּנָה,
to us it was given.	לָנוּ נִתְּנָה,
And Moses rejoiced over this matter,	וְשָׂמַח מֹשֶׁה עַל הַדָּבָר,
and because of this he said to them,	וְעַל זֹאת אָמַר לָהֶם׃—
"This day thou art become a people," etc. (above 27.9),	הַיּוֹם הַזֶּה נִהְיֵיתָ לְעָם וְגוֹ', (לְעֵיל כ"ז)
this day I have come to know	הַיּוֹם הַזֶּה הֵבַנְתִּי
that you cleave to and long for the Omnipresent.	שֶׁאַתֶּם דְּבֵקִים וַחֲפֵצִים בַּמָּקוֹם׃

4 וָאוֹלֵךְ אֶתְכֶם — 4. And I have led you
אַרְבָּעִים שָׁנָה — forty years
בַּמִּדְבָּר — in the wilderness;
לֹא־בָלוּ שַׂלְמֹתֵיכֶם — your clothes are not waxen old
מֵעֲלֵיכֶם — upon you,
וְנַעַלְךָ לֹא־בָלְתָה — and thy shoe is not waxen old
מֵעַל רַגְלֶךָ׃ — upon thy foot.
5 לֶחֶם לֹא אֲכַלְתֶּם — 5. Ye have not eaten bread,
וְיַיִן וְשֵׁכָר — and wine or strong drink
לֹא שְׁתִיתֶם — ye have not drunk;
לְמַעַן תֵּדְעוּ — that ye might know
כִּי אֲנִי יְהוָה אֱלֹהֵיכֶם׃ מפטיר — that I am the Lord your God.
6 וַתָּבֹאוּ — 6. And when ye came
אֶל־הַמָּקוֹם הַזֶּה — unto this place,
וַיֵּצֵא סִיחֹן מֶלֶךְ־חֶשְׁבּוֹן — then came out Sihon the king of Heshbon,
וְעוֹג מֶלֶךְ־הַבָּשָׁן — and Og the king of Bashan,
לִקְרָאתֵנוּ — against us
לַמִּלְחָמָה — unto battle,
וַנַּכֵּם׃ — and we smote them.
7 וַנִּקַּח אֶת־אַרְצָם — 7. And we took their land,
וַנִּתְּנָהּ לְנַחֲלָה — and gave it for an inheritance
לָרְאוּבֵנִי וְלַגָּדִי — unto the Reubenites, and to the Gadites,
וְלַחֲצִי שֵׁבֶט הַמְנַשִּׁי׃ — and to the half-tribe of the Manassites.
8 וּשְׁמַרְתֶּם — 8. Observe therefore
אֶת־דִּבְרֵי הַבְּרִית הַזֹּאת — the words of this covenant,

Rashi — רש״י

6 וַתָּבֹאוּ אֶל־הַמָּקוֹם הַזֶּה. — **6. And when ye came unto this place**
עַתָּה אַתֶּם רוֹאִים עַצְמְכֶם — Now you behold yourselves
בִּגְדֻלָּה וְכָבוֹד, — in greatness and in honor.
אַל תִּבְעֲטוּ בַּמָּקוֹם — Do not rebel against the Omnipresent,
וְאַל יָרוּם לְבַבְכֶם, — nor let your hearts become haughty,
וּשְׁמַרְתֶּם אֶת־דִּבְרֵי הַבְּרִית הַזֹּאת׳. — "Observe therefore the words of this covenant" (v. 8).
ד״א, וְלֹא־נָתַן ה׳ לָכֶם לֵב לָדַעַת׳ — Another interpretation of "But the Lord hath not given you a heart to know:"
שֶׁאֵין אָדָם עוֹמֵד — No man understands
עַל סוֹף דַּעְתּוֹ שֶׁל רַבּוֹ — thoroughly the knowledge of his teacher,
וְחָכְמַת מִשְׁנָתוֹ — nor the wisdom of his studies,
עַד אַרְבָּעִים שָׁנָה — before forty years;
וּלְפִיכָךְ לֹא הִקְפִּיד עֲלֵיכֶם הַמָּקוֹם — and consequently the Omnipresent was not strict with you
עַד הַיּוֹם הַזֶּה, — until this day.
אֲבָל מִכָּאן וְאֵילָךְ יַקְפִּיד, — But from now on He will be strict,
וּלְפִיכָךְ, וּשְׁמַרְתֶּם אֶת־דִּבְרֵי הַבְּרִית הַזֹּאת וְגוֹ׳ (ע״ז ה׳): — and therefore "Observe the words of this covenant" etc. (Ab. Zara 5).

וַעֲשִׂיתֶם אֹתָם	and do them,
לְמַעַן תַּשְׂכִּילוּ	that ye may make to prosper
אֶת כָּל־אֲשֶׁר תַּעֲשׂוּן׃	all that ye do.

פ פ פ

9 אַתֶּם נִצָּבִים	9. Ye are standing
הַיּוֹם כֻּלְּכֶם	this day all of you
לִפְנֵי יְהוָה אֱלֹהֵיכֶם	before the Lord your God:
רָאשֵׁיכֶם	your heads,
שִׁבְטֵיכֶם	your tribes,
זִקְנֵיכֶם וְשֹׁטְרֵיכֶם	your elders, and your officers,
כֹּל אִישׁ יִשְׂרָאֵל׃	(even) all the men of Israel,
10 טַפְּכֶם נְשֵׁיכֶם	10. your little ones, your wives,
וְגֵרְךָ	and thy stranger
אֲשֶׁר בְּקֶרֶב מַחֲנֶיךָ	that is in the midst of thy camp,
מֵחֹטֵב עֵצֶיךָ	from the hewer of thy wood
עַד שֹׁאֵב מֵימֶיךָ׃	unto the drawer of thy water;
11 לְעָבְרְךָ	11. that thou shouldest enter
בִּבְרִית יְהוָה אֱלֹהֶיךָ	into the covenant of the Lord thy God —

Rashi — רש״י

9 **אַתֶּם נִצָּבִים.**	**9. Ye are standing**
מְלַמֵּד שֶׁכִּנְּסָם מֹשֶׁה לִפְנֵי הַקָּבָּ״ה	(This) teaches that Moses assembled them before the Holy One Blessed Be He
בְּיוֹם מוֹתוֹ	on the day (הַיּוֹם) of his death
לְהַכְנִיסָם בַּבְּרִית:	to initiate them into the Covenant.
רָאשֵׁיכֶם שִׁבְטֵיכֶם.	**Your heads, your tribes**
רָאשֵׁיכֶם לְשִׁבְטֵיכֶם:	(I. e.,) the heads of your tribes.
זִקְנֵיכֶם וְשֹׁטְרֵיכֶם.	**Your elders, and your officers**
הֶחָשׁוּב חָשׁוּב קוֹדֶם	The more distinguished are mentioned first,
וְאַחַר כַּךְ, כֹּל אִישׁ יִשְׂרָאֵל׳:	and afterwards "even all the men of Israel."
10 **מֵחֹטֵב עֵצֶיךָ.**	**10. From the hewer of thy wood**
מְלַמֵּד שֶׁבָּאוּ כְנַעֲנִים	(This) teaches that there came Canaanites
לְהִתְגַּיֵּר בִּימֵי מֹשֶׁה	to embrace Judaism in the day of Moses,
כְּדֶרֶךְ שֶׁבָּאוּ גִבְעוֹנִים בִּימֵי יְהוֹשֻׁעַ,	just as there came Gibeonites in the days of Joshua.
וְזֶהוּ הָאָמוּר בְּגִבְעוֹנִים (יְהוֹ׳ ט):–	And that is (the meaning of) what is stated in reference to the Gibeonites (Josh. 9.4),
וַיַּעֲשׂוּ גַם הֵמָּה בְעָרְמָה,	"They also acted wilily."
וּנְתָנָם מֹשֶׁה חוֹטְבֵי עֵצִים	And Moses made them hewers of wood
וְשׁוֹאֲבֵי מַיִם (עַיֵּ׳ תַּנְח׳):	and drawers of water (cf. Tanḥuma).
11 **לְעָבְרְךָ.**	**11. That thou shouldest enter**
לִהְיוֹתְךָ עוֹבֵר בִּבְרִית,	(לְעָבְרְךָ denotes here) that thou shouldst enter into the covenant.
וְלֹא יִתָּכֵן לְפָרְשׁוֹ	And it is not correct to translate it
כְּמוֹ לְהַעֲבִירְךָ,	as (though it were written) לְהַעֲבִירְךָ (to cause you to enter),
אֶלָּא כְּמוֹ, לַעֲשֹׂתְכֶם אֹתָם׳:	but like (Deut. 4.14) לַעֲשֹׂתְכֶם אֹתָם (that ye should do them).
לְעָבְרְךָ בִּבְרִית.	**That thou shouldest enter into the covenant**
דֶּרֶךְ הַעֲבָרָה	(I. e., enter) by way of passing through (עבר).

וּבְאָלָתוֹ	and into His oath —
אֲשֶׁר יְהוָה אֱלֹהֶיךָ	which the Lord thy God
כֹּרֵת עִמְּךָ הַיּוֹם: שני	maketh with thee this day;
12 לְמַעַן הָקִים־אֹתְךָ	12. that He may establish thee
הַיּוֹם לוֹ לְעָם	this day unto Himself for a people,
וְהוּא יִהְיֶה־לְּךָ	and that He may be unto thee
לֵאלֹהִים	a God,
כַּאֲשֶׁר דִּבֶּר־לָךְ	as He spoke unto thee,

Rashi — רש"י

כָּךְ הָיוּ כּוֹרְתֵי בְרִיתוֹת עוֹשִׂין	Thus did the makers of covenants do:
מְחִיצָה מִכָּאן	(they made) a partition on one side,
וּמְחִיצָה מִכָּאן	and a partition on the other side,
וְעוֹבְרִים בֵּינְתַיִם,	and passed through between them,
כְּמוֹ שֶׁנֶּאֱמַר (יִרְמְ' ל"ד):—	as it is stated (Jer. 34.18):
הָעֵגֶל אֲשֶׁר כָּרְתוּ לִשְׁנַיִם	"When they cut the calf in twain
וַיַּעַבְרוּ בֵּין בְּתָרָיו:	and passed between the parts thereof."
12 **לְמַעַן הָקִים־אֹתְךָ הַיּוֹם לוֹ לְעָם.**	**12. That He may establish thee this day unto Himself for a people**
כָּל כָּךְ הוּא נִכְנָס לִטְרוֹחַ	To such an extent has He troubled Himself
לְמַעַן קַיֵּם אוֹתְךָ לְפָנָיו לְעָם:	in order to establish you before Him for a people.
וְהוּא יִהְיֶה־לְּךָ לֵאלֹהִים.	**And that He may be unto thee a God**
לְפִי שֶׁדִּבֵּר לְךָ	Because He has promised you
וְנִשְׁבַּע לַאֲבוֹתֶיךָ	and has sworn to your fathers
שֶׁלֹּא לְהַחֲלִיף אֶת זַרְעָם	that He will not exchange their seed
בְּאֻמָּה אַחֶרֶת,	for another nation,
לְכָךְ הוּא אוֹסֵר אֶתְכֶם	therefore He binds you
בִּשְׁבוּעוֹת הַלָּלוּ	with these oaths,
שֶׁלֹּא תַקְנִיטוּהוּ,	so that you should not provoke Him,
אַחַר שֶׁהוּא אֵינוֹ יָכוֹל לְהִבָּדֵל מִכֶּם.	since He can not separate Himself from you.
עַד כָּאן פֵּרַשְׁתִּי פְּשׁוּטָהּ שֶׁל פָּרָשָׁה.	Up to this point I have explained the plain meaning of this section.
וּמִדְרַשׁ אַגָּדָה (תַּנְחוּמָא):—	And an Aggadic interpretation (Tanhuma) (states):
לָמָּה נִסְמְכָה פָּרָשַׁת אַתֶּם נִצָּבִים לַקְּלָלוֹת?	Why is the section אתם נצבים adjoined to the curses.
לְפִי שֶׁשָּׁמְעוּ יִשְׂרָאֵל	Because the Israelites heard
מֵאָה קְלָלוֹת חָסֵר שְׁתַּיִם	one hundred curses less two (i. e., 98),
חוּץ מִמ"ט שֶׁבְּתוֹרַת כֹּהֲנִים	besides the forty-nine (stated) in the Law of the Priests (Leviticus);
הוֹרִיקוּ פְנֵיהֶם וְאָמְרוּ:—	their faces became green, and they said:
מִי יוּכַל לַעֲמוֹד בָּאֵלּוּ!	Who can stand up before these?
הִתְחִיל מֹשֶׁה לְפַיְּסָם	(Then) Moses began to conciliate them:
אַתֶּם נִצָּבִים הַיּוֹם',	"Ye are standing this day,"
הַרְבֵּה הִכְעַסְתֶּם לַמָּקוֹם	(I. e.,) much have you vexed the Omnipresent,
וְלֹא עָשָׂה אֶתְכֶם כְּלָיָה	yet He did not make an end of you,
וַהֲרֵי אַתֶּם קַיָּמִין לְפָנָיו:	and behold you exist before Him.
הַיּוֹם.	**This day**
כַּיּוֹם הַזֶּה שֶׁהוּא קַיָּם	As this day which exists
וְהוּא מַאֲפִיל וּמֵאִיר,	and which makes dark and light,
כָּךְ הֵאִיר לָכֶם	so has He enlightened you

וְכַאֲשֶׁר נִשְׁבַּע לַאֲבֹתֶיךָ	and as He swore unto thy fathers,
לְאַבְרָהָם	to Abraham,
לְיִצְחָק וּלְיַעֲקֹב׃	to Isaac, and to Jacob.
13 וְלֹא אִתְּכֶם לְבַדְּכֶם	13. Neither with you only
אָנֹכִי כֹּרֵת	do I make
אֶת־הַבְּרִית הַזֹּאת	this covenant,
וְאֶת־הָאָלָה הַזֹּאת׃	and this oath;
14 כִּי אֶת־אֲשֶׁר יֶשְׁנוֹ פֹּה	14. but with him that here
עִמָּנוּ עֹמֵד הַיּוֹם	standeth with us this day
לִפְנֵי יְהוָה אֱלֹהֵינוּ	before the Lord our God,
וְאֵת אֲשֶׁר אֵינֶנּוּ פֹּה עִמָּנוּ הַיּוֹם׃	and also with him that is not here with us this day —
שלישי	
15 כִּי־אַתֶּם יְדַעְתֶּם	15. for ye know
אֵת אֲשֶׁר־יָשַׁבְנוּ	how we dwelt

Rashi — רש"י

וְכָךְ עָתִיד לְהָאִיר לָכֶם,	and so in the future shall He enlighten you;
וְהַקְּלָלוֹת וְהַיִּסּוּרִים מְקַיְּמִין אֶתְכֶם	and the curses and afflictions will establish you
וּמַצִּיבִין אֶתְכֶם לְפָנָיו;	and set you up before Him.
וְאַף הַפָּרָשָׁה שֶׁלְּמַעְלָה מִזּוֹ	And also the section preceding this (29. 1 ff.)
פִּיּוּסִין הֵם,	is one of conciliation:
אַתֶּם רְאִיתֶם אֵת כָּל אֲשֶׁר עָשָׂה.	"Ye have seen all that He hath done."
דָּבָר אַחֵר ,אַתֶּם נִצָּבִים׳,	Another interpretation of "Ye are standing:"
לְפִי שֶׁהָיוּ יִשְׂרָאֵל יוֹצְאִין	Since the Israelites were passing over
מִפַּרְנָס לְפַרְנָס	from one leader to another
—מִמֹּשֶׁה לִיהוֹשֻׁעַ	(i. e.,) from Moses to Joshua,
לְפִיכָךְ עָשָׂה אוֹתָם מַצָּבָה	therefore he made them stand in ranks (מצבה)
כְּדֵי לְזָרְזָם;	in order to give them encouragement.
וְכֵן עָשָׂה יְהוֹשֻׁעַ (יְהוֹ׳ כ״ד)	And similarly Joshua acted (Josh. 24. 1 ff.);
וְכֵן שְׁמוּאֵל (שְׁ״א י״ב):—	and likewise Samuel (I Sam. 12.7):
הִתְיַצְּבוּ וְאִשָּׁפְטָה אִתְּכֶם,	"Stand still, that I may plead with you,"
כְּשֶׁיָּצְאוּ מִיָּדוֹ	when they passed over from his rule
וְנִכְנְסוּ לְיָדוֹ שֶׁל שָׁאוּל (עַיּ׳ תַּנְח׳):	and entered into the rule of Saul (cf. Tanḥuma).
14 וְאֵת אֲשֶׁר אֵינֶנּוּ פֹּה.	**14. And also with him that is not here**
וְאַף עִם דּוֹרוֹת	(I. e.,) and also with the generations
הָעֲתִידִים לִהְיוֹת:	that are destined to come into existence.
15 כִּי־אַתֶּם יְדַעְתֶּם וְגוֹ׳.	**15. For ye know, etc.**
לְפִי שֶׁרְאִיתֶם הָאֻמּוֹת,	Since you have seen the heathens,
וְשֶׁמָּא הִשִּׂיא לֵב אֶחָד מִכֶּם אוֹתוֹ	perhaps the heart of one of you has enticed him
לָלֶכֶת אַחֲרֵיהֶם,	to follow after them,
,פֶּן־יֵשׁ בָּכֶם וְגוֹ׳	"lest there should be among you," etc. (v. 17);
לְפִיכָךְ אֲנִי צָרִיךְ לְהַשְׁבִּיעֲכֶם:	therefore I must adjure you.

בְּאֶרֶץ מִצְרָיִם	in the land of Egypt;
וְאֵת אֲשֶׁר־עָבַרְנוּ	and how we came
בְּקֶרֶב הַגּוֹיִם	through the midst of the nations
אֲשֶׁר עֲבַרְתֶּם׃	through which ye passed;
16 וַתִּרְאוּ	16. and ye have seen
אֶת־שִׁקּוּצֵיהֶם	their detestable things,
וְאֵת גִּלֻּלֵיהֶם	and their idols,
עֵץ וָאֶבֶן	wood and stone,
כֶּסֶף וְזָהָב	silver and gold,
אֲשֶׁר עִמָּהֶם׃	which were with them —
17 פֶּן־יֵשׁ בָּכֶם	17. lest there should be among you
אִישׁ אוֹ־אִשָּׁה	man, or woman,
אוֹ מִשְׁפָּחָה	or family,
אוֹ־שֵׁבֶט	or tribe,
אֲשֶׁר לְבָבוֹ פֹנֶה הַיּוֹם	whose heart turneth away this day
מֵעִם יְהוָה אֱלֹהֵינוּ	from the Lord our God,
לָלֶכֶת לַעֲבֹד	to go to serve
אֶת־אֱלֹהֵי הַגּוֹיִם הָהֵם	the gods of those nations;
פֶּן־יֵשׁ בָּכֶם	lest there should be among you
שֹׁרֶשׁ	a root
פֹּרֶה רֹאשׁ וְלַעֲנָה׃	that is fruitful (in) gall and wormwood;

Rashi — רש״י

16 וַתִּרְאוּ אֶת־שִׁקּוּצֵיהֶם.	**16. And ye have seen their detestable things**
עַל שֵׁם שֶׁהֵם מְאוּסִים כִּשְׁקָצִים:	(Their idols are called thus) because they are repulsive like (unclean) things that are held in abomination.
גִּלֻּלֵיהֶם.	**Their idols**
שֶׁמַּסְרִיחִים וּמְאוּסִין כַּגָּלָל:	(Their idols are called thus) because they are malodorous and loathsome like dung (גלל).
עֵץ וָאֶבֶן.	**Wood and stone**
אוֹתָן שֶׁל עֵצִים וְשֶׁל אֲבָנִים	Those (idols made) of wood and stone
רְאִיתֶם בַּגָּלוּי,	you have seen in the open,
לְפִי שֶׁאֵין הַגּוֹי יָרֵא	for the heathen does not fear
שֶׁמָּא יִגָּנְבוּ,	lest they be stolen.
אֲבָל שֶׁל כֶּסֶף וְזָהָב עִמָּהֶם,	But (the idols) of "silver and gold" are "with them"
בְּחַדְרֵי מַשְׂכִּיּוֹתָם הֵם,	(i. e.,) they are in their treasure chambers,
לְפִי שֶׁהֵם יְרֵאִים שֶׁמָּא יִגָּנְבוּ (תַּנְח׳):	because they fear lest they be stolen (Tanḥuma).
17 פֶּן־יֵשׁ בָּכֶם.	**17. Lest there should be among you**
שֶׁמָּא יֵשׁ בָּכֶם:	(פן denotes here) "perhaps" there is among you.
אֲשֶׁר לְבָבוֹ פֹנֶה הַיּוֹם.	**Whose heart turneth away this day**
מִלְּקַבֵּל עָלָיו הַבְּרִית:	From accepting upon himself the covenant.
שֹׁרֶשׁ פֹּרֶה רֹאשׁ וְלַעֲנָה.	**A root that is fruitful (in) gall and wormwood**
שֹׁרֶשׁ מְגַדֵּל עֵשֶׂב	A root that grows a grass
מַר כְּגִידִין שֶׁהֵם מָרִים,	bitter as worm-wood, which is bitter,
כְּלוֹמַר מַפְרֶה וּמַרְבֶּה רֶשַׁע	that is, which yields and multiplies wickedness
בְּקִרְבְּכֶם:	among you.

18 וְהָיָה	18. and it come to pass,
בְּשָׁמְעוֹ	when he heareth
אֶת־דִּבְרֵי הָאָלָה הַזֹּאת	the words of this curse,
וְהִתְבָּרֵךְ בִּלְבָבוֹ	that he bless himself in his heart,
לֵאמֹר	saying:
שָׁלוֹם יִהְיֶה־לִּי	'I shall have peace,
כִּי בִּשְׁרִרוּת לִבִּי אֵלֵךְ	though in the stubbornness of my heart do I walk', —
לְמַעַן סְפוֹת הָרָוָה אֶת־הַצְּמֵאָה:	that the watered be added (unto him) with the dry;

Rashi — רש״י

18 וְהִתְבָּרֵךְ בִּלְבָבוֹ.	**18. That he (will) bless himself in his heart**
לְשׁוֹן בְּרָכָה,	(והתברך) denotes (a "blessing" (ברכה));
יַחֲשׁוֹב בְּלִבּוֹ	he will think in his heart (of)
בִּרְכַּת שָׁלוֹם לְעַצְמוֹ לֵאמֹר,	blessings of peace for himself, saying:
לֹא יְבוֹאוּנִי קְלָלוֹת הַלָּלוּ,	These curses shall not befall me,
אַךְ „שָׁלוֹם יִהְיֶה־לִּי":	but "I shall have peace."
וְהִתְבָּרֵךְ.	**That he (will) bless himself**
בנדי״רא שוי״א בְּלַעַ״ז,	*Benoir soi* in O. F.
כְּמוֹ וְהִתְגַּלָּח,	(והתברך is a reflexive form) like והתגלח (and he will shave himself),
וְהִתְפַּלֵּל:	והתפלל (and he will pray).
בִּשְׁרִרוּת לִבִּי אֵלֵךְ.	**In the stubbornness of my heart do I walk**
בְּמַרְאִית לִבִּי,	(Interpret בִּשְׁרִרוּת:) "in the sight of" my heart (i. e., as my heart sees fit),
כְּמוֹ (בַּמִּדְ׳ כ״ד):—	as (Num. 24.17):
אֲשׁוּרֶנּוּ וְלֹא קָרוֹב,	"I see him (אשרנו), but not nigh,"
כְּלוֹמַר מַה שֶּׁלִּבִּי רוֹאֶה לַעֲשׂוֹת:	that is, what my heart sees (fit) to do.
לְמַעַן סְפוֹת הָרָוָה.	**That the watered be added (unto him)**
לְפִי שֶׁאוֹסִיף לוֹ פּוּרְעָנוּת	For I shall increase his retribution
עַל מַה שֶּׁעָשָׂה עַד הֵנָּה	for what he has done hitherto
בְּשׁוֹגֵג,	inadvertently;
וְהָיִיתִי מַעֲבִיר עֲלֵיהֶם,	and I had overlooked them.
וְגוֹרֵם עַתָּה שֶׁאֲצָרְפֵם עִם הַמֵּזִיד	But now he causes Me to add them to his deliberate sins,
וְאֶפָּרַע מִמֶּנּוּ הַכֹּל,	and I will exact punishment from him for all of them.
וְכֵן תִּרְגֵּם אוּנְקְלוֹס:—	And similarly did Onkelos render it:
בְּדִיל לְאוֹסָפָה לֵהּ	in order to add unto him
חָטְאֵי שָׁלוּתָא עַל זְדָנוּתָא,	the sins (committed) inadvertently to those (committed) deliberately,
—שֶׁאוֹסִיף לוֹ אֲנִי	(i. e.,) I will add for him
הַשְּׁגָגוֹת עַל הַזְּדוֹנוֹת:	the unintentional to the intentional sins.
הָרָוָה	**The watered**
שׁוֹגֵג,	(I. e., a sin committed) inadvertently,
שֶׁהוּא עוֹשֶׂה כְּאָדָם שִׁכּוֹר	which he does like a drunken man
שֶׁהוּא עוֹשֶׂה שֶׁלֹּא מִדַּעַת:	who acts without knowledge.
הַצְּמֵאָה.	**The dry**
שֶׁהוּא עוֹשֶׂה מִדַּעַת וּבְתַאֲוָה:	What one does wittingly and with desire.

19 לֹא־יֹאבֶה יְהוָה	19. the Lord will not be willing
סְלֹחַ לוֹ	to pardon him,
כִּי אָז יֶעְשַׁן אַף־יְהוָה	but then the anger of the Lord shall be kindled
וְקִנְאָתוֹ	and His jealousy,
בָּאִישׁ הַהוּא	against that man,
וְרָבְצָה בּוֹ	and (there) shall lie upon him
כָּל־הָאָלָה	all the curse
הַכְּתוּבָה בַּסֵּפֶר הַזֶּה	that is written in this book,
וּמָחָה יְהוָה אֶת־שְׁמוֹ	and the Lord shall blot out his name
מִתַּחַת הַשָּׁמָיִם׃	from under heaven;
20 וְהִבְדִּילוֹ יְהוָה	20. and the Lord shall separate him
לְרָעָה	unto evil
מִכֹּל שִׁבְטֵי יִשְׂרָאֵל	out of all the tribes of Israel,
כְּכֹל אָלוֹת הַבְּרִית	according to all the curses of the covenant
הַכְּתוּבָה	that is written
בְּסֵפֶר הַתּוֹרָה הַזֶּה׃	in this book of the law.

Rashi — רש״י

19 יֶעְשַׁן אַף־ה׳.	**19. The anger (lit., nostril) of the Lord shall be kindled**
עַל יְדֵי כַּעַס הַגּוּף מִתְחַמֵּם	Through anger the body becomes heated,
וְהֶעָשָׁן יוֹצֵא מִן הָאַף,	and smoke issues from the nostril;
וְכֵן (שׁ״ב כ״ב):—	and similarly II Sam. 22.9):
עָלָה עָשָׁן בְּאַפּוֹ,	"Smoke arose up in His nostrils."
וְאַף עַל פִּי שֶׁאֵין זוֹ לִפְנֵי הַמָּקוֹם,	Now although this is not (proper) in reference to the Omnipresent,
הַכָּתוּב מַשְׁמִיעַ אֶת הָאֹזֶן	Scripture causes the ear to hear
כְּדֶרֶךְ שֶׁהִיא רְגִילָה וִיכוֹלָה	what it is accustomed and able
לִשְׁמוֹעַ כְּפִי דֶרֶךְ הָאָרֶץ:	to hear in accordance with the ways of the earth.
וְקִנְאָתוֹ.	**And His jealousy**
לְשׁוֹן חֵמָה,	(וקנאתו denotes) wrath;
אנפרטמי״נט,	*emportement* (in O. F.).
אֲחִיזַת לְבִישַׁת נְקָמָה	He is clad in a garment of vengeance,
וְאֵינוֹ מַעֲבִיר עַל הַמִּדָּה:	and will not forbear (the right to punish).
20 הַכְּתוּבָה בְּסֵפֶר הַתּוֹרָה הַזֶּה.	**20. That is written in this (הזה) book of the law**
וּלְמַעְלָה הוּא אוֹמֵר:—	But above it states (28.61):
גַּם כָּל חֳלִי וְכָל מַכָּה...	"Also every sickness and every plague . . .
בְּסֵפֶר הַתּוֹרָה הַזֹּאת!!	in the book of this (הזאת) law."
הַזֹּאת לְשׁוֹן נְקֵבָה	הזאת in the feminine gender
מוּסָב אֶל הַתּוֹרָה,	refers to (the feminine noun) התורה (the law);
הַזֶּה לְשׁוֹן זָכָר	הזה in the masculine gender
מוּסָב אֶל הַסֵּפֶר,	refers to (the masculine noun) הספר (the book);
וְעַל יְדֵי פִּסּוּק הַטְּעָמִים	and by the determination of the accents
הֵן נֶחֱלָקִין לִשְׁתֵּי לְשׁוֹנוֹת,	they are divided into two genders:
בְּפָרָשַׁת הַקְּלָלוֹת	in the section of the curses (28.61),
הַטִּפְחָה נְתוּנָה תַּחַת בְּסֵפֶר,	the (disjunctive accent) *tiphḥah* is placed beneath בְּסֵפֶר
וְהַתּוֹרָה הַזֹּאת דְּבוּקִים זֶה לָזֶה,	and (the words) והתורה הזאת are joined one to the other (construct: this law);

21 וְאָמַר	21. And (there) shall say
הַדּוֹר הָאַחֲרוֹן	the generation to come,
בְּנֵיכֶם	your children
אֲשֶׁר יָקוּמוּ	that shall rise up
מֵאַחֲרֵיכֶם	after you,
וְהַנָּכְרִי	and the foreigner
אֲשֶׁר יָבֹא	that shall come
מֵאֶרֶץ רְחוֹקָה	from a far land,
וְרָאוּ	when they see
אֶת־מַכּוֹת	the plagues
הָאָרֶץ הַהִוא	of that land,
וְאֶת־תַּחֲלֻאֶיהָ	and the sicknesses
אֲשֶׁר־חִלָּה יְהוָה בָּהּ׃	wherewith the Lord hath made it sick;
22 גָּפְרִית וָמֶלַח	22. and (that) brimstone and salt,
שְׂרֵפָה כָל־אַרְצָהּ	(and) a burning is the whole land thereof,
לֹא תִזָּרַע	(that) it is not sown,
וְלֹא תַצְמִחַ	nor beareth,
וְלֹא־יַעֲלֶה בָהּ כָּל־עֵשֶׂב	nor any grass groweth therein,
כְּמַהְפֵּכַת	like the overthrow
סְדֹם וַעֲמֹרָה	of Sodom and Gomorrah,
אַדְמָה וּצְבֹיִים°	Admah and Zeboiim,
אֲשֶׁר הָפַךְ יְהוָה	which the Lord overthrew
בְּאַפּוֹ וּבַחֲמָתוֹ׃	in His anger, and in His wrath;
23 וְאָמְרוּ כָּל־הַגּוֹיִם	23. even all the nations shall say:
עַל־מֶה עָשָׂה יְהוָה כָּכָה	'Wherefore hath the Lord done thus
לָאָרֶץ הַזֹּאת	unto this land?
מֶה חֳרִי	what meaneth the heat
הָאַף הַגָּדוֹל הַזֶּה׃	of this great anger?'
24 וְאָמְרוּ	24. then men shall say:
עַל אֲשֶׁר עָזְבוּ	'Because they forsook
אֶת־בְּרִית יְהוָה	the covenant of the Lord,
אֱלֹהֵי אֲבֹתָם	the God of their fathers,
אֲשֶׁר כָּרַת עִמָּם	which He made with them
בְּהוֹצִיאוֹ אֹתָם	when He brought them forth

° וצבוים קרי.

Rashi — רש״י

לְכָךְ אָמַר הַזֹּאת,	therefore it states הזאת.
וְכָאן הַטִּפְּחָה נְתוּנָה תַּחַת הַתּוֹרָה,	And here the (disjunctive accent) *tiphhah* is placed beneath הַתּוֹרָה,
נִמְצָא סֵפֶר הַתּוֹרָה	so that ספר התורה
דְּבוּקִים זֶה לָזֶה,	are joined one to the other (construct: the book of the law);
לְפִיכָךְ לְשׁוֹן זָכָר נוֹפֵל אַחֲרָיו,	consequently the masculine gender follows after it,
שֶׁהַלָּשׁוֹן נוֹפֵל עַל הַסֵּפֶר׃	for the term (הזה) refers to הספר (this book of the law).

מֵאֶרֶץ מִצְרָיִם׃	of the land of Egypt;
25 וַיֵּלְכוּ	25. and went
וַיַּעַבְדוּ	and served
אֱלֹהִים אֲחֵרִים	other gods,
וַיִּשְׁתַּחֲווּ לָהֶם	and worshipped them,
אֱלֹהִים אֲשֶׁר לֹא־יְדָעוּם	gods that they knew not,
וְלֹא חָלַק לָהֶם׃	and that He had not allotted unto them;
26 וַיִּחַר־אַף יְהוָה	26. therefore the anger of the Lord was kindled
בָּאָרֶץ הַהִוא	against this land,
לְהָבִיא עָלֶיהָ	to bring upon it
אֶת־כָּל־הַקְּלָלָה	all the curse
הַכְּתוּבָה בַּסֵּפֶר הַזֶּה׃	that is written in this book;
27 וַיִּתְּשֵׁם יְהוָה	27. and the Lord rooted them out
מֵעַל אַדְמָתָם	of their land
בְּאַף וּבְחֵמָה	in anger and in wrath,
וּבְקֶצֶף גָּדוֹל	and in great indignation,
וַיַּשְׁלִכֵם	and cast them
אֶל־אֶרֶץ אַחֶרֶת	into another land,
כַּיּוֹם הַזֶּה׃	as (at) this day.' —
28 הַנִּסְתָּרֹת	28. The secret things
לַיהוָה אֱלֹהֵינוּ	belong unto the Lord our God;

° ל' רבתי

Rashi — רש"י

25 **לֹא־יְדָעוּם.**	**25. They knew (them) not**
לֹא יָדְעוּ בָהֶם	(I. e.,) they did not recognize in them
גְּבוּרַת אֱלָהוּת׃	divine might.
וְלֹא חָלַק לָהֶם.	**And that He had not allotted unto them**
לֹא נְתָנָם לְחֶלְקָם;	(ולא חלק להם denotes) He had not allotted them (i.e., the gods) unto them (i. e., the Israelites).
וְאוּנְקְלוֹס תִּרְגֵּם וְלָא אוֹטִיבָא לְהוֹן,	And Onkelos renders it לא אוטיבא להון,
לֹא הֵטִיבוּ לָהֶם שׁוּם טוֹבָה;	"they did not do any good at all for them."
וְלָ' לֹא חָלַק אוֹתוֹ אֱלוֹהַּ	And (the meaning of) the expression לא חלק (is): That god
שֶׁבָּחֲרוּ לָהֶם	which they chose for themselves
לֹא חָלַק לָהֶם שׁוּם נַחֲלָה	did not allot them any inheritance
וְשׁוּם חֵלֶק׃	nor any portion.
27 **וַיִּתְּשֵׁם ה'.**	**27. And the Lord rooted them out**
כְּתַרְגּוּמוֹ וְטַלְטֵלִינוּן,	(Understand ויתשם) as the Targum renders it: And He exiled them.
וְכֵן (יִרְמְ' י"ב):—	And similarly (Jer. 12.14):
הִנְנִי נוֹתְשָׁם מֵעַל אַדְמָתָם׃	"Behold I will exile them (נותשם) from their land."
28 **הַנִּסְתָּרֹת לַה' אֱלֹהֵינוּ.**	**28. The secret things belong unto the Lord our God**
וְאִם תֹּאמְרוּ	And if you say:
מַה בְּיָדֵינוּ לַעֲשׂוֹת	What are we able to do?
אַתָּה מַעֲנִישׁ אֶת הָרַבִּים	You punish the many
עַל הִרְהוּרֵי הַיָּחִיד,	for the evil thoughts of an individual,
שֶׁנֶּאֱמַר פֶּן יֵשׁ בָּכֶם אִישׁ וְגוֹ',	as it is stated (v. 17), "Lest there should be among you a man," etc.,

וְהַנִּגְלֹת	but the things that are revealed
לָנוּ וּלְבָנֵינוּ	belong unto us and to our children
עַד־עוֹלָם	for ever,
לַעֲשׂוֹת	that we may do
אֶת־כָּל־דִּבְרֵי הַתּוֹרָה הַזֹּאת: ס רביעי (שני כשהן מחוברין)	all the words of this law.

CHAPTER XXX — ל

1 וְהָיָה	1. And it shall come to pass,
כִּי־יָבֹאוּ עָלֶיךָ	when (there) are come upon thee
כָּל־הַדְּבָרִים הָאֵלֶּה	all these things,
הַבְּרָכָה וְהַקְּלָלָה	the blessing and the curse,
אֲשֶׁר נָתַתִּי לְפָנֶיךָ	which I have set before thee,
וַהֲשֵׁבֹתָ אֶל־לְבָבֶךָ	and thou shalt call (them) to mind
בְּכָל־הַגּוֹיִם	among all the nations,
אֲשֶׁר הִדִּיחֲךָ יְהוָה אֱלֹהֶיךָ שָׁמָּה:	whither the Lord thy God hath driven thee,
2 וְשַׁבְתָּ	2. and shalt return
עַד־יְהוָה אֱלֹהֶיךָ	unto the Lord thy God,
וְשָׁמַעְתָּ בְקֹלוֹ	and hearken to His voice
כְּכֹל אֲשֶׁר־אָנֹכִי מְצַוְּךָ הַיּוֹם	according to all that I command thee this day,
אַתָּה וּבָנֶיךָ	thou and thy children,
בְּכָל־לְבָבְךָ	with all thy heart,
וּבְכָל־נַפְשֶׁךָ:	and with all thy soul;

° נקוד על לנו ולבנינו ע, י"א נ'.

Rashi — רש"י

וְאַח"כ וְרָאוּ אֶת מַכּוֹת הָאָרֶץ הַהִוא,	and afterwards, (v. 21), "They shall see the plagues of that land."
וַהֲלֹא אֵין אָדָם יוֹדֵעַ	But no one knows
טְמוּנוֹתָיו שֶׁל חֲבֵרוֹ	the hidden thoughts of his neighbor;
אֵין אֲנִי מַעֲנִישׁ אֶתְכֶם	I do not punish you
עַל הַנִּסְתָּרוֹת,	for the secret things,
שֶׁהֵן לַה' אֱלֹהֵינוּ,	since they belong unto the Lord our God,
וְהוּא יִפָּרַע מֵאוֹתוֹ יָחִיד.	and He will exact punishment from that individual;
אֲבָל הַנִּגְלוֹת לָנוּ וּלְבָנֵינוּ	but the things that are revealed belong unto us and to our children,
לְבַעֵר הָרָע מִקִּרְבֵּנוּ,	to remove evil from among us,
וְאִם לֹא נַעֲשֶׂה דִין בָּהֶם	and if we do not execute justice in their case,
יֵעָנְשׁוּ (אֶת) הָרַבִּים.	the many will be punished.
נָקוּד עַל ,לָנוּ וּלְבָנֵינוּ'	It is dotted above (the words) לנו ולבנינו,
לִדְרוֹשׁ	to explain
שֶׁאַף עַל הַנִּגְלוֹת	that even for the things that are revealed
לֹא עָנַשׁ אֶת הָרַבִּים	He did not punish the many
עַד שֶׁעָבְרוּ אֶת הַיַּרְדֵּן,	until they had crossed the Jordan,
מִשֶּׁקִּבְּלוּ עֲלֵיהֶם אֶת הַשְּׁבוּעָה	after they had taken upon themselves the oath
בְּהַר גְּרִיזִים וּבְהַר עֵיבָל	on Mount Gerizim and on Mount Ebal,
וְנַעֲשׂוּ עֲרֵבִים זֶה לָזֶה (סַנְהֶ' מ"ג):	and became thereby responsible for each other (Sanh. 43).

3 וְשָׁב יְהוָה אֱלֹהֶיךָ	3. that (then) the Lord thy God will turn
אֶת־שְׁבוּתְךָ	thy captivity,
וְרִחֲמֶךָ	and have compassion upon thee,
וְשָׁב וְקִבֶּצְךָ	and will return and gather thee
מִכָּל־הָעַמִּים	from all the peoples,
אֲשֶׁר הֱפִיצְךָ יְהוָה אֱלֹהֶיךָ שָׁמָּה׃	whither the Lord thy God hath scattered thee.
4 אִם־יִהְיֶה נִדַּחֲךָ	4. If any of thine that are dispersed be
בִּקְצֵה הַשָּׁמָיִם	in the uttermost parts of heaven,
מִשָּׁם יְקַבֶּצְךָ יְהוָה אֱלֹהֶיךָ	from thence will the Lord thy God gather thee,
וּמִשָּׁם יִקָּחֶךָ׃	and from thence will He fetch thee.
5 וֶהֱבִיאֲךָ יְהוָה אֱלֹהֶיךָ	5. And the Lord thy God will bring thee
אֶל־הָאָרֶץ	into the land
אֲשֶׁר־יָרְשׁוּ אֲבֹתֶיךָ	which thy fathers possessed,
וִירִשְׁתָּהּ	and thou shalt possess it;
וְהֵיטִבְךָ	and He will do thee good,
וְהִרְבְּךָ מֵאֲבֹתֶיךָ׃	and multiply thee above thy fathers.
6 וּמָל יְהוָה אֱלֹהֶיךָ	6. And the Lord thy God will circumcise
אֶת־לְבָבְךָ	thy heart,
וְאֶת־לְבַב זַרְעֶךָ	and the heart of thy seed,
לְאַהֲבָה	to love
אֶת־יְהוָה אֱלֹהֶיךָ	the Lord thy God

Rashi — רש"י

30 3 וְשָׁב ה' אֱלֹהֶיךָ אֶת־שְׁבוּתְךָ.	30 **3. That (then) the Lord thy God will turn thy captivity**
הָיָה לוֹ לִכְתּוֹב וְהֵשִׁיב אֶת שְׁבוּתְךָ,	It should have written והשיב את שבותך (the hiph'il; instead of the qal וְשָׁב).
רַבּוֹתֵינוּ לָמְדוּ מִכָּאן	Our Rabbis derived hence;
כִּבְיָכוֹל שֶׁהַשְּׁכִינָה שְׁרוּיָה עִם יִשְׂרָאֵל	the Divine Presence, if one can (say so of God), abode with Israel
בְּצָרַת גָּלוּתָם,	in the affliction of their exile,
וּכְשֶׁנִּגְאָלִין הִכְתִּיב גְּאֻלָּה לְעַצְמוֹ	and when they are redeemed, He ascribed redemption for Himself,
שֶׁהוּא יָשׁוּב עִמָּהֶם.	(i. e.,) that He will return together with them.
וְעוֹד יֵשׁ לוֹמַר	And it is also possible to say
שֶׁגָּדוֹל יוֹם קִבּוּץ גָּלֻיּוֹת	that so great is the day of the gathering of the exiles
וּבְקוֹשִׁי,	and so difficult
כְּאִלּוּ הוּא עַצְמוֹ	(that it seems) as though he Himself
צָרִיךְ לִהְיוֹת אוֹחֵז בְּיָדָיו מַמָּשׁ	must take hold literally with His hand of
אִישׁ אִישׁ מִמְּקוֹמוֹ,	every man, (to take him out) from his place,
כְּעִנְיָן שֶׁנֶּאֱמַר (יְשַׁע' כ"ז)׃—	as it is stated (Isa. 27.12):
וְאַתֶּם תְּלֻקְּטוּ לְאַחַד אֶחָד בְּנֵי יִשְׂרָאֵל	"And ye shall be gathered one by one, O ye children of Israel."
וְאַף בְּגָלֻיּוֹת שְׁאָר הָאֻמּוֹת	Also in reference to the exiles of other nations
מָצִינוּ כֵן (יְחֶזְ' כ"ט)	we find the same (Ezek. 29.14):
וְשַׁבְתִּי אֶת־שְׁבוּת מִצְרָיִם׃	"And I will restore (ושבתי) the captivity of Egypt."

בְּכָל־לְבָבְךָ	with all thy heart,
וּבְכָל־נַפְשְׁךָ	and with all thy soul,
לְמַעַן חַיֶּיךָ: חמישי	that thou mayest live.
(שלישי כשהן מחוברין)	
7 וְנָתַן יְהוָה אֱלֹהֶיךָ	7. And the Lord thy God will put
אֵת כָּל־הָאָלוֹת הָאֵלֶּה	all these curses
עַל־אֹיְבֶיךָ	upon thine enemies,
וְעַל־שֹׂנְאֶיךָ	and on them that hate thee,
אֲשֶׁר רְדָפוּךָ:	that persecuted thee.
8 וְאַתָּה תָשׁוּב	8. And thou shalt return
וְשָׁמַעְתָּ בְּקוֹל יְהוָה	and hearken to the voice of the Lord,
וְעָשִׂיתָ	and thou shalt do
אֶת־כָּל־מִצְוֺתָיו	all His commandments,
אֲשֶׁר אָנֹכִי מְצַוְּךָ הַיּוֹם:	which I command thee this day.
9 וְהוֹתִירְךָ יְהוָה אֱלֹהֶיךָ	9. And the Lord will make thee overabundant
בְּכֹל | מַעֲשֵׂה יָדֶךָ	in all the work of thy hand,
בִּפְרִי בִטְנְךָ	in the fruit of thy body,
וּבִפְרִי בְהֶמְתְּךָ	and in the fruit of thy cattle,
וּבִפְרִי אַדְמָתְךָ	and in the fruit of thy land,
לְטֹבָה	for good;
כִּי | יָשׁוּב יְהוָה לָשׂוּשׂ עָלֶיךָ	for the Lord will again rejoice over thee
לְטוֹב	for good,
כַּאֲשֶׁר־שָׂשׂ	as He rejoiced
עַל־אֲבֹתֶיךָ:	over thy fathers;
10 כִּי תִשְׁמַע	10. if thou shalt hearken
בְּקוֹל יְהוָה אֱלֹהֶיךָ	to the voice of the Lord thy God,
לִשְׁמֹר מִצְוֺתָיו וְחֻקֹּתָיו	to keep His commandments and His statutes
הַכְּתוּבָה	which are written
בְּסֵפֶר הַתּוֹרָה הַזֶּה	in this book of the law;
כִּי תָשׁוּב	if thou turn
אֶל־יְהוָה אֱלֹהֶיךָ	unto the Lord thy God
בְּכָל־לְבָבְךָ	with all thy heart,
וּבְכָל־נַפְשֶׁךָ: ס ששי	and with all thy soul.
11 כִּי הַמִּצְוָה הַזֹּאת	11. For this commandment
אֲשֶׁר אָנֹכִי מְצַוְּךָ הַיּוֹם	which I command thee this day
לֹא־נִפְלֵאת הִוא מִמְּךָ	is not concealed from thee,

Rashi — רש"י

11 לֹא־נִפְלֵאת הִוא מִמְּךָ.	**11. (It) is not concealed from thee**
לֹא מְכֻסָּה הִיא מִמְּךָ,	(Interpret נפלאת:) It is not concealed (covered) from thee,
כְּמוֹ שֶׁנֶּאֱמַר (לְעֵיל י"ז):—	as it is stated (Deut. 17.8):
כִּי יִפָּלֵא,	כי יפלא, (which is rendered by Onkelos:)
אֲרֵי יִתְכַּסֵּי	if there be concealed (covered);

וְלֹא־רְחֹקָה הִוא:	neither is it far off.
12 לֹא בַשָּׁמַיִם הִוא	12. It is not in heaven,
לֵאמֹר	that thou shouldest say:
מִי יַעֲלֶה־לָּנוּ	'Who shall go up for us
הַשָּׁמַיְמָה	to heaven,
וְיִקָּחֶהָ לָּנוּ	and bring it unto us,
וְיַשְׁמִעֵנוּ אֹתָהּ	and make us to hear it,
וְנַעֲשֶׂנָּה:	that we may do it?'
13 וְלֹא־מֵעֵבֶר לַיָּם הִוא	13. Neither is it beyond the sea,
לֵאמֹר	that thou shouldest say:
מִי יַעֲבָר־לָנוּ	'Who shall go over for us
אֶל־עֵבֶר הַיָּם	unto the other side of the sea,
וְיִקָּחֶהָ לָּנוּ	and bring it unto us,
וְיַשְׁמִעֵנוּ אֹתָהּ	and make us to hear it,
וְנַעֲשֶׂנָּה:	that we may do it?'
14 כִּי־קָרוֹב אֵלֶיךָ הַדָּבָר מְאֹד	14. But the word is very nigh unto thee,
בְּפִיךָ וּבִלְבָבְךָ	in thy mouth, and in thy heart,
לַעֲשֹׂתוֹ: ס שביעי ומפטיר (רביעי כשהן מחוברין)	that thou mayest do it.
15 רְאֵה	15. See,
נָתַתִּי לְפָנֶיךָ הַיּוֹם	I have set before thee this day
אֶת־הַחַיִּים	(the) life
וְאֶת־הַטּוֹב	and (the) good,
וְאֶת־הַמָּוֶת	and (the) death
וְאֶת־הָרָע:	and (the) evil;

Rashi — רש״י

וַתֵּרֶד פְּלָאִים (אֵיכָה א)	ותרד פלאים (Lam. 1.9) (which denotes)
וַתֵּרֶד בְּמַטְמוֹנִיּוֹת,	"and it descended in concealment"—
מְכוּסָה וַחֲבוּשָׁה בְּטָמוּן:	covered and contained in something concealed.
12 **לֹא בַשָּׁמַיִם הוּא.**	**12. It is not in heaven**
שֶׁאִלּוּ הָיְתָה בַשָּׁמַיִם,	For if it were in heaven,
הָיִיתָ צָרִיךְ לַעֲלוֹת אַחֲרֶיהָ	you would have to ascend after it
לִלְמְדָהּ (עֵירוּ׳ כ״ה):	to study it ('Er. 55).
14 **כִּי־קָרוֹב אֵלֶיךָ.**	**But (it) is nigh unto thee**
הַתּוֹרָה נִתְּנָה לָכֶם בִּכְתָב	The Torah was given to you in written form
וּבְעַל פֶּה:	and orally.
15 **אֶת־הַחַיִּים וְאֶת־הַטּוֹב.**	**15. (The) life and (the) good**
זֶה תָּלוּי בָזֶה,	One depends upon the other:
אִם תַּעֲשֶׂה טוֹב	if you do good,
הֲרֵי לְךָ חַיִּים	you will have life;
וְאִם תַּעֲשֶׂה רָע	but if you do evil,
הֲרֵי לְךָ הַמָּוֶת,	you will have death.
וְהַכָּתוּב מְפָרֵשׁ וְהוֹלֵךְ הָאֵיךְ:	And Scripture goes on to explain how.

16 אֲשֶׁר אָנֹכִי מְצַוְּךָ הַיּוֹם	16. in that I command thee this day
לְאַהֲבָה	to love
אֶת־יְהוָה אֱלֹהֶיךָ	the Lord thy God,
לָלֶכֶת בִּדְרָכָיו	to walk in His ways,
וְלִשְׁמֹר מִצְוֹתָיו	and to keep His commandments,
וְחֻקֹּתָיו וּמִשְׁפָּטָיו	and His statutes, and His ordinances,
וְחָיִיתָ וְרָבִיתָ	then thou shalt live and multiply,
וּבֵרַכְךָ יְהוָה אֱלֹהֶיךָ	and the Lord thy God shall bless thee
בָּאָרֶץ	in the land
אֲשֶׁר־אַתָּה בָא־שָׁמָּה	whither thou goest in
לְרִשְׁתָּהּ׃	to possess it.
17 וְאִם־יִפְנֶה לְבָבְךָ	17. But if thy heart turn away,
וְלֹא תִשְׁמָע	and thou wilt not hear,
וְנִדַּחְתָּ	but shalt be drawn away,
וְהִשְׁתַּחֲוִיתָ	and bow down
לֵאלֹהִים אֲחֵרִים	to other gods,
וַעֲבַדְתָּם׃	and serve them;
18 הִגַּדְתִּי לָכֶם הַיּוֹם	18. I declare unto you this day,
כִּי אָבֹד תֹּאבֵדוּן	that ye shall surely perish;
לֹא־תַאֲרִיכֻן יָמִים	ye shall not prolong (your) days
עַל־הָאֲדָמָה	upon the land,
אֲשֶׁר אַתָּה עֹבֵר	whither thou passest over
אֶת־הַיַּרְדֵּן	the Jordan
לָבוֹא שָׁמָּה	to go in
לְרִשְׁתָּהּ׃	to possess it.
19 הַעִדֹתִי בָכֶם הַיּוֹם	19. I call to witness against you this day
אֶת־הַשָּׁמַיִם וְאֶת־הָאָרֶץ	the heaven and the earth,
הַחַיִּים וְהַמָּוֶת	(that) the life and the death

Rashi — רש"י

16 אֲשֶׁר אָנֹכִי מְצַוְּךָ הַיּוֹם לְאַהֲבָה.	**16. In that I command thee this day to love**
הֲרֵי הַטּוֹב וּבוֹ תָּלוּי:	This is the good, and upon it depends,
וְחָיִיתָ וְרָבִיתָ.	**Then thou shalt live and multiply**
הֲרֵי הַחַיִּים:	This is life.
17 וְאִם־יִפְנֶה לְבָבְךָ.	**17. But if thy heart turn away**
הֲרֵי הָרַע:	This is evil.
18 כִּי אָבֹד תֹּאבֵדוּן.	**18. That ye shall surely perish**
הֲרֵי הַמָּוֶת:	This is death.
19 הַעִדֹתִי בָכֶם הַיּוֹם אֶת־הַשָּׁמַיִם וְאֶת־הָאָרֶץ.	**19. I call to witness against you this day the heaven and the earth**
שֶׁהֵם קַיָּמִים לְעוֹלָם,	For they exist forever;
וְכַאֲשֶׁר, תִּקְרֶה אֶתְכֶם הָרָעָה	and when evil will befall you,
יִהְיוּ עֵדִים	they will serve as witnesses
שֶׁאֲנִי הִתְרֵיתִי בָכֶם בְּכָל זֹאת	that I have warned you regarding all this.

נָתַתִּי לְפָנֶיךָ	I have set before thee,
הַבְּרָכָה וְהַקְּלָלָה	the blessing and the curse;
וּבָחַרְתָּ בַּחַיִּים	therefore choose life,
לְמַעַן תִּחְיֶה	that thou mayest live,
אַתָּה וְזַרְעֶךָ׃	thou and thy seed;
20 לְאַהֲבָה	20. to love

Rashi — רש״י

ד״א, הַעִדֹתִי בָכֶם הַיּוֹם אֶת־הַשָּׁמַיִם וְגוֹ׳,	Another interpretation of "I call heaven to witness against you this day," etc.:
אָמַר לוֹ הַקָּבָּ״ה לְיִשְׂרָאֵל,	The Holy One Blessed Be He said to Israel,
הִסְתַּכְּלוּ בַשָּׁמַיִם שֶׁבָּרָאתִי	Gaze upon the heavens which I have created
לְשַׁמֵּשׁ אֶתְכֶם,	to serve you:
שֶׁמָּא שִׁנּוּ אֶת מִדָּתָם?	Have they ever changed their ways?
שֶׁמָּא לֹא עָלָה גַּלְגַּל חַמָּה מִן הַמִּזְרָח	Has the sphere of the sun ever failed to rise in the East
וְהֵאִיר לְכָל הָעוֹלָם	to give light to the entire world?,
כְּעִנְיָן שֶׁנֶּאֱמַר (קֹהֶ׳ א)׃—	as it is stated (Eccl. 1.5):
וְזָרַח הַשֶּׁמֶשׁ וּבָא הַשֶּׁמֶשׁ,	"The sun riseth and the sun goeth down."
הִסְתַּכְּלוּ בָאָרֶץ שֶׁבָּרָאתִי	Gaze upon the earth which I have created
לְשַׁמֵּשׁ אֶתְכֶם,	to serve you:
שֶׁמָּא שִׁנְּתָה מִדָּתָהּ	Has it ever changed its ways?
שֶׁמָּא זְרַעְתֶּם אוֹתָהּ	Have you ever sown it
וְלֹא צָמְחָה	and (the seed) did not sprout?
אוֹ שֶׁמָּא זְרַעְתֶּם חִטִּים	Or have you ever sown wheat
וְהֶעֶלְתָה שְׂעוֹרִים	and it yielded barley?
וּמָה אֵלּוּ שֶׁנַּעֲשׂוּ לֹא לְשָׂכָר	If these, which were made not for reward
וְלֹא לְהֶפְסֵד,	and not for loss,
אִם זוֹכִין אֵין מְקַבְּלִין שָׂכָר,	(i. e.,) if they are found worthy, they do not receive a reward,
וְאִם חוֹטְאִין	and if they commit sin,
אֵין מְקַבְּלִין פּוּרְעָנוּת,	they are not punished,
לֹא שִׁנּוּ אֶת מִדָּתָם,	(nevertheless) they did not change their ways,
אַתֶּם שֶׁאִם זְכִיתֶם	(then) you who if you are found worthy,
תְּקַבְּלוּ שָׂכָר	you will receive a reward,
וְאִם חֲטָאתֶם תְּקַבְּלוּ פּוּרְעָנוּת,	and if you commit sin, you will be punished,
עַל אַחַת כַּמָּה וְכַמָּה׃	most certainly (you should not change to evil ways).
וּבָחַרְתָּ בַּחַיִּים.	**Therefore choose life**
אֲנִי מוֹרֶה לָכֶם	I instruct you
שֶׁתִּבְחֲרוּ בְּחֵלֶק הַחַיִּים,	that you shall select the portion of life,
כְּאָדָם הָאוֹמֵר לִבְנוֹ	as one who says to his son:
בְּחַר לְךָ חֵלֶק יָפֶה בְּנַחֲלָתִי	Select for yourself the best portion of my possessions,
וּמַעֲמִידוֹ עַל חֵלֶק הַיָּפֶה	and he sets him upon the best portion,
וְאוֹמֵר לוֹ אֶת זֶה בְּרוֹר לְךָ,	and says to him: This one select for yourself.
וְעַל זֶה נֶאֱמַר (תְּהִ׳ ט״ז)׃—	And in reference to this it is stated (Ps. 16.5):
ה׳ מְנָת חֶלְקִי וְכוֹסִי	"O Lord, the portion of mine inheritance and of my cup,
אַתָּה תּוֹמִיךְ גּוֹרָלִי	Thou maintainest my lot,"
הִנַּחְתָּ יָדִי עַל גּוֹרָל הַטּוֹב	(i. e.,) Thou hast placed my hand upon the best lot,
לוֹמַר אֶת זֶה קַח לְךָ׃	saying: This one take for yourself.

אֶת־יְהוָה אֱלֹהֶיךָ	the Lord thy God;
לִשְׁמֹעַ בְּקֹלוֹ	to hearken to His voice,
וּלְדָבְקָה־בוֹ	and to cleave unto Him;
כִּי הוּא חַיֶּיךָ	for that is thy life,
וְאֹרֶךְ יָמֶיךָ	and the length of thy days;
לָשֶׁבֶת עַל־הָאֲדָמָה	that thou mayest dwell in the land
אֲשֶׁר נִשְׁבַּע יְהוָה לַאֲבֹתֶיךָ	which the Lord swore unto thy fathers,
לְאַבְרָהָם	to Abraham,
לְיִצְחָק וּלְיַעֲקֹב	to Isaac, and to Jacob,
לָתֵת לָהֶם׃	to give them.

פ פ פ

CHAPTER XXXI — לא

1 וַיֵּלֶךְ מֹשֶׁה	1. And Moses went
וַיְדַבֵּר	and spoke
אֶת־הַדְּבָרִים הָאֵלֶּה	these words
אֶל־כָּל־יִשְׂרָאֵל׃	unto all Israel.
2 וַיֹּאמֶר אֲלֵהֶם	2. And he said unto them:
בֶּן־מֵאָה וְעֶשְׂרִים שָׁנָה	'A hundred and twenty years old
אָנֹכִי הַיּוֹם	I am this day;
לֹא־אוּכַל עוֹד	I can no more
לָצֵאת וְלָבוֹא	go out and come in;
וַיהוָה אָמַר אֵלַי	and the Lord hath said unto me:

Rashi — רש"י

31 1 וַיֵּלֶךְ מֹשֶׁה וְגוֹ׳.	**31 1. And Moses went, etc.**
2 לֹא־אוּכַל עוֹד לָצֵאת וְלָבוֹא.	**2. I can no more go out and come in**
יָכוֹל שֶׁתָּשַׁשׁ כֹּחוֹ,	I might think that his strength had waned;
תַּלְמוּד לוֹמַר (לְקַמָּן ל"ד):—	but Scripture states (below, 34.7):
לֹא כָהֲתָה עֵינוֹ	"His eye was not dim,
וְלֹא נָס לֵחֹה,	nor his natural force abated."
אֶלָּא מַהוּ לֹא אוּכַל?	What then is (the meaning of) "I can not?"
אֵינִי רַשַּׁאי,	I may not (I am not permitted),
שֶׁנִּטְּלָה מִמֶּנִּי הָרְשׁוּת	for authority has been taken from me
וְנִתְּנָה לִיהוֹשֻׁעַ:	and has been given to Joshua.
וַה׳ אָמַר אֵלַי.	**And the Lord hath said unto me**
זֶהוּ פֵּרוּשׁ, לֹא אוּכַל עוֹד לָצֵאת וְלָבוֹא	This explains "I can no more go out and come in,"
לְפִי שֶׁה׳ אָמַר אֵלַי:	(viz.,) because "the Lord hath said unto me."
אָנֹכִי הַיּוֹם.	**I am this day**
הַיּוֹם מָלְאוּ יָמַי וּשְׁנוֹתַי,	This day my days and my years are completed;
בְּיוֹם זֶה נוֹלַדְתִּי	on this day I was born,
וּבְיוֹם זֶה אָמוּת (ר"ה י"א);	and on this day I will die (R. H. 11).
ד"א לָצֵאת וְלָבוֹא	Another interpretation of "to go out and come in:"
בְּדִבְרֵי תוֹרָה,	it refers to the words of the Torah;
מְלַמֵּד שֶׁנִּסְתְּמוּ מִמֶּנּוּ	it teaches that there were closed for him
מְסוֹרוֹת וּמַעְיְנוֹת הַחָכְמָה:	the traditions and the fountains of wisdom.

לֹא תַעֲבֹר	Thou shalt not go over
אֶת־הַיַּרְדֵּן הַזֶּה׃	this Jordan.
3 יְהוָה אֱלֹהֶיךָ	3. The Lord thy God,
הוּא ׀ עֹבֵר לְפָנֶיךָ	He will go over before thee;
הוּא־יַשְׁמִיד	He will destroy
אֶת־הַגּוֹיִם הָאֵלֶּה	these nations
מִלְּפָנֶיךָ	from before thee,
וִירִשְׁתָּם	and thou shalt dispossess them;
יְהוֹשֻׁעַ הוּא עֹבֵר לְפָנֶיךָ	(and) Joshua, he shall go over before thee,
כַּאֲשֶׁר דִּבֶּר יְהוָה׃	as the Lord hath spoken.
שני	
4 וְעָשָׂה יְהוָה לָהֶם	4. And the Lord will do unto them
כַּאֲשֶׁר עָשָׂה	as He did
לְסִיחוֹן וּלְעוֹג	to Sihon and to Og,
מַלְכֵי הָאֱמֹרִי	the kings of the Amorites,
וּלְאַרְצָם	and unto their land;
אֲשֶׁר הִשְׁמִיד אֹתָם׃	whom He destroyed.
5 וּנְתָנָם יְהוָה	5. And the Lord will deliver them up
לִפְנֵיכֶם	before you,
וַעֲשִׂיתֶם לָהֶם	and ye shall do unto them
כְּכָל־הַמִּצְוָה	according unto all the commandment
אֲשֶׁר צִוִּיתִי אֶתְכֶם׃	which I have commanded you.
6 חִזְקוּ וְאִמְצוּ	6. Be strong and of good courage,
אַל־תִּירְאוּ	fear not,
וְאַל־תַּעַרְצוּ מִפְּנֵיהֶם	nor be affrighted at them;
כִּי ׀ יְהוָה אֱלֹהֶיךָ	for the Lord thy God,
הוּא הַהֹלֵךְ עִמָּךְ	He it is that doth go with thee;
לֹא יַרְפְּךָ	He will not fail thee,
וְלֹא יַעַזְבֶךָּ׃ ס שלישי (חמישי כשהן מחוברין)	nor forsake thee.'
7 וַיִּקְרָא מֹשֶׁה לִיהוֹשֻׁעַ	7. And Moses called unto Joshua,
וַיֹּאמֶר אֵלָיו	and said unto him
לְעֵינֵי כָל־יִשְׂרָאֵל	in the sight of all Israel:
חֲזַק וֶאֱמָץ	'Be strong and of good courage;
כִּי אַתָּה תָּבוֹא אֶת־הָעָם הַזֶּה	for thou shalt go with this people

Rashi — רש"י

6 לֹא יַרְפְּךָ.	6. **He will not fail thee**
לֹא יִתֵּן לְךָ רִפְיוֹן	He will not make you weak (i. e., hiph'il of רפה),
לִהְיוֹת נֶעֱזָב מִמֶּנּוּ׃	that you should be forsaken by Him.
7 כִּי אַתָּה תָּבוֹא אֶת־הָעָם הַזֶּה.	7. **For thou shalt go with this people**
אֲרֵי אַתְּ תֵּיעוֹל עִם עַמָּא הָדֵין;	(Understand this as the Targum:) For you shall enter with this people.
מֹשֶׁה אָמַר לוֹ לִיהוֹשֻׁעַ	Moses said to Joshua:
זְקֵנִים שֶׁבַּדּוֹר יִהְיוּ עִמְּךָ,	The elders of the generation will be with you;

אֶל־הָאָ֫רֶץ	into the land
אֲשֶׁר נִשְׁבַּע יְהֹוָה לַאֲבֹתָם	which the Lord hath sworn unto their fathers
לָתֵת לָהֶם	to give them;
וְאַתָּה תַּנְחִילֶנָּה אוֹתָם׃	and thou shalt cause them to inherit it.
8 וַיהֹוָה	8. And the Lord,
הוּא ׀ הַהֹלֵךְ לְפָנֶיךָ	He it is that doth go before thee;
הוּא יִהְיֶה עִמָּךְ	He will be with thee
לֹא יַרְפְּךָ	He will not fail thee,
וְלֹא יַעַזְבֶךָּ	neither forsake thee;
לֹא תִירָא	fear not,
וְלֹא תֵחָת׃	neither be dismayed.'
9 וַיִּכְתֹּב מֹשֶׁה	9. And Moses wrote
אֶת־הַתּוֹרָה הַזֹּאת	this law,
וַיִּתְּנָהּ אֶל־הַכֹּהֲנִים	and gave it unto the priests
בְּנֵי לֵוִי	the sons of Levi,
הַנֹּשְׂאִים	that bore
אֶת־אֲרוֹן בְּרִית יְהֹוָה	the ark of the covenant of the Lord,
וְאֶל־כָּל־זִקְנֵי יִשְׂרָאֵל׃ רביעי	and unto all the elders of Israel.
10 וַיְצַו מֹשֶׁה אוֹתָם	10. And Moses commanded them,
לֵאמֹר	saying:
מִקֵּץ ׀ שֶׁבַע שָׁנִים	'At the end of (every) seven years,

Rashi — רש"י

הַכֹּל לְפִי דַעְתָּן וַעֲצָתָן,	(act) entirely in accordance with their understanding and their counsel.
אֲבָל הַקָּבָּ"ה אָמַר לִיהוֹשֻׁעַ	But the Holy One Blessed Be He said to Joshua:
כִּי אַתָּה תָּבִיא אֶת בְּנֵי יִשְׂרָאֵל	"For thou shalt bring the children of Israel
אֶל הָאָרֶץ אֲשֶׁר נִשְׁבַּעְתִּי לָהֶם (לְקַמָּן כ"ג)	into the land which I swore unto them" (below, v. 23);
—תָּבִיא עַל כָּרְחָם,	Bring (them) in (even) against their will,
הַכֹּל תָּלוּי בְּךָ,	everything depends upon you.
טוֹל מַקֵּל	Take a rod
וְהַךְ עַל קָדְקֳדָן,	and smite their heads;
דַּבָּר אֶחָד לְדוֹר	one leader (should there be) for a generation,
וְלֹא שְׁנֵי דַבָּרִים לְדוֹר (סַנְהֶ' ח):	and not two leaders for a generation (Sanh. 8).
9 **וַיִּכְתֹּב מֹשֶׁה וְגוֹ' וַיִּתְּנָהּ.**	**9. And Moses wrote, etc., and gave it**
כְּשֶׁנִּגְמְרָה כֻלָּהּ	When it was entirely completed,
נְתָנָהּ לִבְנֵי שִׁבְטוֹ:	he gave it to the sons of his tribe.
10 **מִקֵּץ שֶׁבַע שָׁנִים.**	**10. At the end of (every) seven years**
בְּשָׁנָה רִאשׁוֹנָה שֶׁל שְׁמִטָּה	In the first year (after the year) of release
שֶׁהִיא שָׁנָה הַשְּׁמִינִית,	which is the eighth year.
וְלָמָּה קוֹרֵא אוֹתָהּ "שְׁנַת הַשְּׁמִטָּה"?,	And why does it call it "the year of release?"
שֶׁעֲדַיִן שְׁבִיעִית נוֹהֶגֶת בָּהּ	Because the law of the Sabbatical year still applies to it

בְּמֹעֵד	in the set time
שְׁנַת הַשְּׁמִטָּה	of the year of release,
בְּחַג הַסֻּכּוֹת׃	in the feast of tabernacles,
11 בְּבוֹא כָל־יִשְׂרָאֵל	11. when all Israel is come
לֵרָאוֹת	to appear
אֶת־פְּנֵי יְהוָה אֱלֹהֶיךָ	before the Lord thy God
בַּמָּקוֹם אֲשֶׁר יִבְחָר	in the place which He shall choose,
תִּקְרָ״א	thou shalt read
אֶת־הַתּוֹרָה הַזֹּאת	this law
נֶגֶד כָּל־יִשְׂרָאֵל	before all Israel
בְּאָזְנֵיהֶם׃	in their hearing.
12 הַקְהֵל אֶת־הָעָם	12. Assemble the people,
הָאֲנָשִׁים	the men
וְהַנָּשִׁים וְהַטַּף	and the women and the little ones,
וְגֵרְךָ אֲשֶׁר בִּשְׁעָרֶיךָ	and thy stranger that is within thy gates;
לְמַעַן יִשְׁמְעוּ	that they may hear,
וּלְמַעַן יִלְמְדוּ	and that they may learn,
וְיָרְאוּ אֶת־יְהוָה אֱלֹהֵיכֶם	and fear the Lord your God,
וְשָׁמְרוּ לַעֲשׂוֹת	and observe to do
אֶת־כָּל־דִּבְרֵי הַתּוֹרָה הַזֹּאת׃	all the words of this law;
13 וּבְנֵיהֶם	13. and (that) their children,
אֲשֶׁר לֹא־יָדְעוּ	who have not known,
יִשְׁמְעוּ	may hear,
וְלָמְדוּ לְיִרְאָה	and learn to fear
אֶת־יְהוָה אֱלֹהֵיכֶם	the Lord your God
כָּל־הַיָּמִים	all the days
אֲשֶׁר אַתֶּם חַיִּים	which ye live

Rashi — רש״י

בְּקָצִיר שֶׁל שְׁבִיעִית	in reference to the harvest of the sabbatical year
הַיּוֹצֵא לְמוֹצָאֵי שְׁבִיעִית:	which extends after the Sabbatical year.
11 תִּקְרָא אֶת־הַתּוֹרָה הַזֹּאת.	**11. Thou shalt read this law**
הַמֶּלֶךְ הָיָה קוֹרֵא	The king would read
מִתְּחִלַּת אֵלֶּה הַדְּבָרִים,	from the beginning of Deuteronomy (1.1),
כִּדְאִיתָא בְּמַסֶּ׳ סוֹטָה (דַּ׳ מ״א)	as it is stated in the treatise Sotah (fol. 41),
עַל בִּימָה שֶׁל עֵץ	on an elevated stand of wood
שֶׁהָיוּ עוֹשִׂין בָּעֲזָרָה:	which they used to make in the Court.
12 הָאֲנָשִׁים.	**12. The men**
לִלְמוֹד:	to learn.
וְהַנָּשִׁים.	**And the women**
לִשְׁמוֹעַ:	to hear.
וְהַטַּף.	**And the little ones**
לָמָּה בָּאִים?	Why did they come?
לָתֵת שָׂכָר לִמְבִיאֵיהֶם (חֲגִי׳ ג):	To cause recompense to those who bring them (Hag. 3).

עַל־הָאֲדָמָה	on the ground
אֲשֶׁר אַתֶּם עֹבְרִים אֶת־הַיַּרְדֵּן שָׁמָּה	whither you go over the Jordan
לְרִשְׁתָּהּ: פ חמישי (ששי כשהן מחוברין)	to possess it.'
14 וַיֹּאמֶר יְהוָה אֶל־מֹשֶׁה	14. And the Lord said unto Moses:
הֵן קָרְבוּ יָמֶיךָ	'Behold, thy days approach
לָמוּת	that thou must die;
קְרָא אֶת־יְהוֹשֻׁעַ	call Joshua,
וְהִתְיַצְּבוּ	and present yourselves
בְּאֹהֶל מוֹעֵד	in the tent of meeting,
וַאֲצַוֶּנּוּ	that I may give him a charge.'
וַיֵּלֶךְ מֹשֶׁה וִיהוֹשֻׁעַ	And Moses and Joshua went,
וַיִּתְיַצְּבוּ	and presented themselves
בְּאֹהֶל מוֹעֵד:	in the tent of meeting.
15 וַיֵּרָא יְהוָה בָּאֹהֶל	15. And the Lord appeared in the Tent
בְּעַמּוּד עָנָן	in a pillar of cloud;
וַיַּעֲמֹד עַמּוּד הֶעָנָן	and the pillar of cloud stood
עַל־פֶּתַח הָאֹהֶל:	over the door of the Tent.
16 וַיֹּאמֶר יְהוָה אֶל־מֹשֶׁה	16. And the Lord said unto Moses:
הִנְּךָ שֹׁכֵב	'Behold, thou art about to sleep
עִם־אֲבֹתֶיךָ	with thy fathers;
וְקָם הָעָם הַזֶּה	and this people will rise up
וְזָנָה ׀ אַחֲרֵי ׀	and go astray after
אֱלֹהֵי נֵכַר־הָאָרֶץ	the foreign gods of the land,
אֲשֶׁר הוּא בָא־שָׁמָּה	whither they go
בְּקִרְבּוֹ	(to be) among them,
וַעֲזָבַנִי	and will forske Me,
וְהֵפֵר אֶת־בְּרִיתִי	and break My covenant
אֲשֶׁר כָּרַתִּי אִתּוֹ:	which I have made with them.
17 וְחָרָה אַפִּי בוֹ	17. Then my anger shall be kindled against them
בַיּוֹם־הַהוּא	in that day,
וַעֲזַבְתִּים	and I will forsake them,
וְהִסְתַּרְתִּי פָנַי מֵהֶם	and I will hide My face from them,
וְהָיָה לֶאֱכֹל	and they shall be devoured,
וּמְצָאֻהוּ	and (there) shall come upon them
רָעוֹת רַבּוֹת וְצָרוֹת	many evils and troubles;

Rashi — רש"י

14 **וַאֲצַוֶּנּוּ.**	**14. That I may give him a charge**
וַאֲזָרְזֶנּוּ:	(To be interpreted:) That I may encourage him.
16 **נֵכַר־הָאָרֶץ.**	**16. The foreign (gods) of the land**
גּוֹיֵי הָאָרֶץ:	(To be interpreted: The gods of) the peoples of the land.
17 **וְהִסְתַּרְתִּי פָּנַי.**	**17. And I will hide My face**
כְּמוֹ שֶׁאֵינִי רוֹאֶה בְּצָרָתָם:	As though I did not see their affliction.

וְאָמַר֙ בַּיּ֣וֹם הַה֔וּא	so that they will say in that day:
הֲלֹ֗א עַ֣ל כִּֽי־אֵ֤ין אֱלֹהַי֙ בְּקִרְבִּ֔י	Is it not because our God is not among us,
מְצָא֖וּנִי הָרָע֥וֹת הָאֵֽלֶּה׃	(that) these evils have come upon us?
18 וְאָנֹכִ֗י הַסְתֵּ֨ר אַסְתִּ֤יר פָּנַי֙	18. And I will surely hide My face
בַּיּ֣וֹם הַה֔וּא	in that day
עַ֥ל כָּל־הָרָעָ֖ה	for all the evil
אֲשֶׁ֣ר עָשָׂ֑ה	which they shall have wrought,
כִּ֣י פָנָ֔ה	in that they are turned
אֶל־אֱלֹהִ֖ים אֲחֵרִֽים׃	unto other gods.
19 וְעַתָּ֗ה כִּתְב֤וּ לָכֶם֙	19. Now therefore write ye for you
אֶת־הַשִּׁירָ֣ה הַזֹּ֔את	this song,
וְלַמְּדָ֥הּ	and teach thou it
אֶת־בְּנֵֽי־יִשְׂרָאֵ֖ל	the children of Israel;
שִׂימָ֣הּ בְּפִיהֶ֑ם	put it in their mouths,
לְמַ֨עַן תִּֽהְיֶה־לִּ֜י הַשִּׁירָ֥ה הַזֹּ֛את	that this song may be for Me
לְעֵ֖ד בִּבְנֵ֥י יִשְׂרָאֵֽל׃	a witness against the children of Israel.
ששי (שביעי כשהן מחוברין)	
20 כִּֽי־אֲבִיאֶ֜נּוּ אֶֽל־הָאֲדָמָ֣ה ׀	20. For when I shall have brought them to the ground
אֲשֶׁר־נִשְׁבַּ֣עְתִּי לַאֲבֹתָ֗יו	which I swore unto their fathers,
זָבַ֤ת חָלָב֙ וּדְבַ֔שׁ	flowing with milk and honey;
וְאָכַ֥ל וְשָׂבַ֖ע	and they shall have eaten their fill,
וְדָשֵׁ֑ן	and waxen fat;
וּפָנָ֞ה	and turned
אֶל־אֱלֹהִ֤ים אֲחֵרִים֙	unto other gods,
וַעֲבָד֔וּם	and served them,
וְנִ֣אֲצ֔וּנִי	and despised Me,
וְהֵפֵ֖ר אֶת־בְּרִיתִֽי׃	and broken My covenant;
21 וְהָיָה֩	21. then it shall come to pass,
כִּֽי־תִמְצֶ֨אןָ אֹת֜וֹ רָע֣וֹת רַבּוֹת֮ וְצָרוֹת֒	when many evils and troubles are come upon them,
וְעָֽנְתָ֞ה הַשִּׁירָ֨ה הַזֹּ֤את	that this song shall testify
לְפָנָיו֙	before them
לְעֵ֔ד	as a witness;

Rashi — רש״י

19 אֶת־הַשִּׁירָה הַזֹּאת.	**19. This song**
(לְקַמָּן ל״ב) ,הַאֲזִינוּ הַשָּׁמַיִם׳ עַד	(Below, chap. 32:) "Give ear, ye heavens," until
,וְכִפֶּר אַדְמָתוֹ עַמּוֹ׳.	"And He doth make expiation for the land of His people" (v. 43).
20 וְנִאֲצוּנִי.	**20. And (they shall have) despised Me**
וְהִכְעִיסוּנִי,	(Interpret ונאצוני:) and they shall have provoked me to anger;
וְכֵן כָּל נִאוּץ לְשׁוֹן כַּעַס:	and similarly every (instance of) נאוץ denotes anger.
21 וְעָנְתָה הַשִּׁירָה הַזֹּאת לְפָנָיו לְעֵד.	**21. That this song shall testify before them as a witness**
שֶׁהִתְרֵיתִי בוֹ בְתוֹכָהּ	that I have warned them in it

כִּ֣י לֹ֤א תִשָּׁכַח	for it shall not be forgotten
מִפִּ֣י זַרְע֑וֹ	out of the mouths of their seed;
כִּ֣י יָדַ֣עְתִּי	for I know
אֶת־יִצְר֗וֹ	their imagination
אֲשֶׁ֨ר ה֤וּא עֹשֶׂה֙ הַיּ֔וֹם	how they do even now,
בְּטֶ֥רֶם אֲבִיאֶ֖נּוּ אֶל־הָאָ֖רֶץ	before I have brought them into the land
אֲשֶׁ֥ר נִשְׁבָּֽעְתִּי׃	which I swore.
22 וַיִּכְתֹּ֥ב מֹשֶׁ֛ה	22. So Moses wrote
אֶת־הַשִּׁירָ֥ה הַזֹּ֖את	this song
בַּיּ֣וֹם הַה֑וּא	the same day,
וַֽיְלַמְּדָ֖הּ	and taught it
אֶת־בְּנֵ֥י יִשְׂרָאֵֽל׃	the children of Israel.
23 וַיְצַ֞ו	23. And he charged
אֶת־יְהוֹשֻׁ֣עַ בִּן־נ֗וּן	Joshua the son of Nun,
וַיֹּאמֶר֮	and said:
חֲזַ֣ק וֶֽאֱמָץ֒	'Be strong and of good courage;
כִּ֣י אַתָּ֗ה תָּבִיא֙	for thou shalt bring
אֶת־בְּנֵ֣י יִשְׂרָאֵ֔ל	the children of Israel
אֶל־הָאָ֖רֶץ	into the land
אֲשֶׁר־נִשְׁבַּ֣עְתִּי לָהֶ֑ם	which I swore unto them;
וְאָנֹכִ֖י אֶהְיֶ֥ה עִמָּֽךְ׃	and I will be with thee.'
24 וַיְהִ֣י ׀	24. And it came to pass,
כְּכַלּ֣וֹת מֹשֶׁ֗ה לִכְתֹּ֛ב	when Moses had made an end of writing
אֶת־דִּבְרֵ֥י הַתּוֹרָֽה־הַזֹּ֖את	the words of this law
עַל־סֵ֑פֶר	in a book,
עַ֖ד תֻּמָּֽם׃ שביעי	until they were finished,
25 וַיְצַ֤ו מֹשֶׁה֙ אֶת־הַלְוִיִּ֔ם	25. that Moses commanded the Levites,
נֹֽשְׂאֵ֨י	that bore
אֲר֤וֹן בְּרִית־יְהוָה֙	the ark of the covenant of the Lord,
לֵאמֹֽר׃	saying:

Rashi — רש"י

עַל כָּל הַמּוֹצְאוֹת אוֹתוֹ:	regarding all that will befall them.
כִּי לֹא תִשָּׁכַח מִפִּי זַרְעוֹ.	**For it shall not be forgotten out of the mouths of their seed**
הֲרֵי זוּ הַבְטָחָה לְיִשְׂרָאֵל	This is an assurance to (the people of) Israel
שֶׁאֵין תּוֹרָה מִשְׁתַּכַּחַת מִזַּרְעָם	that the Torah will not be forgotten by their seed
לְגַמְרֵי:	completely.
23 וַיְצַו אֶת־יְהוֹשֻׁעַ בִּן־נוּן.	**23. And he charged Joshua the son of Nun**
מוּסָב לְמַעְלָה כְּלַפֵּי שְׁכִינָה,	(This verse) refers back to the Divine Presence (v. 14),
כְּמוֹ שֶׁמְּפֹרָשׁ אֶל הָאָרֶץ	as it is stated, (for thou shalt bring the children of Israel) "into the land
אֲשֶׁר נִשְׁבַּעְתִּי לָהֶם:	which I swore unto them" (and I will be with thee).

26 לָקֹחַ	26. 'Take
אֶת סֵפֶר הַתּוֹרָה הַזֶּה	this book of the law,
וְשַׂמְתֶּם אֹתוֹ	and put it
מִצַּד	by the side
אֲרוֹן בְּרִית־יְהוָה אֱלֹהֵיכֶם	of the ark of the covenant of the Lord your God,
וְהָיָה־שָׁם בְּךָ לְעֵד:	that it may be there for a witness against thee.
27 כִּי אָנֹכִי יָדַעְתִּי	27. For I know
אֶת־מֶרְיְךָ	thy rebellion,
וְאֶת־עָרְפְּךָ הַקָּשֶׁה	and thy stiff neck;
הֵן בְּעוֹדֶנִּי חַי עִמָּכֶם	behold, while I am yet alive with you
הַיּוֹם	this day,
מַמְרִים הֱיִתֶם	ye have been rebellious
עִם־יְהוָה	against the Lord;
וְאַף כִּי־אַחֲרֵי מוֹתִי:	and how much more after my death?
מפטיר	
28 הַקְהִילוּ אֵלַי	28. Assemble unto me
אֶת־כָּל־זִקְנֵי	all the elders
שִׁבְטֵיכֶם	of your tribes,
וְשֹׁטְרֵיכֶם	and your officers,
וַאֲדַבְּרָה בְּאָזְנֵיהֶם	and that I may speak in their ears,

Rashi — רש"י

26 לָקֹחַ.	**26. Take**
כְּמוֹ זָכוֹר שָׁמוֹר הָלוֹךְ:	(The force of לקח is imperative,) like זכור (remember), שמר (keep), הלך (go).
מִצַּד אֲרוֹן בְּרִית־ה'.	**By the side of the ark of the covenant of the Lord**
נֶחְלְקוּ בוֹ חַכְמֵי יִשְׂרָאֵל בְּבָבָא בַתְרָא	The Sages of Israel are of divided opinion regarding this in (the treatise) Baba Bathra.
יֵשׁ מֵהֶם אוֹמְרִים:–	Some of them say:
דַּף הָיָה בוֹלֵט מִן הָאָרוֹן מִבַּחוּץ	there was a ledge projecting outside of the Ark,
וְשָׁם הָיָה מוּנָח,	and there it lay.
וְיֵשׁ אוֹמְרִים:–	And others say:
מִצַּד הַלּוּחוֹת הָיָה מוּנָח	by the side of the Tables of Testimony it lay,
בְּתוֹךְ הָאָרוֹן:	within the Ark.
28 הַקְהִילוּ אֵלַי.	**28. Assemble unto me**
וְלֹא תָקְעוּ אוֹתוֹ הַיּוֹם בַּחֲצוֹצְרוֹת	And they did not blow the trumpets that day
לְהַקְהִיל אֶת הַקָּהָל,	to assemble the congregation,
לְפִי שֶׁנֶּאֱמַר (בַּמִּדְ' י):–	for it is stated (Num. 10.2):
עֲשֵׂה לְךָ,	"Make for thee (i. i., Moses) (two trumpets)."
וְלֹא הִשְׁלִיט יְהוֹשֻׁעַ עֲלֵיהֶם,	And He did not give Joshua power over them;
וְאַף בְּחַיָּיו נִגְנְזוּ	and even during his life (i. e., of Moses) they were hidden
קוֹדֶם יוֹם מוֹתוֹ	prior to the day of his death
(ס"א בְּיוֹם מוֹתוֹ)	(other editions:) on the day of his death),
לְקַיֵּם מַה שֶׁנֶּאֱמַר (קֹהֶ' ח):–	to fulfill what is stated (Eccl. 8.8):
וְאֵין שִׁלְטוֹן בְּיוֹם הַמָּוֶת:	"Neither hath he power on the day of death."

אֶת־הַדְּבָרִים הָאֵלֶּה	these words,
וְאָעִידָה בָּם	and call to witness against them
אֶת־הַשָּׁמַיִם	the heaven
וְאֶת־הָאָרֶץ׃	and the earth.
29 כִּי יָדַעְתִּי	29. For I know
אַחֲרֵי מוֹתִי	(that) after my death
כִּי־הַשְׁחֵת תַּשְׁחִתוּן	ye will in any wise deal corruptly,
וְסַרְתֶּם מִן־הַדֶּרֶךְ	and turn aside from the way
אֲשֶׁר צִוִּיתִי אֶתְכֶם	which I have commanded you;
וְקָרָאת אֶתְכֶם הָרָעָה	and evil will befall you
בְּאַחֲרִית הַיָּמִים	in the end of days,
כִּי־תַעֲשׂוּ	because ye will do
אֶת־הָרַע	that which is evil
בְּעֵינֵי יְהוָה	in the sight of the Lord,
לְהַכְעִיסוֹ	to provoke Him
בְּמַעֲשֵׂה יְדֵיכֶם׃	through the work of your hands.'
30 וַיְדַבֵּר מֹשֶׁה	30. And Moses spoke
בְּאָזְנֵי	in the ears
כָּל־קְהַל יִשְׂרָאֵל	of all the assembly of Israel
אֶת־דִּבְרֵי הַשִּׁירָה הַזֹּאת	the words of this song,
עַד תֻּמָּם׃	until they were finished:

פ פ פ

Rashi — רש״י

וְאָעִידָה בָּם אֶת־הַשָּׁמַיִם וְאֶת־הָאָרֶץ.	**And (that I may) call to witness against them the heaven and the earth**
וְאִם תֹּאמַר הֲרֵי כְּבָר הֵעִיד לְמַעְלָה (לְעֵיל ל)׃—	And if you say: He had already called them to witness (above, 30.19):
הַעִידוֹתִי בָכֶם הַיּוֹם וְגוֹ׳?	"I call to witness against you this day," etc.
הָתָם לְיִשְׂרָאֵל אָמַר,	There he spoke to Israel,
אֲבָל לַשָּׁמַיִם וְלָאָרֶץ לֹא אָמַר,	but to heaven and earth he did not speak;
וְעַכְשָׁיו בָּא לוֹמַר	and now he comes to say (32.1),
הַאֲזִינוּ הַשָּׁמַיִם וְגוֹ׳:	"Give ear, ye heavens," etc.
29 אַחֲרֵי מוֹתִי כִּי הַשְׁחֵת תַּשְׁחִיתוּן.	**29. (That) after my death ye will in any wise deal corruptly**
וַהֲרֵי כָּל יְמוֹת יְהוֹשֻׁעַ לֹא הִשְׁחִיתוּ,	But all the days of Joshua they did not deal corruptly,
שֶׁנֶּאֱמַר (שׁוֹפְ׳ ב)׃—	as it is stated Josh. 24.31; cf. Judg. 2.7):
וַיַּעַבְדוּ יִשְׂרָאֵל אֶת ה׳ כֹּל יְמֵי יְהוֹשֻׁעַ,	"And Israel served the Lord all the days of Joshua."
מִכָּאן שֶׁתַּלְמִידוֹ שֶׁל אָדָם	Hence (we derive) that one's student
חָבִיב עָלָיו כְּגוּפוֹ,	is cherished by him as himself,
שֶׁכָּל זְמַן שֶׁיְּהוֹשֻׁעַ חַי	for all the time that Joshua lived
הָיָה נִרְאֶה לְמֹשֶׁה	it appeared to Moses
כְּאִלּוּ הוּא חַי׃	as though he (himself) were alive.

CHAPTER XXXII — לב

1 הַאֲזִינוּ הַשָּׁמַיִם	1. Give ear, ye heavens,
וַאֲדַבֵּרָה	and I will speak;
וְתִשְׁמַע הָאָרֶץ	And let the earth hear
אִמְרֵי־פִי׃	the words of my mouth.
2 יַעֲרֹף כַּמָּטָר לִקְחִי	2. My doctrine shall drop as the rain,

Rashi — רש״י

32 1 הַאֲזִינוּ הַשָּׁמַיִם.	32 **1. Give ear, ye heavens**
שֶׁאֲנִי מַתְרֶה בָּהֶם בְּיִשְׂרָאֵל	That I give warning to the people of Israel,
וְתִהְיוּ עֵדִים בַּדָּבָר,	and be you witnesses in this matter,
שֶׁכָּךְ אָמַרְתִּי לָהֶם	for thus have I told them
שֶׁאַתֶּם תִּהְיוּ עֵדִים,	that you will be witnesses.
וְכֵן "וְתִשְׁמַע הָאָרֶץ."	And likewise (is the meaning of) "and let the earth hear."
וְלָמָּה הֵעִיד בָּהֶם	And why did he call to witness against them
שָׁמַיִם וָאָרֶץ?	heaven and earth?
אָמַר מֹשֶׁה: אֲנִי בָּשָׂר וָדָם,	Moses said: I am of flesh and blood;
לְמָחָר אֲנִי מֵת,	tomorrow I die.
אִם יֹאמְרוּ יִשְׂרָאֵל	If the Israelites will say:
לֹא קִבַּלְנוּ עָלֵינוּ הַבְּרִית	We have not taken upon ourselves the covenant,
מִי בָא וּמַכְחִישָׁם?	who will come and contradict them?
לְפִיכָךְ הֵעִיד בָּהֶם	Therefore he called to witness against them
שָׁמַיִם וָאָרֶץ	heaven and earth, —
—עֵדִים שֶׁהֵן קַיָּמִים לְעוֹלָם.	witnesses that exist forever.
וְעוֹד, שֶׁאִם יִזְכּוּ	And furthermore, because if (the Israelites) will be found worthy,
יָבוֹאוּ הָעֵדִים	these witness will come
וְיִתְּנוּ שְׂכָרָם,	and give (them) their recompense:
הַגֶּפֶן תִּתֵּן פִּרְיָהּ	the vine will give its fruit,
וְהָאָרֶץ תִּתֵּן יְבוּלָהּ	and the earth will yield its produce,
וְהַשָּׁמַיִם יִתְּנוּ טַלָּם,	and the heavens will give their dew.
וְאִם יִתְחַיְּבוּ	But if they will be culpable,
תִּהְיֶה בָּהֶם יַד הָעֵדִים תְּחִלָּה	the hand of these witnesses will be the first against them,
—וְעָצַר אֶת הַשָּׁמַיִם	"And He shall shut the heaven,
וְלֹא יִהְיֶה מָטָר	so that there shall be no rain,
וְהָאֲדָמָה לֹא תִתֵּן אֶת יְבוּלָהּ (לְעֵיל י״א)	and the ground shall not yield her fruit" (above, 11.17),
וְאַחַר כָּךְ "וַאֲבַדְתֶּם מְהֵרָה"	and afterwards "ye shall perish quickly"
עַל יְדֵי הָאֻמּוֹת:	at the hands of the (other) nations.
2 יַעֲרֹף כַּמָּטָר לִקְחִי.	**2. My doctrine shall drop as the rain**
זוּ הִיא הָעֵדוּת שֶׁתָּעִידוּ	This is the testimony that you shall offer,
—שֶׁאֲנִי אוֹמֵר בִּפְנֵיכֶם	that I say before you:
תּוֹרָה שֶׁנָּתַתִּי לְיִשְׂרָאֵל	the Torah which I have given to Israel,
שֶׁהִיא חַיִּים לָעוֹלָם (סִפְרֵי)	it is life for the world (Siphre)
כַּמָּטָר זֶה	just as this rain,
שֶׁהוּא חַיִּים לָעוֹלָם;	which is (a source of) life for the world
כַּאֲשֶׁר יַעַרְפוּ הַשָּׁמַיִם טַל וּמָטָר:	when the heavens drop with dew and rain.
יַעֲרֹף.	**(It) shall drop**
לְשׁוֹן יַטִּיף,	(יערף denotes) it shall drop;
—:וְכֵן (תְּהִ׳ ס״ה)	and similarly (Ps. 65.12):
יִרְעֲפוּן דָּשֶׁן,	"they drop (ירעפון) fatness,"
יַעַרְפוּ טָל (דְּבָרִ׳ ל״ג):	"they drop down (יערפו) dew" (Deut. 33.28).

תִּזַּל כַּטַּל אִמְרָתִי	My speech shall distil as the dew;
כִּשְׂעִירִם עֲלֵי־דֶשֶׁא	As the small rain upon the tender grass,
וְכִרְבִיבִים עֲלֵי־עֵשֶׂב׃	And as the showers upon the herb.
3 כִּי שֵׁם יְהוָה אֶקְרָא	3. When I will proclaim the name of the Lord;
הָבוּ גֹדֶל לֵאלֹהֵינוּ׃	Ascribe ye greatness unto our God.
4 הַצּוּר	4. The Rock,
תָּמִים פָּעֳלוֹ	His work is perfect;

Rashi — רש״י

תִּזַּל כַּטַּל.	**(It) shall distil as the dew**
שֶׁהַכֹּל שְׂמֵחִים בּוֹ,	for all rejoice in it;
לְפִי שֶׁהַמָּטָר יֵשׁ בּוֹ	for rain brings
עֲצָבִים לַבְּרִיּוֹת,	annoyance (to (some) people,
כְּגוֹן הוֹלְכֵי דְרָכִים	such as wayfarers,
וּמִי שֶׁהָיָה בוֹרוֹ מָלֵא יַיִן (סִפְרֵי)׃	or one whose vat is filled with wine (Siphre).
כִּשְׂעִירִם.	**As the small rain**
לְשׁוֹן רוּחַ סְעָרָה,	(כשעירם) denotes a stormy wind,
כְּתַרְגּוּמוֹ כְּרוּחֵי מִטְרָא,	as the Targum renders it, "as winds of rain;"
מַה הָרוּחוֹת הַלָּלוּ	just as these winds
מַחֲזִיקִים אֶת הָעֲשָׂבִים	strengthen the blades of grass
וּמְגַדְּלִין אוֹתָם,	and cause them to grow up,
אַף דִּבְרֵי תוֹרָה	so do the words of the Torah
מְגַדְּלִין אֶת לוֹמְדֵיהֶן׃	elevate those that study them.
וְכִרְבִיבִים.	**And as the showers**
טִפֵּי מָטָר,	(רביבים denotes) rain drops.
נִרְאֶה לִי	It appears to me (that)
עַל שֵׁם שֶׁיּוֹרֶה כַּחֵץ נִקְרָא רְבִיב,	because it shoots forth (יורה) like an arrow it is called רביב,
כְּמָה דְּאַתְּ אוֹמֵר (בְּרֵא׳ כ״א)׃—	as it is stated (Gen. 21.20):
רֹבֶה קַשָּׁת׃	"A shooter (רבה) with the bow."
דֶּשֶׁא.	**Tender grass**
ארברי״ץ,	*Herbaries* (in O. F.);
עֲטִיפַת הָאָרֶץ מְכֻסָּה בְיֶרֶק׃	a mantle of the earth covered with green.
עֵשֶׂב.	**Grass**
קֶלַח אֶחָד קָרוּי עֵשֶׂב,	One stalk is called עשב,
וְכָל מִין וָמִין לְעַצְמוֹ	and each species separately
קָרוּי עֵשֶׂב׃	is called עשב.
3 כִּי שֵׁם ה׳ אֶקְרָא.	**3. When (כי) I will proclaim the name of the Lord**
הֲרֵי כִּי מְשַׁמֵּשׁ בִּלְשׁוֹן כַּאֲשֶׁר,	Here (the term) כי serves in the sense of "when,"
כְּמוֹ (וַיִּק׳ כ״ג)׃—	as (Lev. 23.10):
כִּי תָבֹאוּ אֶל הָאָרֶץ,	"When (כי) ye will come into the land."
כְּשֶׁאֶקְרָא וְאַזְכִּיר שֵׁם ה׳	When I will proclaim and mention the name of the Lord,
אַתֶּם „הָבוּ גֹדֶל לֵאלֹהֵינוּ"	you "shall ascribe greatness unto our God"
וּבָרְכוּ שְׁמוֹ,	and praise His name.
מִכָּאן אָמְרוּ׃—	Hence (our Rabbis) said
שֶׁעוֹנִין בָּרוּךְ שֵׁם כְּבוֹד מַלְכוּתוֹ	that one must answer "Blessed be the name of His glorious kingdom (forever and ever)"
אַחַר בְּרָכָה שֶׁבַּמִּקְדָּשׁ (תַּעֲנִי׳ ט״ז)׃	after (the recital of) a blessing in the Sanctuary. (Ta'an. 16).
4 הַצּוּר תָּמִים פָּעֳלוֹ.	**4. The Rock, His work is perfect**
אַף עַל פִּי שֶׁהוּא חָזָק	Even though He is mighty, (הצור)
כְּשֶׁמֵּבִיא פּוּרְעָנוּת	when He brings retribution

כִּי כָל־דְּרָכָיו מִשְׁפָּט — For all His ways are justice;
אֵל אֱמוּנָה — A God of faithfulness
וְאֵין עָוֶל — and without iniquity,
צַדִּיק וְיָשָׁר הוּא׃ — Just and right is He.

5 שִׁחֵת לוֹ לֹּא — 5. Is corruption His? No;
בָּנָיו מוּמָם — His children's is the blemish;
דּוֹר עִקֵּשׁ וּפְתַלְתֹּל׃ — A generation perverse and crooked.

Rashi — רש״י

עַל עוֹבְרֵי רְצוֹנוֹ, — upon those who transgress His will,
לֹא בְּשֶׁטֶף הוּא מֵבִיא — not with overflowing (wrath) does He bring it,
כִּי אִם בְּדִין, — but with justice,
כִּי ,תָּמִים פָּעֳלוֹ׳: — for "His work is perfect." (תמים פעלו)

אֵל אֱמוּנָה — A God of faithfulness
לְשַׁלֵּם לַצַּדִּיקִים צִדְקָתָם — To recompense the righteous for their righteousness
לָעוֹלָם הַבָּא, — in the world to come;
וְאַף עַל פִּי שֶׁמְּאַחֵר אֶת תַּגְמוּלָם, — and although He may delay their reward,
סוֹפוֹ לְאַמֵּן אֶת דְּבָרָיו: — in the end He will fulfill His words.

וְאֵין עָוֶל. — And without iniquity
אַף לָרְשָׁעִים מְשַׁלֵּם — Even to the wicked He pays
שְׂכַר צִדְקָתָם בָּעוֹלָם הַזֶּה: — the reward of their righteousness in this world.

צַדִּיק וְיָשָׁר הוּא. — Just and right is He
הַכֹּל מַצְדִּיקִים עֲלֵיהֶם אֶת דִּינוֹ — All declare His justice to be right for them,
וְכָךְ רָאוּי וְיָשָׁר לָהֶם, — and thus it is proper and right for them;
„צַדִּיק" מִפִּי הַבְּרִיּוֹת, — "He is just" by the testimony of mankind,
„וְיָשָׁר הוּא" וְרָאוּי לְהַצְדִּיקוֹ: — "and He is right" and it is proper to declare Him to be right.

5 שִׁחֵת לוֹ וְגוֹ׳. — 5. Is corruption His? (No) etc.
כְּתַרְגּוּמוֹ, חַבִּילוּ לְהוֹן לָא לֵהּ: — (Understand שִׁחֵת לוֹ לֹא) as the Targum renders it, They have dealt corruptly unto themselves, not unto Him.

בָּנָיו מוּמָם. — His children's is the blemish
בָּנָיו הָיוּ — They were his children,
וְהַשְׁחָתָה שֶׁהִשְׁחִיתוּ — and the corruption with which they dealt —
הִיא מוּמָם: — that is their blemish.

בָּנָיו מוּמָם. — His children's is the blemish
מוּמָם שֶׁל בָּנָיו הָיָה — It was His children's blemish,
וְלֹא מוּמוֹ: — and not His blemish.

דּוֹר עִקֵּשׁ. — A generation perverse
עָקוּם וּמְעֻקָּל, — (עקש denotes) perverse and crooked,
כְּמוֹ (מִיכָה ג):— — as (Micah 3.9):
וְאֵת כָּל הַיְשָׁרָה יְעַקֵּשׁוּ, — "And that pervert (יעקשו) all equity."
וּבִלְשׁוֹן מִשְׁנָה — And in the language of the Mishnah:
חוּלְדָּה שֶׁשִּׁנֶּיהָ עֲקוּמוֹת וַעֲקוּשׁוֹת: — A mole whose teeth are twisted and crooked (עקושות).

וּפְתַלְתֹּל. — And crooked
אנטורט״ליי״ש, — *Entortille* (in O. F.)
כַּפְּתִיל הַזֶּה — Just like a wick
שֶׁגּוֹדְלִין אוֹתוֹ — which is made large,
וּמַקִּיפִין אוֹתוֹ — and is wound
סְבִיבוֹת הַגְּדִיל. — around a thread.

6 הַ֯ לַיהוָה֙ תִּגְמְלוּ־זֹ֔את	6. Do ye thus requite the Lord,
עַ֥ם נָבָ֖ל וְלֹ֣א חָכָ֑ם	O foolish people and unwise?
הֲלוֹא־הוּא֙ אָבִ֣יךָ	Is not He thy father
קָּנֶ֔ךָ	that hath gotten thee?
ה֥וּא עָֽשְׂךָ֖	Hath He (not) made thee,
וַֽיְכֹנְנֶֽךָ׃ שני	and established thee?
7 זְכֹר֙ יְמ֣וֹת עוֹלָ֔ם	7. Remember the days of old,
בִּ֖ינוּ שְׁנ֣וֹת דֹּר־וָדֹ֑ר	Consider the years of each generation;

° ה רבתי והיא תיבה בפני עצמה.

Rashi — רש״י

פְּתַלְתֹּל מִן הַתֵּיבוֹת הַכְּפוּלוֹת	(The word) פתלתל is one of the duplicated (pe'al'al) forms,
כְּמוֹ (וַיִּקְ׳ י״ג)׃—	like (Lev. 13.49):
יְרַקְרַק אֲדַמְדָּם,	ירקרק (greenish), אדמדם (reddish),
סְחַרְחַר (תְּהִ׳ ל״ח),	סחרחר (fluttereth) (Ps. 38.11),
סְגַלְגַּל (תַּרְגּ׳ יוֹנָ׳ מ״א ז)׃	סגלגל (round) (Targum Jonathan at I Ki. 7.23).
6 הֲלַה׳ תִּגְמְלוּ־זֹאת.	**6. Do ye thus requite the Lord?**
לְשׁוֹן תְּמִיהָ	(הֲ) denotes the interrogative:
וְכִי לְפָנָיו אַתֶּם מַעֲצִיבִין	Do you grieve Him
שֶׁיֵּשׁ בְּיָדוֹ לִפָּרַע מִכֶּם	who has the power to exact punishment from you,
וְשֶׁהֵיטִיב לָכֶם בְּכָל הַטּוֹבוֹת?׃	and who has granted you every kind of goodness?
עַם נָבָל.	**O foolish people**
שֶׁשָּׁכְחוּ אֶת הֶעָשׂוּי לָהֶם׃	That have forgotten what was done for them.
וְלֹא חָכָם.	**And unwise**
לְהָבִין אֶת הַנּוֹלָדוֹת	In understanding what is to come,
שֶׁיֵּשׁ בְּיָדוֹ לְהֵיטִיב וּלְהָרַע׃	for it is in His power to do good and to do evil.
הֲלוֹא־הוּא אָבִיךָ קָּנֶךָ.	**Is not He thy father that hath gotten thee**
שֶׁקְּנָאֲךָ,	That has acquired you (שקנאך);
שֶׁקִּנֶּנְךָ בְּקַן הַסְּלָעִים	that has built you a nest (שקננך) among the rocks
וּבְאֶרֶץ חֲזָקָה,	and in a powerful land;
שֶׁתִּקְּנְךָ בְּכָל מִינֵי תַקָּנָה׃	that has improved you (שתקנך) with all forms of improvement.
הוּא עָשְׂךָ.	**Hath He (not) made thee**
אֻמָּה בָאֻמּוֹת׃	A nation among nations.
וַיְכֹנְנֶךָ.	**And established thee**
אַחֲרֵי כֵן בְּכָל מִינֵי בָסִיס וָכֵן—	Afterwards, with every kind of basis and foundation (i. e. made you self-contained):
מִכֶּם כֹּהֲנִים,	From you (are your) priests,
מִכֶּם נְבִיאִים,	and from you — (your) prophets,
וּמִכֶּם מְלָכִים,	and from you — (your) kings,
כְּרַךְ שֶׁהַכֹּל בּוֹ (סִפְרֵי, חוּלִּין נ״ו)׃	a city in which there is everything (Siphre; Hul. 56).
7 זְכֹר יְמוֹת עוֹלָם.	**7. Remember the days of old**
מֶה עָשָׂה בָרִאשׁוֹנִים שֶׁהִכְעִיסוּ לְפָנָיו׃	What He did with former people who provoked Him.
בִּינוּ שְׁנוֹת דֹּר־וָדֹר.	**Consider the years of each generation**
דּוֹר אֱנוֹשׁ שֶׁהֵצִיף עֲלֵיהֶם מֵי אוֹקְיָנוֹס	The generation of Enosh, over which He made flow the waters of Oceanus;
וְדוֹר הַמַּבּוּל שֶׁשְּׁטָפָם.	and the generation of the flood whom He inundated.
דָּ״אַ לֹא נְתַתֶּם לִבַּבְכֶם עַל שֶׁעָבַר׃	Another interpretation: you have not directed your hearts to the past.
בִּינוּ שְׁנוֹת דֹּר־וָדֹר.	**Consider the years of each generation**
—לְהַכִּיר לְהַבָּא,	To know in the future

שְׁאַל אָבִ֙יךָ֙	Ask thy father,
וְיַגֵּ֔דְךָ	and he will declare unto thee;
זְקֵנֶ֖יךָ	Thine elders,
וְיֹ֥אמְרוּ־לָֽךְ׃	and they will tell thee.
8 בְּהַנְחֵ֤ל עֶלְיוֹן֙ גּוֹיִ֔ם	8. When the Most High gave to the nations their inheritance,
בְּהַפְרִיד֖וֹ בְּנֵ֣י אָדָ֑ם	When he separated the children of men,
יַצֵּב֙ גְּבֻלֹ֣ת עַמִּ֔ים	He set the borders of the peoples
לְמִסְפַּ֖ר בְּנֵ֥י יִשְׂרָאֵֽל׃	For the number of the children of Israel.
9 כִּ֛י חֵ֥לֶק יְהוָ֖ה עַמּ֑וֹ	9. For the portion of the Lord is His people,
יַעֲקֹ֖ב חֶ֥בֶל נַחֲלָתֽוֹ׃	Jacob is the lot of His inheritance.

Rashi — רש"י

שֶׁיֵּשׁ בְּיָדוֹ לְהֵטִיב לָכֶם	that it is in His power to deal well with you,
וּלְהַנְחִיל לָכֶם יְמוֹת הַמָּשִׁיחַ	and to bequeath to you the days of the Messiah
וְהָעוֹלָם הַבָּא:	and the world to come.
שְׁאַל אָבִיךָ.	**Ask thy father**
אֵלּוּ הַנְּבִיאִים שֶׁנִּקְרָאִים אָבוֹת,	This (refers to) the prophets who are called "fathers,"
כְּמוֹ שֶׁנֶּאֱמַר (מ"ב ב):—	as it is stated (II Ki. 2.12)
בְּאֵלִיָּהוּ אָבִי אָבִי רֶכֶב יִשְׂרָאֵל:	in reference to Elijah, "My father, my father, the chariots of Israel."
זְקֵנֶיךָ.	**Thine elders**
אֵלּוּ הַחֲכָמִים:	These are the wise men.
וְיֹאמְרוּ־לָךְ.	**And they will tell thee**
הָרִאשׁוֹנוֹת:	The former occurrences.
8 בְּהַנְחֵל עֶלְיוֹן גּוֹיִם.	**8. When the Most High gave to the nations their inheritance**
כְּשֶׁהִנְחִיל הַקָּבָּ"ה לְמַכְעִיסָיו	When the Holy One Blessed Be He gave to those who provoked Him
אֶת חֵלֶק נַחֲלָתָן	the portion of their inheritance,
הֱצִיפָן וּשְׁטָפָם:	He inundated them and caused them to drown.
בְּהַפְרִידוֹ בְּנֵי אָדָם.	**When He separated the children of men**
כְּשֶׁהֵפִיץ דּוֹר הַפְּלָגָה	When He dispersed the generation of separation (Gen. 11),
הָיָה בְיָדוֹ	it was in His power
לְהַעֲבִירָם מִן הָעוֹלָם,	to destroy them from the world.
לֹא עָשָׂה כֵן אֶלָּא	He did not do thus, but
"יַצֵּב גְּבֻלֹת עַמִּים",	"He set the borders of the peoples,"
קִיְּמָם וְלֹא אִבְּדָם:	(i. e.,) He let them live, and did not destroy them.
לְמִסְפַּר בְּנֵי יִשְׂרָאֵל.	**For the number of the children of Israel**
בִּשְׁבִיל מִסְפַּר בְּנֵי יִשְׂרָאֵל	(ל here means) "for the sake of" the number of the children of Israel
שֶׁעֲתִידִין לָצֵאת מִבְּנֵי שֵׁם,	who are destined to issue from the children of Shem;
וּלְמִסְפַּר שִׁבְעִים נֶפֶשׁ	and for the number of seventy souls
שֶׁל בְּנֵי יִשְׂרָאֵל שֶׁיָּרְדוּ לְמִצְרַיִם	of the children of Israel who went down to Egypt,
הִצִּיב "גְּבֻלֹת עַמִּים"	He set "the borders of the peoples" —
—שִׁבְעִים לָשׁוֹן (עי' סִפְרֵי):	seventy tongues (cf. Siphre).
9 כִּי חֵלֶק ה' עַמּוֹ.	**9. For the portion of the Lord is His people**
לָמָּה כָּל זֹאת?	Why was all this (done)?
לְפִי שֶׁהָיָה חֶלְקוֹ כָּבוּשׁ בֵּינֵיהֶם	Because His portion was contained among them,
וְעָתִיד לָצֵאת,	and was destined to issue (from them).
וּמִי הוּא חֶלְקוֹ?	And what is His portion?
עַמּוֹ.	**His people**
וּמִי הוּא עַמּוֹ?	And who are His people?
יַעֲקֹב חֶבֶל נַחֲלָתוֹ.	**Jacob is the lot of His inheritance**
וְהוּא הַשְּׁלִישִׁי בָּאָבוֹת	He (Jacob) is the third of the Patriarchs,

10 יִמְצָאֵהוּ	10. He found him
בְּאֶרֶץ מִדְבָּר	in a desert land,
וּבְתֹהוּ יְלֵל יְשִׁמֹן	And in the waste a howling wilderness;
יְסֹבְבֶנְהוּ	He compassed him about,
יְבוֹנְנֵהוּ	He gave him understanding,
יִצְּרֶנְהוּ	He kept him

Rashi — רש״י

הַמְשֻׁלָּשׁ בְּשָׁלֹשׁ זְכֻיּוֹת,	who is crowned with three merits:
זְכוּת אֲבִי אָבִיו	the merit of his father's father,
וּזְכוּת אָבִיו וּזְכוּתוֹ,	and the merit of his father, and his own merit;
הֲרֵי ג׳,	these total three,
כַּחֶבֶל הַזֶּה שֶׁהוּא עָשׂוּי	just like a rope (חבל) which is made
בִּג׳ גְּדִילִים,	of three threads.
וְהוּא וּבָנָיו הָיוּ לוֹ לְנַחֲלָה,	And he (Jacob) and his sons became His inheritance,
וְלֹא יִשְׁמָעֵאל בֶּן אַבְרָהָם,	but not Ishmael the son of Abraham,
וְלֹא עֵשָׂו בְּנוֹ שֶׁל יִצְחָק:	nor Esau the son of Isaac.
10 יִמְצָאֵהוּ בְּאֶרֶץ מִדְבָּר.	**10. He found him in a desert land**
אוֹתָם מָצָאוּ לוֹ נֶאֱמָנִים	Them (i. e., the sons of Jacob) He found faithful to Him
בְּאֶרֶץ הַמִּדְבָּר,	in the desert land,
שֶׁקִּבְּלוּ עֲלֵיהֶם תּוֹרָתוֹ	for they took upon themselves His Torah,
וּמַלְכוּתוֹ וְעֻלּוֹ,	and His Kingdom, and His Yoke,
מַה שֶּׁלֹּא עָשׂוּ יִשְׁמָעֵאל וְעֵשָׂו,	which neither Esau nor Ishmael did,
שֶׁנֶּאֱמַר (דְּבָר׳ ל״ג):—	as it is stated (Deut. 33.2):
וְזָרַח מִשֵּׂעִיר לָמוֹ	"And He rose from Seir unto them,
הוֹפִיעַ מֵהַר פָּארָן:	He shined forth from mount Paran."
וּבְתֹהוּ יְלֵל יְשִׁמֹן.	**And in the waste, a howling wilderness**
אֶרֶץ צִיָּה וּשְׁמָמָה,	A land barren and desolate,
מְקוֹם יִלְלַת תַּנִּינִים	a place of howling of wild beasts
וּבְנוֹת יַעֲנָה,	and ostriches;
אַף שָׁם נִמְשְׁכוּ אַחַר הָאֱמוּנָה,	even there they followed after (their) faith,
וְלֹא אָמְרוּ לְמֹשֶׁה	and did not say to Moses,
הֵאֵיךְ נֵצֵא לְמִדְבָּרוֹת	How shall we go forth into the wilderness,
מְקוֹם צִיָּה וְשִׁמָּמוֹן	a place barren and desolate,
כְּעִנְיָן שֶׁנֶּאֱמַר (יִרְ׳ ב):—	as it is stated (Jer. 2.2):
לֶכְתֵּךְ אַחֲרַי בַּמִּדְבָּר:	"Thy going after Me in the wilderness."
יְסֹבְבֶנְהוּ.	**He compassed him about**
שָׁם סִבְּבָם וְהִקִּיפָם בַּעֲנָנִים	There He surrounded them and compassed them with clouds,
וְסִבְּבָם בִּדְגָלִים	and He surrounded them with flags (ensigns)
לְאַרְבַּע רוּחוֹת	on four sides,
וְסִבְּבָן בְּתַחְתִּית הָהָר	and He compassed them at the bottom of the mount
שֶׁכְּפָאוֹ עֲלֵיהֶם כְּגִגִית:	which He arched over them like a cask.
יְבוֹנְנֵהוּ.	**He gave him understanding**
שָׁם בְּתוֹרָה וּבִינָה:	there with the Torah and understanding.
יִצְּרֶנְהוּ.	**He kept him**
מִנָּחָשׁ שָׂרָף וְעַקְרָב	From fiery serpents, and scorpions,
וּמִן הָאֻמּוֹת:	and from the nations.

כְּאִישׁוֹן עֵינוֹ:	as the apple of His eye.
11 כְּנֶשֶׁר יָעִיר קִנּוֹ	11. As an eagle that stirreth up her nest,
עַל־גּוֹזָלָיו יְרַחֵף	Hovereth over her young,

Rashi — רש״י

כְּאִישׁוֹן עֵינוֹ.	**As the apple of His eye**
הוּא הַשָּׁחוֹר שֶׁבָּעַיִן	This is the black part of the eye
שֶׁהַמָּאוֹר יוֹצֵא הֵימֶנּוּ.	from which the light comes forth.
וְאוּנְקְלוֹס תִּרְגֵּם יְמַצְאֵהוּ ·	And Onkelos renders יְמַצְאֵהוּ (by):
יַסְפִּיקֵהוּ כָּל צְרָכוֹ בַּמִּדְבָּר,	He provided sufficiently for all his needs in the wilderness,
כְּמוֹ (בַּמִּדְ׳ י״א):—	as (Num. 11.22):
מָצָא לָהֶם,	"Will it suffice (מָצָא) them;"
לֹא יִמָּצֵא לָנוּ הָהָר (יְהוֹ׳ י״ז):	"The hill-country will not suffice (יִמָּצֵא) us" (Josh. 17.16).
יְסֹבְבֶנְהוּ.	**He compassed him about**
אַשְׁרִינוּן סְחוֹר סְחוֹר לִשְׁכִינְתֵּיהּ,	(יסובבנהו is rendered by Onkelos) "He caused them to encamp round about His Divine Presence."
אֹהֶל מוֹעֵד בָּאֶמְצַע	The tent of meeting was in the center,
וְאַרְבָּעָה דְגָלִים לְאַרְבַּע רוּחוֹת:	and the four ensigns on the four sides.
11 כְּנֶשֶׁר יָעִיר קִנּוֹ.	**11. As an eagle that stirreth up her nest**
נִהֲגָם בְּרַחֲמִים וּבְחֶמְלָה,	He guided them with mercy and with pity,
כַּנֶּשֶׁר הַזֶּה רַחֲמָנִי עַל בָּנָיו	as the eagle which is merciful to its young,
וְאֵינוֹ נִכְנָס לְקִנּוֹ פִּתְאוֹם	and does not enter its nest suddenly,
עַד שֶׁהוּא מְקַשְׁקֵשׁ	but first it strikes
וּמְטָרֵף עַל בָּנָיו בִּכְנָפָיו	and flaps its wings over its young
בֵּין אִילָן לְאִילָן,	between one tree and another,
בֵּין שׂוֹכָה לַחֲבֶרְתָּהּ,	between one branch and the next,
כְּדֵי שֶׁיֵּעוֹרוּ בָנָיו	in order that its young shall awaken
וִיהֵא בָהֶם כֹּחַ לְקַבְּלוֹ (סִפְרֵי):	and have strength to receive it (Siphre).
יָעִיר קִנּוֹ.	**Stirreth up her nest**
יְעוֹרֵר בָּנָיו:	(יעיר קנו denotes) "It stirreth up (awakens) its young."
עַל גּוֹזָלָיו יְרַחֵף.	**Hovereth over her young**
אֵינוֹ מַכְבִּיד עַצְמוֹ עֲלֵיהֶם	It does not place its weight upon them,
אֶלָּא מְחוֹפֵף	but covers (them),
נוֹגֵעַ וְאֵינוֹ נוֹגֵעַ	touching and not touching.
—אַף הַקָּבָּ״ה,	So the Holy One Blessed Be He,
שַׁדַּי לֹא מְצָאנֻהוּ שַׂגִּיא כֹחַ (אִיּוֹב ל״ז),	"The Almighty, whom we cannot find out, is excellent in power" (Job 37.23).
כְּשֶׁבָּא לִתֵּן תּוֹרָה	When He came to give the Torah,
לֹא נִגְלָה עֲלֵיהֶם מֵרוּחַ אַחַת	He did not appear to them from one direction,
אֶלָּא מֵאַרְבַּע רוּחוֹת,	but from four directions,
שֶׁנֶּאֱמַר ,ה׳ מִסִּינַי בָּא	as it is stated, "The Lord came from Sinai,
וְזָרַח מִשֵּׂעִיר לָמוֹ	and rose from Seir unto them,
הוֹפִיעַ מֵהַר פָּארָן (דְּבָרִ׳ ל״ג),	He shone forth from mount Paran" (Deut. 33.2);
אֱלוֹהַּ מִתֵּימָן יָבֹא (חֲבַקּ׳ ג)	"God cometh from Teman" ((Hab. 3.3) —
זוּ רוּחַ רְבִיעִית (סִפְרֵי):	this is the fourth direction (Siphre).

יִפְרֹשׂ כְּנָפָיו	Spreadeth abroad her wings,
יִקָּחֵהוּ	taketh them,
יִשָּׂאֵהוּ	Beareth them
עַל־אֶבְרָתוֹ׃	on her pinions —
12 יְהוָה בָּדָד יַנְחֶנּוּ	12. The Lord alone did lead him,
וְאֵין עִמּוֹ אֵל נֵכָר׃	And there was no strange god with Him.

שלישי

Rashi — רש״י

יִפְרֹשׂ כְּנָפָיו יִקָּחֵהוּ.	**Spreadeth abroad her wings, taketh them**
כְּשֶׁבָּא לִטְּלָם מִמָּקוֹם לְמָקוֹם	When it comes to take them from place to place,
אֵינוֹ נוֹטְלָן בְּרַגְלָיו	it does not take them with its feet
כִּשְׁאָר עוֹפוֹת,	as the other birds (do,)
לְפִי שֶׁשְּׁאָר עוֹפוֹת	because the other birds
יְרֵאִים מִן הַנֶּשֶׁר	are afraid of the eagle,
שֶׁהוּא מַגְבִּיהַּ לָעוּף	for it flies high
וּפוֹרֵחַ עֲלֵיהֶם,	and flies above them;
לְפִיכָךְ נוֹשְׂאָן בְּרַגְלָיו,	therefore it carries them with its feet
מִפְּנֵי הַנֶּשֶׁר,	for fear of the eagle.
אֲבָל הַנֶּשֶׁר אֵינוֹ יָרֵא אֶלָּא מִן הַחֵץ	But the eagle is afraid only of an arrow;
לְפִיכָךְ נוֹשְׂאָן עַל כְּנָפָיו,	therefore it carries them upon its wings,
אוֹמֵר מוּטָב	saying, Better
שֶׁיִּכָּנֵס הַחֵץ בִּי	that the arrow enter into me,
וְלֹא יִכָּנֵס בְּבָנַי,	and it shall not enter my young.
אַף הַקָּבָּ״ה	Similarly the Holy One Blessed Be He:
וָאֶשָּׂא אֶתְכֶם עַל כַּנְפֵי נְשָׁרִים (שְׁמוֹת י״ט)	"and I bore you on eagles' wings" (Ex. 19.4);
כְּשֶׁנָּסְעוּ מִצְרַיִם אַחֲרֵיהֶם—	when the Egyptians were pursuing after them,
וְהִשִּׂיגוּם עַל הַיָּם	and reached them by the Sea,
הָיוּ זוֹרְקִים בָּהֶם חִצִּים	they shot against them arrows
וְאַבְנֵי בַּלִּסְטְרָאוֹת,	and stones thrown from the catapults
מִיָּד וַיִּסַּע מַלְאַךְ הָאֱלֹהִים וְגוֹ׳	Immediately, "And the angel of God removed," etc.
וַיָּבֹא בֵּין מַחֲנֵה מִצְרַיִם וְגוֹ׳ (שְׁמוֹת י״ד)׃	"and came between the camp of Egypt," etc. (Ex. 14.19–20).
12 ה׳ בָּדָד יַנְחֶנּוּ.	**12. The Lord alone did lead him**
נִהֲגָם בַּמִּדְבָּר בָּדָד וּבֶטַח׃	He led them in the wilderness alone and safely.
וְאֵין עִמּוֹ אֵל נֵכָר.	**And there was no strange god with Him**
לֹא הָיָה כֹּחַ בְּאֶחָד	There was no strength in any one
מִכָּל אֱלֹהֵי הַגּוֹיִם	of all the heathen gods
לְהַרְאוֹת כֹּחוֹ	to show his power
וּלְהִלָּחֵם עִמָּהֶם	and to battle with them.
וְרַבּוֹתֵינוּ דְּרָשׁוּהוּ עַל הֶעָתִיד	And our Rabbis interpreted it in reference to the future,
וְכֵן תִּרְגֵּם אוּנְקְלוֹס,	and likewise Onkelos rendered it.
וַאֲנִי אוֹמֵר דִּבְרֵי תוֹכָחָה הֵם	But I believe that these are words of rebuke,
לְהָעִיד הַשָּׁמַיִם וְהָאָרֶץ	to call to witness heaven and earth;
וּתְהֵא הַשִּׁירָה לָהֶם לְעֵד	and that this song shall be for them as a witness
שֶׁסּוֹפָן לִבְגּוֹד	that eventually they will act sinfully,
וְלֹא יִזְכְּרוּ לֹא הָרִאשׁוֹנוֹת שֶׁעָשָׂה לָהֶם	and they will not remember the former things which He did for them,

13 יַרְכִּבֵהוּ	13. He made him ride
עַל־בָּמֳתֵי אָרֶץ	on the high places of the earth,
וַיֹּאכַל תְּנוּבֹת שָׂדָי	And he did eat the fruitage of the field;
וַיֵּנִקֵהוּ דְבַשׁ	And He made him to suck honey
מִסֶּלַע	out of the rock,
וְשֶׁמֶן מֵחַלְמִישׁ צוּר׃	And oil out of the flinty rock.

° ו׳ יתירה.

Rashi — רש״י

וְלֹא הַנּוֹלָדוֹת שֶׁהוּא עָתִיד לַעֲשׂוֹת לָהֶם,	nor future things which He is destined to do to them.
לְפִיכָךְ צָרִיךְ לְיַשֵּׁב הַדָּבָר	Therefore it is necessary to interpret this
לְכַאן וּלְכַאן.	in reference to this and to that (to the past and the future,)
וְכָל הָעִנְיָן מוּסָב עַל	and the entire matter refers to (v. 7),
,זְכֹר יְמוֹת עוֹלָם	"Remember the days of old,
בִּינוּ שְׁנוֹת דֹּר־וָדֹר׳,	Consider the years of each generation."
כֵּן עָשָׂה לָהֶם	Thus He did for them,
וְכֵן עָתִיד לַעֲשׂוֹת,	and Thus He shall do in the future;
כָּל זֶה הָיָה לָהֶם לִזְכּוֹר׃	all this they should remember.
13 יַרְכִּבֵהוּ עַל־בָּמֳתֵי אָרֶץ.	**13. He made him ride on the high places of the earth**
כָּל הַמִּקְרָא כְּתַרְגּוּמוֹ׃	The entire verse (is to be understood) as the Targum renders it (i. e., as referring to the Land of Israel).
יַרְכִּבֵהוּ וְגוֹ׳.	**He made him ride (on the high places), etc.**
עַל שֵׁם שֶׁאֶרֶץ יִשְׂרָאֵל גְּבוֹהָה	(This expression is used:) Because the land of Israel is higher
מִכָּל הָאֲרָצוֹת׃	than all the (other) lands.
וַיֹּאכַל תְּנוּבֹת שָׂדָי.	**And he did eat the fruitage of the field**
אֵלּוּ פֵּירוֹת אֶרֶץ יִשְׂרָאֵל	This (refers to) the fruits of the land of Israel,
שֶׁקַּלִּים לָנוּב וּלְהִתְבַּשֵּׁל	which are quicker to bud and ripen
מִכָּל פֵּירוֹת הָאֲרָצוֹת׃	than the fruits of all other lands.
וַיֵּנִקֵהוּ דְבַשׁ מִסֶּלַע.	**And He made him to suck honey out of the rock**
מַעֲשֶׂה בְּאֶחָד שֶׁאָמַר לִבְנוֹ בְּסִיכְנֵי,	It happened that a man said to his son in Sichnin:
הָבֵא לִי קְצִיעוֹת מִן הֶחָבִית,	Bring me pressed figs from the jug.
הָלַךְ וּמָצָא הַדְּבַשׁ צָף עַל פִּיהָ,	(The latter) went and found honey, flowing over its mouth.
אָמַר לוֹ: זוֹ שֶׁל דְּבַשׁ הִיא!	He said to him (his father), This is (a jug) of honey.
אָמַר: הַשְׁקַע יָדְךָ לְתוֹכָהּ	Said (the father), Let your hand down into it,
וְאַתָּה מַעֲלֶה קְצִיעוֹת מִתּוֹכָהּ (סִפְרֵי)׃	and you will bring up pressed figs from within it (Siphre).
בָּמֳתֵי אָרֶץ.	**The high places of the earth**
לְשׁוֹן גּוֹבַהּ׃	(The term במתי) denotes height.
שָׂדָי.	**The field**
שָׂדֶה׃	(שדי denotes) field.
מֵחַלְמִישׁ צוּר.	**Out of the flinty rock**
תָּקְפּוֹ וְחָזְקוֹ שֶׁל סֶלַע,	The might and strength of the rock.
כְּשֶׁאֵינוֹ דָבוּק לַתֵּיבָה שֶׁלְּאַחֲרָיו	When it (חלמיש) is not in construct to the word following it,
נָקוּד חַלָּמִישׁ	it is vocalized חַלָּמִישׁ,
וּכְשֶׁהוּא דָבוּק נָקוּד חַלְמִישׁ׃	and when it is in construct, it is vocalized חַלְמִישׁ.
וְשֶׁמֶן מֵחַלְמִישׁ צוּר.	**And oil out of the flinty rock**
אֵלּוּ זֵיתִים שֶׁל גּוּשׁ חָלָב (מְנָח׳ פ״ה)׃	This refers to the olives of Gush-Heleb ("Fat Ground") (Men. 85).

14 חֶמְאַת בָּקָר	14. Curd of kine,
וַחֲלֵב צֹאן	and milk of sheep,
עִם־חֵלֶב כָּרִים	With fat of lambs,
וְאֵילִים בְּנֵי־בָשָׁן	And rams of the breed of Bashan,
וְעַתּוּדִים	and he-goats,
עִם־חֵלֶב כִּלְיוֹת חִטָּה	With the kidney-fat of wheat;
וְדַם־עֵנָב	And of the blood of the grape
תִּשְׁתֶּה־חָמֶר׃	thou drankest foaming wine.
15 וַיִּשְׁמַן יְשֻׁרוּן	15. But Jeshurun waxed fat,

Rashi — רש״י

14 חֶמְאַת בָּקָר וַחֲלֵב צֹאן.	**14. Curd of kine, and milk of sheep**
זֶה הָיָה בִּימֵי שְׁלֹמֹה,	This took place in the days of Solomon,
שֶׁנֶּאֱמַר (מ״א ה)׃—	as it is stated (I Ki. 5.3),
עֲשָׂרָה בָקָר בְּרִאִים	"Ten fat oxen,
וְעֶשְׂרִים בָּקָר רְעִי	and twenty oxen out of the pastures,
וּמֵאָה צֹאן׃	and a hundred sheep."
עִם־חֵלֶב כָּרִים.	**With fat of lambs**
זֶה הָיָה בִּימֵי עֲשֶׂרֶת הַשְּׁבָטִים,	This was in the days of the ten tribes (Kingdom of Israel),
שֶׁנֶּאֱמַר (עָמוֹס ו)׃—	as it is stated (Amos 6.4),
וְאֹכְלִים כָּרִים מִצֹּאן׃	"And that eat the lambs out of the flock."
חֵלֶב כִּלְיוֹת חִטָּה.	**The kidney-fat of wheat**
זֶה הָיָה בִּימֵי שְׁלֹמֹה,	This was in the days of Solomon,
שֶׁנֶּאֱמַר (מ״א ד)׃—	as it is stated (Ki. 5.2),
וַיְהִי לֶחֶם שְׁלֹמֹה וְגוֹ׳:	"And Solomon's provision was (thirty measures of fine flour)," etc.
וְדַם־עֵנָב תִּשְׁתֶּה־חָמֶר.	**And of the blood of the grape thou drankest foaming wine**
בִּימֵי עֲשֶׂרֶת הַשְּׁבָטִים	This was in the days of the ten tribes (Kingdom of Israel),
הַשֹּׁתִים בְּמִזְרְקֵי יַיִן (עָמוֹס ו)׃	"That drink wine in bowls" (Amos 6.6).
חֶמְאַת בָּקָר.	**Curd of kine**
הוּא שׁוּמָן הַנִּקְלָט	This is the fat which is removed
מֵעַל גַּבֵּי הֶחָלָב׃	from the top of the milk.
וַחֲלֵב צֹאן.	**And milk of sheep**
חָלָב שֶׁל צֹאן,	(חָלָב denotes) "milk" of sheep.
וּכְשֶׁהוּא דָבוּק נָקוּד חֲלֵב,	When it (חָלָב) is in construct, it is vocalized חֲלֵב,
כְּמוֹ (שְׁמוֹת כ״ג)׃—	as (Ex. 23.19),
בַּחֲלֵב אִמּוֹ׃	"in the milk (בַּחֲלֵב) of its mother."
כָּרִים.	**Lambs**
כְּבָשִׂים׃	(כרים denotes) lambs.
וְאֵילִים.	**And rams**
כְּמַשְׁמָעוֹ׃	(This is to be taken) in its usual meaning.
בְּנֵי־בָשָׁן.	**The breed of Bashan**
שְׁמֵנִים הָיוּ׃	They were fat.
כִּלְיוֹת חִטָּה.	**The kidney-fat of wheat**
חִטִּים שְׁמֵנִים כְּחֵלֶב כְּלָיוֹת	Wheat that is fat, like the fat of the kidneys,
וְגַסִּין כְּכוּלְיָא׃	and large as a kidney.
וְדַם־עֵנָב.	**And of the blood of the grape**
תִּהְיֶה שׁוֹתֶה יַיִן טוֹב	You will drink good wine,
וְטוֹעֵם יַיִן חָשׁוּב׃	and taste wine of distinction.
חָמֶר.	**Foaming wine**
יַיִן בִּלְשׁוֹן אֲרַמִּי חֲמַר,	Wine in the Aramaic language (is called) חמר;

וַיִּבְעָט	and kicked —	אֱלוֹהַ עָשָׂהוּ	God who made him,
שָׁמַנְתָּ	Thou didst wax fat,	וַיְנַבֵּל	And contemned
עָבִיתָ	thou didst grow thick,	צוּר יְשֻׁעָתוֹ:	the Rock of his salvation.
כָּשִׂיתָ	thou didst become covered —	16 יַקְנִאֻהוּ בְּזָרִים	16. They roused Him to jealousy with strange (gods);
וַיִּטֹּשׁ	And he forsook		

Rashi — רש״י

אֵין זֶה שֵׁם דָּבָר	this is not a noun,
אֶלָּא לְשׁוֹן מִשְׁבָּח בְּטַעַם,	but denotes excellent in taste,
ווי״נוש בְּלַעַ״ז,	*vinos* in O. F.
וְעוֹד יֵשׁ לְפָרֵשׁ שְׁנֵי מִקְרָאוֹת הַלָּלוּ	And one may also explain these two verses (13–14)
אַחַר תַּרְגּוּם שֶׁל אוּנְקְלוֹס	according to the translation of Onkelos:
אַשְׁרִינוּן עַל תָּקְפֵי אַרְעָא וְגוֹ׳:	"He made them rest on the mighty places of the earth," etc.
15 **עָבִיתָ.**	**15. Thou didst grow thick**
לְשׁוֹן עוֹבִי:	(עבית is of the same meaning as) the term עובי (thickness).
כָּשִׂיתָ.	**Thou didst become covered**
כְּמוֹ כָּסִיתָ,	(כשית is to be interpreted) as כסית (Thou hast covered),
לְשׁוֹן כִּי כִסָּה פָנָיו בְּחֶלְבּוֹ (אִיּוֹב ט״ו)	(as used in) the expression, "Because he hath covered (כסה) his face with fatness' (Job 15.27);
כְּאָדָם שֶׁשָּׁמֵן מִבִּפְנִים	as a person who is fat within,
וּכְסָלָיו נִכְפָּלִים מִבַּחוּץ,	and his loins form folds without.
וְכֵן הוּא אוֹמֵר (שָׁם):–	And similarly it states (*ibid.*),
וַיַּעַשׂ פִּימָה עֲלֵי כָסֶל:	"And he hath made folds of fat on his loins."
כָּשִׂיתָ.	**Thou didst become covered**
יֵשׁ לְשׁוֹן קַל בִּלְשׁוֹן כִּסּוּי,	There is a Kal form (of the verb) in the sense of "being covered,"
כְּמוֹ (מִשְׁלֵי י״ב):–	as (Prov. 12.16):
וְכֹסֶה קָלוֹן עָרוּם,	"But a prudent man, (his) shame is concealed."
וְאִם כָּתַב כִּשִּׂיתָ, דָּגוּשׁ	But if כָּשִׂיתָ were written כִּשִּׂיתָ (pi'el), with a dagesh (in the ש),
הָיָה נִשְׁמַע כִּסִּיתָ אֶת אֲחֵרִים,	it would imply: you have covered something else,
כְּמוֹ (אִיּוֹב ט״ו):–	as (Job 15.27):
כִּי כִסָּה פָנָיו:	"Because he hath covered (כִּסָּה) his face."
וַיְנַבֵּל צוּר יְשֻׁעָתוֹ.	**And (he) contemned the Rock of his salvation**
גִּנָּהוּ וּבִזָּהוּ,	He disgraced and shamed Him,
כְּמוֹ שֶׁנֶּאֱמַר (יְחֶזְ׳ ח):–	as it is stated (Ezek. 8.16):
אֲחֹרֵיהֶם אֶל הֵיכַל ה׳ וְגוֹ׳,	"With their backs toward the temple of the Lord," etc.
אֵין לְךָ נִבּוּל גָּדוֹל מִזֶּה:	There is no more contemptible act than this.
16 **יַקְנִאֻהוּ.**	**16. They roused Him to jealousy**
הִבְעִירוּ חֲמָתוֹ וְקִנְאָתוֹ:	They kindled His wrath and His jealousy.

בְּתוֹעֵבֹת יַכְעִיסֻהוּ׃ — With abominations did they provoke Him.

17 יִזְבְּחוּ לַשֵּׁדִים — 17. They sacrificed unto demons,

לֹא אֱלֹהַ — no-gods,

אֱלֹהִים לֹא יְדָעוּם — gods that they knew not,

חֲדָשִׁים — New (gods)

מִקָּרֹב בָּאוּ — that came up of late,

לֹא שְׂעָרוּם — Which your fathers

אֲבֹתֵיכֶם׃ — dreaded not.

18 צוּר יְלָדְךָ — 18. Of the Rock that begot thee

תֶּשִׁי — thou wast unmindful,

וַתִּשְׁכַּח — And didst forget

אֵל מְחֹלְלֶךָ׃ רביעי — God that bore thee.

ס׳ י׳ זעירא.

Rashi — רש״י

בְּתוֹעֵבֹת. With abominations

בְּמַעֲשִׂים תְּעוּבִים, — With abominable deeds,

כְּגוֹן מִשְׁכַּב זָכוּר וּכְשָׁפִים — such as pederasty and the practice of magic,

שֶׁנֶּאֱמַר בָּהֶם ,תּוֹעֵבָה׳: — regarding which it is stated, "an abomination." (תועבה)

17 לֹא אֱלֹהַ. 17. No-gods

כְּתַרְגּוּמוֹ דְּלֵית בְּהוֹן צְרוֹךְ, — (Understand this) as the Targum renders it: In whom there is no profit.

אִלּוּ הָיָה בָהֶם צֹרֶךְ — If there had been any profit in them,

לֹא הָיְתָה קִנְאָה כְפוּלָה — (His) jealousy would not be twofold

כְּמוֹ עַכְשָׁיו: — as (it is) now.

חֲדָשִׁים מִקָּרֹב בָּאוּ. New (gods) that came up of late

אֲפִילוּ הָאֻמּוֹת לֹא הָיוּ רְגִילִים בָּהֶם — Even the heathens were not familiar with them;

—גּוֹי שֶׁהָיָה רוֹאֶה אוֹתָם, — a heathen who saw them

הָיָה אוֹמֵר: זֶה צֶלֶם יְהוּדִי׃ — would say, This is a Jewish image (idol).

לֹא שְׂעָרוּם אֲבֹתֵיכֶם. Which your fathers dreaded not

לֹא יָרְאוּ מֵהֶם — (שערום means:) They were not afraid of them;

—לֹא עָמְדָה שַׂעֲרָתָם מִפְּנֵיהֶם — their hair did not stand on end (for fear) of them.

דֶּרֶךְ שַׂעֲרוֹת הָאָדָם לַעֲמוֹד — It is the nature of man's hair to stand on end

מֵחֲמַת יִרְאָה, — because of fear.

כָּךְ נִדְרַשׁ בְּסִפְרֵי, — Thus it is interpreted in Siphre.

וְיֵשׁ לְפָרֵשׁ עוֹד ,שְׂעָרוּם׳, — And one can explain שערום also (as in)

לְשׁוֹן וּשְׂעִירִים יְרַקְּדוּ שָׁם, — the expression, "And שעירים shall dance there" (Isa. 13.21),

שְׂעִירִים הֵם שֵׁדִים, — שעירים being demons;

לֹא עָשׂוּ אֲבֹתֵיכֶם שְׂעִירִים הַלָּלוּ׃ — "your fathers did not make such demons (idols)."

18 תֶּשִׁי. 18. Thou wast unmindful

תִּשְׁכַּח, — (תשי denotes) thou didst forget.

וְרַבּוֹתֵינוּ דָרְשׁוּ — And our Rabbis interpreted:

כְּשֶׁבָּא לְהֵיטִיב לָכֶם — When He comes to deal well with you,

אַתֶּם מַכְעִיסִין לְפָנָיו — you provoke Him,

וּמַתִּישִׁים כֹּחוֹ — and make weak (מתישים) His strength,

מִלְּהֵיטִיב לָכֶם (סִפְרֵי)׃ — so that He does not deal well with you (Siphre).

אֵל מְחֹלְלֶךָ. God that bore thee

מוֹצִיאֲךָ מֵרֶחֶם, — (מחללך means:) That brought you forth from the womb,

19 וַיַּ֥רְא יְהוָ֖ה	19. And the Lord saw,
וַיִּנְאָ֑ץ	and spurned (them),
מִכַּ֥עַס בָּנָ֖יו וּבְנֹתָֽיו׃	Because of the provoking of His sons and daughters.
20 וַיֹּ֗אמֶר	20. And He said:
אַסְתִּ֤ירָה פָנַי֙ מֵהֶ֔ם	'I will hide My face from them,
אֶרְאֶ֖ה מָ֣ה אַחֲרִיתָ֑ם	I will see what their end shall be;
כִּ֣י ד֤וֹר תַּהְפֻּכֹת֙ הֵ֔מָּה	For they are a generation given to perverseness,
בָּנִ֖ים לֹא־אֵ֥מֻן בָּֽם׃	Children in whom is no faithfulness.
21 הֵ֚ם קִנְא֣וּנִי	21. They have roused Me to jealousy
בְלֹא־אֵ֔ל	with a no-god;
כִּעֲס֖וּנִי בְּהַבְלֵיהֶ֑ם	They have provoked Me with their vanities;
וַאֲנִי֙ אַקְנִיאֵ֣ם	And I will rouse them to jealousy
בְּלֹא־עָ֔ם	with a no-people;

Rashi — רש"י

לְשׁוֹן יְחוֹלֵל אַיָּלוֹת (תְּהִ' כ"ט),	(as in) the expression "Maketh the hinds to bring forth young" (יחולל) (Ps. 29. 9);
חִיל כַּיּוֹלֵדָה (שָׁם מ"ח):	"Birth-pangs (חיל) as of a woman in travail" (*Ibid.*, 48.7).
20 מָה אַחֲרִיתָם.	**20. What their end shall be**
מַה תַּעֲלֶה בָהֶם בְּסוֹפָם:	What will befall them in the end.
כִּי דוֹר תַּהְפֻּכֹת הֵמָּה.	**For they are a generation given to perverseness**
מְהַפְּכִין רְצוֹנִי לְכַעַס:	They turn My goodwill to anger.
לֹא־אֵמֻן בָּם.	**In whom is no faithfulness**
אֵין גִּדּוּלַי נִכָּרִים בָּהֶם,	My rearing them is not recognized in them,
כִּי הוֹרֵיתִים דֶּרֶךְ טוֹבָה	for I taught them a good way
וְסָרוּ מִמֶּנָּה:	and they have turned away from it.
אֵמֻן.	**Faithfulness**
לְשׁוֹן וַיְהִי אֹמֵן (אֶסְתֵּר ב)	(אֵמֻן is to be understood) in the sense of, "And he brought up" (אֹמֵן) (Esth. 2.7):
נוּר"טוּרָה בְּלַעַ"ז.	*Nouriture* in O. F.
דָ"אַ, אֵמֻן' לְשׁוֹן אֱמוּנָה, כְּתַרְגּוּמוֹ,	Another interpretation: אמן denotes "faithfulness," as the Targum translates it.
אָמְרוּ בְסִינַי נַעֲשֶׂה וְנִשְׁמַע	They said at Sinai, "We will do and we will hear;"
וּלְשָׁעָה קַלָּה בִּטְּלוּ הַבְטָחָתָם	but in a short moment they broke their promise
וְעָשׂוּ הָעֵגֶל:	and made the (golden) Calf.
21 קִנְאוּנִי.	**21. They have roused Me to jealousy**
הִבְעִירוּ חֲמָתִי:	They have kindled My wrath.
בְלֹא־אֵל.	**With a no-god**
בְּדָבָר שֶׁאֵינוֹ אֱלוֹהַּ:	With something which is not a god.
בְּלֹא־עָם.	**With a no-people**
בְּאֻמָּה שֶׁאֵין לָהּ שֵׁם,	With a people that has no name,
שֶׁנֶּאֱמַר (יְשַׁעְ' כ"ג:)—	as it is stated Isa. 23.13):
הֵן אֶרֶץ כַּשְׂדִּים	"Behold, the land of the Chaldeans —
זֶה הָעָם לֹא הָיָה,	this is the people that was not."
בְּעֵשָׂו הוּא אוֹמֵר (עוֹבַ' א)	Regarding Esau it states (Obad. 1.2):

בְּגוֹי נָבָל אַכְעִיסֵם׃ — With a foolish nation I will provoke them.

22 כִּי־אֵשׁ קָדְחָה — 22. For a fire is kindled

בְאַפִּי — in My nostril,

וַתִּיקַד — And burneth

עַד־שְׁאוֹל תַּחְתִּית — unto the depths of the nether-world,

וַתֹּאכַל אֶרֶץ וִיבֻלָהּ — And devoureth (the) earth with her produce,

וַתְּלַהֵט מוֹסְדֵי הָרִים׃ — And setteth ablaze the foundations of the mountains.

23 אַסְפֶּה עָלֵימוֹ — 23. I will heap upon them

רָעוֹת — evils;

חִצַּי אֲכַלֶּה־בָּם׃ — Mine arrows I will spend upon them;

Rashi — רש״י

בָּזוּי אַתָּה מְאֹד׃ — "Thou art greatly despised."

בְּגוֹי נָבָל אַכְעִיסֵם. — **With a foolish nation I will provoke them**

אֵלּוּ הַמִּינִים, — This (refers to) heretics.

וְכֵן הוּא אוֹמֵר (תְּהִ׳ י״ד)׃— — And thus it states (Ps. 14.1):

אָמַר נָבָל בְּלִבּוֹ אֵין אֱלֹהִים׃ — "The fool hath said in his heart: 'There is no God' ".

22 קָדְחָה. — **22. Is kindled**

בָּעֲרָה׃ — (קדחה denotes) is kindled.

וַתִּיקַד. — **And (it) burneth**

בָּכֶם עַד הַיְסוֹד׃ — (I. e.,) you, until the (very) foundation.

וַתֹּאכַל אֶרֶץ וִיבֻלָהּ. — **And (it) devoureth (the) earth with her produce**

אַרְצְכֶם וִיבוּלָהּ (סִפְרֵי)׃ — (I. e.) Your land, and its produce (Siphre).

וַתְּלַהֵט. — **And (it) setteth ablaze**

יְרוּשָׁלַיִם הַמְיֻסֶּדֶת עַל הֶהָרִים, — Jerusalem, which is founded upon mountains,

שֶׁנֶּאֱמַר (תְּהִ׳ קכ״ה)׃— — as it is stated (Ps. 125.2):

יְרוּשָׁלַיִם הָרִים סָבִיב לָהּ׃ — "As the mountains are round about Jerusalem."

23 אַסְפֶּה עָלֵימוֹ רָעוֹת. — **23. I will heap (add) upon them evils**

אַחְבִּיר רָעָה עַל רָעָה, — I will add evil upon evil,

לְשׁוֹן סְפוּ שָׁנָה עַל שָׁנָה (יְשַׁעְ׳ כ״ט) — (as in) the expression, "Add ye (ספו) year to year" (Isa. 29.1);

סְפוֹת הָרָוָה (דְּבָר׳ כ״ט), — "To add (ספות) drunkenness" (Deut. 29.18);

עֹלוֹתֵיכֶם סְפוּ עַל זִבְחֵיכֶם (יִרְמְ׳ ז). — "Add (ספו) your burnt-offerings to your sacrifices" (Jer. 7.21).

ד״א, אַסְפֶּה׳ אֲכַלֶּה, — Another interpretation of אַסְפֶּה: I will destroy,

כְּמוֹ (בְּרֵ׳ י״ט)׃— — as (Gen. 19.15):

פֶּן תִּסָּפֶה׃ — "Lest thou be destroyed" (תִּסָּפֶה).

חִצַּי אֲכַלֶּה־בָּם. — **Mine arrows I will spend upon them**

כָּל חִצַּי אַשְׁלִים בָּהֶם, — All Mine arrows I will exhaust upon them.

וּקְלָלָה זוּ לְפִי הַפּוּרְעָנוּת — And this curse, in accordance with retribution,

לִבְרָכָה הִיא׃— — may be a blessing,

—חִצַּי כָּלִים — (viz.,) Mine arrows will cease,

וְהֵם אֵינָם כָּלִים׃ — and they (the Israelites) will not cease.

24 מְזֵי רָעָב — 24. The wasting of hunger,

וּלְחֻמֵי רֶשֶׁף — and the battles of demons,

וְקֶטֶב מְרִירִי — And the destruction of Meriri;

וְשֶׁן־בְּהֵמֹת — And the teeth of beasts

אֲשַׁלַּח־בָּם — will I send upon them,

עִם־חֲמַת זֹחֲלֵי עָפָר׃ — with the venom of crawling things of the dust.

25 מִחוּץ תְּשַׁכֶּל־חֶרֶב — 25. Without shall the sword bereave,

Rashi — רש״י

24 מְזֵי רָעָב. — **24. The wasting of hunger**

אוּנְקְלוֹס תִּרְגֵּם נְפִיחֵי כָפָן, — Onkelos renders (מזי רעב) swollen from hunger,

וְאֵין לִי עֵד מוֹכִיחַ עָלָיו, — but I have no analogy to prove this.

וּמִשְּׁמוֹ שֶׁל רַבִּי מֹשֶׁה הַדַּרְשָׁן מִטּוּלוּשָׁא שָׁמַעְתִּי — And in the name of Rabbi Moses HaDarshan of Toulouse I heard

שְׂעִירֵי רָעָב — (that it denotes) hair of hunger,

—אָדָם כָּחוּשׁ — (i. e.,) a person who is wanting in flesh

מְגַדֵּל שֵׂעָר עַל בְּשָׂרוֹ: — grows hair upon his skin.

מְזֵי. — **Wasting**

לְשׁוֹן אֲרַמִּי שְׂעַר מְזַיָּא, — (In) the Aramaic language, hair is termed מְזַיָּא,

דַּהֲוָה מְהַפֵּךְ בְּמְזַיָּא: — (e. g.,) he busied himself with his hair (מזיא).

וּלְחֻמֵי רֶשֶׁף. — **And the battles of demons**

הַשֵּׁדִים נִלְחֲמוּ בָהֶם, — Demons battled against them,

שֶׁנֶּאֱמַר (איוב ה):— — as it is stated (Job 5.7),

וּבְנֵי רֶשֶׁף יַגְבִּיהוּ עוּף. — "And the בני רשף fly upward,"

וְהֵם שֵׁדִים: — and they (i. e., the בני רשף) are demons.

וְקֶטֶב מְרִירִי. — **And the destruction of Meriri**

וּכְרִיתוּת שֵׁד שֶׁשְּׁמוֹ מְרִירִי, — And destruction by the demon whose name is Meriri.

״קֶטֶב״—כְּרִיתָה, — (The term) קטב denotes destruction,

כְּמוֹ (הוש׳ י״ג):— — as (Hos. 13.14):

אֱהִי קָטָבְךָ שְׁאוֹל: — "Ho, thy destruction (קטבך), O nether-world!"

וְשֶׁן־בְּהֵמֹת. — **And the teeth of beasts**

מַעֲשֶׂה הָיָה — It indeed happned once

וְהָיוּ הָרְחֵלִים נוֹשְׁכִין וּמְמִיתִין (סִפְרֵי): — that lambs bit (people) and killed them (Siphre).

חֲמַת זֹחֲלֵי עָפָר. — **The venom of crawling things of the dust**

אֶרֶס נְחָשִׁים — The poison of snakes

הַמְהַלְּכִים עַל גְּחוֹנָם עַל הֶעָפָר — which crawl on their bellies upon the dust

כַּמַּיִם הַזּוֹחֲלִים עַל הָאָרֶץ; — as water which flows upon the ground.

זְחִילָה לְשׁוֹן מְרוּצַת הַמַּיִם עַל הֶעָפָר — (The term) זחילה denotes the running of water upon the ground;

וְכֵן כָּל מְרוּצַת דָּבָר — and similarly the running of any thing

הַמְשַׁפְשֵׁף עַל הֶעָפָר וְהוֹלֵךְ: — which rubs against the earth as it proceeds.

25 מִחוּץ תְּשַׁכֶּל־חֶרֶב. — **25. Without shall the sword bereave**

מִחוּץ לָעִיר תְּשַׁכְּלֵם — Outside of the city there shall bereave them

חֶרֶב גַּיָּסוֹת: — the sword of the enemy.

וּמֵחֲדָרִ֣ים אֵימָ֑ה	And in the chambers terror,
גַּם־בָּחוּר֙ גַּם־בְּתוּלָ֔ה	Both young man and virgin,
יוֹנֵ֖ק עִם־אִ֥ישׁ שֵׂיבָֽה׃	The suckling with the man of gray hairs.
26 אָמַ֖רְתִּי אַפְאֵיהֶ֑ם	26. I thought I would make an end of them,
אַשְׁבִּ֥יתָה מֵאֱנ֖וֹשׁ זִכְרָֽם׃	I would make their memory cease from among men.

Rashi — רש״י

וּמֵחֲדָרִים אֵימָה.	**And in the chambers terror**
כְּשֶׁבּוֹרֵחַ וְנִמְלָט	When he flees and escapes,
חַדְרֵי לִבּוֹ נְקוּפִים עָלָיו	the chambers of his heart will palpitate within him
מֵחֲמַת אֵימָה,	because of terror,
וְהוּא מֵת וְהוֹלֵךְ בָּהּ (סִפְרֵי).	until he eventually dies from it (Siphre).
דָּ״א ,וּמֵחֲדָרִים אֵימָה׳	Another interpretation of "and in the chambers terror":
בַּבַּיִת תִּהְיֶה אֵימַת דֶּבֶר,	In the home shall be dread of pestilence,
כְּמָה שֶׁנֶּאֱמַר (יִרְמְ׳ ט):—	as it is stated (Jer. 9.20):
כִּי עָלָה מָוֶת בְּחַלּוֹנֵינוּ,	"For death is come up into our windows";
וְכֵן תִּרְגֵּם אוּנְקְלוֹס.	and similarly has Onkelos rendered (this phrase).
דָּ״א ,מִחוּץ תְּשַׁכֶּל־חֶרֶב׳	Another interpretation of "Without (מחוץ) shall the sword bereave":
—עַל מַה שֶׁעָשׂוּ בַּחוּצוֹת,	For what they did in the streets,
שֶׁנֶּאֱמַר (שָׁם י״א):—	as it is stated (*ibid.*, 11.13),
וּמִסְפַּר חוּצוֹת יְרוּשָׁלַיִם	"and according to the number of the streets of Jerusalem
שַׂמְתֶּם מִזְבְּחוֹת לַבֹּשֶׁת;	have ye set up altars to the shameful thing."
וּמֵחֲדָרִים אֵימָה.	And in the chambers terror —
עַל מַה שֶּׁעָשׂוּ בְּחַדְרֵי חֲדָרִים,	For what they did in the innermost chambers,
שֶׁנֶּאֱמַר (יְחֶזְ׳ ח):—	as it is stated (Ezek. 8.12):
אֲשֶׁר זִקְנֵי בֵית יִשְׂרָאֵל עוֹשִׂים בַּחֹשֶׁךְ	"What the elders of the house of Israel do in the dark,
אִישׁ בְּחַדְרֵי מַשְׂכִּיתוֹ:	every man in his chambers of imagery."
26 אָמַרְתִּי אַפְאֵיהֶם.	**26. I thought I would make an end of them**
אָמַרְתִּי בְּלִבִּי אַפְאֶה אוֹתָם,	I thought in Mine heart, I would make an end of them.
וְיֵשׁ לְפָרֵשׁ ,אַפְאֵיהֶם׳	And one may (also) explain אפאיהם:
אֲשִׂיתֵם פֵּאָה,	I shall make them as the corners of the field (פאה),
לְהַשְׁלִיכָם מֵעָלַי הֶפְקֵר,	by casting them off from Me as renounced;
וְדֻגְמָתוֹ מָצִינוּ בְעֶזְרָא (נְחֶ׳ ט),	and an analogy to it we find in Ezra (Neh. 9.22):
וַתִּתֵּן לָהֶם מַמְלָכוֹת וַעֲמָמִים	"Moreover Thou gavest them kingdoms and peoples,
וַתַּחְלְקֵם לְפֵאָה, לְהֶפְקֵר,	which Thou didst allot them "לפאה", (i. e.,) as renounced;
וְכֵן חִבְּרוֹ מְנַחֵם.	and similarly has Menahem (ben Saruk) explained it.
וְיֵשׁ פּוֹתְרִים אוֹתוֹ כְּתַרְגּוּמוֹ	And others interpret it as the Targum does:
יֵחוּל רוּגְזִי עֲלֵיהוֹן,	My wrath shall fall upon them.
וְלֹא יִתָּכֵן	But it is not correct,

27 לוּלֵי כַּעַס אוֹיֵב אָגוּר	27. Were it not that I dreaded the enemy's anger,
פֶּן־יְנַכְּרוּ צָרֵימוֹ	Lest their adversaries should misdeem,
פֶּן־יֹאמְרוּ	Lest they should say:
יָדֵנוּ רָמָה	Our hand is exalted,
וְלֹא יְהוָה	And not the Lord
פָּעַל כָּל־זֹאת׃	hath done all this.'
28 כִּי־גוֹי אֹבַד עֵצוֹת הֵמָּה	28. For they are a nation void of counsel,
וְאֵין בָּהֶם תְּבוּנָה׃	And there is no understanding in them.
חמישי	

Rashi — רש״י

שֶׁאִם כֵּן הָיָה לוֹ לִכְתּוֹב אֲאַפְאֵיהֶם,	for if so, it should have written אאפאיהם,
אַחַת לְשִׁמּוּשׁ	one (א) to serve (as the pronominal prefix, "I")
וְאַחַת לִיסוֹד,	and one (א) as a root-letter
כְּמוֹ (יְשַׁע׳ מ״ה):–	as (Isa. 14.5):
אֲאַזֶּרְךָ,	"I have girded thee" (אאזרך; root אזר);
אֲאַמִּצְכֶם בְּמוֹ פִי (אִיּוֹב ט״ז),	"I would strengthen you (אאמצכם) with my mouth" (Job 16.5).
וְהָאָלֶ״ף הַתִּיכוֹנָה אֵינָהּ רְאוּיָה בוֹ כְּלָל.	Moreover the middle א (אאפאיהם) is not proper there at all.
וְאוּנְקְלוֹס תִּרְגֵּם אַחַר לְשׁוֹן הַבָּרַיְתָא	And Onkelos renders this after the manner of the Baraitha
הַשְּׁנוּיָה בְּסִפְרֵי	which is mentioned in the Siphre,
הַחוֹלֶקֶת תֵּיבָה זוֹ לְשָׁלֹשׁ תֵּיבוֹת,	which divides this word into three words:
אָמַרְתִּי אַף אִי הֵם	"I thought אף אי הם,"
–אָמַרְתִּי בְּאַפִּי אֶתְּנֵם	(i. e.,) I thought in Mine anger (אף) I would make them
כְּאִלּוּ אֵינָם	as though they were not (as though they no longer existed),
שֶׁיֹּאמְרוּ רוֹאֵיהֶם עֲלֵיהֶם	so that those who saw them would say concerning them,
אַיֵּה הֵם:	"Where are they?" (אי הם)
27 לוּלֵי כַּעַס אוֹיֵב אָגוּר.	**27. Were it not that I dreaded the enemy's anger**
אִם לֹא שֶׁכַּעַס הָאוֹיֵב	Were it not that the anger of the enemy
כָּנוּס עֲלֵיהֶם לְהַשְׁחִית,	is assembled against them to destroy them.
וְאִם יוּכַל לָהֶם וְיַשְׁחִיתֵם,	And if he (the enemy) prevails over them, and destroys them,
יִתְלֶה הַגְּדֻלָּה בּוֹ וּבֵאלֹהָיו	he will attribute the greatness to himself and to his gods,
וְלֹא יִתְלֶה הַגְּדֻלָּה בִּי,	and he will not attribute the greatness to Me.
וְזֶהוּ שֶׁנֶּאֱמַר „פֶּן־יְנַכְּרוּ צָרֵימוֹ"	And that is (the meaning of) what is stated, "Lest their adversaries should misapprehend;"
–יְנַכְּרוּ הַדָּבָר לִתְלוֹת גְּבוּרָתָם	they will misapprehend the matter and attribute their might
בְּנָכְרִי שֶׁאֵין הַגְּדֻלָּה שֶׁלּוֹ:	to a stranger whose greatness it is not.
פֶּן־יֹאמְרוּ יָדֵנוּ רָמָה וְגוֹ׳.	**Lest they should say: Our hand is exalted, etc.**
כִּי אוֹתוֹ „גּוֹי אֹבַד עֵצוֹת הֵמָּה":	For that "nation is void of counsel."
28 וְאֵין בָּהֶם תְּבוּנָה.	**28. And there is no understanding in them**
שֶׁאִלּוּ הָיוּ חֲכָמִים	For if they were wise,
יַשְׂכִּילוּ זֹאת אֵיכָה יִרְדֹּף׳ וְגוֹ׳:	they would understand "this" (v. 30), "How could one chase," etc.

29 לוּ חָכְמוּ	29. If they were wise,
יַשְׂכִּילוּ זֹאת	they would understand this,
יָבִינוּ לְאַחֲרִיתָם׃	they would discern their latter end.
30 אֵיכָה יִרְדֹּף אֶחָד	30. How should there chase one
אֶלֶף	a thousand,
וּשְׁנַיִם יָנִיסוּ רְבָבָה	And two put ten thousand to flight,
אִם־לֹא	except
כִּי־צוּרָם מְכָרָם	their Rock had given them over,
וַיהוָה הִסְגִּירָם׃	And the Lord had delivered them up?
31 כִּי לֹא כְצוּרֵנוּ צוּרָם	31. For their rock is not as our Rock,
וְאֹיְבֵינוּ פְּלִילִים׃	And our enemies are judges.
32 כִּי־מִגֶּפֶן סְדֹם	32. For of the vine of Sodom
גַּפְנָם	is their vine,

Rashi — רש״י

29 יָבִינוּ לְאַחֲרִיתָם.	**29. They would discern their latter end**
יִתְּנוּ לֵב לְהִתְבּוֹנֵן	They would set their heart to consider
לְסוֹף פּוּרְעֲנוּתָם שֶׁל יִשְׂרָאֵל׃	the ultimate (reason) of the retribution of Israel.
30 אֵיכָה יִרְדֹּף אֶחָד.	**30. How should there chase one**
מִמֶּנּוּ "אֶלֶף" מִיִּשְׂרָאֵל׃	of us "a thousand" of Israel.
אִם לֹא כִּי־צוּרָם מְכָרָם וַה׳ הִסְגִּירָם.	**Except their Rock had given them over, and the Lord had delivered them up**
מְכָרָם וּמְסָרָם בְּיָדֵינוּ.	He gave them over and delivered them into our hands;
דליב"רר בְּלַעַ"ז׃	*Delivrer* in O. F.
31 כִּי לֹא כְצוּרֵנוּ צוּרָם.	**31. For their rock is not as our Rock**
כָּל זֶה הָיָה לָהֶם לָאוֹיְבִים לְהָבִין	All this the enemies should have understood,
שֶׁהַשֵּׁם הִסְגִּירָם	(viz.,) that the Lord had delivered them,
וְלֹא לָהֶם וְלֵאלֹהֵיהֶם הַנִּצָּחוֹן,	and that neither to them nor to their gods belonged the victory;
שֶׁהֲרֵי עַד הֵנָּה	for hitherto
לֹא יָכְלוּ כְּלוּם אֱלֹהֵיהֶם	their gods were not able (to do) anything
כְּנֶגֶד צוּרֵנוּ,	against our Rock,
כִּי לֹא כְסַלְעֵנוּ סַלְעָם;	for not as our Rock is their rock.
כָּל צוּר שֶׁבַּמִּקְרָא לְשׁוֹן סָלַע׃	(The term) צור in the Bible always denotes a rock.
וְאֹיְבֵינוּ פְּלִילִים.	**And our enemies are judges**
וְעַכְשָׁיו אוֹיְבֵינוּ שׁוֹפְטִים אוֹתָנוּ,	And now our enemies judge us;
הֲרֵי שֶׁצּוּרֵנוּ מְכָרָנוּ לָהֶם׃	it must be then that our Rock has given us over to them.
32 כִּי־מִגֶּפֶן סְדֹם גַּפְנָם.	**32. For of the vine of Sodom is their vine**
מוּסָב לְמַעְלָה	(This) refers to the above:
—אָמַרְתִּי בְּלִבִּי אַפְאֵיהֶם	I thought in Mine heart, I would make an end of them,
וְאַשְׁבִּית זִכְרָם	and I would make their memory cease,
לְפִי שֶׁמַּעֲשֵׂיהֶם מַעֲשֵׂי סְדוֹם וַעֲמוֹרָה׃	because their doings were the doings of Sodom and Gomorrah.

וּמִשַּׁדְמֹת עֲמֹרָה — And of the fields of Gomorrah;
עֲנָבֵמוֹ — Their grapes
עִנְּבֵי־רוֹשׁ — (are) grapes of gall,
אַשְׁכְּלֹת מְרֹרֹת לָמוֹ׃ — Their clusters are bitter.
33 חֲמַת תַּנִּינִם יֵינָם — 33. The venom of the serpents is their wine,
וְרֹאשׁ פְּתָנִים אַכְזָר׃ — And the cruel poison of asps.
34 הֲלֹא הוּא כָּמֻס עִמָּדִי — 34. 'Is not this laid up in store with Me,
חָתוּם בְּאוֹצְרֹתָי׃ — Sealed up in My treasures?
35 לִי נָקָם וְשִׁלֵּם — 35. Vengeance is Mine and (it shall) recompense,

Rashi — רש״י

שַׁדְמֹת. — **The fields of**
שְׂדֵה תְבוּאָה, — (שדמת denotes) a field of wheat,
כְּמוֹ (חֲבַ׳ ג׳):— — as ((Hab. 3.17):
וּשְׁדֵמוֹת לֹא עָשָׂה אֹכֶל, — "and the fields (ושדמות) shall yield no fruit";
בְּשַׁדְמוֹת קִדְרוֹן (מְ״ב כ״ג): — "In the fields (שדמות) of Kidron" (II Ki. 23.4).
עִנְּבֵי־רוֹשׁ. — **(Are) grapes of gall**
עֵשֶׂב מָר: — (רוש is) a bitter grass.
אַשְׁכְּלֹת מְרֹרֹת לָמוֹ. — **Their clusters are bitter**
מַשְׁקֶה מַר רָאוּי לָהֶם, — A bitter drink is fitting for them;
לְפִי מַעֲשֵׂיהֶם פּוּרְעֲנוּתָם, — according to their doings, (so is) their retribution.
וְכֵן תִּרְגֵּם אוּנְקְלוּס — And similarly Onkelos renders it:
וְתוּשְׁלָמַת עוֹבָדֵיהוֹן כִּמְרָרוּתְהוֹן: — and the retribution of their deeds is as their bitterness.
33 **חֲמַת תַּנִּינִם יֵינָם.** — **33. The venom of the serpents is their wine**
כְּתַרְגּוּמוֹ — (Understand this) as the Targum renders it:
הָא כְמָרַת תַּנִּינַיָּא כֹּס פּוּרְעָנוּתְהוֹן, — הא כמרת תניניא כס פורענותהון,
הִנֵּה כִמְרִירַת נְחָשִׁים כּוֹס מִשְׁתֵּה פוּרְעֲנוּתָם: — "Behold as the venom of serpents (is) the drinking-cup of their retribution."

וְרֹאשׁ פְּתָנִים. — **And the poison of asps**
כּוֹסָם שֶׁהוּא ,אַכְזָר׳ לְנָשׁוּךְ, — is their cup — for it (the venom) is "cruel" to him who is bitten.
אוֹיֵב אַכְזָרִי יָבֹא וְיִפָּרַע מֵהֶם: — A cruel enemy will come and he will exact punishment from them.
34 **הֲלֹא־הוּא כָּמֻס עִמָּדִי.** — **34. Is not this laid up in store with Me?**
כְּתַרְגּוּמוֹ, — (Understand this) as the Targum renders it (Are not all their doings before Me):
כִּסְבוּרִים הֵם — They think
שֶׁשָּׁכַחְתִּי מַעֲשֵׂיהֶם, — that I have forgotten their doings.
כֻּלָּם גְּנוּזִים וּשְׁמוּרִים לְפָנָי: — They are all stored and kept before Me.
הֲלֹא־הוּא. — **Is not this?**
—פְּרִי גַפְנָם — (viz.,) the fruit of their vines
וּתְבוּאַת שַׁדְמוֹתָם — and the produce of their fields,
—"כָּמֻס עִמָּדִי": — "stored up with me?"
35 **לִי נָקָם וְשִׁלֵּם.** — **35. Vengeance is Mine, and (it shall) recompense**
עִמִּי נָכוֹן וּמְזֻמָּן — Prepared and ready with me
פּוּרְעֲנוּת נָקָם, — (is) the retribution of vengeance,
וִישַׁלֵּם לָהֶם כְּמַעֲשֵׂיהֶם, — and it shall recompense them according to their deeds,

לְעֵת תָּמוּט רַגְלָם — against the time when their foot shall slip;

כִּי קָרוֹב יוֹם אֵידָם — For the day of their calamity is at hand,

וְחָשׁ עֲתִדֹת לָמוֹ: — And the things that are to come upon them shall make haste.

36 כִּי־יָדִין יְהוָה עַמּוֹ — 36. For the Lord will judge His people,

---

Rashi — רש״י

הַנָּקָם יְשַׁלֵּם לָהֶם גְּמוּלָם. — (i. e.,) vengeance will recompense them the retribution.

וְיֵשׁ מְפָרְשִׁים, וְשִׁלֵּם׳ — And others explain (the term) ושלם

שֵׁם דָּבָר, — as a noun ("and recompense"),

כְּמוֹ וְשִׁלּוּם — as ושלום ("and recompense"),

וְהוּא מִגְזָרַת — and this is like the form,

וְהַדִּבֵּר אֵין בָּהֶם (יִרְמְ׳ ה) — "And the word (וְהַדִּבֵּר) is not in them" (Jer. 5.13),

כְּמוֹ וְהַדִּבּוּר,— — (which) is like וְהַדִּבּוּר ("and the word").

וְאֵימָתַי אֲשַׁלֵּם לָהֶם? — And when shall I recompense them?

לְעֵת תָּמוּט רַגְלָם. — **Against the time when their foot shall slip**

כְּשֶׁתִּתּוֹם זְכוּת אֲבוֹתָם — When the merit of their fathers shall end,

שֶׁהֵן סְמוּכִים עָלָיו: — upon which they depend.

כִּי קָרוֹב יוֹם אֵידָם. — **For the day of their calamity is at hand**

מִשֶּׁאֶרְצֶה לְהָבִיא עֲלֵיהֶם — When I shall desire to bring upon them

יוֹם אֵידָם — the day of their calamity,

קָרוֹב וּמְזֻמָּן לְפָנַי — (it is) at hand and prepared before Me,

לְהָבִיא עַל יְדֵי שְׁלוּחִים הַרְבֵּה: — to bring (it) through the agency of many messengers.

וְחָשׁ עֲתִדֹת לָמוֹ. — **And the things that are to come upon them shall make haste**

וּמַהֵר יָבוֹאוּ הָעֲתִידוֹת לָהֶם: — And speedily there shall arrive the things that are to come upon them.

וְחָשׁ. — **And (they) shall make haste**

כְּמוֹ (יְשַׁעְ׳ ה):— — As (Isa. 5.19):

יְמַהֵר יָחִישָׁה; — "Let Him make speed", let Him hasten (יחישה).

עַד כַּאן הֵעִיד עֲלֵיהֶם מֹשֶׁה — Hitherto Moses spoke to them

דִּבְרֵי תוֹכָחָה — words of warning,

לִהְיוֹת הַשִּׁירָה הַזֹּאת לְעֵד, — that this Song should serve as a witness,

כְּשֶׁתָּבֹא עֲלֵיהֶם הַפּוּרְעָנוּת — (so that) when retribution will come upon them,

יֵדְעוּ שֶׁאֲנִי הוֹדַעְתִּים מֵרֹאשׁ, — they will know that I informed them from the beginning.

מִכַּאן וְאֵילָךְ הֵעִיד עֲלֵיהֶם — Henceforth he speaks to them

דִּבְרֵי תַנְחוּמִין — words of consolation,

שֶׁיָּבוֹאוּ עֲלֵיהֶם — that would befall them

כִּכְלוֹת הַפּוּרְעָנוּת, — at the termination of the retribution,

כְּכֹל אֲשֶׁר אָמַר לְמַעְלָה, — according to all that he said above, (30.1–3),

וְהָיָה כִּי יָבֹאוּ עָלֶיךָ וְגוֹ׳ — "And it shall come to pass, when there are come upon thee," etc.,

הַבְּרָכָה וְהַקְּלָלָה וְגוֹ׳ — "the blessing and the curse," etc.,

וְשָׁב ה׳ אֱלֹהֶיךָ אֶת שְׁבוּתְךָ וְגוֹ׳: — "that then the Lord thy God will turn thy captivity," etc.

36 כִּי־יָדִין ה׳ עַמּוֹ. — **36. For the Lord will judge His people**

כְּשֶׁיִּשְׁפּוֹט אוֹתוֹ בְּיִסּוּרִין הַלָּלוּ — When He will judge them with those afflictions

הָאֲמוּרוֹת עֲלֵיהֶם, — which are mentioned in reference to them,

כְּמוֹ (אִיּוֹב ל״ו):— — as (Job 36.31):

וְעַל־עֲבָדָיו יִתְנֶחָם	And repent Himself for His servants;
כִּי יִרְאֶה	When He seeth
כִּי־אָזְלַת יָד	that the power doth prevail,
וְאֶפֶס עָצוּר וְעָזוּב׃	And there is none remaining shut up or left at large.
37 וְאָמַר	37. And He said:
אֵי אֱלֹהֵימוֹ	Where are their gods,

Rashi — רש״י

כִּי בָם יָדִין עַמִּים.	"For by these He judgeth (ידין) the peoples,"
—יְיַסֵּר עַמִּים.	(i. e.,) He afflicts peoples.
כִּי זֶה אֵינוֹ מְשַׁמֵּשׁ בִּלְשׁוֹן דְּהָא	(The term) כי here does not serve in the sense of "for,"
לָתֵת טַעַם לַדְּבָרִים שֶׁל מַעְלָה,	to give a reason for the words above,
אֶלָּא לְשׁוֹן תְּחִלַּת דִּבּוּר,	but denotes the beginning of a statement,
כְּמוֹ (וַיִּקְ׳ כ״ה):—	as (Lev. 25.2):
כִּי תָבֹאוּ אֶל הָאָרֶץ,	"When (כי) ye are come into the land."
כְּשֶׁיָּבֹאוּ עֲלֵיהֶם מִשְׁפָּטִים הַלָּלוּ	(Thus the verse means:) When these judgments will come upon them,
וְיִתְנֶחָם הַקָּבָּ״ה עַל עֲבָדָיו	and the Holy One Blessed Be He will repent Himself for His servants
לָשׁוּב וּלְרַחֵם עֲלֵיהֶם:	to again have compassion on them.
יִתְנֶחָם.	**And (He will) repent Himself**
לְשׁוֹן הֶפּוּךְ הַמַּחֲשָׁבָה	(יתנחם denotes) to reverse one's thought (intention)
לְהֵיטִיב אוֹ לְהָרַע:	to deal well or to do evil.
כִּי יִרְאֶה כִּי־אָזְלַת יָד.	**When He seeth that the power doth prevail**
כְּשֶׁיִּרְאֶה כִּי יַד הָאוֹיֵב	When He will see that the hand of the enemy
הוֹלֶכֶת וְחוֹזֶקֶת מְאֹד עֲלֵיהֶם,	continues to become very strong against them,
„וְאֶפֶס״ בָּהֶם „עָצוּר וְעָזוּב״:	"and there is none" among them "עצור ועזוב".
עָצוּר.	**Shut up**
נוֹשָׁע עַל יְדֵי עוֹצֵר	(עצור is to be interpreted:) One who is saved by means an officer (עוצר),
וּמוֹשֵׁל שֶׁיַּעֲצוֹר בָּהֶם:	or a ruler who controls them.
עָזוּב.	**Left at large**
עַל יְדֵי עוֹזֵב.	(עזוב is to be interpreted: one who is strengthened) through one who inspires strength.
עוֹצֵר הוּא הַמּוֹשֵׁל	עוצר is the ruler (officer)
הָעוֹצֵר בָּעָם	who controls the people,
שֶׁלֹּא יֵלְכוּ מְפֻזָּרִים	lest they become scattered
בְּצֵאתָם לַצָּבָא עַל הָאוֹיֵב,	when they go forth to battle against the enemy;
בְּלַעַ״ז מיינטינד״ור.	*maintenue* (in O. F.).
עָצוּר הוּא הַנּוֹשָׁע בְּמַעֲצוֹר הַמּוֹשֵׁל:	עצור is the one who is saved by the control of his officer.
עָזוּב מְחֻזָּק	עזוב (denotes) strengthened,
כְּמוֹ (נְחֶמְ׳ ג):—	as (Neh. 3.8):
וַיַּעַזְבוּ יְרוּשָׁלַיִם עַד הַחוֹמָה,	"And they strengthened (ויעזבו) Jerusalem even unto the wall";
אֵיךְ לֹא עֻזְּבָה עִיר תְּהִלָּה (יִרְמְ׳ מ״ט).;	"How is the city of praise left without strength" (עזבה) (Jer. 49.25);
אינפורצי״ד	*anforcede* (in O. F.).
37 וְאָמַר.	**37. And He said**
הַקָּבָּ״ה עֲלֵיהֶם	the Holy One Blessed Be He unto them,
„אֵי אֱלֹהֵימוֹ״ שֶׁעָבְדוּ:	"Where are their gods" which they worshipped?

צוּר חָסָיוּ בוֹ׃	The rock in whom they trusted;
38 אֲשֶׁר חֵלֶב זְבָחֵימוֹ יֹאכֵלוּ	38. Who did eat the fat of their sacrifices,
יִשְׁתּוּ יֵין נְסִיכָם	(And) drank the wine of their drink-offering?
יָקוּמוּ	Let them rise up
וְיַעְזְרֻכֶם	and help you,
יְהִי עֲלֵיכֶם סִתְרָה׃	Let him be your protection.
39 רְאוּ ׀ עַתָּה	39. See now
כִּי אֲנִי אֲנִי הוּא	that I, even I, am He,
וְאֵין אֱלֹהִים עִמָּדִי	And there is no god with Me;
אֲנִי אָמִית	I kill,
וַאֲחַיֶּה	and I make alive;
מָחַצְתִּי	I have wounded,
וַאֲנִי אֶרְפָּא	and I heal;
וְאֵין מִיָּדִי מַצִּיל׃ ששי	And there is none that can deliver out of My hand.
40 כִּי־אֶשָּׂא	40. For I lift up
אֶל־שָׁמַיִם	unto heaven
יָדִי	My hand,

Rashi — רש"י

צוּר חָסָיוּ בוֹ.	**The rock in whom they trusted**
הַסֶּלַע שֶׁהָיוּ מִתְכַּסִּין בּוֹ	The rock in which they found cover
מִפְּנֵי הַחַמָּה וְהַצִּנָּה,	from the heat and the cold,
כְּלוֹמַר שֶׁהָיוּ בְטוּחִין בּוֹ	that is, in which they trusted
לְהָגֵן עֲלֵיהֶם מִן הָרָעָה:	to protect them from evil.
38 אֲשֶׁר חֵלֶב זְבָחֵימוֹ.	**38. Who (did eat) the fat of their sacrifices**
הָיוּ אוֹתָן אֱלֹהוֹת אוֹכְלִים,	did those gods eat
שֶׁהָיוּ מַקְרִיבִים לִפְנֵיהֶם,	before whom they offered sacrifices,
וְשׁוֹתִין "יֵין נְסִיכָם":	and they drank "the wine of their drink-offering."
יְהִי עֲלֵיכֶם סִתְרָה.	**Let him be your protection**
אוֹתוֹ הַצּוּר יְהִי לָכֶם מַחְסֶה וּמִסְתּוֹר:	Let that rock be your trust and protection.
39 רְאוּ עַתָּה.	**39. See now**
הָבִינוּ מִן הַפּוּרְעָנוּת	Understand from the calamities
שֶׁהֵבִיא עֲלֵיכֶם	which He has brought upon you,
וְאֵין לָכֶם מוֹשִׁיעַ	and you had none to aid you;
וּמִן הַתְּשׁוּעָה שֶׁאוֹשִׁיעֲכֶם	and also from the victory that I will bring to you,
וְאֵין מוֹחֶה בְּיָדִי:	and there is none to prevent Me.
אֲנִי אֲנִי הוּא.	**I, even I, am He**
אֲנִי לְהַשְׁפִּיל וַאֲנִי לְהָרִים:	"I" (have the power to) make low and "I" elevate.
וְאֵין אֱלֹהִים עִמָּדִי.	**And there is no god with Me**
עוֹמֵד כְּנֶגְדִּי לִמְחוֹת:	That stands opposed to Me to protest.
עִמָּדִי.	**With Me**
דּוּגְמָתִי וְכָמוֹנִי:	(I. e.,) similar to Me and like Me.
וְאֵין מִיָּדִי מַצִּיל.	**And there is none that can deliver out of My hand**
הַפּוֹשְׁעִים בִּי:	(When I punish) those who sin against Me.
40 כִּי־אֶשָּׂא אֶל־שָׁמַיִם יָדִי.	**40. For I lift up unto heaven My hand**
כִּי בַּחֲרוֹן אַפִּי אֶשָּׂא יָדִי	For with My furious wrath I shall lift My hand

וְאָמַרְתִּי	And say:
חַי אָנֹכִי לְעֹלָם׃	(As) I live for ever,
41 אִם־שַׁנּוֹתִי	41. If I whet
בְּרַק חַרְבִּי	the glitter of My sword,
וְתֹאחֵז בְּמִשְׁפָּט יָדִי	And My hand taketh hold on judgment;
אָשִׁיב נָקָם	I will render vengeance
לְצָרָי	to Mine adversaries,
וְלִמְשַׂנְאַי אֲשַׁלֵּם׃	And them that hate Me I will recompense.
42 אַשְׁכִּיר חִצַּי מִדָּם	42. I will make Mine arrows drunk with the blood,
וְחַרְבִּי תֹּאכַל בָּשָׂר	And My sword shall devour flesh;

Rashi — רש״י

אֶל עַצְמִי בִּשְׁבוּעָה׃	unto Myself with an oath.
וְאָמַרְתִּי חַי אָנֹכִי.	**And (I) say: (As) I live**
לְשׁוֹן שְׁבוּעָה הוּא,	This expresses an oath.
אֲנִי נִשְׁבָּע ,חַי אָנֹכִי׳:	I swear, "as I live."
41 אִם־שַׁנּוֹתִי בְּרַק חַרְבִּי.	**41. If I whet the glitter of My sword**
אִם אֲשַׁנֵּן אֶת לַהַב חַרְבִּי	(I. e.,) if I whet the blade of My sword
לְמַעַן הֱיוֹת לָהּ בָּרָק,	that it should have a glitter;
שפלנ״דור:	*splendeur* (in O. F.).
וְתֹאחֵז בְּמִשְׁפָּט יָדִי.	**And My hand taketh hold on judgment**
לְהָנִיחַ מִדַּת רַחֲמִים מֵאוֹיְבַי	To forsake the dispensation of mercy for Mine enemies
שֶׁהֵרֵעוּ לָכֶם	who have done evil to you,
אֲשֶׁר אֲנִי קָצַפְתִּי מְעַט	for I was wrathful in small measure
וְהֵמָּה עָזְרוּ לְרָעָה.	but they aided for evil.
דָ״א וְתֹאחֵז יָדִי אֶת מִדַּת הַמִּשְׁפָּט	Another interpretation: and My hand will take hold on Justice
לְהַחֲזִיק בָּהּ	to maintain it
וְלִנְקוֹם נָקָם׃	and to exact vengeance.
אָשִׁיב נָקָם וְגוֹ׳.	**I will render vengeance, etc.**
לָמְדוּ רַבּוֹתֵינוּ בָּאַגָּדָה	Our Rabbis have derived in the Agadah
מִתּוֹךְ לְשׁוֹן הַמִּקְרָא שֶׁאָמַר	from the language of the verse which states,
,,וְתֹאחֵז בְּמִשְׁפָּט יָדִי״	"And My hand taketh hold on judgment":
—לֹא כְּמִדַּת בָּשָׂר וָדָם	Not like the nature of flesh and blood
מִדַּת הַקָּבָּ״ה,	is the nature of the Holy One Blessed Be He.
מִדַּת בָּשָׂר וָדָם זוֹרֵק חֵץ	It is the nature of (one of) flesh and blood, when he shoots an arrow,
וְאֵינוֹ יָכוֹל לַהֲשִׁיבוֹ,	he is not able to retake it,
וְהַקָּבָּ״ה זוֹרֵק חִצָּיו	but the Holy One Blessed Be He casts His arrows
וְיֵשׁ בְּיָדוֹ לַהֲשִׁיבָם	and He has the power to retake them,
כְּאִלּוּ אוֹחֲזָן בְּיָדוֹ,	as though He held them in His hand —
שֶׁהֲרֵי בָּרָק הוּא חִצּוֹ	for lightning is His arrow,
—שֶׁנֶּאֱמַר כָּאן:	as it is stated here,
,בְּרַק חַרְבִּי וְתֹאחֵז בְּמִשְׁפָּט יָדִי׳,	"Lightning is My sword, and My hand taketh hold on retribution."
וְהַמִּשְׁפָּט הַזֶּה לְשׁוֹן פּוּרְעָנוּת הוּא,	And (the term) משפט here denotes retribution;
בְּלַעַ״ז אשטיצ״יא:	in O. F. *justicia*.
42 אַשְׁכִּיר חִצַּי מִדָּם.	**42. I will make Mine arrows drunk with the blood**
הָאוֹיֵב,	of the enemy,

מִדַּם חָלָל וְשִׁבְיָה	With the blood of the slain and the captives,
מֵרֹאשׁ פַּרְעוֹת אוֹיֵב׃	From the first breaches of the enemy.'
43 הַרְנִינוּ גוֹיִם עַמּוֹ	43. Sing aloud, O ye nations, of His people;
כִּי דַם־עֲבָדָיו	For the blood of His servants
יִקּוֹם	He doth avenge,
וְנָקָם יָשִׁיב	And doth render vengeance
לְצָרָיו	to His adversaries,

Rashi — רש״י

"וְחַרְבִּי תֹּאכַל" בְּשָׂרָם:	"And My sword shall devour" their flesh.
מִדַּם חָלָל וְשִׁבְיָה.	**With the blood of the slain and the captives**
זֹאת תִּהְיֶה לָהֶם	This shall befall them
מֵעֲוֹן דַּם חַלְלֵי יִשְׂרָאֵל	because of (their) iniquity (in reference to) the blood of the slain of Israel,
וְשִׁבְיָה שֶׁשָּׁבוּ מֵהֶם:	and the captives which they seized from them.
מֵרֹאשׁ פַּרְעוֹת אוֹיֵב.	**For the first breaches of the enemy**
מִפֶּשַׁע תְּחִלַּת פִּרְצוֹת הָאוֹיֵב,	From the sin of the first breaches of the enemy.
כִּי כְּשֶׁהַקָּבָּ״ה נִפְרָע מִן הָאֻמּוֹת	For when the Holy One Blessed Be He exacts punishment from the nations,
פּוֹקֵד עֲלֵיהֶם עֲוֹנָם	He visits upon them their own iniquity
וַעֲוֹנוֹת אֲבוֹתֵיהֶם	and the iniquity of their fathers
מֵרֵאשִׁית פִּרְצָה	from the first inroad
שֶׁפָּרְצוּ בְּיִשְׂרָאֵל:	which they made against Israel.
43 הַרְנִינוּ גוֹיִם עַמּוֹ.	**43. Sing aloud, O ye nations, of His people**
לְאוֹתוֹ הַזְּמַן	At that time
יְשַׁבְּחוּ הָאֻמּוֹת אֶת יִשְׂרָאֵל,	the nations will praise Israel:
רְאוּ מַה שִּׁבְחָהּ שֶׁל אֻמָּה זוֹ,	Behold how praiseworthy is this nation,
שֶׁדָּבְקוּ בְּהַקָּבָּ״ה	for they cleaved to the Holy One Blessed Be He
בְּכָל הַתְּלָאוֹת	throughout all the misfortunes
שֶׁעָבְרוּ עֲלֵיהֶם	which passed over them,
וְלֹא עֲזָבוּהוּ	and they did not forsake Him;
יוֹדְעִים הָיוּ בְּטוּבוֹ וּבְשִׁבְחוֹ:	they know of His goodness and of His excellency.
כִּי דַם־עֲבָדָיו יִקּוֹם.	**For the blood of His servants He doth avenge**
שְׁפִיכוּת דְּמֵיהֶם, כְּמַשְׁמָעוֹ:	The shedding of their blood, as its usual meaning.
וְנָקָם יָשִׁיב לְצָרָיו.	**And (He) doth render vengeance to His adversaries**
עַל הַגָּזֵל וְעַל הֶחָמָס,	For robbery and for violence,
כְּעִנְיָן שֶׁנֶּאֱמַר (יוֹאֵל ד) –	after the matter that is stated (Joel 4.19):
מִצְרַיִם לִשְׁמָמָה תִהְיֶה	"Egypt shall be a desolation,
וֶאֱדוֹם לְמִדְבַּר שְׁמָמָה תִּהְיֶה	And Edom shall be a desolate wilderness,
מֵחֲמַס בְּנֵי יְהוּדָה	For the violence against the children of Judah;"
וְאוֹמֵר (עוֹבַדְ׳ י׳):–	and it also states (Obad. 10):
מֵחֲמַס אָחִיךָ יַעֲקֹב וְגוֹ׳:	"For the violence done to thy brother Jacob," etc.

וְכִפֶּר אַדְמָתוֹ	And He doth make expiation for the land
עַמּוֹ: פ שביעי	of His people.

Rashi — רש"י

וְכִפֶּר אַדְמָתוֹ עַמּוֹ.	**And He doth make expiation for the land of His people**
וִיפַיֵּס אַדְמָתוֹ וְעַמּוֹ	(וכפר אדמתו עמו denotes) And He doth conciliate His land and His people
עַל הַצָּרוֹת שֶׁעָבְרוּ עֲלֵיהֶם	for the afflictions which passed over them,
וְשֶׁעָשָׂה לָהֶם הָאוֹיֵב:	and which the enemy did unto them.
וְכִפֵּר.	**And He doth make expiation**
לְשׁוֹן רִצּוּי וּפִיּוּס,	(וכפר) denotes reconciling and conciliating,
כְּמוֹ ,אֲכַפְּרָה פָנָיו'	as (Gen. 32.21) אכפרה פניו, (which is rendered by Onkelos:)
אֲנַחִינֵיהּ לְרוּגְזֵיהּ:	"I will conciliate his wrath."
וְכִפֵּר אַדְמָתוֹ.	**And He doth make expiation for His land**
וּמַה הִיא אַדְמָתוֹ?	And what is His land?
עַמּוֹ.	**His people**
כְּשֶׁעַמּוֹ מִתְנַחֲמִים	When His people are comforted,
אַרְצוֹ מִתְנַחֶמֶת,	His land is comforted.
וְכֵן הוּא אוֹמֵר (תְּהִ' פ"ה):—	And similarly it states Isa. 85.2):
רָצִיתָ ה' אַרְצֶךָ,	"Lord, Thou hast been favorable unto Thy land."
בַּמֶּה רָצִיתָ אַרְצֶךָ?	How hast thou been favorable unto Thy land?
שַׁבְתָּ שְׁבִית יַעֲקֹב.	"Thou hast turned the captivity of Jacob" (*ibid*).
—בְּפָנִים אֲחֵרִים הִיא נִדְרֶשֶׁת בְּסִפְרֵי	In another manner this is explained in Siphre.
וְנֶחְלְקוּ בָהּ רַבִּי יְהוּדָה וְרַבִּי נְחֶמְיָה,	Rabbi Judah and Rabbi Nehemiah differed regarding this:
רַבִּי יְהוּדָה דוֹרֵשׁ כֻּלָּהּ כְּנֶגֶד יִשְׂרָאֵל,	Rabbi Judah interets all of it regarding Israel,
וְרַבִּי נְחֶמְיָה דוֹרֵשׁ אֶת כֻּלָּהּ	and Rabbi Nehemiah interprets all of it
כְּנֶגֶד הָאֻמּוֹת,	regarding the nations.
רַבִּי יְהוּדָה דוֹרְשָׁה כְּלַפֵּי יִשְׂרָאֵל,	Rabbi Judah interprets it in reference to Israel:
(26) **אָמַרְתִּי אַפְאֵיהֶם.**	**(26.) I thought I would make an end of them**
כְּמוֹ שֶׁפֵּרַשְׁתִּי עַד	as I have explained, until
(27) **,וְלֹא ה' פָּעַל כָּל זֹאת,**	**(27.) And not the Lord hath wrought all this**
(28) **כִּי גוֹי אֹבַד עֵצוֹת הֵמָּה**	**(28.) For they are a nation void of counsel**
אָבְדוּ תוֹרָתִי שֶׁהִיא לָהֶם	(i. e.,) They are void of My Torah which is for them
עֵצָה נְכוֹנָה,	proper counsel.
,וְאֵין בָּהֶם תְּבוּנָה' לְהִתְבּוֹנֵן	"And there is no understanding in them" (*ibid.*) to comprehend
(30) **אֵיכָה יִרְדֹּף אֶחָד**	**(30.) How should there chase one**
מִן הָאֻמּוֹת	of the nations
,אֶלֶף' מֵהֶם,	"a thousand" of them,
,אִם לֹא כִּי־צוּרָם מְכָרָם':	"Except their Rock had given them over" (*ibid.*).
(31) **כִּי לֹא כְצוּרֵנוּ צוּרָם.**	**(31.) For their rock is not as our Rock**
הַכֹּל כְּמוֹ שֶׁפֵּרַשְׁתִּי עַד תַּכְלִית,	All as I have explained until the end.
וְרַ' נְחֶמְיָה דוֹרְשָׁה כְּלַפֵּי הָאֻמּוֹת'	And Rabbi Nehemiah interprets it in reference to the nations:
,כִּי גוֹי אֹבַד עֵצוֹת הֵמָּה'	For they are a nation void of counsel

Rashi — רש״י

כְּמוֹ שֶׁפֵּרַשְׁתִּי תְּחִלָּה עַד	as I have explained from the beginning until
וְאֹיְבֵינוּ פְּלִילִים׳:	"Even our enemies themselves being judges."
(32) כִּי מִגֶּפֶן סְדֹם גַּפְנָם.	**(32.) For of the vine of Sodom is their vine**
שֶׁל אֻמּוֹת:	(Viz.,) of the nations.
וּמִשַּׁדְמֹת עֲמֹרָה וְגוֹ׳.	**And of the fields of Gomorrah, etc.**
וְלֹא יָשִׂימוּ לִבָּם לִתְלוֹת	(i. e.,) and they do not set (their) heart to attribute
הַגְּדֻלָּה בִּי:	the greatness to Me.
עֲנָבֵמוֹ עִנְּבֵי־רוֹשׁ.	**Their grapes (are) grapes of gall**
הוּא שֶׁאָמַר	This is what it states (v. 27),
"לוּלֵי כַּעַס אוֹיֵב אָגוּר"	"Were not the anger of the enemy stored up"
עַל יִשְׂרָאֵל לְהַרְעִילָם וּלְהַמְרִידָם,	against Israel, to poison them and to embitter them.
לְפִיכָךְ ,אַשְׁכְּלֹת מְרֹרֹת לָמוֹ׳	Therefore "Their clusters are bitter" (v. 32),
לְהַלְעִיט אוֹתָם	to satiate them (with bitterness)
עַל מַה שֶּׁעָשׂוּ לְבָנַי:	for what they have done to My children.
(33) חֲמַת תַּנִּינִם יֵינָם.	**(33.) The venom of the serpents is their wine**
מוּכָן לְהַשְׁקוֹתָם	prepared to give them to drink
עַל מַה שֶּׁעוֹשִׂין לָהֶם:	for what they do to them.
(34) כָּמֻס עִמָּדִי.	**(34.) Laid up in store with Me**
אוֹתוֹ הַכּוֹס,	That cup,
שֶׁנֶּאֱמַר (תְּהִ׳ ע״ה):—	as it is stated (Ps. 75.9):
כִּי כוֹס בְּיַד ה׳ וְגוֹ׳:	"For in the hand of the Lord there is a cup," etc.
(35) לְעֵת תָּמוּט רַגְלָם.	**(35.) Against the time when their foot shall slip**
כְּעִנְיָן שֶׁנֶּאֱמַר (יְשַׁעְ׳ כ״ו):—	After the matter that is stated (Isa. 26.6).
תִּרְמְסֶנָּה רָגֶל:	"The foot shall tread it down."
(36) כִּי־יָדִין ה׳ עַמּוֹ.	**(36.) For the Lord will plead for His people**
בִּלְשׁוֹן זֶה מְשַׁמֵּשׁ ,כִּי׳ יָדִין,	In this opinion (of R. Nehemiah) כי ידין serves
בִּלְשׁוֹן דְּהָא,	in the sense of "because" He will plead.
וְאֵין יָדִין לְשׁוֹן יִסּוּרִין	And (the term) ידין does not denote "afflictions"
אֶלָּא כְּמוֹ כִּי יָרִיב אֶת רִיבָם	but as "because He will plead their cause" (cf. Jer. 50.34)
מִיַּד עוֹשְׁקֵיהֶם,	against their oppressors,
,כִּי יִרְאֶה כִּי־אָזְלַת יָד וְגוֹ׳:	"When He seeth that their strength is gone," etc.
(37) וְאָמַר אֵי אֱלֹהֵימוֹ.	**(37.) And he will say: Where is their God?**
הָאוֹיֵב יֹאמַר:—	The enemy will say:
אֵי אֱלֹהֵימוֹ שֶׁל יִשְׂרָאֵל?	Where is the God of Israel? —
כְּמוֹ שֶׁאָמַר טִיטוּס הָרָשָׁע	just as the wicked Titus said
כְּשֶׁגִּדֵּר אֶת הַפָּרֹכֶת (גִּיטִּין נ״ו)	when he rent the veil (Git. 56), —
כְּעִנְיָן שֶׁנֶּאֱמַר (מִיכָה ז):—	as in the matter that is stated (Micah 7.10),
וְתֵרֶא אֹיַבְתִּי וּתְכַסֶּהָ בוּשָׁה	"Then mine enemy shall see it, and shame shall cover her;
הָאֹמְרָה אֵלַי אַיּוֹ ה׳ אֱלֹהָיִךְ:	Who said unto me: Where is the Lord thy God?"
(39) רְאוּ עַתָּה כִּי אֲנִי וְגוֹ׳.	**(39.) See now, that I, etc.**
אָז יְגַלֶּה הַקָּבָּ״ה יְשׁוּעָתוֹ	Then the Holy One Blessed Be He will reveal His salvation,
וְיֹאמַר ,רְאוּ עַתָּה כִּי אֲנִי הוּא׳	and He shall say, "See now that I, even I, am He":

Rashi — רש"י

מֵאִתִּי בָּאת עֲלֵיכֶם הָרָעָה	from Me there came upon you evil,
וּמֵאִתִּי תָּבֹא עֲלֵיכֶם הַטּוֹבָה:	and from Me there shall come to you goodness.
וְאֵין מִיָּדִי מַצִּיל.	**And there is none that can deliver out of My hand**
שֶׁיַּצִּיל אֶתְכֶם מִן הָרָעָה	Who will deliver you from the evil
אֲשֶׁר אָבִיא עֲלֵיכֶם:	which I will bring upon you.
(40) **כִּי־אֶשָּׂא אֶל שָׁמַיִם יָדִי.**	**(40.) For I have lifted up My hand (e. g. My dwelling place) unto heaven**
כְּמוֹ כִּי נָשָׂאתִי	(כי אשא) is equivalent to כי נשאתי "for I have lifted up,
תָּמִיד אֲנִי מַשְׁרֶה מְקוֹם שְׁכִינָתִי בַּשָּׁמַיִם,	(i. e.,) continually I cause the place of My dwelling to abide in heaven,
כְּתַרְגּוּמוֹ,	as the Targum renders it.
אֲפִילוּ חַלָּשׁ לְמַעְלָה	Even if the weak is above,
וְגִבּוֹר לְמַטָּה	and the mighty below,
אֵימַת עֶלְיוֹן עַל הַתַּחְתּוֹן	the dread of the higher is upon the lower;
וְכָל שֶׁכֵּן שֶׁגִּבּוֹר לְמַעְלָה	how much more so when the mighty is above,
וְחַלָּשׁ מִלְּמַטָּה:	and the weak below.
יָדִי.	**My dwelling place**
מְקוֹם שְׁכִינָתִי,	(ידי here denotes) the place of My dwelling,
כְּמוֹ (בְּמִדְ' ב):—	as (Num. 2.17):
אִישׁ עַל יָדוֹ,	"Every man in his place" (ידו) (12.1).
וְהָיָה בְּיָדִי לְהִפָּרַע מִכֶּם,	It was in My power to punish you;
אֲבָל אָמַרְתִּי שֶׁחַי אָנֹכִי לְעוֹלָם,	but I said that I live forever,

אֵינִי מְמַהֵר לִפָּרַע	(i. e.,) I do not hasten to exact punishment
לְפִי שֶׁיֵּשׁ לִי שָׁהוּת בַּדָּבָר,	for I may delay the matter,
אֲנִי חַי לְעוֹלָם	"I live forever."
וּבְדוֹרוֹת אַחֲרוֹנִים אֲנִי נִפְרָע מֵהֶם	And in later generations I will punish them,
וְהַיְכוֹלֶת בְּיָדִי לִפָּרַע	and I have the power to exact punishment
מִן הַמֵּתִים וּמִן הַחַיִּים;	both from the dead and the living.
מֶלֶךְ בָּשָׂר וָדָם	A king of flesh and blood,
שֶׁהוּא הוֹלֵךְ לָמוּת	who is going to die,
מְמַהֵר נְקָמָתוֹ לְהִפָּרַע בְּחַיָּיו	hastens his vengeance and punishes during his lifetime,
כִּי שֶׁמָּא יָמוּת הוּא	for perhaps he will die,
אוֹ אוֹיְבוֹ	or his enemy (will die),
וְנִמְצָא שֶׁלֹּא רָאָה נִקְמָתוֹ מִמֶּנּוּ	and thus he will not see his revenge upon him.
אֲבָל אֲנִי חַי לְעוֹלָם,	But "I live for ever,"
וְאִם יָמוּתוּ הֵם	and if they die,
וְאֵינִי נִפְרָע בְּחַיֵּיהֶם,	and I do not punish (them) during their lifetime,
אֶפָּרַע בְּמוֹתָם:	I shall punish (them) in death.
(41) **אִם־שַׁנּוֹתִי בְּרַק חַרְבִּי.**	**(41.) When (אם) I whet the glitter of My sword**
הַרְבֵּה אִם יֵשׁ שֶׁאֵינָן תְּלוּיִן	There are many (instances of) אם which do not (denote) doubt (i. e., "if");
כְּשֶׁאֲשַׁנֵּן ,בְּרַק חַרְבִּי	when I will whet "My glittering sword,
וְתֹאחֵז בְּמִשְׁפָּט יָדִי',	and My hand take hold on judgment" —
כּוּלּוֹ כְּמוֹ שֶׁפֵּרַשְׁתִּי לְמַעְלָה:	all as I have explained above

44 וַיָּבֹא מֹשֶׁה	44. And Moses came
וַיְדַבֵּר	and spoke
אֶת־כָּל־דִּבְרֵי הַשִּׁירָה־הַזֹּאת	all the words of this song
בְּאָזְנֵי הָעָם	in the ears of the people,
הוּא וְהוֹשֵׁעַ בִּן־נוּן׃	he, and Hoshea the son of Nun.
45 וַיְכַל מֹשֶׁה	45. When Moses made an end
לְדַבֵּר	of speaking
אֶת־כָּל־הַדְּבָרִים הָאֵלֶּה	all these words
אֶל־כָּל־יִשְׂרָאֵל׃	to all Israel,
46 וַיֹּאמֶר אֲלֵהֶם	46. he said unto them:
שִׂימוּ לְבַבְכֶם	'Set your heart
לְכָל־הַדְּבָרִים	unto all the words

Rashi — רש״י

44 הוּא וְהוֹשֵׁעַ בִּן־נוּן.	**44. He, and Hoshea the son of Nun**
(סוֹטָה י״ג) שַׁבַּת שֶׁל דְּיוֹזְגֵי הָיְתָה,	(Sotah 13:) It was the Sabbath of transmission of office (lit. "of two pairs" of judges);
נִטְּלָה רְשׁוּת מִזֶּה	the authority was taken from the one (Moses)
וְנִתְּנָה לָזֶה,	and was given to the other (Joshua).
הֶעֱמִיד לוֹ מֹשֶׁה מְתוּרְגְּמָן לִיהוֹשֻׁעַ	Moses set up an interpreter for Joshua
שֶׁיְּהֵא דוֹרֵשׁ בְּחַיָּיו,	so that he (Joshua) should expound (the Torah) during his (Moses') life,
כְּדֵי שֶׁלֹּא יֹאמְרוּ יִשְׂרָאֵל	lest the Israelites should say:
בְּחַיֵּי רַבְּךָ לֹא הָיָה לְךָ לְהָרִים רֹאשׁ;	"During the life of your teacher you were not able to lift your head."
וְלָמָּה קוֹרְאֵהוּ כַּאן הוֹשֵׁעַ?	And why does it call him here Hoshea?
לוֹמַר שֶׁלֹּא זָחָה דַּעְתּוֹ עָלָיו	To inform (us) that he did not become overbearing,
שֶׁאַף עַל פִּי שֶׁנִּתְּנָה לוֹ גְּדֻלָּה	for although greatness was given to him,
הִשְׁפִּיל עַצְמוֹ	he humbled himself
כַּאֲשֶׁר מִתְּחִלָּתוֹ (סִפְרֵי)׃	as he was previously (Siphre).
46 שִׂימוּ לְבַבְכֶם.	**46. Set your heart**
צָרִיךְ אָדָם שֶׁיִּהְיוּ עֵינָיו	A person must have his eyes,
וְלִבּוֹ וְאָזְנָיו	and his heart, and his ears
מְכֻוָּנִים לְדִבְרֵי תוֹרָה,	directed towards the words of the Torah.
וְכֵן הוּא אוֹמֵר (יְחֶזְ׳ מ׳)׃—	And similarly it states (Ezek. 40.4):
בֶּן אָדָם רְאֵה בְעֵינֶיךָ	"Son of man, behold with thine eyes,
וּבְאָזְנֶיךָ שְׁמָע וְשִׂים לִבְּךָ,	and hear with thine ears, and set thy heart."
וַהֲרֵי דְּבָרִים קַל וָחוֹמֶר	Indeed we can conclude these things by an inference *a minori ad maius:*
וּמַה תַּבְנִית הַבַּיִת	If the form of the Temple —
שֶׁהוּא נִרְאֶה לָעֵינַיִם	which is visible to the eyes
וְנִמְדָּד בְּקָנֶה	and is measured with a measuring-rod —
צָרִיךְ אָדָם שֶׁיִּהְיוּ עֵינָיו וְאָזְנָיו	a person must have his eyes and his ears
וְלִבּוֹ מְכֻוָּנִין,	and his heart intent (upon understanding it),
לְהָבִין דִּבְרֵי תוֹרָה	then in order to understand the words of the Torah —
שֶׁהֵן כַּהֲרָרִין	which are like mountains
תְּלוּיִין בְּשַׂעֲרָה,	suspended on a hair —

אֲשֶׁר אָנֹכִי מֵעִיד בָּכֶם הַיּוֹם	wherewith I testify against you this day;
אֲשֶׁר תְּצַוֻּם	that ye may charge
אֶת־בְּנֵיכֶם	your children
לִשְׁמֹר לַעֲשׂוֹת	to observe to do
אֶת־כָּל־דִּבְרֵי הַתּוֹרָה הַזֹּאת׃	all the words of this law.
47 כִּי לֹא־דָבָר רֵק הוּא מִכֶּם	47. For it is no vain thing for you;
כִּי־הוּא חַיֵּיכֶם	because it is your life,
וּבַדָּבָר הַזֶּה	and through this thing
תַּאֲרִיכוּ יָמִים	ye shall prolong (your) days
עַל־הָאֲדָמָה	upon the land,
אֲשֶׁר אַתֶּם עֹבְרִים אֶת־הַיַּרְדֵּן	whither ye go over the Jordan
שָׁמָּה	thither
לְרִשְׁתָּהּ׃ פ מפטיר	to possess it.'
48 וַיְדַבֵּר יְהוָה אֶל־מֹשֶׁה	48. And the Lord spoke unto Moses
בְּעֶצֶם הַיּוֹם הַזֶּה	on that selfsame day,

Rashi — רש"י

עַל אַחַת כַּמָּה וְכַמָּה (סִפְרֵי)׃	one must certainly (direct his eyes, ears, and heart towards their understanding (Siphre).
47 כִּי לֹא־דָבָר רֵק הוּא מִכֶּם.	**47. For it is no vain thing for you**
לֹא לְחִנָּם אַתֶּם יְגֵעִים בָּהּ,	Not for nought will you toil in it,
כִּי הַרְבֵּה שָׂכָר תָּלוּי בָּהּ,	for a great reward depends upon it:
"כִּי־הוּא חַיֵּיכֶם".	"because it is your life."
ד"א אֵין לְךָ דָּבָר רֵיקָן בַּתּוֹרָה	Another interpretation: There is no empty (superfluous) thing in the Torah
שֶׁאִם תִּדְרְשֶׁנּוּ שֶׁאֵין בּוֹ מַתַּן שָׂכָר,	which, if you expound it, does not contain a reward.
תֵּדַע לְךָ	The proof to you is
שֶׁכֵּן אָמְרוּ חֲכָמִים	that thus have the Sages said:
וַאֲחוֹת לוֹטָן תִּמְנָע (בְּרֵ' ל"ו)	"And Lotan's sister was Timna" (Gen. 36.22),
וְתִמְנַע הָיְתָה פִלֶּגֶשׁ וְגוֹ',	"And Timna was concubine (to Eliphaz, Esau's son)," etc. (v. 12),
לְפִי שֶׁאָמְרָה	for she said:
אֵינִי כְדַאי לִהְיוֹת לוֹ אִשָּׁה	If I am not worthy to be his wife;
הַלְוַאי וְאֶהְיֶה פִּלַגְשׁוֹ	would that I be his concubine.
וְכָל כָּךְ לָמָּה?	Why is all this (necessary)?
לְהוֹדִיעַ שִׁבְחוֹ שֶׁל אַבְרָהָם	To make known the praise of Abraham,
שֶׁהָיוּ שִׁלְטוֹנִים וּמְלָכִים מִתְאַוִּים	that rulers and kings desired
לִדָּבֵק בְּזַרְעוֹ׃	to join with his seed (Siphre).
48 וַיְדַבֵּר ה' אֶל־מֹשֶׁה בְּעֶצֶם הַיּוֹם הַזֶּה.	**48. And the Lord spoke unto Moses on that selfsame day**
בִּשְׁלֹשָׁה מְקוֹמוֹת נֶאֱמַר	In three passages it is stated,
בְּעֶצֶם הַיּוֹם הַזֶּה,	"In the selfsame day."
נֶאֱמַר בְּנֹחַ (בְּרֵא' ז)׃—	It is stated in reference to Noah (Gen. 7.13):

לֵאמֹר:	saying:
49 עֲלֵה	49. 'Get thee up
אֶל־הַר הָעֲבָרִים הַזֶּה	into this mountain of Abarim,

Rashi — רש"י

בְּעֶצֶם הַיּוֹם הַזֶּה בָּא נֹחַ וְגוֹ׳,	"In the selfsame day entered Noah," etc.,
בְּמַרְאִית אוֹרוֹ שֶׁל יוֹם,—	(i. e.,) in the sight of the light of day.
לְפִי שֶׁהָיוּ בְנֵי דוֹרוֹ אוֹמְרִים:—	For the people of his generation said:
בְּכַךְ וְכַךְ אִם אָנוּ מַרְגִּישִׁין בּוֹ,	By this and by that (we swear that) if we notice him (about to do so),
אֵין אָנוּ מַנִּיחִין אוֹתוֹ לִכָּנֵס בַּתֵּבָה,	we will not permit him to enter the ark;
וְלֹא עוֹד אֶלָּא	and not only that, but
אָנוּ נוֹטְלִין כַּשִּׁילִין וְקַרְדּוּמּוֹת	we will take hammers and axes
וּמְבַקְּעִין אֶת הַתֵּבָה,	and rend asunder the ark.
אָמַר הַקָּבָּ"ה:—	Said the Holy One Blessed Be He:
הֲרֵינִי מַכְנִיסוֹ בַּחֲצִי הַיּוֹם	Behold I will cause him to enter it at midday,
וְכָל מִי שֶׁיֵּשׁ בְּיָדוֹ כֹּחַ לִמְחוֹת	and whosoever has the power to object,
יָבֹא וְיִמְחֶה;	let him come and object.
בְּמִצְרַיִם נֶאֱמַר (שְׁמוֹת י"ב):—	In reference to Egypt it is stated (Ex. 12.51):
בְּעֶצֶם הַיּוֹם הַזֶּה הוֹצִיא ה׳,	"In the selfsame day the Lord brought forth."
לְפִי שֶׁהָיוּ מִצְרִיִּים אוֹמְרִים:—	For the Egyptians said:
בְּכַךְ וְכַךְ אִם אָנוּ מַרְגִּישִׁין בָּהֶם,	By this and by that (we swear that) if we notice them (about to do so),
אֵין אָנוּ מַנִּיחִין אוֹתָם לָצֵאת	we will not permit them to go forth;
וְלֹא עוֹד אֶלָּא אָנוּ נוֹטְלִין	and not only that, but we will take
סַיָּפוֹת וּכְלֵי זַיִן	swords and weapons of war
וְהוֹרְגִין בָּהֶם,	and we will kill them.
אָמַר הַקָּבָּ"ה:—	Said the Holy One Blessed Be He:
הֲרֵינִי מוֹצִיאָן בַּחֲצִי הַיּוֹם	Behold I will bring them forth at mid-day,
וְכָל מִי שֶׁיֵּשׁ בּוֹ כֹּחַ לִמְחוֹת	and whosoever has the power to object,
יָבֹא וְיִמְחֶה;	let him come and object.
אַף כָּאן בְּמִיתָתוֹ שֶׁל מֹשֶׁה	Here too, in reference to the death of Moses,
נֶאֱמַר בְּעֶצֶם הַיּוֹם הַזֶּה,	it is stated "In the selfsame day."
לְפִי שֶׁהָיוּ יִשְׂרָאֵל אוֹמְרִים:—	For the Israelites said:
בְּכַךְ וְכַךְ אִם אָנוּ מַרְגִּישִׁין בּוֹ,	By this and by that if we notice him (about to ascend the mountain),
אֵין אָנוּ מַנִּיחִין אוֹתוֹ,	we will not permit him.
אָדָם שֶׁהוֹצִיאָנוּ מִמִּצְרַיִם	The man who brought us forth out of Egypt,
וְקָרַע לָנוּ אֶת הַיָּם	and split for us the Sea,
וְהוֹרִיד לָנוּ אֶת הַמָּן	and caused the manna to descend for us,
וְהֵגִיז לָנוּ אֶת הַשְּׂלָיו	and brought across quails for us,
וְהֶעֱלָה לָנוּ אֶת הַבְּאֵר	and brought up the well for us,
וְנָתַן לָנוּ אֶת הַתּוֹרָה,	and gave us the Torah, —
אֵין אָנוּ מַנִּיחִין אוֹתוֹ,	we will not permit him (to leave us).
אָמַר הַקָּבָּ"ה:—	Said the Holy One Blessed Be He:
הֲרֵינִי מַכְנִיסוֹ בַּחֲצִי הַיּוֹם וְכוּ׳ (סִפְרֵי):	Behold I will cause him to enter at mid-day, etc. (Siphre).

הַר־נְבוֹ	(unto) mount Nebo,
אֲשֶׁר בְּאֶרֶץ מוֹאָב	which is in the land of Moab,
אֲשֶׁר עַל־פְּנֵי יְרֵחוֹ	that is over against Jericho;
וּרְאֵה	and behold
אֶת־אֶרֶץ כְּנַעַן	the land of Canaan,
אֲשֶׁר אֲנִי נֹתֵן	which I give
לִבְנֵי יִשְׂרָאֵל	to the children of Israel
לַאֲחֻזָּה׃	for a possession;
50 וּמֻת בָּהָר	50. and die in the mount
אֲשֶׁר אַתָּה עֹלֶה שָׁמָּה	whither thou goest up,
וְהֵאָסֵף אֶל־עַמֶּיךָ	and be gathered unto thy people;
כַּאֲשֶׁר־מֵת אַהֲרֹן אָחִיךָ	as Aaron thy brother died
בְּהֹר הָהָר	in mount Hor,
וַיֵּאָסֶף אֶל־עַמָּיו׃	and was gathered unto his people;
51 עַל אֲשֶׁר מְעַלְתֶּם	51. Because ye trespassed
בִּי	against Me
בְּתוֹךְ בְּנֵי יִשְׂרָאֵל	in the midst of the children of Israel
בְּמֵי־מְרִיבַת קָדֵשׁ	at the waters of Meribah-kadesh,
מִדְבַּר־צִן	(in) the wilderness of Zin;
עַל אֲשֶׁר לֹא־קִדַּשְׁתֶּם אוֹתִי	because ye sanctified Me not
בְּתוֹךְ בְּנֵי יִשְׂרָאֵל׃	in the midst of the children of Israel.

Rashi — רש"י

50 כַּאֲשֶׁר־מֵת אַהֲרֹן אָחִיךָ.	**50. As Aaron thy brother died**
בְּאוֹתָהּ מִיתָה שֶׁרָאִיתָ	With that death which you saw
וְחָמַדְתָּ אוֹתָהּ,	and which you desired.
שֶׁהִפְשִׁיט מֹשֶׁה אֶת אַהֲרֹן	For Moses had stripped Aaron
בֶּגֶד רִאשׁוֹן	of the first garment,
וְהִלְבִּישׁוֹ לְאֶלְעָזָר	and clothed Eleazar with it;
וְכֵן שֵׁנִי וְכֵן שְׁלִישִׁי	and likewise the second, and likewise the third.
וְרָאָה בְּנוֹ בִּכְבוֹדוֹ	And (Aaron) saw his son in his honor.
אָמַר לוֹ מֹשֶׁה,	Moses said to him:
אַהֲרֹן אָחִי עֲלֵה לַמִּטָּה וְעָלָה,	"Aaron my brother go up the couch." And he went up.
פְּשׁוֹט יָדֶיךָ וּפָשַׁט,	"Stretch forth your hands." And he stretched them forth.
פְּשׁוֹט רַגְלֶיךָ וּפָשַׁט,	"Stretch forth your feet." And he stretched them forth.
עֲצוֹם עֵינֶיךָ וְעָצַם,	"Close your eyes." And he closed (them).
קְמוֹץ פִּיךָ וְקָמַץ,	"Close your mouth." And he closed (it).
וְהָלַךְ לוֹ,	And he passed away.
אָמַר מֹשֶׁה:—	Moses said:
אַשְׁרֵי מִי שֶׁמֵּת בְּמִיתָה זוֹ (סִפְרֵי):	"Fortunate is he who dies this kind of death" (Siphre).
51 עַל אֲשֶׁר מְעַלְתֶּם בִּי.	**51. Because ye trespassed against Me**
גְּרַמְתֶּם לִמְעוֹל בִּי:	You caused (the Israelites) to trespass against Me.
עַל אֲשֶׁר לֹא־קִדַּשְׁתֶּם אוֹתִי.	**Because ye sanctified Me not**
גְּרַמְתֶּם לִי שֶׁלֹּא אֶתְקַדֵּשׁ,	You brought it about that I was not sanctified.

52 כִּי מִנֶּגֶד	52. For afar off
תִּרְאֶה אֶת־הָאָרֶץ	thou shalt see the land;
וְשָׁמָּה לֹא תָבוֹא	but thou shalt not go thither
אֶל־הָאָרֶץ	into the land
אֲשֶׁר־אֲנִי נֹתֵן	which I give
לִבְנֵי יִשְׂרָאֵל׃	to the children of Israel.'

פ פ פ

CHAPTER XXXIII — לג

1 וְזֹאת הַבְּרָכָה	And this is the blessing,
אֲשֶׁר בֵּרַךְ מֹשֶׁה אִישׁ הָאֱלֹהִים	wherewith Moses the man of God blessed
אֶת־בְּנֵי יִשְׂרָאֵל	the children of Israel
לִפְנֵי מוֹתוֹ׃	before his death.

Rashi — רש״י

אָמַרְתִּי לָכֶם וְדִבַּרְתֶּם אֶל הַסֶּלַע (בַּמִּדְ׳ כ),	I said to you: "And speak ye unto the rock" (Num. 20. 8),
וְהֵם הִכּוּהוּ	but they smote it;
וְהֻצְרְכוּ לְהַכּוֹתוֹ פַּעֲמַיִם,	and they were required to smite it twice.
וְאִלּוּ דִבְּרוּ עִמּוֹ	But if they had spoken to it,
וְנָתַן מֵימָיו בְּלֹא הַכָּאָה,	and It had given its water without smiting,
הָיָה מִתְקַדֵּשׁ שֵׁם שָׁמַיִם,	the Name of Heaven would have been sanctified,
שֶׁהָיוּ יִשְׂרָאֵל אוֹמְרִים	for the Israelites would have said:
וּמַה הַסֶּלַע שֶׁאֵינוֹ לְשָׂכָר	If the rock — which does not receive reward
וְלֹא לְפוּרְעָנוּת,	nor punishment,
אִם זָכָה אֵין לוֹ מַתַּן שָׂכָר	if it merits, it has no reward,
וְאִם חָטָא אֵינוֹ לוֹקֶה,	and if it sins, it is not lashed, —
כָּךְ מְקַיֵּם מִצְוַת בּוֹרְאוֹ	(if) thus it fulfills the commandment of its Creator,
אָנוּ לֹא כָּל שֶׁכֵּן׃	we certainly must (fulfill His commandments).
52 כִּי מִנֶּגֶד.	**52. For afar off**
מֵרָחוֹק׃	(מנגד denotes) afar off.
תִּרְאֶה וְגוֹ׳.	**Thou shalt see, etc.**
כִּי יָדַעְתִּי כִּי חֲבִיבָה הִיא לָךְ׃	For I know that it is beloved by you.
וְשָׁמָּה לֹא תָבוֹא.	**But thou shalt not go thither**
אִם לֹא תִרְאֶנָּה עַכְשָׁיו,	If you will not see it now,
לֹא תִרְאֶנָּה עוֹד בְּחַיֶּיךָ,	you will not see it again during your life.
עַל כֵּן אֲנִי אוֹמֵר לָךְ	Therefore I say to you (v. 49),
עֲלֵה וּרְאֵה׃	"Get thee up and see."
33 1 וְזֹאת הַבְּרָכָה...	**33 1. And this is the blessing . . .**
לִפְנֵי מוֹתוֹ.	**Before his death**
סָמוּךְ לְמִיתָתוֹ,	(לפני denotes) close to his death;
שֶׁאִם לֹא עַכְשָׁיו אֵימָתַי (סִפְרֵי)׃	for if not now, then when? (Siphre).

2 וַיֹּאמַר	2. And he said:
יְהֹוָה מִסִּינַי בָּא	The Lord came from Sinai,
וְזָרַח מִשֵּׂעִיר לָמוֹ	And rose from Seir unto them;
הוֹפִיעַ מֵהַר פָּארָן	He shined forth from mount Paran,
וְאָתָה מֵרִבְבֹת קֹדֶשׁ	And He came from the myriads holy,
מִימִינוֹ	At His right hand
אֵשְׁדָּת לָמוֹ:	(was) a fiery law unto them.

° תרין מלין קרי.

Rashi — רש"י

2 וַיֹּאמַר ה׳ מִסִּינַי בָּא.	**2. And he said: The Lord came from Sinai**
פָּתַח תְּחִלָּה בְּשִׁבְחוֹ שֶׁל מָקוֹם	He opens (his blessing) with praise of the Omnipresent,
וְאַחַ"כּ פָּתַח בְּצָרְכֵיהֶם שֶׁל יִשְׂרָאֵל,	and then introduces the needs of Israel.
וּבְשֶׁבַח שֶׁפָּתַח בּוֹ	Now in the praise with which he opened,
יֵשׁ בּוֹ הַזְכָּרַת זְכוּת לְיִשְׂרָאֵל,	there is contained a mention of the merit of Israel.
וְכָל זֶה דֶּרֶךְ רִצּוּי הוּא,	And all this is a manner of conciliation,
כְּלוֹמַר כְּדַאי הֵם אֵלּוּ	that is, these people are worthy
שֶׁתָּחוּל עֲלֵיהֶם בְּרָכָה (שָׁם):	that a blessing should come upon them (*ibid.*).
מִסִּינַי בָּא.	**(He) came from Sinai**
יָצָא לִקְרָאתָם	He went out to welcome them
כְּשֶׁבָּאוּ לְהִתְיַצֵּב בְּתַחְתִּית הָהָר	when they came to stand at the foot of the mount,
כְּחָתָן הַיּוֹצֵא לְהַקְבִּיל פְּנֵי כַלָּה,	as a groom goes forth to greet his bride,
שֶׁנֶּאֱמַר (שְׁמוֹת י"ט):—	as it is stated (Ex. 19.17):
לִקְרַאת הָאֱלֹהִים,	"to meet God."
לָמַדְנוּ שֶׁיָּצָא כְּנֶגְדָּם:	(Hence) we derive that He went forth towards them.
וְזָרַח מִשֵּׂעִיר לָמוֹ.	**And (He) rose from Seir unto them**
שֶׁפָּתַח לִבְנֵי עֵשָׂו	He offered (the Torah) to the children of Esau (the inhabitants of Seir),
שֶׁיְּקַבְּלוּ אֶת הַתּוֹרָה	that they should accept the Torah,
וְלֹא רָצוּ (סִפְרֵי):	but they did not desire (to do so) (Siphre).
הוֹפִיעַ.	**He shined forth**
לָהֶם:	to them.
מֵהַר פָּארָן.	**From mount Paran**
שֶׁהָלַךְ שָׁם וּפָתַח לִבְנֵי יִשְׁמָעֵאל	Because He went there and offered (the Torah) to the children of Ishmael,
שֶׁיְּקַבְּלוּהָ וְלֹא רָצוּ (סִפְרֵי):	that they should accept it; but they did not desire (to do so) (Siphre).
וְאָתָה.	**And He came**
לְיִשְׂרָאֵל:	unto Israel.
מֵרִבְבֹת קֹדֶשׁ.	**From the myriads holy**
וְעִמּוֹ מִקְצָת רִבְבוֹת מַלְאֲכֵי קֹדֶשׁ—	(I. e.,) and with Him were part of the myriads (מרבבות) of holy angels,
וְלֹא כֻּלָּם וְלֹא רֻבָּם,	not all of them, nor even a majority of them;
וְלֹא כְדֶרֶךְ בָּשָׂר וָדָם	not in the manner of (man of) flesh and blood,
שֶׁמַּרְאֶה כָּל כְּבוֹד עָשְׁרוֹ וְתִפְאַרְתּוֹ	who shows the entire glory of his wealth and splendor
בְּיוֹם חֻפָּתוֹ (שָׁם):	on the day of his wedding (*ibid.*).
אֵשְׁדָּת.	**A fiery law**
שֶׁהָיְתָה כְתוּבָה מֵאָז לְפָנָיו	It was written of yore before Him
בְּאֵשׁ שְׁחוֹרָה	with black fire
עַל גַּב אֵשׁ לְבָנָה,	upon white fire.

3 אַף חֹבֵב עַמִּים	.3 Yea, He loveth the peoples;
כָּל־קְדֹשָׁיו בְּיָדֶךָ	All His holy ones — they are in Thy hand;
וְהֵם תֻּכּוּ לְרַגְלֶךָ	And they placed themselves at Thy feet;
יִשָּׂא מִדַּבְּרֹתֶיךָ׃	bearing Thy words.

Rashi — רש״י

נָתַן לָהֶם בַּלֻּחוֹת	He gave them upon the Tables
כְּתַב יַד יְמִינוֹ (עַי׳ תַּנְח׳ בְּרֵ׳ א).	the writing of His right hand (cf. Tanḥuma Gen. 1).
דָּ״אַ, אֵשׁ דָּת׳ כְּתַרְגּוּמוֹ,	Another interpretation of אש דת is as the Targum renders it:
שֶׁנִּתְּנָה לָהֶם מִתּוֹךְ הָאֵשׁ׃	that it was given to them out of the fire.
3 אַף חֹבֵב עַמִּים.	**3. Yea, He loveth the peoples**
גַּם חִבָּה יְתֵרָה	Also with an exceptional love
חָבַב אֶת הַשְּׁבָטִים;	He cherished the tribes.
כָּל אֶחָד וְאֶחָד קָרוּי עַם,	Every one (of the tribes) is called a "people,"
שֶׁהֲרֵי בִנְיָמִין לְבַדּוֹ	for Benjamin alone
הָיָה עָתִיד לְהִוָּלֵד	was destined to be born
כְּשֶׁאָמַר הַקָּבָּ״ה לְיַעֲקֹב (בְּרֵ׳ ל״ה):—	when the Holy One Blessed Be He said to Jacob (Gen. 35.11):
גּוֹי וּקְהַל גּוֹיִם יִהְיֶה מִמֶּךָּ׃	"A nation and a company of nations shall be of thee."
כָּל־קְדֹשָׁיו בְּיָדֶךָ.	**All His holy ones — they are in Thy hand**
נַפְשׁוֹת הַצַּדִּיקִים גְּנוּזוֹת אִתּוֹ,	The souls of the righteous are laid in store with Him,
כְּעִנְיָן שֶׁנֶּאֱמַר (שְׁ״א כ״ה):—	as in the matter that is stated (I Sam. 25.29):
וְהָיְתָה נֶפֶשׁ אֲדֹנִי צְרוּרָה	"Yet the soul of my lord shall be bound
בִּצְרוֹר הַחַיִּים	in the bundle of life
אֵת ה׳ אֱלֹהֶיךָ׃	with the Lord thy God."
וְהֵם תֻּכּוּ לְרַגְלֶךָ.	**And they placed themselves at Thy feet**
וְהֵם רְאוּיִם לְכַךְ,	And they are worthy of this,
שֶׁהֲרֵי תִּכּוּ עַצְמָן	for they placed themselves
לְתוֹךְ תַּחְתִּית הָהָר	in the center beneath the mount
לְרַגְלֶךָ בְּסִינַי.	"at thy feet" at Sinai.
תֻּכּוּ׳,	"They placed themselves"
לְשׁוֹן פּוּעֲלוּ,	is a reflexive form,
הִתְוַכּוּ לְתוֹךְ מַרְגְּלוֹתֶיךָ׃	(viz.,) "they placed themselves "in the center of Thy feet.
יִשָּׂא מִדַּבְּרֹתֶיךָ.	**Bearing Thy words**
נָשְׂאוּ עֲלֵיהֶם עוֹל תּוֹרָתֶךָ׃	They bore upon themselves the yoke of Thy Torah.
מִדַּבְּרֹתֶיךָ.	**Thy words**
הַמֵּ״ם בּוֹ קָרוֹב לִיסוֹד,	Then מ here is like a root letter (i. e., an essential part of the form),
כְּמוֹ (בַּמִּדְ׳ ז):—	as (Num. 7.89):
וַיִּשְׁמַע אֶת הַקּוֹל מִדַּבֵּר אֵלָיו,	"And he heard the Voice speaking (מִדַּבֵּר) unto him;"
וָאֶשְׁמַע אֶת מִדַּבֵּר אֵלַי (יְחֶזְ׳ ב),	"And I heard what was spoken (מִדַּבֵּר) unto me" (Ezek. 2.2),
כְּמוֹ מִתְדַּבֵּר אֵלַי,	(where מִדַּבֵּר is) equivalent to מִתְדַּבֵּר (what was being spoken) unto me.
אַף זֶה, מִדַּבְּרֹתֶיךָ׳	Here too (the term) מִדַּבְּרֹתֶיךָ (denotes)
—מַה שֶּׁהָיִיתָ מְדַבֵּר	"What Thou wast speaking
לְהַשְׁמִיעֵנִי לֵאמֹר לָהֶם,	to cause me to hear to say to them";
טֵי״שׁ פּוּרפּרלֵיר״שׁ בְּלַעַ״ז,	*Tes Pourparlers* in O. F.
וְאוּנְקְלוֹס תִּרְגֵּם	And Onkelos renders
שֶׁהָיוּ נוֹסְעִים עַל פִּי דְבָרֶיךָ,	that they journeyed according to Thy words;

4 תּוֹרָה צִוָּה־לָנוּ מֹשֶׁה — 4. Moses commanded us (the) law,

מוֹרָשָׁה — An inheritance

קְהִלַּת יַעֲקֹב׃ — of the congregation of Jacob.

5 וַיְהִי בִישֻׁרוּן מֶלֶךְ — 5. And He was a king in Jeshurun,

בְּהִתְאַסֵּף רָאשֵׁי עָם — When the heads of the people were gathered,

Rashi — רש״י

וְהַמ״ם בּוֹ שִׁמּוּשׁ, — and the מ here (in מדברתיך) would be a servile letter,

מְשַׁמֶּשֶׁת לְשׁוֹן מִן. — serving in the sense of "from."

דָּבָר אַחֵר ,אַף חֹבֵב עַמִּים׳, — Another interpretation of "Yea, He loveth the peoples":

אַף בִּשְׁעַת חִבָּתָן שֶׁל אֻמּוֹת הָעוֹלָם — Even at the time of Thy love for the peoples of the world,

שֶׁהֶרְאִיתָ לָאֻמּוֹת פָּנִים שׂוֹחֲקוֹת — when Thou didst show the nations a smiling countenance

וּמָסַרְתָּ אֶת יִשְׂרָאֵל בְּיָדָם׃ — and Thou gavest the people of Israel into their hands (even then).

כָּל־קְדֹשָׁיו בְּיָדֶךָ. — **All His holy ones — they are in Thy hand**

כָּל צַדִּיקֵיהֶם וְטוֹבֵיהֶם — All their righteous ones and their good ones

דָּבְקוּ בְךָ — cleaved to Thee,

וְלֹא מָשׁוּ מֵאַחֲרֶיךָ — and they did not turn away from following after Thee,

וְאַתָּה שׁוֹמְרָם׃ — and Thou dost watch over them.

וְהֵם תֻּכּוּ לְרַגְלֶךָ. — **And they placed themselves at Thy feet**

וְהֵם מִתְמַצְּעִים וּמִתְכַּנְּסִים — And they strive to enter

לְתַחַת צִלְּךָ׃ — beneath Thy shadow.

יִשָּׂא מִדַּבְּרֹתֶיךָ. — **Bearing Thy words**

מְקַבְּלִים גְּזֵרוֹתֶיךָ וְדָתוֹתֶיךָ — They accept Thy decrees and laws

בְּשִׂמְחָה, — with joy.

וְאֵלֶּה דִבְרֵיהֶם׃ — And these are their words:

4 תּוֹרָה. — **4. (The) law**

אֲשֶׁר צִוָּה־לָנוּ מֹשֶׁה — which "Moses commanded us",

מוֹרָשָׁה הִיא ל,קְהִלַּת יַעֲקֹב׳, — it is "an inheritance," for "the congregation of Jacob."

אֲחַזְנוּהָ וְלֹא נַעַזְבֶנָּה׃ — We have taken hold upon it, and we will not forsake it.

5 וַיְהִי. — **5. And He was**

הַקָּבָּ״ה׃ — (i. e.) The Holy One Blessed Be He (was).

בִישֻׁרוּן מֶלֶךְ — **A king in Jeshurun**

תָּמִיד עוֹל מַלְכוּתוֹ עֲלֵיהֶם׃ — Continually the yoke of His Kingdom is upon them.

בְּהִתְאַסֵּף. — **When (there) were gathered**

בְּכָל הִתְאַסֵּף רָאשֵׁי, — (בּ here denotes) "whenever" the ראשי were gathered;

חֶשְׁבּוֹן אֲסִיפָתָם׃ — (where ראשי means) "the number" of their gathering.

רָאשֵׁי. — **The heads**

כְּמוֹ (שְׁמוֹת ל)׃ — (ראשי is to be interpreted) as (Ex. 30. 12):

כִּי תִשָּׂא אֶת רֹאשׁ, — "When thou takest the sum" (ראש).

רְאוּיִין אֵלּוּ שֶׁאֲבָרְכֵם. — These people are worthy that I should bless them.

דָּ״אַ ,בְּהִתְאַסֵּף׳, — Another interpretation of "when there are gathered:"

בְּהִתְאַסְּפָם יַחַד בַּאֲגוּדָּה אַחַת — When they are gathered together in one group

וְשָׁלוֹם בֵּינֵיהֶם, — and (when) peace is among them,

הוּא מַלְכָּם, — He is their king;

וְלֹא כְּשֶׁיֵּשׁ מַחֲלוֹקֶת בֵּינֵיהֶם (סִפְרֵי)׃ — but not when there is strife among them (Siphre).

יַחַד שִׁבְטֵי יִשְׂרָאֵל׃	The tribes of Israel together.
6 יְחִי רְאוּבֵן	6. Let Reuben live,
וְאַל־יָמֹת	and not die
וִיהִי מְתָיו מִסְפָּר׃ ס	And let his men be numbered.
7 וְזֹאת לִיהוּדָה	7. And this for Judah,
וַיֹּאמַר	and he said:
שְׁמַע יְהוָה	Hear, Lord,
קוֹל יְהוּדָה	the voice of Judah,
וְאֶל־עַמּוֹ תְּבִיאֶנּוּ	And bring him in unto his people;

Rashi — רש״י

6 יְחִי רְאוּבֵן.	**6. Let Reuben live**
בָּעוֹלָם הַזֶּה,	in this world,
"וְאַל־יָמֹת" לָעוֹלָם הַבָּא,	"and not die" in the world to come;
שֶׁלֹּא יִזָּכֵר לוֹ מַעֲשֵׂה בִלְהָה (עַיֵּ׳ שָׁם):	there shall not be recalled against him the affair with Bilhah (cf. *ibid.*).
וִיהִי מְתָיו מִסְפָּר.	**And let his men be numbered**
נִמְנִין בְּמִנְיַן שְׁאָר אֶחָיו,	Numbered among the number of his other brothers.
דּוּגְמָא הִיא זוּ,	This is analogous
כְּעִנְיָן שֶׁנֶּאֱמַר (בְּרֵא׳ ל״ה):—	to the matter that is stated (Gen. 35. 22–23):
וַיִּשְׁכַּב אֶת בִּלְהָה,	"And he lay with Bilhah . . .
וַיִּהְיוּ בְנֵי יַעֲקֹב שְׁנֵים עָשָׂר,	Now the sons of Jacob were twelve" —
שֶׁלֹּא יָצָא מִן הַמִּנְיָן:	(i. e.,) he was not excluded from the number.
7 וְזֹאת לִיהוּדָה.	**7. And this for Judah**
סָמַךְ יְהוּדָה לִרְאוּבֵן	He adjoined Judah to Reuben,
מִפְּנֵי שֶׁשְּׁנֵיהֶם הוֹדוּ	because both of them confessed
עַל קִלְקוּל שֶׁבְּיָדָם,	to the corruption in their hands,
שֶׁנֶּאֱמַר (אִיּוֹב ט״ו):—	as it is stated (Job 15.18–19):
אֲשֶׁר חֲכָמִים יַגִּידוּ וְגוֹ׳	"Which wise men have told," etc.,
לָהֶם לְבַדָּם וְגוֹ׳	"Unto whom alone," etc.,
וְלֹא עָבַר זָר בְּתוֹכָם;	"And no stranger passed between them."
וְעוֹד פֵּרְשׁוּ רַבּוֹתֵינוּ	And our Rabbis have also explained
שֶׁכָּל אַרְבָּעִים שָׁנָה	that all forty years
שֶׁהָיוּ יִשְׂרָאֵל בַּמִּדְבָּר	that the Israelites were in the wilderness,
הָיוּ עַצְמוֹת יְהוּדָה	the bones of Judah were
מִתְגַּלְגְּלִין בָּאָרוֹן	turning over in their coffin
מִפְּנֵי נִדּוּי שֶׁקִּבֵּל עָלָיו,	because of the banishment which he took upon himself,
שֶׁנֶּאֱמַר (בְּרֵא׳ מ״ד):—	as it is stated (Gen. 44.32):
וְחָטָאתִי לְאָבִי כָּל הַיָּמִים,	"Then shall I bear the blame to my father forever."
אָמַר מֹשֶׁה: מִי גָרַם לִרְאוּבֵן שֶׁיּוֹדֶה?	Moses said: Who made Reuben to confess?
יְהוּדָה וְכוּ׳ (סוֹטָה ז):	"Judah," etc. (Sotah 7).
שְׁמַע ה׳ קוֹל יְהוּדָה.	**Hear, Lord, the voice of Judah**
תְּפִלַּת דָּוִד וּשְׁלֹמֹה וְאָסָא	The prayers of David and Solomon and Asa
מִפְּנֵי הַכּוּשִׁים,	because of the Cushites,
וִיהוֹשָׁפָט מִפְּנֵי הָעַמּוֹנִים,	and of Jehoshaphat because of the Ammonites,
וְחִזְקִיָּה מִפְּנֵי סַנְחֵרִיב:	and of Hezekiah because of Sennacherib.
וְאֶל־עַמּוֹ תְּבִיאֶנּוּ.	**And bring him in unto his people**
לְשָׁלוֹם מִפְּנֵי הַמִּלְחָמָה:	in peace, from war.

יָדָיו רָב לוֹ	His hands shall contend for him,
וְעֵזֶר מִצָּרָיו תִּהְיֶה: פ שני	And Thou shalt be a help against his adversaries.
8 וּלְלֵוִי אָמַר	8. And of Levi he said:
תֻּמֶּיךָ וְאוּרֶיךָ	Thy Thummim and Thy Urim (be)
לְאִישׁ חֲסִידֶךָ	with Thy pious one,
אֲשֶׁר נִסִּיתוֹ בְּמַסָּה	Whom thou didst prove at Massah,
תְּרִיבֵהוּ	Thou didst try him

Rashi — רש״י

יָדָיו רָב לוֹ.	**His hands shall contend for him**
יָרִיבוּ רִיבוֹ	They shall plead his cause,
וְיִנְקְמוּ נִקְמָתוֹ:	and they shall exact his vengeance.
וְעֵזֶר מִצָּרָיו תִּהְיֶה.	**And Thou shalt be a help against his adversaries**
עַל יְהוֹשָׁפָט מִתְפַּלֵּל	For Jehoshaphat did he pray,
עַל מִלְחֶמֶת רָאמוֹת גִּלְעָד,	in the battle of Ramoth-gilead,
וַיִּזְעַק יְהוֹשָׁפָט וַה׳ עֲזָרוֹ (דה״ב י״ח).	"But Jehoshaphat cried out, and the Lord helped him" (II Chron. 18.31).
ד״א, שְׁמַע ה׳ קוֹל יְהוּדָה,	Another interpretation of "Hear, Lord, the voice of Judah":
כַּאן רָמַז לְשִׁמְעוֹן	Here he makes allusion to Simeon
מִתּוֹךְ בִּרְכוֹתָיו שֶׁל יְהוּדָה,	amidst the blessings of Judah.
וְאַף כְּשֶׁחָלְקוּ אֶרֶץ יִשְׂרָאֵל	And also when they divided the land of Israel,
נָטַל שִׁמְעוֹן מִתּוֹךְ גּוֹרָלוֹ שֶׁל יְהוּדָה,	Simeon received of the lot of Judah,
שֶׁנֶּאֱמַר (יהו׳ י״ט):—	as it is stated ((Josh. 19.9):
מֵחֶבֶל בְּנֵי יְהוּדָה	"Out of the allotment of the children of Judah
נַחֲלַת בְּנֵי שִׁמְעוֹן.	was the inheritance of the children of Simeon."
(וּמִפְּנֵי מָה לֹא יִחֵד לוֹ בְּרָכָה בִּפְנֵי עַצְמוֹ?	(And why did he not devote a blessing for him separately?
שֶׁהָיָה בְלִבּוֹ עָלָיו	Because his heart was against him
עַל מַה שֶּׁעָשָׂה בְּשִׁטִּים,	for what he had done in Shittim.
כֵּן כָּתוּב בְּאַגָּדַת תְּהִלִּים) (סִפְרֵי):	Thus it is written in the Aggadah of Psalms) (Siphre).
8 וּלְלֵוִי אָמַר.	**And of Levi he said**
וְעַל לֵוִי אָמַר:	(ל here denotes) and "regarding" Levi he said.
תֻּמֶּיךָ וְאוּרֶיךָ.	**Thy Thummim and thy Urim (be)**
כְּלַפֵּי שְׁכִינָה הוּא מְדַבֵּר:	To the Divine Presence he speaks.
אֲשֶׁר נִסִּיתוֹ בְּמַסָּה.	**Whom Thou didst prove at Massah**
שֶׁלֹּא נִתְלוֹנְנוּ עִם שְׁאָר הַמַּלִּינִים:	They did not complain with the others who complained.
תְּרִיבֵהוּ וְגוֹ׳.	**Thou didst try him, etc.**
כְּתַרְגּוּמוֹ.	(Understand this) as the Targum renders it (viz., Thou didst put him to the test).
ד״א, תְּרִיבֵהוּ עַל־מֵי מְרִיבָה,	Another interpretation of "With whom Thou didst strive at the waters of Meribah":
נִסְתַּקַּפְתָּ לוֹ לָבֹא בַּעֲלִילָה,	Thou didst seek an occasion against him to come with false denunciations.
אִם מֹשֶׁה אָמַר, שִׁמְעוּ נָא הַמֹּרִים׳,	If Moses said (Num. 20.10), "Hear now, ye rebels" (he was punished).
אַהֲרֹן וּמִרְיָם מֶה עָשׂוּ (סִפְרֵי):	But what did Aaron and Miriam do (that they were not allowed to enter the land)? (Siphre).

at the waters of Meribah;	עַל־מֵ֥י מְרִיבָֽה׃
9. Who said	9 הָאֹמֵ֞ר
of his father and of his mother:	לְאָבִ֤יו וּלְאִמּוֹ֙
'I have not seen him';	לֹ֣א רְאִיתִ֔יו
Neither did he acknowledge his brethren,	וְאֶת־אֶחָיו֙ לֹ֣א הִכִּ֔יר
Nor knew he his own children;	וְאֶת־בָּנָ֖ו לֹ֣א יָדָ֑ע
For they have observed Thy word,	כִּ֤י שָֽׁמְרוּ֙ אִמְרָתֶ֔ךָ
And keep Thy covenant.	וּבְרִֽיתְךָ֖ יִנְצֹֽרוּ׃

° בניו קרי.

10. They shall teach Thine ordinances to Jacob	10 יוֹר֤וּ מִשְׁפָּטֶ֙יךָ֙ לְיַֽעֲקֹ֔ב
And Israel Thy law;	וְתוֹרָתְךָ֖ לְיִשְׂרָאֵ֑ל
They shall put incense	יָשִׂ֤ימוּ קְטוֹרָה֙
before Thee,	בְּאַפֶּ֔ךָ
And whole burnt-offerings upon Thine altar.	וְכָלִ֖יל עַֽל־מִזְבְּחֶֽךָ׃
11. Bless, Lord, his substance,	11 בָּרֵ֤ךְ יְהוָה֙ חֵיל֔וֹ
And accept the work of his hands;	וּפֹ֥עַל יָדָ֖יו תִּרְצֶ֑ה

Rashi — רש"י

9. Who said of his father and of his mother: I have not seen him	9 הָאֹמֵר לְאָבִיו וּלְאִמּוֹ לֹא רְאִיתִיו.
When they sinned with the (golden) Calf,	כְּשֶׁחָטְאוּ בָעֵגֶל
and I said, "Whoso is on the Lord's side, let him come unto me" (Ex. 32.26),	וְאָמַרְתִּי מִי לַה׳ אֵלָי (שְׁמוֹת ל"ב),
there gathered unto me all the children of Levi,	נֶאֶסְפוּ אֵלַי כָּל בְּנֵי לֵוִי
and I commanded them to slay (each one) their mother's father	וְצִוִּיתִים לַהֲרוֹג אֶת אֲבִי אִמּוֹ
who is an Israelite (i. e., not a Levite),	וְהוּא מִיִּשְׂרָאֵל
or his brother from his mother,	אוֹ אֶת אָחִיו מֵאִמּוֹ
or the son of his daughter;	אוֹ בֶן בִּתּוֹ,
and so they did.	וְכֵן עָשׂוּ,
Now it is impossible to explain (אביו to signify) "his father" literally)	וְאִי אֶפְשָׁר לְפָרֵשׁ אָבִיו מַמָּשׁ
or (אחיו to signify) his brother from his father,	וְאָחִיו מֵאָבִיו
or "his sons" literally,	וְכֵן בָּנָיו מַמָּשׁ,
for they are Levites,	שֶׁהֲרֵי לְוִיִּם הֵם,
and of the tribe of Levi not one of them sinned,	וּמִשֵּׁבֶט לֵוִי לֹא חָטָא אֶחָד מֵהֶם,
for it is stated (*ibid.*),	שֶׁנֶּאֱמַר (שָׁם):—
"all the children of Levi."	כָּל בְּנֵי לֵוִי:
For they have observed Thy word	כִּי שָׁמְרוּ אִמְרָתֶךָ.
(Viz.,) thou shalt have no strange gods.	לֹא יִהְיֶה לְךָ אֱלֹהִים אֲחֵרִים:
And (they) keep Thy covenant	וּבְרִיתְךָ יִנְצֹרוּ.
(Viz.,) the covenant of circumcision;	בְּרִית מִילָה,
for those who were born in the wilderness of the Israelites	שֶׁאוֹתָם שֶׁנּוֹלְדוּ בַּמִּדְבָּר שֶׁל יִשְׂרָאֵל
did not circumcise their children,	לֹא מָלוּ אֶת בְּנֵיהֶם,
but they (the Levites) were circumcised,	וְהֵם הָיוּ מוֹלִין
and they circumcised their children.	וּמָלִין אֶת בְּנֵיהֶם:
10. They shall teach Thine ordinances	10 יוֹרוּ מִשְׁפָּטֶיךָ.
They are worthy of this.	רְאוּיִין אֵלּוּ לְכָךְ:
And whole burnt-offerings	וְכָלִיל.
(כליל denotes) a burnt-offering (Yoma 26).	עוֹלָה (יוֹמָא כ"ו):

מְחַץ מָתְנַיִם	Smite through the loins
קָמָיו וּמְשַׂנְאָיו	of them that rise up against him and of them that hate him,
מִן־יְקוּמוּן: ס	that they rise not again.
12 לְבִנְיָמִן אָמַר	12. (And) of Benjamin he said:
יְדִיד יְהוָה	The beloved of the Lord
יִשְׁכֹּן לָבֶטַח עָלָיו	shall dwell in safety by Him;
חֹפֵף עָלָיו כָּל־הַיּוֹם	He covereth him all the day,

Rashi — רש"י

11 מְחַץ מָתְנַיִם קָמָיו.	**11. Smite through the loins of them that rise up against him**
מְחַץ קָמָיו מַכַּת מָתְנַיִם,	Smite those that rise up against him with a smiting of the loins,
כְּעִנְיָן שֶׁנֶּאֱמַר (תְּהִ' ס"ט):—	as in the matter that is stated (Ps. 69. 24):
וּמָתְנֵיהֶם תָּמִיד הַמְעַד,	"And make their loins continually to totter."
וְעַל הַמְעוֹרְרִים עַל הַכְּהֻנָּה אָמַר כֵּן.	And against those who contest the priesthood he speaks thus.
ד"א רָאָה שֶׁעֲתִידִין חַשְׁמוֹנַאי וּבָנָיו	Another interpretation: He foresaw that (Mattathias) the Hasmonean and his sons are destined
לְהִלָּחֵם עִם הַיְּוָנִים	to battle with the Greeks,
וְהִתְפַּלֵּל עֲלֵיהֶם,	and he prayed for them,
לְפִי שֶׁהָיוּ מוּעָטִים	for they were few:
—י"ב בְּנֵי חַשְׁמוֹנַאי וְאֶלְעָזָר	twelve Hasmoneans and Eleazar
כְּנֶגֶד כַּמָּה רְבָבוֹת,	against many myriads.
לְכָךְ נֶאֱמַר, 'בָּרֵךְ ה' חֵילוֹ'	Therefore it is stated, "Bless, Lord, his host
וּפֹעַל יָדָיו תִּרְצֶה' (בְּ"ר צ"ט):	and accept the work of his hands" (Gen. Rabbah 99).
וּמְשַׂנְאָיו מִן־יְקוּמוּן.	**And of them that hate him, that they rise not again**
מְחַץ קָמָיו וּמְשַׂנְאָיו	(I. e.,) smite those that rise up against him, and that hate him,
מִהְיוֹת לָהֶם תְּקוּמָה:	that thy shall not have any restoration.
12 לְבִנְיָמִן אָמַר.	**12. (And) of Benjamin he said**
לְפִי שֶׁבִּרְכַּת לֵוִי בַּעֲבוֹדַת הַקָּרְבָּנוֹת	Since the blessing of Levi is in reference to the service of the sacrifices,
וְשֶׁל בִּנְיָמִן בְּבִנְיַן בֵּית הַמִּקְדָּשׁ בְּחֶלְקוֹ,	and that of Benjamin in reference to the building of the Temple in his portion,
סָמְכָן זֶה לָזֶה,	he adjoins them one to another.
וְסָמַךְ יוֹסֵף אַחֲרָיו,	And he adjoins Joseph after it,
שֶׁאַף הוּא מִשְׁכַּן שִׁילֹה הָיָה בָנוּי בְּחֶלְקוֹ,	for the tabernacle of Shiloh was built in his portion
שֶׁנֶּאֱמַר (תְּהִ' ע"ח):—	as it is stated (Ps. 78.67):
וַיִּמְאַס בְּאֹהֶל יוֹסֵף וְגוֹ',	"Moreover He rejected the tent of Joseph," etc.
וּלְפִי שֶׁבֵּית עוֹלָמִים חָבִיב מִשִּׁילֹה	Now since the Temple was more beloved than Shiloh,
לְכָךְ הִקְדִּים בִּנְיָמִן לְיוֹסֵף:	therefore he mentions Benjamin before Joseph.
חֹפֵף עָלָיו.	**He covereth him**
מְכַסֶּה אוֹתוֹ וּמֵגֵן עָלָיו:	(חפף עליו denotes), He covereth him and He shieldeth him.
כָּל־הַיּוֹם.	**All the day**
לְעוֹלָם,	(I. e.,) for ever.
מִשֶּׁנִּבְחֲרָה יְרוּשָׁלַיִם	After Jerusalem was selected,
לֹא שָׁרְתָה שְׁכִינָה בְּמָקוֹם אַחֵר:	the Divine Presence did not dwell in any other place.

וּבֵין כְּתֵפָיו שָׁכֵן: ס שלישי	And He dwelleth between his shoulders.
13 וּלְיוֹסֵף אָמַר	13. And of Joseph he said:
מְבֹרֶכֶת יְהוָה אַרְצוֹ	Blessed of the Lord be his land;
מִמֶּגֶד שָׁמַיִם	For the precious things of heaven,
מִטָּל	for the dew,
וּמִתְּהוֹם	And for the deep
רֹבֶצֶת תָּחַת:	that coucheth beneath,
14 וּמִמֶּגֶד	14. And for the precious things
תְּבוּאֹת שָׁמֶשׁ	of the fruits of the sun,
וּמִמֶּגֶד	And for the precious things
גֶּרֶשׁ יְרָחִים:	of the yield of the moons,

Rashi — רש״י

וּבֵין כְּתֵפָיו שָׁכֵן.	**And He dwelleth between his shoulders**
בְּגָבְהָהּ אַרְצוֹ הָיָה בֵּית הַמִּקְדָּשׁ בָּנוּי,	On the highest part of his land the Temple was built,
אֶלָּא שֶׁנָּמוּךְ עֶשְׂרִים וְשָׁלֹשׁ אַמָּה	but it was twenty-three cubits lower
מֵעֵין עֵיטָם,	than En-etam,
וְשָׁם הָיָה דַעְתּוֹ שֶׁל דָּוִד לִבְנוֹתוֹ,	and there it was the intention of David to build it
כִּדְאִיתָא בִּשְׁחִיטַת קָדָשִׁים (זְבָחִ' נ״ד):—	as it is stated in (the Treatise) "On the slaughter of Holy Sacrifices" (Zebaḥim fol. 54):
אָמְרֵי נִתְתֵּי בֵיהּ פּוּרְתָּא,	They said: Let us build it slightly lower
מִשּׁוּם דִּכְתִיב וּבֵין כְּתֵפָיו שָׁכֵן	because it is written "And between his shoulders doth He dwell."
—אֵין לְךָ נָאֶה בְּשׁוֹר יוֹתֵר מִכְּתֵפָיו:	There is no part of an ox more beautiful than his shoulders.
13 מְבֹרֶכֶת ה' אַרְצוֹ.	**13. Blessed of the Lord be his land**
שֶׁלֹּא הָיְתָה בְנַחֲלַת הַשְּׁבָטִים	There was not in the inheritance of the tribes
אֶרֶץ מְלֵאָה כָּל טוּב	any land so full of everything good
כְּאַרְצוֹ שֶׁל יוֹסֵף (עַיֵּ' סִפְרִי):	as the land of Joseph (cf. Siphre).
מִמֶּגֶד.	**For the precious things**
לְשׁוֹן עֲדָנִים וָמֶתֶק:	(The term מֶגֶד) denotes delicacies and sweet things.
מִתְּהוֹם.	**And for the deep**
שֶׁהַתְּהוֹם עוֹלֶה	For the deep rises
וּמְלַחְלֵחַ אוֹתָהּ מִלְּמַטָּה.	and moistens it from below.
אַתָּה מוֹצֵא בְכָל הַשְּׁבָטִים	You find in reference to all the tribes
בִּרְכָתוֹ שֶׁל מֹשֶׁה	(that) the blessing of Moses
מֵעֵין בִּרְכָתוֹ שֶׁל יַעֲקֹב:	is similar to the blessing of Jacob.
14 וּמִמֶּגֶד תְּבוּאֹת שָׁמֶשׁ.	**14. And for the precious things of the fruits of the sun**
שֶׁהָיְתָה אַרְצוֹ פְתוּחָה לַחַמָּה	His land was opened to the sun
וּמְמַתֶּקֶת הַפֵּירוֹת (סִפְרִי):	which sweetened its fruits (Siphre).
גֶּרֶשׁ יְרָחִים.	**Of the yield of the moons**
יֵשׁ פֵּירוֹת שֶׁהַלְּבָנָה מְבַשַּׁלְתָּן	There are fruits which the moon matures,
וְאֵלּוּ הֵן קִשּׁוּאִין וּדְלוּעִין.	and these are cucumbers and pumpkins.
ד״א, גֶּרֶשׁ יְרָחִים,	Another interpretation of גרש ירחים:

15 וּמֵרֹאשׁ	15. And for the tops
הַרְרֵי־קֶדֶם	of the ancient mountains,
וּמִמֶּגֶד	And for the precious things
גִּבְעוֹת עוֹלָם׃	of the everlasting hills,
16 וּמִמֶּגֶד	16. And for the precious things
אֶרֶץ וּמְלֹאָהּ	of the earth and the fulness thereof,
וּרְצוֹן שֹׁכְנִי סְנֶה	And the goodwill of Him that dwelt in the bush;
תָּבוֹאתָה	Let (the blessing) come
לְרֹאשׁ יוֹסֵף	upon the head of Joseph,
וּלְקָדְקֹד	And upon the crown of the head
נְזִיר אֶחָיו׃	of him that was separated (from among) his brethren.
17 בְּכוֹר שׁוֹרוֹ	17. His firstling bullock,

Rashi — רש"י

שֶׁהָאָרֶץ מְגָרֶשֶׁת	that the earth sends out (מגרשת)
וּמוֹצִיאָה מֵחֹדֶשׁ לְחֹדֶשׁ׃	and brings forth (fruits) from month to month.
15 וּמֵרֹאשׁ הַרְרֵי־קֶדֶם.	**15. And for the tops of the ancient mountains**
וּמְבֹרֶכֶת מֵרֵאשִׁית בִּשּׁוּל הַפֵּירוֹת,	And "may it be blessed" (v. 13) from the beginning of the ripening of (its) fruits,
שֶׁהֲרָרֶיהָ מַקְדִּימִין לְבַכֵּר	for its mountains hasten to mature
בִּשּׁוּל פֵּירוֹתֵיהֶם.	the ripening of its fruits.
ד"א מַגִּיד שֶׁקָּדְמָה בְּרִיאָתָן	Another interpretation: it tells that their creation preceded
לִשְׁאָר הָרִים (שָׁם)׃	that of the other mountains (*ibid.*).
גִּבְעוֹת עוֹלָם.	**Of the everlasting hills**
גְּבָעוֹת הָעוֹשׂוֹת פֵּירוֹת לְעוֹלָם	Hills which yield fruits forever,
וְאֵינָן פּוֹסְקוֹת	and do not cease (to produce)
מֵעוֹצֶר הַגְּשָׁמִים׃	because the rains are withheld.
16 וּרְצוֹן שֹׁכְנִי סְנֶה.	**16. And the good will of Him that dwelt in the bush**
כְּמוֹ שׁוֹכֵן סְנֶה;	(שֹׁכְנִי) is equivalent to שׁוֹכֵן "that dwelt" in the bush.
וּתְהֵא אַרְצוֹ מְבֹרֶכֶת	And may his land be blessed
מֵרְצוֹנוֹ וְנַחַת רוּחוֹ שֶׁל הַקָּבָּ"ה	through the good will and pleasure of the Holy One Blessed Be He
הַנִּגְלָה עָלַי תְּחִלָּה בִּסְנֶה׃	who first revealed Himself to me in the (burning) bush.
רָצוֹן.	**Good will**
נַחַת רוּחַ וּפִיּוּס,	(רצון denotes) pleasure and good will;
וְכֵן כָּל רָצוֹן שֶׁבַּמִּקְרָא׃	and the same (applies to) every רצון in the Bible.
תָּבוֹאתָה.	**Let (there) come**
בְּרָכָה זוֹ "לְרֹאשׁ יוֹסֵף"׃	This blessing "upon the head of Joseph."
נְזִיר אֶחָיו.	**Separated (from among) his brethren**
שֶׁהֻפְרַשׁ מֵאֶחָיו בִּמְכִירָתוֹ (עַי' סִפְרֵי)׃	(He is called נָזִיר "separated") because he was separated from his brethren when he was sold (cf. Siphre).
17 בְּכוֹר שׁוֹרוֹ.	**17. His firstling bullock**
יֵשׁ בְּכוֹר שֶׁהוּא לְשׁוֹן גְּדֻלָּה וּמַלְכוּת,	בכור is sometimes found in the sense of greatness and majesty,
שֶׁנֶּאֱמַר (תְּהִ' פ"ט)׃—	as it is stated (Ps. 89.28):
אַף אֲנִי בְּכוֹר אֶתְּנֵהוּ,	"I also will appoint him king" (בכור);
וְכֵן (שְׁמוֹת ד)׃—	and similarly (Ex. 4.22):
בְּנִי בְכֹרִי יִשְׂרָאֵל׃	"My son, My first-born (בכורי), is Israel."
בְּכוֹר.	**Firstling**
—מֶלֶךְ הַיּוֹצֵא מִמֶּנּוּ,	(I. e.,) the king who will issue from him,

הָדָר לוֹ	majesty is his;
וְקַרְנֵי רְאֵם קַרְנָיו	And his horns are the horns of the wild-ox;
בָּהֶם	With them
עַמִּים יְנַגַּח יַחְדָּו	he shall gore the peoples all of them,
אַפְסֵי־אָרֶץ	(even) the ends of the earth;
וְהֵם רִבְבוֹת אֶפְרַיִם	And they are the ten thousands of Ephraim,
וְהֵם אַלְפֵי מְנַשֶּׁה: ס רביעי	And they are the thousands of Manasseh.
18 וְלִזְבוּלֻן אָמַר	18. And of Zebulun he said:

Rashi — רש״י

וְהוּא יְהוֹשֻׁעַ:	and that is Joshua.
שׁוֹרוֹ.	**His bullock**
שֶׁכֹּחוֹ קָשֶׁה כְּשׁוֹר	For his strength is as great as that of an ox,
לִכְבּוֹשׁ כַּמָּה מְלָכִים:	to conquer many kings.
הָדָר לוֹ.	**Majesty is His**
נָתוּן לוֹ,	It was given to him,
שֶׁנֶּאֱמַר (בַּמִּדְ׳ כ״ז):—	as it is stated (Num. 27.20):
וְנָתַתָּה מֵהוֹדְךָ עָלָיו:	"And thou shalt put of thy honor upon him."
וְקַרְנֵי רְאֵם קַרְנָיו.	**And his horns are the horns of the wild-ox**
שׁוֹר כֹּחוֹ קָשֶׁה,	The strength of the ox is great,
וְאֵין קַרְנָיו נָאוֹת,	but its horns are not beautiful.
אֲבָל רְאֵם קַרְנָיו נָאוֹת	However, the horns of the wild-ox are beautiful,
וְאֵין כֹּחוֹ קָשֶׁה,	but its strength is not great.
נָתַן לִיהוֹשֻׁעַ כֹּחוֹ שֶׁל שׁוֹר	He gave to Joshua the strength of the ox
וְיוֹפִי קַרְנֵי רְאֵם (סִפְרֵי):	and the beauty of the horns of the wild-ox (Siphre).
אַפְסֵי־אָרֶץ.	**(Even) the ends of the earth**
שְׁלֹשִׁים וְאֶחָד מְלָכִים	Thirty-one kings.
אֶפְשָׁר שֶׁכֻּלָּם מֵאֶרֶץ יִשְׂרָאֵל הָיוּ?	Is it possible that all of them were of the land of Israel?
אֶלָּא אֵין לְךָ כָּל מֶלֶךְ וְשִׁלְטוֹן	However, there was not one king or ruler
שֶׁלֹּא קָנָה לוֹ פַּלְטֵרִין	that did not acquire for himself a palace
וַאֲחֻזָּה בְּאֶרֶץ יִשְׂרָאֵל	and an inheritance in the land of Israel,
שֶׁחֲשׁוּבָה לְכֻלָּם הִיא,	for it was distinguished to all them,
שֶׁנֶּאֱמַר (יִרְמְ׳ ג):—	as it is stated (Jer. 3.19):
נַחֲלַת צְבִי צִבְאוֹת גּוֹיִם (עַי׳ סִפְרֵי):	"The goodliest heritage of the nations" (cf. Siphre).
וְהֵם רִבְבוֹת אֶפְרַיִם.	**And they are the ten thousands of Ephraim**
אוֹתָם הַמְנֻגָּחִים	Those who will be gored,
הֵם הָרְבָבוֹת שֶׁהָרַג יְהוֹשֻׁעַ	they are the ten thousands whom Joshua slew,
שֶׁבָּא מֵאֶפְרָיִם:	(Joshua) who came from Ephraim.
וְהֵם אַלְפֵי מְנַשֶּׁה.	**And they are the thousands of Manasseh**
הֵם הָאֲלָפִים שֶׁהָרַג גִּדְעוֹן בְּמִדְיָן	These are the thousands whom Gideon slew in Midian,
שֶׁנֶּאֱמַר (שׁוֹפְ׳ ח):—	as it is stated (Judg. 8.10):
וְזֶבַח וְצַלְמֻנָּע בַּקַּרְקֹר וְגוֹ׳:	"Now Zebah and Zalmunna were in Karkor," etc.
18 וְלִזְבוּלֻן אָמַר.	**18. And of Zebulun he said**
אֵלּוּ חֲמִשָּׁה שְׁבָטִים שֶׁבֵּרַךְ בָּאַחֲרוֹנָה	These five tribes whom he blessed last,
—זְבוּלֻן גָּד	Zebulun, Gad,
דָּן וְנַפְתָּלִי וְאָשֵׁר,	Dan, and Naphtali and Asher,
כָּפַל שְׁמוֹתֵיהֶם	he reiterated their names

שְׂמַ֥ח זְבוּלֻ֖ן	Rejoice, Zebulun,
בְּצֵאתֶ֑ךָ	in thy going out,
וְיִשָּׂשכָ֖ר בְּאֹהָלֶֽיךָ׃	And, Issachar, in thy tents.
19 עַמִּים֙ הַר־יִקְרָ֔אוּ	19. They shall call peoples (unto) the mountain;
שָׁ֖ם יִזְבְּח֣וּ	There shall they offer
זִבְחֵי־צֶ֑דֶק	sacrifices of righteousness;

Rashi — רש״י

לְחַזְּקָם וּלְהַגְבִּירָם,	to encourage them and to strengthen them,
לְפִי שֶׁהָיוּ חַלָּשִׁים שֶׁבְּכָל הַשְּׁבָטִים,	for they were the weakest of all the tribes.
הֵם הֵם שֶׁהוֹלִיךְ יוֹסֵף לִפְנֵי פַרְעֹה	These are the ones that Joseph led before Pharaoh,
שֶׁנֶּאֱמַר (בְּרֵא׳ מ״ז):—	as it is stated (Gen. 47.2),
וּמִקְצֵה אֶחָיו לָקַח חֲמִשָּׁה אֲנָשִׁים,	"And from among his brethren he took five men,"
לְפִי שֶׁנִּרְאִים חַלָּשִׁים	because they appeared weak
וְלֹא יָשִׂים אוֹתָם לוֹ שָׂרֵי מִלְחַמְתּוֹ:	and he should not appoint them his war-captains.
שְׂמַח זְבוּלֻן בְּצֵאתֶךָ וְיִשָּׂשכָר בְּאֹהָלֶיךָ.	**Rejoice, Zebulun, in thy going out, and, Issachar, in thy tents**
זְבוּלֻן וְיִשָּׂשכָר עָשׂוּ שׁוּתָּפוּת,	Zebulun and Issachar formed a partnership:
זְבוּלֻן לְחוֹף יַמִּים יִשְׁכֹּן	Zebulun dwelt by the sea ports,
וְיוֹצֵא לִפְרַקְמַטְיָא בִּסְפִינוֹת	and went forth for trade in ships;
וּמִשְׂתַּכֵּר וְנוֹתֵן לְתוֹךְ פִּיו שֶׁל יִשָּׂשכָר,	and when he earned a profit, he provided food for Issachar,
וְהֵם יוֹשְׁבִים וְעוֹסְקִים בַּתּוֹרָה,	while the latter sat and engaged in (the study of) the Torah.
לְפִיכָךְ הִקְדִּים זְבוּלֻן לְיִשָּׂשכָר	For that reason it places Zebulun before Issachar,
שֶׁתּוֹרָתוֹ שֶׁל יִשָּׂשכָר	because the Torah of Issachar
עַל יְדֵי זְבוּלֻן הָיְתָה:	was made possible by Zebulun.
שְׂמַח זְבוּלֻן בְּצֵאתֶךָ.	**Rejoice, Zebulun, in thy going out**
הַצְלַח בְּצֵאתְךָ לִסְחוֹרָה:	(שמח means:) "Be successful" in your going out to trade.
וְיִשָּׂשכָר.	**And, Issachar**
הַצְלַח בִּישִׁיבַת אֹהָלֶיךָ לַתּוֹרָה,	Be successful in sitting in your tents to (study) the Torah;
לֵישֵׁב וּלְעַבֵּר שָׁנִים	to sit and proclaim leap years,
וְלִקְבּוֹעַ חֳדָשִׁים,	and to fix the new moons
כְּמוֹ שֶׁנֶּאֱמַר (דְּהַיָּ״א י״ב)	as it is stated (I Chron. 12.33):
וּמִבְּנֵי יִשָּׂשכָר יוֹדְעֵי בִינָה לָעִתִּים...	"And of the children of Issachar, men that had understanding of the times...
רָאשֵׁיהֶם מָאתַיִם,	the heads of them were two hundred."
רָאשֵׁי סַנְהֶדְרִין הָיוּ עוֹסְקִים בְּכָךְ,	The heads of the Sanhedrin were engaged in this,
וְעַל פִּי קְבִיעוּת עִתֵּיהֶם וְעִבּוּרֵיהֶם:	and according to their fixing of the seasons and intercalations (the Israelites acted).
19 עַמִּים.	**19. Peoples**
שֶׁל שִׁבְטֵי יִשְׂרָאֵל:	of the tribes of Israel.
הַר־יִקְרָאוּ.	**They shall call (unto) the mountain**
—לְהַר הַמּוֹרִיָּה יֵאָסֵפוּ,	To Mount Moriah they will be gathered.
כָּל אֲסִיפָה עַל יְדֵי קְרִיאָה הִיא,	Every gathering is (assembled) through calling (קריאה)
וְ״שָׁם יִזְבְּחוּ״	and "there they shall offer"
בָּרְגָלִים ״זִבְחֵי־צֶדֶק״:	during the festivals "sacrifices of righteousness."

כִּי שֶׁפַע יַמִּים יִינָקוּ	For they shall suck the abundance of the seas,
וּשְׂפֻנֵי טְמוּנֵי חוֹל: ס	And the hidden treasures of the sand.

Rashi — רש״י

כִּי שֶׁפַע יַמִּים יִינָקוּ.	**For they shall suck the abundance of the seas**
יִשָּׂשכָר וּזְבוּלֻן,	(I. e.,) Issachar and Zebulun,
וִיהֵא לָהֶם פְּנַאי לַעֲסוֹק בַּתּוֹרָה:	and they will have time to engage in (the study of) the Torah.
וּשְׂפֻנֵי טְמוּנֵי חוֹל.	**And the hidden treasures of the sand**
כְּסוּיֵי טְמוּנֵי חוֹל,	(שְׂפֻנֵי means) "the covered "treasures of the sand,
טָרִית וְחִלָּזוֹן וּזְכוּכִית לְבָנָה	(i. e.,) the tarith-fish and the purple-fish and white glass
הַיּוֹצְאִים מִן הַיָּם וּמִן הַחוֹל,	which come from the sea and from the sand.
וּבְחֶלְקוֹ שֶׁל יִשָּׂשכָר וּזְבוּלֻן הָיָה	And this was in the portion of Issachar and Zebulun,
כְּמוֹ שֶׁאָמוּר בְּמַסֶ׳ מְגִלָּה (דַ׳ ו),	as it is stated in the treatise Megillah (fol. 6).
זְבוּלֻן עַם חֵרֵף נַפְשׁוֹ לָמוּת (שׁוֹפְ׳ ה).	"Zebulun is a people that jeoparded their lives unto the death" (Judg. 5. 18):
מִשּׁוּם דְּנַפְתָּלִי עַל מְרוֹמֵי שָׂדֶה (שָׁם),	because "Naphtali was upon the high places of the field" (*ibid.*),
הָיָה מִתְרַעֵם זְבוּלֻן עַל חֶלְקוֹ	(i. e.,) Zebulun complained about his portion:
–לְאַחַי נָתַתָּ שָׂדוֹת וּכְרָמִים וְכוּ׳ (סִפְרֵי):	To my brothers hast given fields and vineyards, etc. (Siphre).
וּשְׂפֻנֵי.	**And the hidden**
לְשׁוֹן כִּסּוּי,	(שפני) denotes covered,
כְּמוֹ שֶׁנֶּאֱמַר (מ״א ו):–	as it is stated (I Ki. 6.9):
וַיִּסְפֹּן אֶת הַבַּיִת,	"and he covered (ויספן) the house,"
וְסָפֻן בָּאֶרֶז (שָׁם ז),	"And it was covered (וספון) with cedar" (*ibid.*, 7.3, 7).
וְתַרְגּוּמוֹ וּמְטַלַּל בְּכִיּוּרֵי אַרְזָא.	And the Targum renders it: And it was covered with panel-work of cedar.

ד״א, עַמִּים הַר־יִקְרָאוּ׳:	Another interpretation of "They shall call peoples unto the mountain":
עַל יְדֵי פְּרַקְמַטְיָא שֶׁל זְבוּלֻן	Through the business of Zebulun,
תַּגָּרֵי אֻמּוֹת הָעוֹלָם	merchants of the nations of the world
בָּאִים אֶל אַרְצוֹ,	will come to his land;
וְהוּא עוֹמֵד עַל הַסְּפָר	and he (Zebulun) was situated atthe border-district.
וְהֵם אוֹמְרִים:–	And they shall say:
הוֹאִיל וְנִצְטַעַרְנוּ עַד כָּאן	Since we have gone to such pains thus far,
נֵלֵךְ עַד יְרוּשָׁלַיִם	let us proceed to Jerusalem
וְנִרְאֶה מַה יִּרְאָתָהּ שֶׁל אֻמָּה זוּ	and let us see what is the God of this people,
וּמַה מַּעֲשֶׂיהָ,	and what do they do.
וְהֵם רוֹאִים כָּל יִשְׂרָאֵל	Then they will see all of Israel
עוֹבְדִים לֶאֱלוֹהַּ אֶחָד	worshipping one God,
וְאוֹכְלִים מַאֲכָל אֶחָד	and eating one kind of food;
לְפִי שֶׁהַגּוֹיִם אֱלוֹהוֹ שֶׁל זֶה	for among the heathens, the god of one
לֹא כֶּאֱלוֹהוֹ שֶׁל זֶה	is not like the god of another,
וּמַאֲכָלוֹ שֶׁל זֶה	and the food of one
לֹא כְּמַאֲכָלוֹ שֶׁל זֶה	is not like the food of another.
וְהֵם אוֹמְרִים אֵין אֻמָּה כְּשֵׁרָה כְּזוּ	Then they will say: There is no nation as noble as this,
וּמִתְגַּיְּרִין שָׁם,	and they will be converted there,
שֶׁנֶּאֱמַר, שָׁם יִזְבְּחוּ זִבְחֵי צֶדֶק (סִפְרֵי):	as it is stated, "There shall they offer sacrifices of righteousness" (Siphre).
כִּי שֶׁפַע יַמִּים יִינָקוּ.	**For they shall suck the abundance of the seas**
זְבוּלֻן וְיִשָּׂשכָר	(I. e.,) Zebulun and Issachar;

20 וּלְגָד אָמַר	20. And of Gad he said:
בָּרוּךְ מַרְחִיב גָּד	Blessed be He that enlargeth Gad;
כְּלָבִיא שָׁכֵן	As a lioness he dwelleth,
וְטָרַף זְרוֹעַ	And teareth the arm
אַף־קָדְקֹד׃	with the crown of the head.
21 וַיַּרְא רֵאשִׁית לוֹ	21. And he chose a first part for himself,
כִּי־שָׁם	For there
חֶלְקַת מְחֹקֵק סָפוּן	a portion of a ruler was hidden;
וַיֵּתֵא רָאשֵׁי עָם	And there came the heads of the people,

Rashi — רש״י

הַיָּם נוֹתֵן לָהֶם מָמוֹן בְּשֶׁפַע׃	the sea will give them wealth in abundance.
20 בָּרוּךְ מַרְחִיב גָּד.	**20. Blessed be He that enlargeth Gad**
מְלַמֵּד שֶׁהָיָה תְחוּמוֹ שֶׁל גָּד	(This) teaches that the border of Gad
מַרְחִיב וְהוֹלֵךְ כְּלַפֵּי מִזְרָח (שָׁם)׃	increased in width towards the East (*ibid.*).
כְּלָבִיא שָׁכֵן.	**As a lioness he dwelleth**
לְפִי שֶׁהָיָה סָמוּךְ לַסְּפָר,	Since he was near the border-district,
לְפִיכָךְ נִמְשַׁל כַּאֲרָיוֹת,	therefore he is likened to lionesses
שֶׁכָּל הַסְּמוּכִים לַסְּפָר	for all those who are near the border-district
צְרִיכִים לִהְיוֹת גִּבּוֹרִים (שָׁם)׃	must be strong (*ibid.*).
וְטָרַף זְרוֹעַ אַף־קָדְקֹד.	**And teareth the arm with the crown of the head**
הֲרוּגֵיהֶן הָיוּ נִכָּרִין,	These slain by them were recognized;
חוֹתְכִים הָרֹאשׁ עִם הַזְּרוֹעַ	they cut off the head together with the arm
בְּמַכָּה אַחַת׃	with one blow.
21 וַיַּרְא רֵאשִׁית לוֹ.	**21. And he chose a first part for himself**
רָאָה לִטּוֹל לוֹ חֵלֶק בְּאֶרֶץ סִיחוֹן וְעוֹג,	He chose to take for himself a portion of the territory of Sihon and Og,
שֶׁהִיא רֵאשִׁית כִּבּוּשׁ הָאָרֶץ׃	which was first conquered of the land.
כִּי־שָׁם חֶלְקַת.	**For there a portion**
כִּי יָדַע אֲשֶׁר שָׁם בְּנַחֲלָתוֹ	(I. e.,) for he knew that there in his inheritance
„חֶלְקַת" שְׂדֵה קְבוּרַת „מְחֹקֵק"	"was the portion" of the burial field "of the lawmaker,"
וְהוּא מֹשֶׁה׃	that is Moses.
סָפוּן.	**Hidden**
אוֹתָהּ חֶלְקָה סְפוּנָה וּטְמוּנָה	That portion was hidden and concealed
מִכָּל בְּרִיָּה,	from every creature,
שֶׁנֶּאֱמַר (דְּבָר׳ ל״ד)׃—	as it is stated (Deut. 34.6):
וְלֹא יָדַע אִישׁ אֶת קְבֻרָתוֹ׃	"And no man knoweth of his sepulcher"
וַיֵּתֵא.	**And there came**
גָּד׃	Gad.
רָאשֵׁי עָם.	**The heads of the people**
הֵם הָיוּ הוֹלְכִין לִפְנֵי הֶחָלוּץ	They went before the armed forces
בְּכִבּוּשׁ הָאָרֶץ,	in the conquest of the land,
לְפִי שֶׁהָיוּ גִּבּוֹרִים,	for they were mighty.

צִדְקַת יְהוָה עָשָׂה	He executed the righteousness of the Lord,
וּמִשְׁפָּטָיו	And His ordinances
עִם־יִשְׂרָאֵל׃ ס	with Israel.

חמישי

22 וּלְדָן אָמַר	22. And of Dan he said:
דָּן גּוּר אַרְיֵה	Dan is a lion's whelp,
יְזַנֵּק מִן־הַבָּשָׁן׃	It gusheth forth from Bashan.

Rashi — רש"י

וְכֵן הוּא אוֹמֵר (יְהוֹשֻׁעַ א):—	And similarly it states (Josh. 1.14):
וְאַתֶּם תַּעַבְרוּ חֲמֻשִׁים לִפְנֵי אֲחֵיכֶם וגו׳:	"But ye shall pass over before your brethren armed," etc.
צִדְקַת ה׳ עָשָׂה.	**He executed the righteousness of the Lord**
שֶׁהֶאֱמִינוּ דִבְרֵיהֶם	They faithfully kept their word
וְשָׁמְרוּ הַבְטָחָתָם	and fulfilled their promise
לַעֲבוֹר אֶת הַיַּרְדֵּן	to pass over the Jordan
עַד שֶׁכָּבְשׁוּ וְחָלְקוּ	until they conquered and divided (the land).
ד״א ,וַיֵּתֵא׳ מֹשֶׁה רָאשֵׁי עָם׳,	Another interpretation "And he," Moses, "came," "the head of the people,"
צִדְקַת ה׳ עָשָׂה׳,	"the righteousness of the Lord he executed,"
עַל מֹשֶׁה אָמוּר (עַי׳ סִפְרִי):	regarding Moses it is stated (cf. Siphre).
22 **דָּן גּוּר אַרְיֵה.**	**22. Dan is a Lion's whelp**
אַף הוּא הָיָה סָמוּךְ לַסְּפָר,	He too was near the border-district;
לְפִיכָךְ מוֹשְׁלוֹ בַּאֲרָיוֹת (שָׁם):	consequently he compares him with lionesses (*ibid.*).
יְזַנֵּק מִן־הַבָּשָׁן.	**It gusheth forth from Bashan**
כְּתַרְגּוּמוֹ,	(Understand this) as the Targum renders it (his land drinketh of the rivers that flow from Bashan);
שֶׁהָיָה הַיַּרְדֵּן יוֹצֵא מֵחֶלְקוֹ	for the Jordan issued from his portion
מִמְּעָרַת פַּמְיָאס,	from the cavern of Paneas,
וְהִיא לֶשֶׁם שֶׁהִיא בְּחֶלְקוֹ שֶׁל דָּן,	which is (the same as) Leshem that is in the portion of Dan,
שֶׁנֶּאֱמַר (יְהו׳ י״ט):—	as it is stated (Josh. 19.47):
וַיִּקְרְאוּ לְלֶשֶׁם דָּן,	"And they called Leshem, Dan."
וְזִנּוּקוֹ וְקִלּוּחוֹ מִן הַבָּשָׁן.	And its gushing and flowing was from Bashan.
ד״א מַה זִּנּוּק זֶה יוֹצֵא מִמָּקוֹם אֶחָד	Another interpretation: Just as this flow went forth from one place
וְנֶחֱלָק לִשְׁנֵי מְקוֹמוֹת,	and divides into two places,
כָּךְ שִׁבְטוֹ שֶׁל דָּן	so the tribe of Dan
נָטְלוּ חֵלֶק בִּשְׁנֵי מְקוֹמוֹת,	took a portion in two places;
תְּחִלָּה נָטְלוּ בִּצְפוֹנִית מַעֲרָבִית	first they took in the north-west
—עֶקְרוֹן וּסְבִיבוֹתֶיהָ	Ekron and its surroundings,
וְלֹא סָפְקוּ לָהֶם,	but that did not suffice for them,
וּבָאוּ וְנִלְחֲמוּ עִם לֶשֶׁם שֶׁהִיא פַּמְיָאס	so they went and fought with Leshem, which is Paneas,
וְהִיא בִּצְפוֹנִית מִזְרָחִית	and that is in the north-east,
שֶׁהֲרֵי הַיַּרְדֵּן יוֹצֵא מִמְּעָרַת פַּמְיָאס	for the Jordan issues from the cavern of Paneas,
וְהִיא בְּמִזְרָחָהּ שֶׁל אֶרֶץ יִשְׂרָאֵל	which is in the east of the land of Israel,
וּבָא מֵהַצָּפוֹן לַדָּרוֹם,	and it runs from north to south
וְכָלֶה בִּקְצֵה יָם הַמֶּלַח	and terminates at the end of the Salt-Sea,

23 וּלְנַפְתָּלִי אָמַר | 23. And of Naphtali he said:

נַפְתָּלִי שְׂבַע רָצוֹן | O Naphtali satisfied with favor,

וּמָלֵא בִּרְכַּת יְהוָה | And full with the blessing of the Lord:

יָם וְדָרוֹם | Possess thou the sea

יְרָשָׁה: ס | and the south.

24 וּלְאָשֵׁר אָמַר | 24. And of Asher he said:

בָּרוּךְ מִבָּנִים אָשֵׁר | Blessed of sons is Asher;

Rashi — רש״י

שֶׁהוּא בְּמִזְרַח יְהוּדָה | which is in the east of Judah,

שֶׁנָּטַל בִּדְרוֹמָהּ שֶׁל אֶרֶץ יִשְׂרָאֵל | who took (his portion) in the south of the land of Israel,

כְּמוֹ שֶׁמְּפוֹרָשׁ בְּסֵפֶר יְהוֹשֻׁעַ, | as it is specified in the Book of Joshua.

וְהוּא שֶׁנֶּאֱמַר (שָׁם):— | And that is (the significance of) what is stated (*ibid.*):

וַיֵּצֵא גְּבוּל בְּנֵי דָן מֵהֶם | "And the border of the children of Dan was too strait for them;

וַיַּעֲלוּ בְנֵי דָן | so the children of Dan went up

וַיִּלָּחֲמוּ עִם לֶשֶׁם וגו׳ | and fought against Leshem," etc.,

—יָצָא גְּבוּלָם מִכָּל אוֹתוֹ הָרוּחַ | (i. e.,) their border extended from that entire direction

שֶׁהִתְחִילוּ לִנְחוֹל בּוֹ (סִפְרִי): | which they began to inherit (Siphre).

23 **שְׂבַע רָצוֹן.** | **23. Satisfied with favor**

שֶׁהָיְתָה אַרְצוֹ שְׂבֵעָה | For his land satisfied

כָּל רְצוֹן יוֹשְׁבֶיהָ: | every desire of its inhabitants.

יָם וְדָרוֹם יְרָשָׁה. | **Possess thou the sea and the south**

יַם כִּנֶּרֶת נָפְלָה בְּחֶלְקוֹ, | The Sea of Kinnereth fell in his portion,

וְנָטַל מְלֹא חֶבֶל חֵרֶם בִּדְרוֹמָהּ, | and he took a rope's length (a district) of fishing coast south of it,

לִפְרוֹשׂ חֲרָמִים וּמִכְמוֹרוֹת (ב״ק פ״א): | to spread out nets and traps (B. K. 81).

יְרָשָׁה. | **Possess thou**

לְשׁוֹן צִוּוּי, | An imperative form,

כְּמוֹ (דְּבָרִ׳ א):— | as (Deut. 1.21):

עֲלֵה רֵשׁ, | "go up, take possession" (רֵשׁ):

וְהַטַּעַם שֶׁלְּמַעְלָה בָּרֵי״שׁ מוֹכִיחַ, | And the accent which is on the penultimate (lit., above), on the ר, proves this,

כְּמוֹ סְלַח, יְדַע, לְקַח, שְׁמַע, | as (in the case of the ordinary imperative forms of the verbs) as סלח (forgive), ידע (know), לקח (take), שמע (hear),

כְּשֶׁמּוֹסִיף בּוֹ הֵ״א | when a ה״א is added at the end,

יִהְיֶה הַטַּעַם לְמַעְלָה | the accent is above (on the penultimate:)

סְלָחָה, יְדָעָה, לְקָחָה, שְׁמָעָה, | ס֫לחה (forgive), יד֫עה (know), ל֫קחה (take), ש֫מעה (hear).

אַף כָּאן יְרָשָׁה לְשׁוֹן צִוּוּי, | Here too י֫רשה (possess thou) is an imperative form.

וּבְמָסוֹרֶת הַגְּדוֹלָה מָצִינוּ בְּאַלְפָא בֵּיתָא | And in the Massora Magna we find alphabetically arranged

לְשׁוֹן צִוּוּי דְטַעֲמֵיהוֹן מִלְעֵיל: | the imperative forms with penultimate accents.

24 **בָּרוּךְ מִבָּנִים אָשֵׁר.** | **24. Blessed of sons is Asher**

רָאִיתִי בְּסִפְרֵי | I have seen in Siphre:

אֵין לְךָ בְּכָל הַשְּׁבָטִים | There is none among all the tribes

שֶׁנִּתְבָּרֵךְ בְּבָנִים כְּאָשֵׁר | who was blessed with sons as Asher was.

וְאֵינִי יוֹדֵעַ כֵּיצַד: | And I do not know how (this is so).

יְהִי רְצוּי אֶחָיו	Let him be the favored of his brethren,
וְטֹבֵל בַּשֶּׁמֶן רַגְלוֹ׃	And let him dip his foot in oil.
25 בַּרְזֶל וּנְחֹשֶׁת מִנְעָלֶךָ	25. Iron and brass (shall be) thy bars;
וּכְיָמֶיךָ דָּבְאֶךָ׃	And as thy (younger) days (so shall) thy old age (be).

Rashi — רש״י

יְהִי רְצוּי אֶחָיו.	**Let him be the favored of his brethren**
שֶׁהָיָה מִתְרַצֶּה לְאֶחָיו	He made himself agreeable to his brethren
בְּשֶׁמֶן אַנְפִּיקִינוּן וּבְקַפְלָאוֹת,	by (furnishing them) oil of unripe olives and fine fruits,
וְהֵם מְרַצִּין לוֹ בִּתְבוּאָה.	while they made themselves agreeable to him with grain.
דָּ״אַ, יְהִי רְצוּי אֶחָיו,	Another interpretation of "Let him be the favored of his brethren":
שֶׁהָיוּ בְּנוֹתָיו נָאוֹת,	for his daughters were beautiful.
וְהוּא שֶׁנֶּאֱמַר בְּדִבְרֵי הַיָּמִים (דה״א ז)׃—	And that is (the significance of) what is stated in Chronicles (I Chron. 7. 31):
הוּא אֲבִי בִרְזָיִת,	"He was the father of Birzaith" (ברזית),
שֶׁהָיוּ בְּנוֹתָיו נְשׂוּאוֹת לְכֹהֲנִים גְּדוֹלִים	for his daughters were married to High Priests
וּמְלָכִים הַנִּמְשָׁחִים בְּשֶׁמֶן זָיִת׃	and to kings who were anointed with olive oil (זית).
וְטֹבֵל בַּשֶּׁמֶן רַגְלוֹ.	**And let him dip his foot in oil**
שֶׁהָיְתָה אַרְצוֹ מוֹשֶׁכֶת שֶׁמֶן כְּמַעְיָן,	His land yielded oil like a fountain.
וּמַעֲשֶׂה שֶׁנִּצְטָרְכוּ אַנְשֵׁי לוּדְקְיָא לְשֶׁמֶן,	It once happened that the people of Laodicea needed oil;
מִנּוּ לָהֶם פּוּלְמוּסְטוּס אֶחָד וְכוּ׳	so they appointed for themselves a commissioner, etc. —
כִּדְאִיתָא בִּמְנָחוֹת (דַּ׳ פ״ה)׃	as it is stated in Menahot (fol. 85).
25 בַּרְזֶל וּנְחֹשֶׁת מִנְעָלֶיךָ.	**25. Iron and brass shall be thy bars**
עַכְשָׁיו הוּא מְדַבֵּר	Now he speaks
כְּנֶגֶד כָּל יִשְׂרָאֵל	in reference to all of Israel,
שֶׁהָיוּ גִבּוֹרֵיהֶם יוֹשְׁבִים	whose mighty men sat
בְּעָרֵי הַסְּפָר	in the cities of the border-district
וְנוֹעֲלִים אוֹתָהּ	and barred it
שֶׁלֹּא יוּכְלוּ הָאוֹיְבִים לִכָּנֵס בָּהּ,	so that the enemies would not be able to enter into it,
כְּאִילוּ הִיא סְגוּרָה בְּמַנְעוּלִים	as though it were closed with bars
וּבְרִיחִים שֶׁל בַּרְזֶל וּנְחֹשֶׁת	and fasterners of iron and brass.
דָּ״אַ, בַּרְזֶל וּנְחֹשֶׁת מִנְעָלֶיךָ׳,	Another interpretation of "Iron and brass shall be thy bars":
אַרְצְכֶם נְעוּלָה בֶּהָרִים	Your land is enclosed by mountains
שֶׁחוֹצְבִין מֵהֶם בַּרְזֶל וּנְחֹשֶׁת,	from which are extracted iron and brass.
וְאַרְצוֹ שֶׁל אָשֵׁר הָיְתָה מַנְעוּלָהּ	And the land of Asher was the lock
שֶׁל אֶרֶץ יִשְׂרָאֵל (סִפְרֵי)׃	of the land of Israel (Siphre).
וּכְיָמֶיךָ דָּבְאֶךָ.	**And as thy (younger) days, (so shall) thy old age (be)**
וּכְיָמִים שֶׁהֵם טוֹבִים לָךְ,	As those days which are good for you,
שֶׁהֵן יְמֵי תְחִלָּתֶךָ,	which are the days of your beginning,
יְמֵי נְעוּרֶיךָ,	(i. e.,) the days of your youth,
כֵּן יִהְיוּ יְמֵי זִקְנָתֶךָ,	so shall be the days of your old age,
שֶׁהֵם דּוֹאֲבִים זָבִים וּמִתְמוֹטְטִים.	which flow away (דואבים) and decline.

26 אֵין כָּאֵל יְשֻׁרוּן	26. There is none like unto God, O Jeshurun,
רֹכֵב שָׁמַיִם	Who rideth (upon the) heaven
בְּעֶזְרֶךָ	in thy help,
וּבְגַאֲוָתוֹ שְׁחָקִים: ששי	And in His excellency (upon the) skies.
27 מְעֹנָה	27. (As) a dwelling-place
אֱלֹהֵי קֶדֶם	(for) the eternal God,
וּמִתַּחַת	And underneath
זְרֹעֹת עוֹלָם	(are) the mighty (men) of the world;

Rashi — רש״י

ד״א, וּכְיָמֶיךָ דָּבְאֶךָ׳	Another interpretation of וכימיך דבאך:
כְּמִנְיַן יָמֶיךָ	According to the number of your days,
כָּל הַיָּמִים אֲשֶׁר אַתֶּם עוֹשִׂים	(i. e.,) all the days that you execute
רְצוֹנוֹ שֶׁל מָקוֹם,	the will of the Omnipresent,
יִהְיֶה דָּבְאֶךָ,	will your flowing (דבאך) be,
שֶׁכָּל הָאֲרָצוֹת	(i. e.,) all the lands
יִהְיוּ דוֹבְאוֹת כֶּסֶף וְזָהָב לְאֶרֶץ יִשְׂרָאֵל,	will cause to flow (דובאות) silver and gold to the land of Israel,
שֶׁתְּהֵא מְבֹרֶכֶת בְּפֵירוֹת	which will be blessed with fruits,
וְכָל הָאֲרָצוֹת מִתְפַּרְנְסוֹת הֵימֶנָּה	and all the lands will be sustained from it
וּמַמְשִׁיכוֹת לָהּ כַּסְפָּם וּזְהָבָם,	and will bring to it their silver and gold;
אשקו״רנט	*askorant* (in O. F.)
הַכֶּסֶף וְהַזָּהָב כָּלֶה מֵהֶם	The silver and gold will cease from them,
שֶׁהֵן מְזִיבוֹת אוֹתוֹ לְאַרְצְכֶם:	for they cause it to flow to your land.
26 אֵין כָּאֵל יְשֻׁרוּן.	**26. There is none like unto God, O Jeshurun**
דַּע לְךָ יְשֻׁרוּן	Know for yourself, Jeshurun,
שֶׁאֵין כָּאֵל בְּכָל אֱלֹהֵי הָעַמִּים	that there is none like God among all the gods of the nations
וְלֹא כְצוּרְךָ צוּרָם:	and (that) not as your Rock is their rock.
רֹכֵב שָׁמַיִם.	**Who rideth (upon the) heaven**
הוּא אוֹתוֹ אֱלוֹהַּ שֶׁבְּעֶזְרֶךָ	He is that God who is "your help,
ו,בְגַאֲוָתוֹ׳ הוּא רוֹכֵב ,שְׁחָקִים׳:	and in His excellency" He rides "upon the skies."
27 מְעֹנָה אֱלֹהֵי קֶדֶם.	**27. As a dwelling-place (for) the eternal God**
לְמָעוֹן הֵם הַשְּׁחָקִים לֵאלֹהֵי קֶדֶם,	The skies are a dwelling-place for the eternal God
שֶׁקָּדַם לְכָל אֱלֹהִים	who was prior to all gods,
וּבָרַר לוֹ שְׁחָקִים לְשִׁבְתּוֹ וּמְעוֹנָתוֹ,	and He chose for Himself the skies for His habitation and His dwelling-place.
וּמִתַּחַת מְעוֹנָתוֹ	And beneath His dwelling-place,
כָּל בַּעֲלֵי זְרוֹעַ שׁוֹכְנִים:	all men of might dwell.
זְרֹעֹת עוֹלָם.	**(Are) the mighty (men) of the world**
סִיחוֹן וְעוֹג וּמַלְכֵי כְנַעַן	(I. e.,) Sihon, and Og, and the kings of Canaan,
שֶׁהָיוּ תָקְפּוֹ וּגְבוּרָתוֹ שֶׁל עוֹלָם,	who were the strength and the might of the world.
לְפִיכָךְ עַל כָּרְחָם	Therefore against their will

וַיְגָרֶשׁ מִפָּנֶיךָ אוֹיֵב	And He thrust out from before thee the enemy,
וַיֹּאמֶר	And said:
הַשְׁמֵד:	'Destroy.'
28 וַיִּשְׁכֹּן יִשְׂרָאֵל	28. And Israel dwelleth
בֶּטַח	in safety,
בָּדָד עֵין יַעֲקֹב	The appearance of Jacob alone,
אֶל־אֶרֶץ	In a land
דָּגָן וְתִירוֹשׁ	of corn and wine;
אַף־שָׁמָיו	Yea, his heavens
יַעַרְפוּ־טָל:	drop down dew.

Rashi — רש״י

יֶחֶרְדוּ וְיָזוּעוּ	they will fear and tremble,
וְכֹחָם חָלַשׁ מִפָּנָיו,	and their strength will wane before Him.
לְעוֹלָם אֵימַת הַגָּבוֹהַּ עַל הַנָּמוּךְ	Always the dread of the high is upon the low,
וְהוּא שֶׁהַכֹּחַ וְהַגְּבוּרָה שֶׁלּוֹ	and He to whom strength and might belong,
בְּעֶזְרֶךָ:	(He is) "your help."
וַיְגָרֶשׁ מִפָּנֶיךָ אוֹיֵב.	**And He thrust out from before thee the enemy**
"וַיֹּאמֶר" לְךָ "הַשְׁמֵד" אוֹתָם:	"And He said" to you, "Destroy" them.
מְעֹנָה.	**As a dwelling-place**
כָּל תֵּיבָה שֶׁצְּרִיכָה לָמֶ"ד בִּתְחִלָּתָהּ הֵטִּיל לָהּ הֵ"א בְּסוֹפָהּ (יְבָ׳ י״ג):	Every word which requires a ל as a prefix (the prep. "to"), it may add (instead) a ה as a suffix (מְעֹנָה=לְמָעוֹן) (Yeb. 13).
28 **בֶּטַח בָּדָד.**	**28. In safety alone**
כָּל יָחִיד וְיָחִיד	(I. e.,) every individual,
אִישׁ תַּחַת גַּפְנוֹ וְתַחַת תְּאֵנָתוֹ מְפֻזָּרִין	every man beneath his vine and beneath his fig-tree separately.
וְאֵין צְרִיכִין לְהִתְאַסֵּף	And they will not be required to gather
וְלֵישֵׁב יַחַד מִפְּנֵי הָאוֹיֵב:	and to dwell together for fear of the enemy.
עֵין יַעֲקֹב.	**The appearance of (similar to) Jacob**
כְּמוֹ (בַּמִּדְ׳ י״א):—	(עין has the same meaning) as (Num. 11.7):
וְעֵינוֹ כְּעֵין הַבְּדֹלַח,	"And the appearance thereof similar to (כעין) bdellium."
כְּעֵין הַבְּרָכָה שֶׁבֵּרְכָם יַעֲקֹב,	This is similar to the blessing with which Jacob blessed them,
לֹא כְּבָדָד שֶׁאָמַר יִרְמְיָה:—	not like the "alone" which Jeremiah states:
בָּדָד יָשַׁבְתִּי (יִרְמְ׳ ט״ו),	"I dwelt alone" (Jer. 15.17);
אֶלָּא כְּעֵין הַבְטָחָה	but similar to the promise
שֶׁהִבְטִיחָם יַעֲקֹב (בְּרֵא׳ מ״ח):—	which Jacob promised them (Gen. 48.21):
וְהָיָה אֱלֹהִים עִמָּכֶם	"But God will be with you,
וְהֵשִׁיב אֶתְכֶם אֶל אֶרֶץ אֲבוֹתֵיכֶם (עַיֵּ׳ סִפְרֵי):	and bring you back unto the land of your fathers" (cf. Siphre).
יַעַרְפוּ.	**Drop down**
יִטְּפוּ:	(יערפו denotes) "drop down."
אַף־שָׁמָיו יַעַרְפוּ־טָל.	**Yea, his heavens drop down dew**
אַף בִּרְכָתוֹ שֶׁל יִצְחָק	Also the blessing of Isaac
נוֹסֶפֶת עַל בִּרְכָתוֹ שֶׁל יַעֲקֹב	is added to the blessing of Jacob (Gen. 27.28):
וְיִתֶּן לְךָ הָאֱלֹהִים מִטַּל הַשָּׁמַיִם וְגוֹ׳:	"So God give thee of the dew of the heaven," etc.

29 אַשְׁרֶיךָ יִשְׂרָאֵל	29. Happy art thou, O Israel,
מִי כָמוֹךָ	Who is like unto thee?
עַם נוֹשַׁע בַּיהוָה	A people saved by the Lord,
מָגֵן עֶזְרֶךָ	The shield of thy help,
וַאֲשֶׁר־חֶרֶב	And that is the sword
גַּאֲוָתֶךָ	of thy excellency!
וְיִכָּחֲשׁוּ אֹיְבֶיךָ לָךְ	And thine enemies shall be deceitful unto thee;
וְאַתָּה	And thou
עַל־בָּמוֹתֵימוֹ תִדְרֹךְ: ס	shalt tread upon their high places.

CHAPTER XXXIV — לד

1 וַיַּעַל מֹשֶׁה	1. And Moses went up
מֵעַרְבֹת מוֹאָב	from the plains of Moab
אֶל־הַר נְבוֹ	unto mount Nebo,
רֹאשׁ הַפִּסְגָּה	to the top of Pisgah,
אֲשֶׁר עַל־פְּנֵי יְרֵחוֹ	that is over against Jericho.
וַיַּרְאֵהוּ יְהוָה	And the Lord showed him
אֶת־כָּל־הָאָרֶץ	all the land
אֶת־הַגִּלְעָד עַד־דָּן:	(even) Gilead as far as Dan;

Rashi — רש"י

29 אַשְׁרֶיךָ יִשְׂרָאֵל.	**29. Happy art thou, O Israel**
לְאַחַר שֶׁפֵּרַט לָהֶם הַבְּרָכוֹת,	After he had specified the blessings for them,
אָמַר לָהֶם:	he said to them:
מַה לִּי לִפְרוֹט לָכֶם כָּל דָּבָר?	Why should I specify each thing for you?
הַכֹּל שֶׁלָּכֶם:	All is yours.
אַשְׁרֶיךָ יִשְׂרָאֵל מִי כָמוֹךָ.	**Happy art thou, O Israel, who is like unto thee**
תְּשׁוּעָתְךָ בַּה'	Your salvation is through the Lord
אֲשֶׁר הוּא „מָגֵן עֶזְרֶךָ	who is "the shield of thy help"
(וַאֲשֶׁר הוּא) חֶרֶב גַּאֲוָתֶךָ":	(and who is) "the sword of thy excellency."
וְיִכָּחֲשׁוּ אֹיְבֶיךָ לָךְ.	**And thine enemies shall be deceitful unto thee**
כְּגוֹן הַגִּבְעוֹנִים שֶׁאָמְרוּ (יְהוֹ' ט׳):	As the Gibeonites, who said (Josh. 9.6):
מֵאֶרֶץ רְחוֹקָה בָּאוּ עֲבָדֶיךָ וְגוֹ':	"From a land afar off have thy servants come," etc.
וְאַתָּה עַל־בָּמוֹתֵימוֹ תִדְרֹךְ.	**And thou shalt tread upon their high places**
כְּעִנְיָן שֶׁנֶּאֱמַר (שָׁם י׳)	As it is stated (*ibid.*, 10.24):
שִׂימוּ אֶת רַגְלֵיכֶם	"Put your feet
עַל צַוְּארֵי הַמְּלָכִים הָאֵלֶּה:	upon the necks of these kings."
34 1 מֵעַרְבֹת מוֹאָב אֶל־הַר נְבוֹ.	**34 1. From the plains of Moab unto mount Nebo**
כַּמָּה מַעֲלוֹת הָיוּ	There were many steps,
וּפְסָעָן מֹשֶׁה בִּפְסִיעָה אַחַת (סוֹטָה י"ג):	but Moses covered them with one step (Sotah 13).
אֶת־כָּל־הָאָרֶץ.	**All the land**
הֶרְאָהוּ אֶת כָּל אֶרֶץ יִשְׂרָאֵל בְּשַׁלְוָתָהּ	He showed him all the land of Israel at peace,
וְהַמְּצִיקִין הָעֲתִידִים לִהְיוֹת מְצִיקִים לָהּ:	and the oppressors who were destined to oppress it.
עַד־דָּן.	**As far as Dan**
הֶרְאָהוּ בְּנֵי דָן עוֹבְדִים עֲבוֹדָה זָרָה	He showed him the children of Dan worshipping idols,

2 וְאֵת כָּל־נַפְתָּלִי	2. and all Naphtali,
וְאֶת־אֶרֶץ אֶפְרַיִם וּמְנַשֶּׁה	and the land of Ephraim and Manasseh,
וְאֵת כָּל־אֶרֶץ יְהוּדָה	and all the land of Judah,
עַד הַיָּם הָאַחֲרוֹן:	as far as the hinder sea;
3 וְאֶת־הַנֶּגֶב	3. and the South,
וְאֶת־הַכִּכָּר	and the Plain
בִּקְעַת יְרֵחוֹ	even the valley of Jericho
עִיר הַתְּמָרִים	the city of the palm-trees,
עַד־צֹעַר:	as far as Zoar.

Rashi — רש"י

שֶׁנֶּאֱמַר (שׁוֹפ' י"ח):—	as it is stated (Judg. 18.30):
וַיָּקִימוּ לָהֶם בְּנֵי דָן אֶת הַפָּסֶל,	"And the children of Dan set up for themselves the graven image."
וְהֶרְאָהוּ שִׁמְשׁוֹן שֶׁעָתִיד לָצֵאת מִמֶּנּוּ	And He showed him Samson, who was destined to issue from him
לְמוֹשִׁיעַ:	as a saviour.
2 וְאֵת כָּל־נַפְתָּלִי.	**2. And all Naphtali**
הֶרְאָהוּ אַרְצוֹ בְּשַׁלְוָתָהּ וְחָרְבָּנָהּ,	He showed him his land at peace and in ruin,
וְהֶרְאָהוּ דְּבוֹרָה וּבָרָק מִקֶּדֶשׁ נַפְתָּלִי	and He showed him Deborah and Barak of Kedesh-naphtali,
נִלְחָמִים עִם סִיסְרָא וַחֲיָלוֹתָיו:	in battle with Sisera and his hosts.
וְאֵת־אֶרֶץ אֶפְרַיִם וּמְנַשֶּׁה.	**And the land of Ephraim and Manasseh**
הֶרְאָהוּ אַרְצָם בְּשַׁלְוָתָהּ וּבְחָרְבָּנָהּ,	He showed him their land at peace and in ruin,
וְהֶרְאָהוּ יְהוֹשֻׁעַ נִלְחָם עִם מַלְכֵי כְנַעַן	and He showed him Joshua in battle against the kings of Canaan,
שֶׁבָּא מֵאֶפְרַיִם,	(Joshua) who came from Ephraim, —
וְגִדְעוֹן שֶׁבָּא מִמְּנַשֶּׁה נִלְחָם	and Gideon, who came from Manasseh, in battle
עִם מִדְיָן וַעֲמָלֵק:	against Midian and Amalek.
וְאֵת כָּל־אֶרֶץ יְהוּדָה.	**And all the land of Judah**
בְּשַׁלְוָתָהּ וּבְחָרְבָּנָהּ,	At peace and in ruin,
וְהֶרְאָהוּ מַלְכוּת בֵּית דָּוִד וְנִצְחוֹנָם:	and He showed him the royal house of David and their victory.
עַד הַיָּם הָאַחֲרוֹן.	**As far as the hinder sea**
אֶרֶץ הַמַּעֲרָב בְּשַׁלְוָתָהּ וּבְחָרְבָּנָהּ.	The land of the West, in its prosperity and in its ruin.
ד"א אַל תִּקְרֵי הַיָּם הָאַחֲרוֹן	Another interpretation: Do not read הַיָּם הָאַחֲרוֹן (the last sea)
אֶלָּא הַיּוֹם הָאַחֲרוֹן,	but הַיּוֹם הָאַחֲרוֹן (the last day),
הֶרְאָהוּ הַקָּבָּ"ה כָּל הַמְּאֹרָעוֹת	(i. e.,) the Holy One Blessed Be He showed him all the events
שֶׁעֲתִידִין לָאֲרַע לְיִשְׂרָאֵל	that were destined to befall Israel
עַד שֶׁיִּחְיוּ הַמֵּתִים (סִפְרֵי):	until the dead would return to life (Siphre).
3 וְאֶת־הַנֶּגֶב.	**3. And the South**
אֶרֶץ הַדָּרוֹם,	(I. e.,) the land of the South.
ד"א מְעָרַת הַמַּכְפֵּלָה	Another interpretation: The cave of Machpelah
שֶׁנֶּאֱמַר (בַּמִּדְ' י"ג):—	as it is stated (Num. 13.22):
וַיַּעֲלוּ בַנֶּגֶב וַיָּבֹא עַד חֶבְרוֹן:	"And thy went up into the South, and came unto Hebron."
וְאֶת־הַכִּכָּר.	**And the Plain**
הֶרְאָהוּ שְׁלֹמֹה יוֹצֵק כְּלֵי בֵית הַמִּקְדָּשׁ,	He showed him Solomon casting the vessels of the Temple,
שֶׁנֶּאֱמַר (מ"א ז):—	as it is stated (I Ki. 7.46):

4 וַיֹּאמֶר יְהֹוָה אֵלָיו	4. And the Lord said unto him:
זֹאת הָאָרֶץ	'This is the land
אֲשֶׁר נִשְׁבַּעְתִּי	which I swore
לְאַבְרָהָם	unto Abraham,
לְיִצְחָק וּלְיַעֲקֹב	unto Isaac and unto Jacob,
לֵאמֹר	saying:
לְזַרְעֲךָ אֶתְּנֶנָּה	I will give it unto thy seed;
הֶרְאִיתִיךָ בְעֵינֶיךָ	I have caused thee to see it with thine eyes,
וְשָׁמָּה לֹא תַעֲבֹר:	but thither thou shalt not go over.'
5 וַיָּמָת שָׁם מֹשֶׁה	5. So Moses died there,
עֶבֶד־יְהֹוָה	the servant of the Lord,
בְּאֶרֶץ מוֹאָב	in the land of Moab,
עַל־פִּי יְהֹוָה:	by the mouth of the Lord.

Rashi — רש"י

בְּכִכַּר הַיַּרְדֵּן יְצָקָם הַמֶּלֶךְ	"In the plain (ככר) of the Jordan did the King cast them,
בְּמַעֲבֵה הָאֲדָמָה (סִפְרֵי):	in the clay ground"
4 **לֵאמֹר לְזַרְעֲךָ אֶתְּנֶנָּה הֶרְאִיתִיךָ.**	**4. Saying: I will give it unto thy seed; I have caused thee to see it**
כְּדֵי שֶׁתֵּלֵךְ וְתֹאמַר	So that you shall go and say
לְאַבְרָהָם לְיִצְחָק וּלְיַעֲקֹב,	to Abraham, to Isaac, and to Jacob:
שְׁבוּעָה שֶׁנִּשְׁבַּע לָכֶם הַקָּבָּ"ה קִיְּמָהּ,	the oath which the Holy One Blessed Be He has sworn to you, He has fulfilled it.
וְזֶהוּ ,לֵאמֹר׳,	And that is (the meaning of) "saying."
לְכָךְ הֶרְאִיתִיהָ לְךָ,	For that reason I have caused you to see it.
אֲבָל גְּזֵרָה הִיא מִלְּפָנַי	However it is decreed before Me
שֶׁשָּׁמָּה „לֹא תַעֲבֹר",	that thither "thou shalt not go over";
שֶׁאִלּוּלֵי כַךְ	for if it were not so,
הָיִיתִי מְקַיֶּמְךָ עַד	I would have kept you alive until
שֶׁתִּרְאֶה אוֹתָם	you would have seen them (the Israelites)
נְטוּעִים וּקְבוּעִים בָּהּ	planted and established in it,
וְתֵלֵךְ וְתַגִּיד לָהֶם:	and (then) you would go and tell them.
5 **וַיָּמָת שָׁם מֹשֶׁה.**	**5. So Moses died there**
אֶפְשָׁר מֹשֶׁה מֵת וְכָתַב	Is it possible that Moses died and (afterwards) wrote
וַיָּמָת שָׁם מֹשֶׁה?	"So Moses died there"?
אֶלָּא עַד כָּאן כָּתַב מֹשֶׁה,	However, until this verse Moses wrote;
מִכָּאן וְאֵילָךְ כָּתַב יְהוֹשֻׁעַ,	from this verse and following Joshua wrote.
רַבִּי מֵאִיר אוֹמֵר:—	Rabbi Meir says:
אֶפְשָׁר סֵפֶר הַתּוֹרָה חָסֵר כְּלוּם	Is it possible that the book of the Law was lacking anything
וְהוּא אוֹמֵר „לָקֹחַ אֵת סֵפֶר הַתּוֹרָה הַזֶּה"?	when he (Moses) said (Deut. 31.26): "Take this book of the Law"?
אֶלָּא הַקָּבָּ"ה אוֹמֵר	However, the Holy One, Blessed Be He spoke,
וּמֹשֶׁה כּוֹתֵב בְּדֶמַע (סִפְרֵי, בָּ"בַ ט"ו, מְגִ׳ ל׳):	and Moses wrote with tears (Siphre; B. B. 15; Meg. 30).
עַל־פִּי ה׳.	**By the mouth of the Lord**
בִּנְשִׁיקָה:	(I. e.,) by a (divine) kiss.

6 וַיִּקְבֹּר אֹתוֹ בַגַּי	6. And He buried him in the valley
בְּאֶרֶץ מוֹאָב	in the land of Moab,
מוּל בֵּית פְּעוֹר	over against Beth-peor;
וְלֹא־יָדַע אִישׁ	and no man knoweth
אֶת־קְבֻרָתוֹ	of his sepulchre
עַד הַיּוֹם הַזֶּה׃	unto this day.
7 וּמֹשֶׁה בֶּן־מֵאָה וְעֶשְׂרִים שָׁנָה	7. And Moses was a hundred and twenty years old
בְּמֹתוֹ	when he died;
לֹא־כָהֲתָה עֵינוֹ	his eye was not dim,
וְלֹא־נָס לֵחֹה׃	nor his natural force abated.
8 וַיִּבְכּוּ בְנֵי יִשְׂרָאֵל אֶת־מֹשֶׁה	8. And the sons of Israel wept for Moses

Rashi — רש"י

6 **וַיִּקְבֹּר אֹתוֹ.**	**6. And He buried him**
הַקָּבָּ"ה בִּכְבוֹדוֹ,	(I. e.,) the Holy One Blessed Be He in His glory (buried him).
רַבִּי יִשְׁמָעֵאל אוֹמֵר:—	Rabbi Ishmael says:
הוּא קָבַר אֶת עַצְמוֹ,	He buried himself.
וְזֶהוּ אֶחָד מִשְּׁלֹשָׁה אֶתִין	And this is one of the three instances of את
שֶׁהָיָה רַבִּי יִשְׁמָעֵאל דּוֹרֵשׁ כֵּן.	which Rabbi Ishmael interpreted thus.
כַּיּוֹצֵא בוֹ (בַּמִּדְ' ו):—	Similar to this (is) (Num. 6.13):
בְּיוֹם מְלֹאת יְמֵי נִזְרוֹ יָבִיא אֹתוֹ,	"When the days of his consecration are fulfilled he shall bring him" (אתו),
הוּא מֵבִיא אֶת עַצְמוֹ,	(i. e.,) he shall bring himself;
כַּיּוֹצֵא בוֹ (וַיִּקְ' כ"ב):—	similarly (Lev. 22.16):
וְהִשִּׂיאוּ אוֹתָם עֲוֹן אַשְׁמָם,	"And so cause them (אותם) to bear the iniquity of guilt."
וְכִי אֲחֵרִים מַשִּׂיאִין אוֹתָם?	Do then others cause them to bear?
אֶלָּא הֵם מַשִּׂיאִים אֶת עַצְמָם׃	However they cause themselves to bear.
מוּל בֵּית פְּעוֹר.	**Over against Beth-peor**
קִבְרוֹ הָיָה מוּכָן שָׁם	His burial place was prepared there
מִשֵּׁשֶׁת יְמֵי בְרֵאשִׁית	from the (time of the) six days of creation,
לְכַפֵּר עַל מַעֲשֵׂה פְעוֹר,	to make atonement for the act of Peor.
וְזֶהוּ אֶחָד מִן הַדְּבָרִים שֶׁנִּבְרְאוּ	And this is one of the things which were created
בֵּין הַשְּׁמָשׁוֹת בְּעֶרֶב שַׁבָּת (אָבוֹת פֶּ' ד, פְּסָ' נ"ד)׃	at dusk on the eve of Sabbath (Aboth Chap. IV; Pes. 54).
7 **לֹא כָהֲתָה עֵינוֹ.**	**7. His eye was not dim**
אַף מִשֶּׁמֵּת׃	Even after he died.
וְלֹא־נָס לֵחֹה.	**Neither had his freshness abated**
לַחְלוּחִית שֶׁבּוֹ,	(לחו denotes) the freshness within him.
לֹא שָׁלַט בּוֹ רִקָּבוֹן	Decay had no power over him,
וְלֹא נֶהְפַּךְ תּוֹאַר פָּנָיו׃	and the appearance of his face did not change.
8 **בְּנֵי יִשְׂרָאֵל.**	**8. The sons of Israel**
הַזְּכָרִים,	The males.
אֲבָל בְּאַהֲרֹן מִתּוֹךְ שֶׁהָיָה רוֹדֵף שָׁלוֹם	But for Aaron, since he pursued peace

בְּעַרְבֹ֥ת מוֹאָ֖ב	in the plains of Moab
שְׁלֹשִׁ֣ים י֑וֹם	thirty days;
וַֽיִּתְּמ֕וּ	so were ended
יְמֵ֥י בְכִ֖י אֵ֥בֶל מֹשֶֽׁה׃	the days of weeping (in the) mourning for Moses.
9 וִיהוֹשֻׁ֣עַ בִּן־נ֗וּן	9. And Joshua the son of Nun
מָלֵא֙	was full
ר֣וּחַ חָכְמָ֔ה	of the spirit of wisdom;
כִּֽי־סָמַ֥ךְ מֹשֶׁ֛ה	for Moses had laid
אֶת־יָדָ֖יו	his hands
עָלָ֑יו	upon him;
וַיִּשְׁמְע֨וּ אֵלָ֤יו בְּנֵֽי־יִשְׂרָאֵל֙	and the children of Israel hearkened unto him,
וַֽיַּעֲשׂ֔וּ	and they did
כַּאֲשֶׁ֛ר צִוָּ֥ה יְהוָ֖ה אֶת־מֹשֶֽׁה׃	as the Lord commanded Moses.
10 וְלֹֽא־קָ֨ם נָבִ֥יא ע֛וֹד בְּיִשְׂרָאֵ֖ל	10. And there hath not arisen a prophet since in Israel
כְּמֹשֶׁ֑ה	like unto Moses,
אֲשֶׁר֙ יְדָע֣וֹ יְהוָ֔ה	whom the Lord knew
פָּנִ֖ים אֶל־פָּנִֽים׃	face to face;
11 לְכָל־הָאֹת֜וֹת	11. in all the signs
וְהַמּֽוֹפְתִ֗ים	and the wonders,
אֲשֶׁ֤ר שְׁלָחוֹ֙ יְהוָ֔ה	which the Lord sent him
לַעֲשׂ֖וֹת	to do
בְּאֶ֣רֶץ מִצְרָ֑יִם	in the land of Egypt,
לְפַרְעֹ֥ה	to Pharaoh,
וּלְכָל־עֲבָדָ֖יו	and to all his servants,
וּלְכָל־אַרְצֽוֹ׃	and to all his land;

Rashi — רש"י

וְנוֹתֵן שָׁלוֹם בֵּין אִישׁ לְרֵעֵהוּ	and made peace between man and his neighbor,
וּבֵין אִשָּׁה לְבַעְלָהּ	and between wife and husband,
נֶאֱמַר כֹּל בֵּית יִשְׂרָאֵל,	it is stated (Num. 20.29): "All the house of Israel,"
זְכָרִים וּנְקֵבוֹת (פִּדְרַ"אֶ פי"ז):	(i. e.,) male and female (Pirke de Rabbi Eliezer, chap. 17).
10 **אֲשֶׁר יְדָעוֹ ה' פָּנִים אֶל־פָּנִים.**	**10. Whom the Lord knew face to face**
שֶׁהָיָה לִבּוֹ גַס בּוֹ	(I. e.,) his heart was familiar with Him,
וּמְדַבֵּר אֵלָיו בְּכָל עֵת שֶׁרוֹצֶה,	and he spoke unto Him at any time he so desired,
כְּעִנְיַן שֶׁנֶּאֱמַר (שְׁמוֹת ל"ב):—	as it is stated (Ex. 32.30):
וְעַתָּה אֶעֱלֶה אֶל ה',	"And now I shall ascend unto the Lord";
עִמְדוּ וְאֶשְׁמְעָה מַה יְצַוֶּה לָכֶם (בַּמִּדְ' ט):	"Stay ye, that I may hear what the Lord will command concerning you" (Num. 9.8).

12 וּלְכֹל הַיָּד הַחֲזָקָה — 12. and in all the mighty hand,

וּלְכֹל הַמּוֹרָא הַגָּדוֹל — and in all the great terror,

אֲשֶׁר עָשָׂה מֹשֶׁה — which Moses wrought

לְעֵינֵי כָּל־יִשְׂרָאֵל׃ — before the eyes of all Israel.

חזק

Rashi — רש״י

12 וּלְכֹל הַיָּד הַחֲזָקָה. — **12. And in all the mighty hand**

שֶׁקִּבֵּל אֶת הַתּוֹרָה בַּלּוּחוֹת בְּיָדָיו׃ — For he received the Torah in (the form of) Tables with his hands.

וּלְכֹל הַמּוֹרָא הַגָּדוֹל. — **And in all the great terror**

נִסִּים וּגְבוּרוֹת — (I. e.,) miracles and mighty deeds

שֶׁבַּמִּדְבָּר הַגָּדוֹל וְהַנּוֹרָא (עַי׳ סִפְרֵי)׃ — in the great and terrible wilderness (cf. Siphre).

לְעֵינֵי כָּל־יִשְׂרָאֵל. — **Before the eyes of all Israel**

שֶׁנְּשָׂאוֹ לִבּוֹ לִשְׁבּוֹר הַלּוּחוֹת לְעֵינֵיהֶם — His heart inspired him to break the Tables in their sight,

שֶׁנֶּאֱמַר (דְּבָר׳ ט)׃— — as it is stated (Deut. 9.17):

וָאֲשַׁבְּרֵם לְעֵינֵיכֶם, — "And I broke them in your sight."

וְהִסְכִּימָה דַעַת הַקָּבָּ״ה לְדַעְתּוֹ, — And the opinion of the Holy One Blessed Be He was in agreement with his opinion,

שֶׁנֶּאֱמַר (שְׁמוֹת ל״ד)׃— — as it is stated (Ex. 34.1):

אֲשֶׁר שִׁבַּרְתָּ — "Which thou didst break,"

—יִישַׁר כֹּחֲךָ שֶׁשִּׁבַּרְתָּ׃ — may your strength be firm for having broken them.

לוח ראשי תיבות

א״א – אברהם אבינו
א״א – אי אמרת; אי אפשר
אא״כ – אלא אם כן
אדה״ר – אדם הראשון
אה״ע – אומות העולם
אח״כ – אחר כך
א״י – ארץ ישראל
א״כ – אם כן
אע״ג – אף על גב
אע״פ – אף על פי
אפי׳ – אפילו
א״צ – אין צריך
א״ר – אמר רב
א״ת – אם תאמר; אל תקרי
את״ל – אם תמצא לומר

ב״ב – בבא בתרא
ב״ד – בית דין
בד״א – במה דברים אמורים
ב״ה – בית הלל
בה״כ – בית הכנסת
בהמ״ד – בית המדרש
בהמ״ק – בית המקדש
בה״ש – בין השמשות
בו״ד – בשר ודם
בכ״מ – בכל מקום
במד׳ – במדבר
במד״ר – במדבר רבה
בע״כ – בעל כרחו
ברא׳ – בראשית
ב״ר – בראשית רבה
ב״ש – בית שמאי

גז״ש – גזירה שוה

ד׳ – דף
ד״א – דבר אחר
דא״א – דאמרי אינשי
דבר׳ – דברים
דב״ר – דברים רבה
ד״ה – דברי הכל
דה״א – דברי הימים א
דה״ב – דברי הימים ב
דני׳ – דניאל
ד״ס – דברי סופרים

הלמ״מ – הלכה למשה מסיני
הקב״ה – הקדוש ברוך הוא

ואצ״ל – ואין צריך לומר
וא״ת – ואם תאמר
וגו׳ – וגומר
ויק׳ – ויקרא
ויק״ר – ויקרא רבה
וכ״ת – וכי תימא
ומ״ט – ומה טעם

זא״ז – זו או זו; זה את זה
ז״ל – זכרונם לברכה

חכ״א – חכמים אומרים

י״א – יש אומרים
יב׳ – יבמות
יה״כ – יום הכפורים
ירמ׳ – ירמיה
ישע׳ – ישעיה

כ״מ – כל מקום
כלו׳ – כלומר

כמ״ש – כמו שכתוב
כ״ע – כולי עלמא
כ״ש – כל שכן

ל׳ – לשון
לה״ק – לשון הקדש
לה״ר – לשון הרע
לעוה״ב – לעולם הבא
ל״ת – לא תעשה

מ״א – מדרש אגדה
מ״א – מלכים א
מ״ב – מלכים ב
מה״ד – מדת הדין
מוצ״ש – מוצאי שבת
מלה״ד – משל למה הדבר דומה
ממ״ה – מלך מלכי המלכים
מ״ט – מה טעם
ממ״נ – ממה נפשך
מ״ע – מצות עשה
מע״ט – מעשים טובים
מע״ר – מעשר ראשון
מע״ש – מעשר שני
מרע״ה – משה רבינו עליו השלום

ס״א – ספרים אחרים
סד״א – סלקא דעתך אמינא
סנה׳ – סנהדרין

עאכ״ו – על אחת כמה וכמה
ע״ה – עם הארץ
עה״ב – עולם הבא
עה״ז – עולם הזה
עה״ר – עין הרע
ע״ז – עבודה זרה
עי׳ – עיין
עי״ט – ערב יום טוב
עירו׳ – עירובין
ע״כ – עד כאן; על כן
ע״מ – על מנת
ע״פ – על פי

פ״א – פעם אחת
פרדר״א – פרקי דר׳ אליעזר
פי׳ – פירוש
פסח׳ – פסחים
פ״ק – פרק קמא

ק״ו – קל וחומר
קמ״ל – קא משמע לן

רבש״ע – רבונו של עולם
ר״ה – ראש השנה
רה״י – רשות היחיד
רה״ר – רשות הרבים
רז״ל – רבותינו זכרונם לברכה

שבוע׳ – שבועות
ש״ה – שיר השירים
שופ׳ – שופטים
שמו׳ – שמות
שמ״ר – שמות רבה
שנ׳ – שנאמר

ת״א – תרגום אונקלוס
תה׳ – תהלים
תה״מ – תחית המתים
ת״ח – תלמיד חכם
ת״כ – תורת כהנים
ת״ל – תלמוד לומר
תנח׳ – תנחומא

LIST OF ABBREVIATIONS

Ab. — Abot (Mishnah)
Ab. R. N. — Abot de-Rabbi Nathan (Talmud)
'Ab. Zarah — 'Abodah Zarah (Talmud)
'Ar. — 'Arakin (Talmud)

B. B. — Baba Batra (Talmud)
Bek. — Bekorot (Talmud)
Ber. — Berakot (Talmud)
Bik. — Bikkurim (Mishnah)
B. K. — Baba Kamma (Talmud)
B. M. — Baba Mzi'a (Talmud)
B. R. — Bereshith Rabbah (Midrash Rabbah to Genesis)

Cant. — Canticles (Book of)
Chron. — Chronicles (Book of)

Dan. — Daniel (Book of)
Dem. — Demai (Mishnah)
Deut. — Deuteronomy (Book of)
Deut. R. — Deuteronomy Rabbah (Midrash Rabbah to Deuteronomy)

'Eduy. — 'Eduyyot (Talmud)
Eccl. — Ecclessiastes (Book of)
'Er. — 'Erubin (Talmud)
Esth. — Esther (Book of)
Ex. — Exodus (Book of)
Ex. R. — Exodus Rabbah (Midrash Rabbah to Exodus)
Ezek. — Ezekiel (Book of)

Gen. — Genesis (Book of)
Gen. R. — Genesis Rabbah (Midrash Rabbah to Genesis)
Git. — Gittin (Talmud)

Hab. — Habakkuk (Book of)
Hag. — Haggai (Book of)
Hag. — Hagigah (Talmud)
Hal. — Hallah (Mishnah)
Hor. — Horayot (Talmud)
Hos. — Hosea (Book of)
Hul. — Hullin (Talmud)

Isa. — Isaiah (Book of)
Jer. — Jeremiah (Book of)
Josh. — Joshua (Book of)
Judg. — Judges (Book of)

Ker. — Keritot (Talmud)
Ket. — Ketubot (Talmud)
Kid. — Kiddushin (Talmud)
Kil. — Kilayim (Mishnah)
Kin. — Kinnim (Mishnah)

Lam. — Lamentations (Book of)
Lam. R. — Lamentations Rabbah (Midrash Rabbah to Lamentations)
Lev. — Leviticus (Book of)
Lev. R. — Leviticus Rabbah (Midrash Rabbah to Leviticus)

Ma'as. — Ma'aserot (Mishnah)
Mal. — Malachi (Book of)
Mak. — Makkot (Talmud)
Maksh. — Makshirin (Mishnah)
Meg. — Magillah (Talmud)
Me'i. — Me'ilah (Talmud)
Men. — Menahot (Talmud)
Mid. — Middot (Mishnah)
Mik. — Mikwaot (Mishnah)
M. K. — Mo'ed Katan (Talmud)

Nah. — Nahum (Book of)
Naz. — Nazir (Talmud)
Ned. — Nedarim (Talmud)
Neg. — Nega'im (Mishnah)
Nehem. — Nehemiah (Book of)
Num. — Numbers (Book of)
Num. R. — Numbers Rabbah (Midrash Rabbah to Numbers)

Obad. — Obadiah (Book of)
Oh. — Oholot (Mishnah)

Pes. — Pesahim (Talmud)
Prov. — Proverbs (Book of)
Ps. — Psalms (Book of)

R. H. — Rosh Hashanah (Talmud)
Ruth R. — Ruth Rabbah (Midrash Rabbah to Ruth)

Sam. — Samuel (Book of)
Sanh. — Sanhedrin (Talmud)
Sem. — Semahot (Talmud)
Shab. — Shabbot (Talmud)
Sheb. — Shebi'it (Mishnah)
Shebu. — Shebu'ot (Talmud)
Shek. — Shekalim (Mishnah)
Suk. — Sukkah (Talmud)

Ta'an. — Ta'anit (Talmud)
Tanh. — Tanhuma (Midrash)
Tem. — Temurah (Talmud)
Toh. — Tahorot (Mishnah)

Uk. — Ukzin (Mishnah)

Yad. — Yadayim (Mishnah)
Yeb. — Yebamot (Talmud)

Zab. — Zabin (Mishnah)
Zeb. — Zebahim (Talmud)
Zeph. — Zephaniah (Book of)

GRAMMATICAL ABBREVIATIONS

cf. — compare
e. g. — for example
ff. — following
i. e. — that is
lit. — literally
O. F. — Old French
p. — page
viz. — namely